ÉDITIONS
ULYSSE

Le plaisir... de mieux voyager

Direction de collection
Claude Morneau

Direction de projet
Pascale Couture

Recherche et rédaction
Alain Legault

Correction
Pierre Daveluy

Rédaction en chef
Daniel Desjardins

Cartographie
André Duchesne
Assistant
Steve Rioux

Mise en pages
Stéphane G. Marceau
Christian Roy

Illustrations
Lorette Pierson

Direction artistique
Patrick Farei
Atoll Direction

Photographies
Page couverture
K. Muller - Visa
Intérieures
Élise Berti
Guadelupe Lau
Alain Legault
En-têtes
Jennifer McMorran

Collaboration
Nadia Bini
Tara Haddrell
Jean Roger
Annie-Claude Labbé

Remerciements : Oswaldo Muñoz, Daniel Kooperman, Rosario Ayoro, Carmen Mancheno, Patricio Tamariz, Pierre Thomas, Antonio Perone, la famille Asinc en particulier Phil, Andy Grimble, Armando et Inés Ching, Gustavo «Chino» Jiménez Morales, Raymond et Lupe Legault, Olivier, propriétaire du Luna Runtún Resort et Rodrigo Mora. Les Éditions Ulysse remercient la SODEC (Gouvernement du Québec) ainsi que le Ministère du Patrimoine (Gouvernement du Canada) pour leur soutien financier.

Distribution

Distribution Ulysse
4176, rue St-Denis
Montréal, Québec
H2W 2M5
☎ (514) 843-9882,
poste 2232
Fax : 514-843-9448
http://www.ulysse.ca
guiduly@ulysse.ca

France :
Vilo
25, rue Ginoux
75737 Paris
Cedex 15
☎ 01 45 77 08 05
Fax : 01 45 79 97 15

Belgique-Luxembourg :
Vander
Av. des Volontaires, 321
B-1150 Bruxelles
☎ (02) 762 98 04
Fax : (02) 762 06 62

Italie :
Edizioni Del Riccio
50143 Firenze
Via di Soffiano 164/A
☎ (055) 71 63 50
Fax : (055) 71 63 50

Espagne :
Altaïr
Balmes 69
E-08007 Barcelona
☎ (3) 323-3062
Fax : (3) 451-2559

Suisse :
Diffusion Payot SA
p.a. OLF S.A.
Case postale 1061
CH-1701 Fribourg
☎ (26) 467 51 11
Fax : (26) 467 54 66

Tout autre pays, contactez Distribution Ulysse (Montréal), fax : (514) 843-9448.

Données de catalogage avant publication (Canada)

Vedette principale au titre :
Legault, Alain, 1967 -
Équateur - Îles Galápagos
2e éd.
(Guide de voyage Ulysse) Comprend un index.
ISBN 2-89464-053-6
1. Équateur - Guides. 2. Galápagos - Guides I. Titre II. Titre : Équateur - Îles Galápagos
II.Collection
F3709.5.L43 1997 918.6604'74 C97-940022-8

Bibliothèque nationale du Québec
Dépôt légal - Troisième trimestre 1997

«Ecuador, mi país, esmeralda del mundo
incrustada en el arco equinoccial,
tú consagras la alianza del hombre con la tierra,
las telúricas bodas con la novia profunda
de volcánicos senos y cuerpo de cereales,
novia vestida siempre de domingo
por el sol labrador, padre de las semillas.»

Jorge Carrera Andrade,
poète équatorien

«Équateur, mon pays, joyau du monde
serti dans la ligne équinoxiale,
tu consacres l'alliance de l'homme avec la terre,
noces de la terre profonde avec sa promise
aux seins de volcans et au corps de déesse céréalière,
fiancée toujours parée d'habits de dimanche
par le soleil laboureur, père des semences.»

SOMMAIRE

Merci de contribuer à l'amélioration des guides de voyage Ulysse!

Tous les moyens possibles ont été pris pour que les renseignements contenus dans ce guide soient exacts au moment de mettre sous presse. Toutefois, des erreurs peuvent toujours se glisser, des omissions sont toujours possibles, des adresses peuvent disparaître, etc.; la responsabilité de l'éditeur ou des auteurs ne pourrait s'engager en cas de perte ou de dommage qui serait causé par une erreur ou une omission.

Nous apprécions au plus haut point vos commentaires, précisions et suggestions, qui permettent l'amélioration constante de nos publications. Il nous fera plaisir d'offrir un de nos guides aux auteurs des meilleures contributions. Écrivez-nous à l'adresse qui suit, et indiquez le titre qu'il vous plairait de recevoir (voir la liste à la fin du présent ouvrage).

Éditions Ulysse
4176, rue Saint-Denis
Montréal, Québec
H2W 2M5
http://www.ulysse.ca
guiduly@ulysse.ca

LISTE DES CARTES

TABLEAU DES SYMBOLES

≡	Air conditionné
⊛	Baignoire à remous
⏲	Centre de conditionnement physique
ℂ	Cuisinette
ec	Eau chaude
½p	Le prix de la chambre inclut le petit déjeuner et le dîner
pdj	Petit déjeuner inclus dans le prix de la chambre
≈	Piscine
ℝ	Réfrigérateur
ℜ	Restaurant
bc	Salle de bain commune
bp	Salle de bain privée (installations sanitaires complètes dans la chambre)
⌂	Sauna
⇄	Télécopieur
☎	Téléphone
tv	Téléviseur
tvc	Téléviseur par satellite
tlj	Tous les jours
⊗	Ventilateur

CLASSIFICATION DES ATTRAITS

★	**Intéressant**
★★	**Vaut le détour**
★★★	**À ne pas manquer**

CLASSIFICATION DES HÔTELS

Les tarifs mentionnés dans ce guide s'appliquent à une chambre standard pour deux personnes, excluant la taxe.

CLASSIFICATION DES RESTAURANTS

Les tarifs mentionnés dans ce guide s'appliquent, sauf indication contraire, à un repas pour une personne, excluant la taxe, le service et les boissons.

$	moins de 6 $
$$	de 6 $ à 12 $
$$$	plus de 12 $

Tous les prix mentionnés dans ce guide sont en dollars américains.

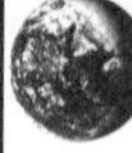

Situation géographique dans le monde

Équateur
Capitale : Quito
Langues : espagnol et quechua
Population : 11 500 000 hab.
Superficie : 283 561 km²
Monnaie : sucre

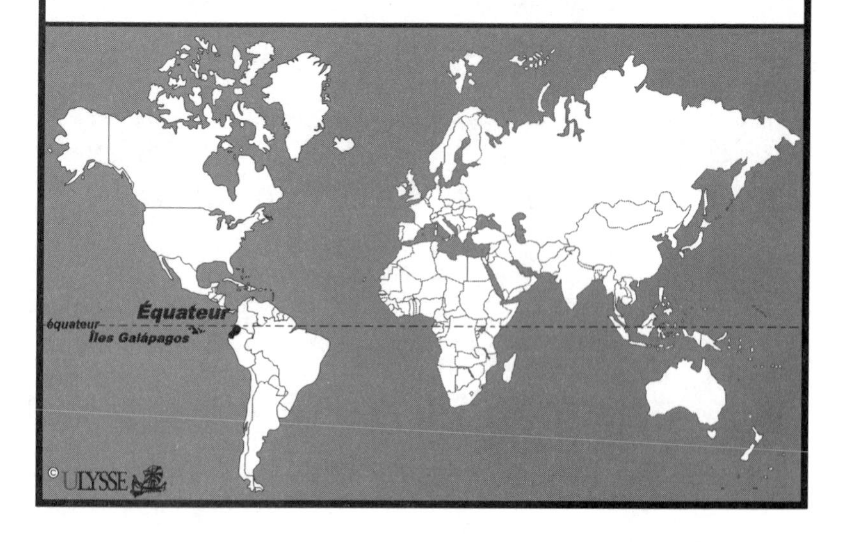

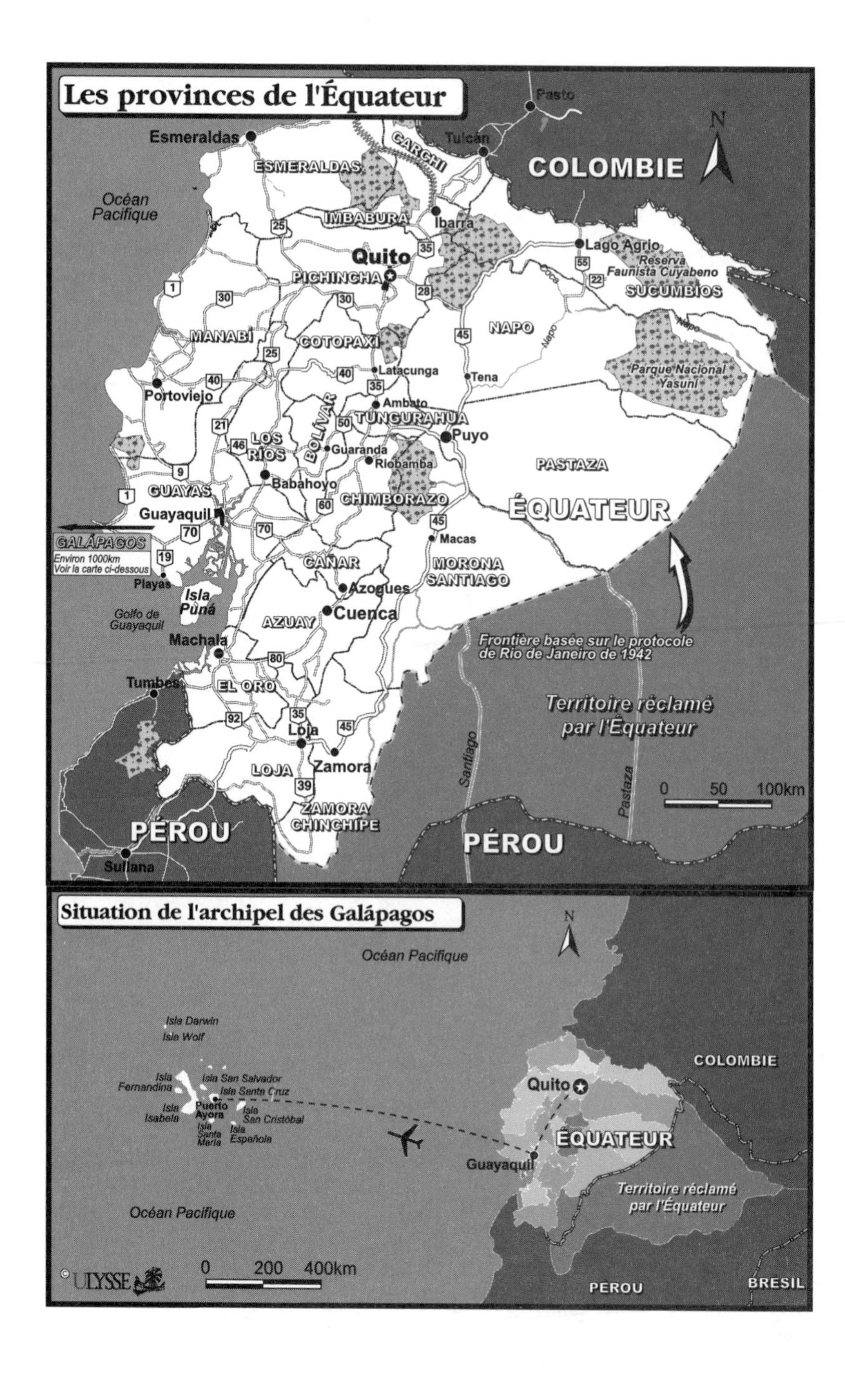

Les provinces de l'Équateur
Esmeraldas
Pasto
Tulcán
COLOMBIE
Océan Pacifique
ESMERALDAS
CARCHI
IMBABURA
Ibarra
Lago Agrio
Reserva Faunista Cuyabeno
Quito
PICHINCHA
SUCUMBIOS
NAPO
MANABÍ
COTOPAXI
Latacunga
Tena
Parque Nacional Yasuní
Portoviejo
Ambato
TUNGURAHUA
Puyo
LOS RÍOS
BOLÍVAR
Guaranda
Riobamba
PASTAZA
Babahoyo
GUAYAS
CHIMBORAZO
Guayaquil
ÉQUATEUR
GALÁPAGOS
Environ 1000km
Voir la carte ci-dessous
Macas
Playas
CAÑAR
MORONA SANTIAGO
Isla Puná
Azogues
Golfo de Guayaquil
AZUAY
Cuenca
Machala
Frontière basée sur le protocole de Rio de Janeiro de 1942
Tumbes
EL ORO
Territoire réclamé par l'Équateur
Loja
Zamora
LOJA
Santiago
Pastaza
ZAMORA CHINCHIPE
PÉROU
Sullana
0 50 100km
Situation de l'archipel des Galápagos
Océan Pacifique
Isla Darwin
Isla Wolf
Isla Fernandina
Isla San Salvador
Isla Santa Cruz
Isla Isabela
Puerto Ayora
Isla San Cristóbal
Isla Santa María
Isla Española
COLOMBIE
Quito
ÉQUATEUR
Guayaquil
Territoire réclamé par l'Équateur
PÉROU
BRESIL
0 200 400km
© ULYSSE

PORTRAIT

L'Équateur est le plus petit des pays andins, mais il n'en demeure pas moins un des plus intéressants du continent américain. Depuis plus de 500 ans, cette terre fascine l'imagination des hommes désireux de démystifier l'Eldorado, nom d'un «*pays mythique parsemé de plaines de canneliers où il est agréable de vivre et qui regorge d'or*». Nombreux furent ceux qui se enhardirent jusqu'à y tenter leur chance : conquistadors, scientifiques, religieux, voyageurs et touristes, tous y vinrent en quête de leur propre Eldorado. Aujourd'hui, l'Eldorado est toujours un mythe, et l'or des Incas brille désormais à l'intérieur des nombreux sanctuaires religieux du pays, témoins muets mais éloquents d'un riche passé fabuleux à bien des égards, quoiqu'il fût sanglant.

Confiné entre le Pérou et la Colombie, ce petit État d'Amérique du Sud, riverain du Pacifique et adossé à la cordillère des Andes, doit son nom à l'équateur, le cercle hémisphérique perpendiculaire à l'axe de rotation de la Terre et à équidistance des pôles qui traverse le nord du pays tout près de Quito. Pays étonnamment diversifié, l'Équateur possède des paysages grandioses, avec des volcans élevés, fièrement campés le long de deux cordillères qui forment l'épine dorsale du pays, de superbes monuments religieux qui témoignent de l'ère de la colonisation espagnole, une immense forêt luxuriante qui couvre la mystérieuse Amazonie et semble s'étendre à l'infini, de nombreux et pittoresques petits villages amérindiens qui, perchés dans la cordillère des Andes, semblent s'être figés dans une autre époque, et, bien sûr, le magnifique monde insulaire des îles Galápagos.

LA GÉOGRAPHIE

Outre les îles Galápagos, l'Équateur se divise en trois régions géographiques tout à fait distinctes : la Costa, la Sierra et l'Oriente. Toutes ces régions confondues couvrent une superficie totale de 270 670 km². En 1941 cependant, une guerre éclair opposa l'Équateur au Pérou. Résultat : l'Équateur fut contraint de céder une partie de son territoire au profit de la république péruvienne en signant en 1942 un traité connu sous le nom de «Protocole de Rio de Janeiro». Ne vous étonnez pas, dès lors, qu'une carte publiée en Équateur n'indique pas les mêmes frontières qu'une carte publiée ailleurs.

À l'ouest, la basse plaine côtière, communément appelée «la Costa», longe la cordillère des Andes et s'étend en bordure de l'océan Pacifique sur toute la longueur du pays, couvrant une superficie de plus de 70 000 km² de paysages changeants et de végétations diverses compte tenu des fluctuations climatiques. La largeur de cette plaine côtière varie de 30 km à 200 km.

Comportant deux chaînes de montagnes parallèles (cordillère Occidentale et cordillère Royale) qui traversent le pays du nord au sud, la Sierra regroupe environ 60 % de la population équatorienne et est jalonnée de plus de 30 volcans fort impressionnants, certains d'entre eux étant toujours actifs, qui culminent à plus de 5 000 m, notamment le Cotopaxi (5 978 m). Le Chimborazo, haut de 6 300 m, est désormais éteint. Ces derniers volcans sont entourés de nombreux autres sommets de moindre importance et forment un massif volcanique connu sous le nom d'«Avenue des Volcans».

La région de l'Oriente, située à l'est de la cordillère Royale, fait partie du bassin hydrographique de l'Amazone. Bien que cette région occupe plus de la moitié du territoire équatorien, celle-ci compte moins de 10 % de la population totale du pays. Les habitants sont regroupés autour de petits villages rustiques vivant en semi-autarcie et reliés entre eux par un vaste réseau fluvial où de petites embarcations naviguent aisément. Toutefois, la découverte de pétrole à Lago Agrío en 1967 a nécessité la construction d'une route qui traverse la Sierra jusqu'à Quito et d'un oléoduc.

Rendu célèbre par les recherches du biologiste britannique Charles Darwin, l'archipel des Galápagos baigne dans les eaux de l'océan Pacifique à quelque 1 000 km à l'ouest des côtes équatoriennes, et se compose de 15 îles et de 40 îlots d'origine volcanique abritant de nombreuses espèces animales et végétales fort intéressantes et fascinantes, plusieurs d'entre elles étant uniques au monde.

Principales caractéristiques géologiques

Les caractéristiques géologiques actuelles de l'Équateur sont le résultat de l'ensemble des mouvements qui ont affecté la croûte terrestre de cette région du globe dans le passé et des événements qui ont peu à peu façonné sa géographie physique telle qu'elle se présente aujourd'hui. Parmi les événements majeurs qui ont contribué à donner à l'Équateur sa géographie actuelle et même, jusqu'à un certain point, son climat si contrasté, il faut faire mention en premier lieu de tout ce qui a concouru directement ou indirectement au soulèvement de la cordillère des Andes. Toute l'histoire de l'orogénie andine et de ses conséquences pour ce pays situé à cheval sur cette fameuse cordillère peut se déduire du relief actuel du pays.

Le soulèvement de la cordillère des Andes a pour cause initiale la dérive du continent sud-américain vers l'ouest, ce qui provoqua une collision progressive, néanmoins ponctuée d'innombrables secousses sismiques et d'éruptions volcaniques, entre le socle continental, appelé encore le «bouclier guyano-brésilien», à l'est, et la croûte océanique ou plaque Pacifique, à l'ouest. Cette lente dérive et ce choc des deux plaques dites «tectoniques» se soldèrent par la fracturation puis la dislocation du bouclier et de la plaque océanique, cette dernière s'enfonçant progressivement sous la première. Au crétacé (période géologique s'étendant entre - 144 millions et - 65 millions d'années), les fractures et l'enfoncement ou subduction de la plaque océanique (pouvant atteindre la vitesse de 10 cm par an) provoquèrent l'ascension d'un magma issu des profondeurs de la lithosphère et une intense activité volcanique en surface qui se manifesta par une abondante émission de laves basiques qui finirent par former un puissant socle, lequel constitue aujourd'hui l'ossature de la zone côtière et de la cordillère Occidentale. La présence de laves dites «en coussin» (ou *pillow lavas*) indique qu'elles s'épanchèrent dans un milieu marin, donc avant l'émergence des Andes. Pendant ce temps, les blocs fracturés composés de roches cristallines du bouclier continental se sont métamorphisés sous l'effet de la forte poussée engendrée par la dérive du bouclier vers l'ouest et ont commencé en même temps à se soulever peu à peu.

C'est alors que se sont individualisées les deux grandes zones géologiques qui caractérisent actuellement l'Équateur : l'une constituée d'un substratum de roches volcaniques dans les régions côtières et septentrionales de la cordillère Occidentale et l'autre constituée d'un substratum de roches cristallines et métamorphiques qui s'étend sur toute la région amazonienne et la cordillère Orientale. Le soulèvement généralisé des Andes eut lieu à l'éocène, il n'y a guère plus de 50 millions d'années, et se poursuit encore aujourd'hui.

Ce soulèvement s'accompagna d'une intense érosion de l'ensemble du relief andin, phénomène à l'origine d'une importante accumulation de sédiments au pied de la cordillère, principalement sur le bouclier amazonien, à l'est de la chaîne andine. Ces sédiments et les débris organiques qu'ils renferment sont favorables à la formation et à l'accumulation d'hydrocarbures, ressource dont l'Équateur commence à tirer profit.

LA FAUNE ET LA FLORE

La biodiversité de ce petit pays andin est tout à fait incroyable. Sur une superficie de seulement 270 670 km², on retrouve quatre fois plus d'espèces animales et végétales qu'en Europe et deux fois plus qu'au Canada et aux États-Unis réunis. Le tiers des espèces d'amphibiens (ou batraciens), le cinquième des espèces d'oiseaux, le sixième des espèces de lépidoptères (papillons) et le septième des espèces de reptiles du monde se trouvent en Équateur.

La faune

Dans la région de la Costa, la province de Guayas compte à elle seule plus de 400 espèces d'oiseaux, tous aussi différents que flamboyants.

Toutefois, certaines espèces sont menacées, comme le condor des Andes; on peut parfois l'apercevoir survolant les sommets des volcans Chimborazo, Cayambe ou Antisana.

> Des voyageurs superstitieux affirment que, lorsqu'un papillon vient se poser sur vous, c'est un signe de bonne fortune. Une explication plus scientifique nous apprend que ces papillons se nourrissent du sel de la transpiration.

La luxuriante forêt amazonienne abrite une multitude d'espèces animales. Certains cours d'eau sont infestés de poissons carnassiers connus sous le nom de «piranhas». Ces créatures voraces, attirées par le sang, peuvent dévorer hommes ou animaux en l'espace de quelques minutes. Sûrement plus sympathiques que les piranhas aux yeux de bien des gens, les dauphins d'eau douce sont une des surprises agréables que les voyageurs découvriront peut-être en Amazonie. On sait peu de chose sur ces sympathiques mammifères. Les chercheurs s'entendent pour dire que ces dauphins vivaient il y a très longtemps dans l'océan avant le soulèvement des Andes. Par conséquent, ces dauphins furent contraints de s'adapter au milieu aquatique de l'Amazonie. Ils ont la peau de couleur pâle, parfois teintée de rose, et mesurent entre 2 m et 2,6 m de longueur. Ils possèdent de très petits yeux et sont pratiquement aveugles. Il arrive que ces dauphins soient malheureusement pris au piège dans des mares lorsque le niveau des rivières descend brusquement. Contrairement aux dauphins d'eau salée, qui surgissent de nulle part, sautent joyeusement et se projettent hors de l'eau lorsqu'ils font surface pour respirer, les dauphins d'eau douce ne laissent voir hors de l'eau qu'une petite partie de leur dos.

L'otarie géante est une autre curiosité qui hante les rivières de l'Amazonie. Espèce en voie de disparition en raison de la chasse excessive dont elle fait l'objet pour sa peau, l'otarie, dont le poids peut varier entre 24 kg et 34 kg, nage rarement seule et est difficile à observer. On la trouve généralement en groupe de cinq à neuf sujets qui, lorsqu'ils sont en état d'alerte, font surface en même temps, sortent le cou hors de l'eau tout en émettant un reniflement nasillard sonore. Les boas, les anacondas, les pumas, les jaguars et les caïmans, entre autres, font partie de la faune de l'Oriente.

Les lamas sont quant à eux dispersés dans les hautes régions montagneuses du pays ainsi que du Pérou, de la Bolivie et de certaines parties de la Colombie, du Chili et de l'Argentine. Les lamas forment un groupe de mammifères ruminants de la famille des camélidés dont il existe deux races sauvages, le guanaco et la vigogne (*vicuña*), et deux races domestiques, élevées pour leur chair et leur laine, l'alpaca et le lama. Le plus connu d'entre eux est sans aucun doute le lama, qui peut peser jusqu'à 140 kg. Utilisé comme animal de bât, le lama est très puissant et peut transporter des charges considérables sur de longues distances.

L'alpaca est plus petit que le lama, et son poids peut atteindre 80 kg. Il est élevé pour sa laine plus longue et plus fine que celle du lama. Par contre, il n'est pas un animal de bât contrairement à son cousin, le lama. On le trouve près des zones marécageuses où abondent les pâturages luxuriants qui conviennent à son régime alimentaire.

La *vicuña* pèse à peine 55 kg et se caractérise par sa grâce et sa délicatesse d'allure, étant donné son cou mince et ses jambes frêles d'apparence. La laine de vigogne est extrêmement douce et chaude, et est considérée comme la fibre animale la plus fine après la soie. Pendant des années, la vigogne a été chassée avidement pour la qualité de sa laine, tant et si bien que l'espèce fut sur le point de disparaître. Toutefois, des efforts concertés pour protéger cette espèce furent déployés à travers tout le continent, et aujourd'hui leur nombre croît de nouveau.

Finalement, le guanoco pèse en moyenne 90 kg. Bon nageur, il court vite, pouvant même atteindre une vitesse de 55 km/h. Comme la vigogne, il est difficile à domestiquer et vit en petit troupeau.

Par ailleurs, les îles Galápagos sont sûrement le seul endroit au monde où se rassemblent plusieurs espèces animales aussi différentes que les manchots, les cormorans aptères, les tortues géantes, les otaries et les iguanes. Autour de ces îles évolue une faune marine aussi fascinante que variée. Ainsi, dauphins, baleines, de même que de nombreuses espèces de poissons, cohabitent dans cette partie de l'océan Pacifique. Pour l'information spécifique à la faune des Galápagos, voir p 294.

La flore

Grâce à sa topographie et à son climat varié, l'Équateur possède une flore exceptionnelle. Rien que pour les orchidées sauvages, le pays en compte plus de 2 700 espèces.

L'Amazonie est caractérisée par la présence d'arbres géants qui se dressent majestueusement dans la forêt équatoriale et dont les troncs peuvent atteindre 60 m de hauteur. Ces arbres sont ramifiés à une très grande hauteur. Leurs cimes larges et aplaties sont formées de feuilles épaisses de couleur vert sombre, souvent terminées en une pointe amincie servant d'égouttoir à l'eau de pluie. Les arbres sont enlacés par des lianes qui pendent des voûtes feuillues. Une faible luminosité parvient à percer ces feuillages touffus et luxuriants. Dans la région de la forêt tropicale exubérante, l'enracinement des arbres est très peu profond, contrairement à ce que les gens imaginent, malgré la hauteur considérable de certains arbres. Ces arbres géants sont souvent abattus sous l'effet des vents et des pluies, ainsi que des innombrables insectes qui les grugent sans merci. L'Oriente est couvert d'épaisses forêts dont l'immensité semble infinie, et la région renferme à elle seule plus de 25 000 espèces végétales. Ce nombre d'espèces surpasse de loin celui que compte toute la flore d'Amérique du Nord.

La végétation de la Costa évolue entre celle qu'on trouve dans des régions semi-désertiques et celle de luxuriantes forêts tropicales en passant par celle d'immenses savanes plus ou moins arbustives couvertes de rizières, alors que la Sierra est dominée par des montagnes aux sommets enneigés et par

Le manglier rouge

fois dépourvues de tout arbre. Dans les sommets andins, on trouve le *páramo*. L'une des premières définitions du terme fut donné par les Espagnols pour qui il était synonyme de terres très élevées et inhospitalières, à la fois froides, venteuses et pluvieuses. Aujourd'hui, on constate que le *páramo* se trouve à des altitudes variant de 3 000 m à plus de 4 000 m d'altitude. On y trouve des plantes fascinantes désignées sous le nom de *fralejón*, qui, dotées de plusieurs petites épines, s'épanouissent gracieusement et peuvent se protéger contre le vent, le soleil et la glace. On les retrouve surtout dans la Reserva Ecológica El Ángel.

Depuis une centaine d'années, une espèce végétale précieuse, importée d'Australie, s'est extrêmement bien développée en Équateur et s'est rapidement adaptée à la grande variété climatique; il s'agit de l'eucalyptus, qui s'adapte facilement aux conditions climatiques du milieu dans lequel il se trouve et qui croît très rapidement. Malheureusement, l'eucalyptus absorbe beaucoup d'eau, et les substances nutritives dont il se nourrit assèchent et appauvrissent le sol. De plus, ses feuilles mortes, qui contiennent des toxines, affectent le sol en tombant et empêchent d'autres espèces végétales de pousser.

La mangrove

La mangrove est composée de différentes essences de palétuviers, ayant comme caractéristique de résister à l'immersion et au sel. Parmi les essences croissant dans les eaux salées le long du littoral de la Costa, il y a le mangier rouge. Une grande quantité d'oiseaux de mer, de même qu'une multitude d'insectes variés, habitent cette étrange forêt. Malheureusement, la présence humaine, en s'accroissant, a détruit en grande partie cette forêt côtière de mangroves. Néanmoins, elle subsiste encore aujourd'hui en quelques endroits, en particulier dans la Reserva de Churute, dans l'Isla Fragatas ainsi qu'autour de l'Isla Muisné.

UN PEU D'HISTOIRE

Des recherches archéologiques démontrent que les premiers habitants du pays étaient des nomades asiatiques qui franchirent le détroit de Béring il y a quelque 20 000 ans. À travers les années, ces migrations ont été suivies de celles de Polynésiens qui auraient traversé l'océan Pacifique en canot pour aboutir sur le continent. Très peu d'information nous est parvenue sur l'histoire pré-inca. Des fouilles dans la région côtière, dans les actuelles provinces de Guayas et de Oro, ont permis de trouver des traces d'une civilisation sédentaire vivant dans la région de Valdivia et pour qui la poterie n'avait pas de secret il y a 4 000 ans. De plus, des ossements humains, notamment des crânes brachycéphales, seraient ceux des premières personnes qui auraient apporté ou inventé la céramique sur le continent sud-américain. Par ailleurs, dans la province de Manabi, sur la presqu'île de Santa Elena, d'autres vestiges de céramiques attribués à la culture machalilla, et datant de 1 500 ans avant notre ère, ont été trouvés. On doit toutefois remonter au XIe siècle pour apprendre que deux tribus avec une organisation sociale relativement structurée se démarquaient des autres.

D'une part, le peuple cara s'était établi sur la côte du Pacifique, tandis que les Quitus avaient élu domicile dans les montagnes. Les Caras réussirent facilement à conquérir et à intégrer les Quitus. Au début du XIIIe siècle, une nouvelle tribu de guerriers, du nom de «Puruhás», fit son apparition dans le sud du pays. L'union entre un prince puruhá et une princesse shyri consolida leur empire et forma un seul royaume.

L'arrivée des Incas

D'autre part, établis dans les Andes péruviennes depuis le XIe siècle, les Incas, menés par leur souverain Túpac Yupanqui, décident vers la fin du XVe siècle d'étendre leur empire sur le territoire équatorien. Les Incas furent brièvement arrêtés au nord par les Shyris. En 1493, année de la mort de Túpac, son fils, Huayna Cápac, lui succède à la tête de l'empire et réussit à vaincre les Shyris, étendant ainsi son territoire jusqu'à la frontière de la Colombie. Dans l'espoir de renforcer son royaume, il épouse la fille du roi déchu, la princesse Paccha, qui lui donna un fils, Atahualpa. Cette union donna lieu à une série de changements : le pouvoir est centralisé à Cuzco, les provinces conquises sont gérées par un système bureaucratique, et l'emploi de la langue quichua devient obligatoire dans tout le royaume. De plus, un système d'irrigation est implanté, et la culture de nouvelles denrées, telles les pommes de terre et les arachides, fait son apparition. Pour empêcher toute tentative de rébellion dans les régions éloignées nouvellement colonisées, les Incas séparent des populations entières. Aussi des peuplades vivant à Quito sont-elles déménagées à Cuzco dans le but d'ébranler leur confiance.

Les Incas

À partir du XIIe siècle, ce peuple a constitué un vaste empire qui se nommait «Tahuantinsuyu», mot quichua qui veut dire «les quatre directions du monde». L'Empire inca s'étendait le long de la cordillère des Andes, depuis le Chili jusqu'à la Colombie actuelle. À sa tête se trouvait l'empereur, descendant direct d'Inti, le Dieu-Soleil; cette filiation divine lui conférait les pouvoirs d'un monarque incontesté. Son peuple ne l'approchait qu'avec grande vénération, crainte et humilité. De son côté, l'Inca ne communiquait avec autrui que par un intermédiaire, sans jamais regarder son vis-à-vis. De plus, toujours entouré d'une escorte, il se déplaçait en litière, richement décorée et tirée à bras d'hommes. La société inca comportait une structure sociale rigide comprenant des classes privilégiées : la noblesse, constituée par la descendance mâle de l'Inca et des chefs de guerre, et les prêtres, comprenant essentiellement les sacrificateurs et autres dignitaires du culte solaire. L'*ayllu*, la cellule de base de la société, formait une famille élargie, regroupée en village, et constituait le véritable noyau économique de ce peuple. Par ailleurs, le butin des conquêtes guerrières, gagné aux dépens des peuples des alentours, était réparti entre les diverses classes de la société inca. Les peuples conquis étaient arrachés de leurs terres, transplantés sur d'autres territoires de l'empire afin d'éviter toute tentative de rébellion éventuelle, asservis et, enfin, assimilés.

Au début du XVIe siècle, les Européens venus coloniser les Caraïbes déclenchent une forte épidémie de variole qui réussit à se propager à l'intérieur de l'empire, causant ainsi la mort de nombreux Incas, dont l'empereur Huayna Cápac. C'est alors que l'union qui était censée consolider l'empire l'affaiblit. En effet, le royaume est alors divisé entre ses deux fils; Huáscar reçoit le sud de l'empire, tandis qu'Atahualpa hérite du nord. Aucun des deux n'étant satisfait du partage, une crise de succession éclate entre Atahualpa, le bâtard, et Huáscar, le fils légitime. Ils décident donc de se livrer une lutte fratricide sans merci pour l'obtention du territoire inca. Après quelques années de batailles, Atahualpa et ses hommes réussissent à envahir le Pérou à partir de Quito, et écrasent Huáscar et ses troupes près de la ville d'Ambato (Équateur central) en 1532. Atahualpa devient ainsi le roi d'un empire meurtri et plus ou moins divisé.

Entre-temps, au début du XVIe siècle, une rumeur suscitant beaucoup d'intérêt arrive jusqu'au Panamá. Selon cette rumeur, un empire regorgeant de nombreuses richesses serait situé au sud de l'isthme : l'Eldorado. Quelques aventuriers et marins tentent leur chance mais sans succès.

En 1524, l'imagination de Francisco Pizarro et de Diego de Almagro s'enflamme à l'idée de conquérir un tel royaume, et ils réussissent à convaincre le prêtre Hernando de Luque de financer leur expédition onéreuse et périlleuse. Malheureusement, après un bref séjour sur la côte colombienne, ils ne découvrent que quelques indigènes hostiles et des forêts ponctuées de marécages. Une deuxième expédition aura lieu vers la fin de 1526. Les Espa-

Le quichua

Le quichua était la langue vernaculaire officielle de l'Empire inca (Tahuantinsuyu). À l'arrivée des conquistadors, l'espagnol s'est vite imposé au détriment du quichua, qui a considérablement régressé, mais a toutefois réussi à survivre. Aujourd'hui, cette langue n'est plus parlée que par les populations amérindiennes vivant sur les hauts plateaux andins et dispersées entre l'Équateur, le Pérou, la Bolivie et le nord du Chili. Néanmoins, là où il est couramment parlé, le quichua connaît un regain de vitalité. Certains mots quichuas ont été adoptés par la langue française, entre autres «condor», «poncho», «puma»...

gnols, guidés par Francisco Pizarro, longent les côtes du Pacifique et jettent l'ancre à l'embouchure du Río San Juan, en Colombie. Pizarro mande son pilote Bartolomé Ruiz de Andrade de poursuivre la route en éclaireur. Ruiz et ses hommes longent les côtes du Pacifique et débarquent à Esmeraldas le 21 septembre 1526. C'est donc Bartolomé Ruiz, pilote de Francisco Pizarro, qui, le premier, a l'honneur de fouler le sol équatorien près d'Esmeraldas. Ruiz baptisa les lieux Bahía de San Mateo, du nom du saint du jour en ce 21 septembre. Accueilli par des indigènes, il se voit offrir des cadeaux en signe de bienvenue et en gage d'amitié. Il continua son périple plus au sud et fut sans doute le premier Européen à franchir l'équateur dans le Pacifique. Plus au sud, il rencontre des hommes, richement parés d'or et de beaux tissus, naviguant sur des embarcations de bois de balsa, puis aperçoit la cime enneigée du volcan Chimborazo.

Satisfait de ses découvertes, Ruiz retourne sur ses pas et rejoint Pizarro en Colombie. Malheureusement, Pizarro reçoit l'ordre de retourner au Panamá avec ses troupes. C'est alors que Pizzaro tira son épée, traça une ligne sur le sable, puis, s'adressant à ses hommes, leur dit que ceux qui ne souhaitaient pas poursuivre l'expédition étaient libres de retourner au Panamá. Toutefois, il leur fit une mise en garde en ajoutant que ceux qui retourneraient au Panamá seraient conspués, jugés et peut-être même jetés en prison, tandis que ceux qui franchiraient la ligne pour le suivre seraient riches et célèbres. Treize soldats acceptèrent le défi. Cette histoire a survécu au poids des années et est désormais connue sous le nom des «Treize de l'île du Coq».

Pizarro et ses 13 hommes naviguent vers le sud, longent la côte, puis accostent à Tumbes, ville péruvienne qui se trouve aujourd'hui au sud de la frontière actuelle de l'Équateur et du Pérou. Les Européens sont bien accueillis par les Amérindiens qui leur offrent bijoux, or et tissus. Ils découvrent l'Empire inca tant convoité en pleine période de crise, puis réalisent aussi que les peuples colonisés par les Incas se sont soumis depuis peu. Ravi, Pizarro rentre en Espagne vers la fin de 1528, avec beaucoup de renseignements concernant cet énigmatique pays et les offrandes qu'il a reçues, afin de convaincre le roi d'Espagne que l'Eldorado s'y trouve peut-être. On le confine au cachot pour avoir désobéi aux ordres et pour dettes non remboursées, puis sa présence est demandée auprès du roi Charles Quint, qui lui accorde le droit de gouverner le territoire à conquérir.

Atahualpa

Issu de l'union de Huayna Cápac et d'une princesse shyris, Atahualpa est couronné roi inca après avoir battu et tué son demi-frère Huáscar lors d'une guerre de succession, et devient le dernier empereur à gouverner le peuple inca. En effet, l'arrivée des conquistadors espagnols, sous le commandement de Francisco Pizarro, met fin à son règne. Il est capturé, et une forte rançon est demandée contre sa libération. Une fois la rançon payée, Francisco Pizarro le trahit, le baptise et le tue en 1533.

La conquête espagnole

Après avoir soigneusement pris le temps de préparer son expédition, Pizarro lève donc les voiles avec la ferme intention de coloniser les lieux et d'accaparer les biens du prétendu royaume, puis débarque en 1532 à Tumbes, bourgade qu'il avait déjà visitée lors de son premier voyage. Il est accompagné d'à peine 300 hommes, d'une soixantaine de cavaliers et de près de 200 fantassins.

Entre-temps, Atahualpa était sorti vainqueur du duel qui l'opposait à Huáscar en Équateur central et marchait tranquillement vers Cuzco. Soudain, de bouche à oreille, la rumeur s'était répendue rapidement, et l'on ne parlait que de l'arrivée des mystérieux inconnus fraîchement débarqués sur la côte : les Espagnols. Pizarro décide de se rendre plus au sud, à Cajamarca, pour y rencontrer l'Inca Atahualpa. Ce dernier le reçoit tout d'abord amicalement. Toutefois, se rendant compte de son extrême infériorité numérique face au peuple d'Atahualpa, Pizarro prend peur et se persuade qu'il faudra faire usage de la force et de la ruse afin de conquérir l'Empire inca. Il décide alors de tendre un piège à Atahualpa en organisant une rencontre. Lorsque Atahualpa et ses hommes se présentent à cette rencontre, ils tombent dans une embuscade tendue par Pizarro et ses troupes, qui profitent de la situation pour capturer Atahualpa. Dans l'espoir de garder la vie, Atahualpa propose un marché à Pizarro : une pièce de sa maison emplie de plusieurs dizaines de tonnes d'or contre sa libération. Ce poids d'or est peut-être exagéré et magnifié par la tradition orale, mais il est tout de même significatif de la quantité de métal précieux que possédaient les Incas. Lentement, la chambre s'emplissait du métal doré au grand plaisir des Espagnols. Un jour, une rumeur parvient jusqu'aux oreilles de Pizarro : les Incas se rassemblent secrètement et préparent une contre-attaque afin de libérer Atahualpa. Furieux, Pizarro revint sur sa parole et, au lieu de faire libérer Atahualpa, il institue un tribunal fantoche pour juger Atahualpa. Le verdict fut cinglant : la mort par crémation sur le bûcher. L'Inca éprouvant une grande frayeur de la crémation, car elle anéantit complètement le corps, se convertit à la religion catholique, puis se fit étrangler. Le 29 août 1533, Atahualpa expira.

Le bruit de la mort d'Atahualpa retentit jusqu'en Europe, et nombreuses furent les personnes qui s'indignèrent contre cette exécution lâche et douteuse. Toutefois, l'or et les richesse de l'Empire inca arrivèrent peu après la nouvelle et firent en sorte qu'on passa

Francisco Pizarro (1475-1541)

Conquistador espagnol ayant participé à de nombreuses expéditions dans les mers du Sud, Pizarro était le subalterne de Vasco Núñez de Balboa lorsque ce dernier traversa l'isthme du Darién (Panamá) et découvrit l'océan Pacifique en 1513. Plus tard, il est séduit par les exploits fabuleux de Hernán Cortés, au Mexique. En 1520, malgré ses 45 ans, il est animé par le désir de découvertes nouvelles et souhaite réaliser un exploit égal à ceux de Cortés et de Balboa. Avec l'aide de Diego Almagro, il décide d'entreprendre la conquête du Pérou au nom de sa majesté le roi d'Espagne, Charles Quint. À la suite de quelques tentatives infructueuses, il parvient à conquérir l'Empire inca et à tuer le roi Atahualpa après l'avoir trahi et fait baptiser. Il est tué à son tour en 1541, peu de temps après avoir mis à mort son ex-compagnon Almagro, par le fils de ce dernier, Diego el Monzo.

l'éponge plus facilement sur la mort de l'Inca.

Malgré la mort de son chef, le fidèle et courageux général Rumiñahui continue à combattre les Espagnols et réussit à détruire la ville de Cajamarca. La dépouille d'Atahualpa est exhumée et retournée à Quito pour être enterrée une seconde fois. Par ailleurs, deux bataillons espagnols sont déployés pour conquérir Quito ainsi que le reste de l'Équateur. La course entre les concurrents est déclenchée. Sebastián de Benalcázar, fidèle lieutenant de Pizarro, conduit une expédition depuis le Pérou, tandis que Pedro de Alvaro se dirige vers le nord de l'Équateur en provenance du Guatemala. Pizarro réussit à convaincre Alvaro d'abandonner sa quête et de retourner tranquillement au Guatemala en échange d'une forte somme d'argent.

Entre-temps, les Cañaris et les Puruhás, des Amérindines avides de vengeance, s'allient aux Espagnols pour combattre les Incas. Toutefois, plusieurs obstacles viennent ébranler les conquistadors. La cordillère des Andes se dresse de façon vertigineuse d'est en ouest au-dessus des plaines, protégeant ainsi la région la plus peuplée du pays. Les Espagnols font aussi connaissance avec le *soroche*, mieux connu sous le nom de «mal des montagnes». Les villages dévastés et les terres brûlées par la guerre entre les deux frères privent aussi les Espagnols de la possibilité de se ravitailler en cours de route. Enfin, en arrivant à Quito en 1534, ils trouvent la ville complètement détruite, car les Incas avaient préféré la raser plutôt que de la laisser aux mains des Espagnols.

Le 6 décembre 1534, la ville reconstruite par les Espagnols est nommée «Villa de San Francisco de Quito». Runi ñahui lance une contre-attaque, mais, malgré une farouche résistance de sa part, il tombe dans un piège et est capturé. Aveuglés par l'argent, les conquistadors le torturent afin qu'il leur dévoile le lieu secret où les Incas cachent leur or. Rumiñahui est têtu, ne cède pas et fini par être tué. L'année suivante, de Benalcázar fonde la ville de Guayaquil, située sur la Costa et à 416 km de Quito. Par deux fois, la ville est anéantie par les Incas, mais reconstruite une troisième et dernière fois par Francisco de Orellana.

En 1540, Pizarro désigne son frère, Gonzalo, pour prendre en charge la ville de Quito. L'année suivante, Gonzalo Pizarro et Francisco de Orellana prennent la tête d'une expédition dans l'Oriente (l'Amazonie) à la recherche de l'Eldorado. C'est ainsi qu'en mars 1541 Gonzalo Pizarro et Francisco de Orellana descendent des hauts plateaux andins et s'enfoncent tranquillement dans les profondeurs de la luxuriante forêt tropicale. Là, la pluie ne cesse de tomber; ils doivent se frayer un chemin à coups d'épées, et bon nombre d'entre eux succomberont à de mystérieuses maladies. Voyant que la mission n'avance pas et que les vivres manquent, Orellana propose de partir en éclaireur en sillonnant les cours d'eau. Fatigué d'attendre et amer, et croyant qu'Orellana l'a trahi, Pizarro décide de retourner à Quito. De leur côté, faute de trouver suffisamment de nourriture ou d'or, le lieutenant Orellana et sa troupe suivent le Río Napo, puis l'Amazone, pour aboutir finalement sur les côtes brésiliennes, devenant ainsi les premiers Européens à avoir traversé le continent sud-américain.

Dans les années qui suivent, l'Équateur est miné par des querelles intestines; plusieurs conquistadors assoiffés d'argent et de pouvoir sont prêts à tout pour arriver à leurs fins. L'exploitation des gisements d'or et d'argent constitue alors la base de l'économie. Cependant, une fois l'or épuisé, les Espagnols se tournent vers les terres fertiles entourant l'«Avenue des Volcans» qui s'avèrent idéales pour l'agriculture. Afin de subvenir aux besoins de l'empire, la main-d'œuvre est assurée par les Amérindiens, qui travaillent dans des conditions tout à fait atroces sous les ordres des Espagnols dans le cadre d'un système appelé *encomienda*.

L'*encomienda* a été instituée dans le but de récompenser les soldats espagnols et de les inciter à venir s'établir sur les terres équatoriennes. Ce système s'inspire du féodalisme (liens de dépendance) et consiste à attribuer à chacun des soldats un lopin de terre, de même que le contrôle sur tous les Amérindiens qui y avaient élu domicile. Malheureusement, cette pratique se développa sous forme de punitions et donna lieu à de nombreux abus. En effet, en plus d'exploiter les terres agricoles, les Amérindiens constituaient une main-d'œuvre prolifique utilisée abusivement par les Espagnols dans différents secteurs d'activité, entre autres les services domestiques, les mines, etc. Cette triste institution de l'*encomienda* se perpétua et parvint à subsister jusqu'au XXe siècle; aujourd'hui, elle est mieux connue sous le nom d'*hacienda*. L'*encomienda* provoqua l'ire du roi d'Espagne, car, peu à peu, il perdit le contrôle de la collecte des impôts qui lui étaient dûs, et il décida alors d'envoyer des représentants afin d'abolir cette pratique.

Par ailleurs, des esclaves furent amenés d'Afrique pour exploiter les plantations de cacao sur la Costa. Peu après, divers animaux furent introduits au pays par les conquistadors, notamment la vache, le mulet, le cheval et le porc; puis, la première plantation de bananes en Amérique du Sud prit son essor. De nombreux ateliers de textiles furent mis en place pour répondre à la forte demande européenne.

Dans le but de mieux gérer ses colonies en terres étrangères, le roi d'Espagne crée des vices-royautés placées sous sa juridiction. C'est alors que l'empire du Tahuantinsuyo fut peu à peu supplanté par la vice-royauté du Pérou et par Lima, qui s'imposa en tant que capitale.

Alexander von Humboldt (1769-1859)

De juin 1799 à août 1804, Alexander von Humboldt parcourra plus de 10 000 km à travers l'Amérique du Nord, l'Amérique centrale et l'Amérique du Sud, sillonnera des régions particulièrement dangereuses et fera connaître au public de nombreuses découvertes ignorées des Européens. Il entreprend de nombreuses recherches sur la géographie, la botanique et la climatologie. Le 8 décembre 1801, Humboldt débarque en Équateur et se lie d'amitié avec Carlos Montúfar, fils du gouverneur de Selva Alegre, un personnage marquant de l'indépendance. Humboldt décrit les ruines de l'ancien Empire inca, et réussit à mesurer et à identifier le courant marin froid qui longe les côtes sud-américaines de l'océan Pacifique et qui porte aujourd'hui son nom. Il prouve que le continent américain est plus vieux que ne l'imagine la pensée populaire; il dénombre plus de 400 volcans terrestres, dont 18 en Équateur; il recense un nombre incroyable d'espèces de plantes et d'animaux; puis, il dénonce sans ambages les atrocités commises lors de la colonisation du continent sud-américain.

La fin du XVIe siècle voit l'arrivée de plusieurs groupes d'ordre religieux tels que les dominicains et les franciscains, suivis des augustins et des jésuites. De nombreuses missions religieuses furent en effet implantées en Amazonie dans l'espoir de convertir les Amérindiens. Cela entraîna la construction de petits villages, dressés aux limites de l'Oriente. La résistance des Amérindiens fut féroce; des villages furent détruits et tous les habitants tués. Après quelques tentatives infructueuses, les religieux furent contraints d'abandonner et de retourner à leur monastère, dans la ville de Quito.

Moins de 30 ans après sa création, Quito devient une province connue sous le nom de «Audiencia Real» et subordonnée à la vice-royauté de Lima pendant près de trois siècles. Durant cette période, de nombreuses églises et villes coloniales sont érigées. Beaucoup d'entre elles subsistent encore de nos jours, témoignant des chefs-d'œuvre religieux produits par des artistes issus de l'École de Quito. Cette école, créée par de nombreux artistes amérindiens tels que Miguel de Santiago et Hernando de la Cruz, a grandement influencé plusieurs architectes européens ainsi que l'art baroque américain. Les exemples les plus marquants s'en trouvent aujourd'hui dans les villes de Quito et de Cuenca. Malheureusement, la main-d'œuvre était composée uniquement d'Amérindiens qui travaillaient dans des conditions souvent inhumaines sous la direction des Espagnols. Cela provoqua bon nombre de soulèvements de la part des Amérindiens. De plus, l'«Audiencia Real» dut repousser de nombreuses attaques des pirates anglais et hollandais qui naviguaient le long des côtes du Pacifique à la recherche d'or et d'argent. À la même époque, une augmentation des taxes sur les échanges de marchandises ainsi que sur les divers produits alimentaires provoqua également la colère des Amérindiens qui manifestèrent leur désarroi à travers le pays.

En 1736, le roi de France, Louis XIV, délègue deux équipes de scientifiques afin de déterminer si la théorie de Newton, selon laquelle la Terre est aplatie aux pôles, est véridique. La première expédition est dirigée par le géodésien et naturaliste français Charles Marie de La Condamine. Il arrive en Équateur, accompagné de trois cartographes et de six autres scientifiques chargés de se livrer à une série d'expériences, dans le but de mesurer la longueur d'un arc de méridien de 1°, à quelques kilomètres au nord de Quito. Une deuxième équipe, menée par le mathématicien français Pierre Louis Moreau de Maupertuis, tentera, quant à elle, de vérifier l'aplatissement de notre planète en Laponie. Maupertuis prendra à peine deux ans pour confirmer l'hypothèse de Newton, tandis que l'équipe de La Condamine devra lutter farouchement contre les Amérindiens et la température glaciale des hauts sommets andins pendant cinq longues années avant d'arriver au même résultat que Maupertuis. Par ailleurs, le naturaliste et géographe allemand Alexander von Humboldt débarque en Équateur vers la fin du XVIIIe siècle et effectue de nombreuses études climatiques, géologiques et botaniques.

L'indépendance

Au début du XIXe siècle, l'écho des victoires de la Révolution française, celui de l'indépendance des États-Unis ajouté à celui de l'invasion de l'Espagne par Napoléon, ainsi que de nouveaux courants de pensée franchissent les frontières et parviennent à se faire entendre jusqu'à Quito. Ces événements incitent les membres de l'oligarchie créole, menés par Marqués de Selva Alegre, à prendre par la force la ville de Quito, le 10 août 1809, dans l'espoir de libérer le pays de l'emprise espagnole. L'échec de cette tentative de libération nationale fut cinglant, et le siège de Quito dura à peine plus que trois semaines, mais pava toutefois la voie vers l'indépendance. Treize années plus tard, le 24 mai 1822, le mont Pichincha devient le théâtre de la bataille décisive. Avec l'appui de Simón Bolívar, le général vénézuélien Antonio José Sucre parvient à libérer Quito de l'emprise espagnole.

L'Audiencia de Quito se joint à ses voisins du Nord, le Venezuela, le Panamá et la Colombie, pour former la république de la Grande-Colombie, mais proclame son indépendance en 1830 et adopte le nom d'«Équateur». Cependant, l'indépendance n'apporte pas immédiatement l'harmonie nationale. En effet, le général Antonio José Sucre est assassiné, laissant le pays sous la gouverne militaire du général Juan José Flores, que plusieurs soupçonnent d'avoir lui-même participé au meurtre de Sucre. Vincent Rocafuerte assume la présidence du pays au terme du mandat de Flores, mais ce dernier revient au pouvoir une seconde fois, entre 1839 et 1845.

Plusieurs présidents se succèdent au pouvoir jusqu'en 1860. José María Urbina abolit l'esclavage en 1852. Les années 1860 à 1875 furent dominées par un seul homme, Gabriel García Moreno. Voyant que l'Équateur vit une période de crise, il se tourne vers le catholicisme pour unifier le pays. De plus, il implante et développe un système d'éducation, de même que des institutions supérieures telles que l'École polytechnique nationale. Il entreprend la construction du chemin de fer entre Quito et Guayaquil afin d'unir la Costa à la Sierra. Toutefois, son caractère belliqueux et ses idées arrêtées sur la religion dérangent beaucoup de libéraux qui finissent par l'assassiner en

Simón Bolívar (1783-1830)

Cet illustre général, né à Caracas (Venezuela) en 1783, restera célèbre dans l'histoire pour avoir été le premier à tenter d'unifier les pays d'Amérique latine en vue d'en faire une seule et même nation. Après de longues luttes contre la domination espagnole, il réussit à libérer le Venezuela, la Colombie, incluant l'actuel Panamá, et l'Équateur. Fort de ses victoires, il crée la république de la Grande-Colombie (englobant tous ces États), et en devient président. Malgré son succès militaire et la tenue du premier congrès panaméricain à Panamá, Bolívar ne réussira pas à maintenir l'unité de ces pays, et, désespéré, il s'éteindra à Santa Marta (Colombie) en 1830. Bolívar étant considéré comme un véritable héros, son nom se trouve rattaché à bien des lieux dans toute l'Amérique latine.

1875. Vingt-deux années plus tard, en 1897, le premier président libéral du pays est élu : Eloy Alfaro. Grand réalisateur, il achève la ligne de chemin de fer entre Quito et Guayaquil, et l'inaugure en 1908; il introduit les premières lois sur le divorce de l'Amérique latine et abolit la peine de mort. En 1911, à la suite de tensions avec son propre parti politique, il est contraint de démissionner. Néanmoins, il revient au pouvoir après quelques mois d'exil. Une guerre civile éclate, durant laquelle Alfaro est arrêté et emprisonné. Il est finalement tué lors d'une émeute à Quito, le 28 janvier 1912. Entre 1925 et 1948, l'Équateur subit une grande période d'instabilité économique et politique. De fait, une vingtaine de présidents se succèdent alors à la tête du pays.

En 1941, le Pérou profite de la fragilité du gouvernement équatorien pour envahir le sud de l'Équateur. À l'issue de cette guerre, une partie de l'Amazone est annexée au Pérou en vertu du «Protocole de Rio de Janeiro». Aujourd'hui, les Équatoriens revendiquent vivement cette part de territoire. Un coup d'œil sur une carte publiée en Équateur permet de constater que les frontières indiquées ne sont pas les mêmes que celles d'une carte publiée ailleurs. Selon l'ONU, le pays occupe un territoire total de 270 670 km^2. Cette dernière donnée est fortement contestée par les Équatoriens, car, selon eux, 174 565 km^2 de territoire en plus leur appartiennent.

En 1964, la première loi portant sur la réforme agraire est passée. Malheureusement, les terres octroyées aux indigènes se trouvent en haute altitude et sont difficilement cultivables. L'année 1964 marque également la fondation d'une fédération indigène, celle des Shuars.

Trois années plus tard, en 1967, on découvre de l'or noir dans un coin où n'existait qu'une petite bourgade appelée «Lago Agrío». À la suite de cette découverte, de nombreux entrepreneurs se ruent vers la source de leur future richesse, entraînant avec eux une corruption contagieuse. Devant l'arrivée des camions et des bulldozers portant le flambeau du capitalisme sauvage et l'envahissement du monde moderne, la forêt amazonienne a diminué à une vitesse fulgurante, faisant du même coup reculer avec elle ceux qui y vivent depuis toujours et qui appartiennent à l'espèce humaine ou au règne animal et végétal. Ainsi, la magnifique richesse du sous-sol de l'Équateur fut drainée au profit des magnats de l'or noir tels que Texaco-Gulf, Maxus, Elf, Occidental, Arco et Petroecuador.

Après une longue période de dictature, les militaires acceptent de céder le pouvoir qu'ils avaient usurpé pour revenir à un régime démocratique, à la suite de l'adoption de la 18e Constitution de la République en 1978. Le démocrate Jaime Roldos Aguilera est élu président du pays en 1979. Il débute sa présidence en mettant sur pied une campagne d'alphabétisation et n'a pas peur d'exprimer ses idées face à l'opinion mondiale, surtout face aux États-Unis. Entre autres, Roldos se range derrière les Salvadoriens et appuie les sandinistes au Nicaragua. Le 22 mai 1981, il expulse du pays l'«Instituto Linguistica del Verano». Il s'agissait d'une association nord-américaine qui œuvrait dans différents domaines religieux, mais qui, en réalité, faisait de l'espionnage industriel et économique. Le 24 mai 1981, jour de l'indépendance, son règne prend fin tragiquement lorsqu'il perd la vie dans un accident d'avion. Cet accident souleva des interrogations, car, quelques mois après la mort subite de Roldos, le général Omar Torrijos, un ami de Roldos qui s'opposait aux idées de Ronald Reagan, décède à son tour dans un accident d'avion.

Oswaldo Hurtado Larrea assume la relève jusqu'en 1984. Entre-temps, la chute du prix du pétrole a pour effet de ralentir la croissance économique du pays. León Febres Cordero détient le pouvoir de 1984 à 1988. Son règne est ponctué d'échecs. Il est incapable de négocier une entente avec les créanciers étrangers afin de réduire la dette extérieure du pays, et l'image de son gouvernement est salie par des scandales reliés à des affaires de corruption ainsi que par une rébellion militaire en 1987. Rodrigo Borja devient le président jusqu'en 1992; à l'instar de son prédécesseur, il est très impopulaire auprès du peuple équatorien, qu'il laisse avec une dette *per capita* parmi les plus élevées de toute l'Amérique latine.

Le mois de juin 1990 est marqué par le soulèvement national amérindien. De nombreuses populations amérindiennes à travers le pays se sont regroupées le long de la route panaméricaine et ont bloqué la circulation pendant quelques jours à l'aide d'arbres abattus et de grosses pierres pour manifester leur colère et leur désarroi dans le cadre de leurs revendications territoriales et traditionnelles. En outre, plusieurs manifestants ont occupé l'église de Santo Domingo dans le Quito colonial. Les forces militaires sont alors intervenues afin de stabiliser la situation. Élu le 10 août 1992, sous la bannière de l'Unité républicaine, Sixto Durán Ballén fut pressé d'agir par le Fonds monétaire international (FMI), puis imposa une médecine de cheval à l'économie équatorienne, imitant ainsi la plupart des autres pays du continent. Si ce plan d'austérité a permis à l'Équateur de reprendre en partie le contrôle de sa dette, il a toutefois eu de dures répercussions sur les populations les plus pauvres du pays dont le pouvoir d'achat s'est une fois de plus détérioré. Presque quatre ans jour pour jour après le soulèvement national amérindien de juin 1990, la nation amérindienne surprend le peuple équatorien et immobilise une fois de plus l'axe routier principal du pays : la Panaméricaine. Encore une fois, il a fallu l'intervention de l'armée pour stabiliser la situation.

Tableau des principales dates historiques

Fin du XVe siècle : Établi dans les Andes péruviennes, l'Inca Túpac Yupanqui décide, avec son armée, d'étendre l'empire au territoire équatorien.

1493 : Mort de l'Inca Túpac Yupanqui. Son fils, Huayna Cápac, lui succède et étend l'Empire inca jusqu'à la frontière de la Colombie.

1527 : L'Inca Huayna Cápac décède.

1530-1532 : Une guerre de succession éclate entre les deux fils d'Huayna Cápac, Huáscar et Atahualpa. Ce dernier écrase les troupes de son frère.

1530 : Le conquistador Francisco Pizarro arrive au nord du Pérou, à Tumbes.

1532 : À Cajamarca, au Pérou, Pizarro et ses hommes tendent un piège à Atahualpa et le font prisonnier.

1533 : Atahualpa est assassiné.

1534 : Le 6 décembre, Sebastián Benalcázar fonde la ville de Quito.

1541 : Francisco de Orellana part à la recherche de l'Eldorado. Il ne trouve pas d'or, mais il réussit la première traversée du continent sud-américain jusqu'à la côte atlantique.

1563 : Création de l'Audiencia Real de Quito (juridiction territoriale et judiciaire), placée sous la tutelle de la couronne d'Espagne.

1736 : Le géodésien français Charles Marie de La Condamine arrive en Équateur.

1812 : Première constitution du pays. Elle ne fut jamais appliquée.

1822 : Le 24 mai, le général Sucre remporte la bataille du Pichincha sur les Espagnols. Sous l'impulsion du général Simón Bolívar, l'Audiencia Real de Quito s'unit au Venezuela, au Panamá et à la Colombie pour former la république de la Grande-Colombie.

1830 : L'Audiencia Real de Quito proclame son indépendance et adopte le nom d'«Équateur»; le général Juan José Flores en devient le premier président.

1832 : L'archipel des Galápagos s'ajoute au territoire de l'Équateur.

1835 : Charles Darwin débarque sur les îles Galápagos pour un bref séjour de cinq semaines.

1852 : Abolition de l'esclavage.

1860 : Gabriel García Moreno accède au pouvoir en Équateur.

1875 : Gabriel García Moreno est assassiné.

1897 : Eloy Alfaro accède à son tour à la présidence du pays.

1908 : Inauguration du chemin de fer entre Quito et Guayaquil.

1912 : Eloy Alfaro est assassiné.

1941 : L'armée péruvienne envahit le sud de l'Équateur.

1942 : À la suite du Protocole de Rio de Janeiro, l'Équateur perd une importante partie de son territoire au profit du Pérou.

1945 : L'Équateur devient membre de l'ONU.

1967 : Découverte de pétrole à Lago Agrío, en Amazonie.

1969: L'Équateur intègre le Pacte andin. Les autres membres sont la Colombie, le Chili et le Pérou. Cette association favorise le libre-échange entre ces pays.

1987 : Important séisme qui ravage la région de Quito et endommage certains monuments de son centre historique.

1990 : En juin, soulèvement de plusieurs populations amérindiennes à travers le pays en rapport avec les revendications territoriales et traditionnelles de ces peuples.

1992 : Sixto Durán Ballén accède à la présidence de la République.

1994 : En juin, nouveau soulèvement général des Amérindiens à travers le pays.

1995 : Début de janvier, friction à la frontière avec le Pérou.

1996 : Le populiste Abdala Bucarán Ortiz est porté au pouvoir. Pour la première fois de son histoire, une femme, Rosalia Ortega, assume la vice-présidence du pays.

1997 : Abdala Bucarán Ortiz et Rosalia Ortega sont destitués par le Parlement au profit de Fabián Alarcón.

Le début de l'année 1995 fut marqué par la mobilisation des troupes armées équatoriennes et péruviennes en Amazonie, dans une zone frontalière contestée de 340 km² incluse dans la «cordillère du Condor». Cette zone, située à quelque 500 km au sud de Quito, à l'extrême nord du Pérou, fait partie du territoire disputé par l'Équateur et le Pérou depuis la signature du Protocole de Rio, le 29 janvier 1942. La présence de gisements d'or et de pétrole dans la région frontalière revendiquée par les deux pays est à la base de ce nouvel affrontement qui origine du protocole de 1942. Celui-ci mettait fin à une guerre frontalière qui avait éclaté en janvier 1941 et octroyait au Pérou la plus grande partie du territoire contesté. Toutefois, l'Équateur n'a jamais été pleinement satisfait de ce traité, du moins sur une partie de son tracé (environ 80 km), ce qui, depuis lors, crée un différend concernant le bornage de cette ligne frontalière, dans une région montagneuse difficile d'accès et située en pleine jungle amazonienne.

Ce conflit a provoqué de vives réactions sur la scène internationale, et des négociations de paix semblent s'amorcer sous l'égide des parrains cosignataires du protocole de 1942 : les États-Unis, l'Argentine, le Brésil et le Chili.

Si le début de l'année 1995 fut marqué par des problèmes externes, la fin de l'année 1995 fut marqué par des accusations de détournement de fonds envers l'ex-vice-président Alberto Dahík. En octobre 1996, Dahík et sa famille s'envolèrent au Costa Rica.

L'arrivée au pouvoir du populiste Abdala Bucarám Ortiz a suscité interrogations et inquiétudes. En poste depuis le 10 août 1996 pour une période de quatre ans avec la vice-présidente Rosalia Ortega, première femme à obtenir ce poste en Équateur, et surnommé du terme peu flatteur *el loco* (le fou), Bucarám a déjà fait l'objet de controverse et d'accusations de népotisme. Il améliora son image lors du sommet du Groupe de Rio à Cochabamba, en Bolivie, où, pour la première fois, il a rencontré son homologue, le Péruvien Alberto Fujimori. Les deux présidents semblaient avoir établi de bonnes relations, ce qui laissait bien augurer des futurs négociations frontalières entre les deux pays, à la suite du conflit territorial qui a éclaté en janvier 1995. Bucarám veut introduire des réformes sociales, si bien que le candidat s'est présenté à ses électeurs en promettant d'être «le président des pauvres». Le début de l'année 1997 se déroule dans la controverse et dans la confusion. Le Congrès a destitué Abdala Bucarám Ortiz et nommé à sa place, le président de l'Assemblée : Fabián Alarcón. C'est alors qu'un climat d'incertitude s'est installé à travers tout le pays, tant et si bien que, pendant trois jours, trois présidents réclamaient le pouvoir : Abdala Bucarám Ortiz, Fabián Alarcón et Rosalia Ortega. Finalement, Fabián Alarcón fut élu le 11 février 1997 président par intérim de l'Équateur jusqu'au 10 août 1998.

LA VIE POLITIQUE

La première constitution de l'Équateur date de 1812. À travers les années, elle dut subir plusieurs modifications, suivies de l'entrée en vigueur d'une nouvelle constitution en 1978. Cette dernière définit le pays comme une république unitaire démocratique. Depuis 1979, tous les citoyens ayant 18 ans et plus peuvent voter librement pour le candidat de leur choix. Le pouvoir présidentiel est acquis par l'obtention de plus de 50 % des votes. Le président et le vice-président sont élus pour une période de quatre ans.

Le pays est divisé en 21 provinces. Chaque province est dirigée par un gouverneur nommé par le président de la République. De plus, chaque province est subdivisée en districts urbains ou ruraux, appelés *cantones*.

L'ÉCONOMIE

Avant l'exploitation massive du pétrole, l'agriculture était au cœur de l'économie du pays. La découverte de l'or noir en 1972 a changé les données pendant une dizaine d'années au détriment de plusieurs autres secteurs d'activité, notamment la production agricole. Au cours des années quatre-vingt, la diminution des exportations de pétrole sur le marché international, combinée au tremblement de terre de 1987, eut un effet dévastateur sur l'économie du pays. Le séisme détruisit en effet plusieurs oléoducs, obligeant le gouvernement à suspendre ses exportations d'or noir durant presque un an. De plus, la découverte de pétrole en Amazonie a bouleversé le mode de vie des populations amérindiennes vivant dans l'Oriente, et l'empiétement du monde moderne menace désormais l'existence de ces peuplades. Avec ses fabuleuses richesses pétrolières, l'Équateur croit pouvoir générer la prospérité, éponger sa dette et stabiliser le pays. On estime toutefois que les réserves pétrolières seront sans doute épuisées vers 2010, enfonçant du même coup le pays dans un naufrage économique.

Aujourd'hui, le pétrole demeure la principale source de revenus du pays, mais le secteur agricole prend de l'ampleur. En effet, grâce à ses terres fertiles et à sa diversité climatique, l'Équateur possède un potentiel de développement agricole important. L'agriculture emploie plus de 40 % de la population active et assure plus d'emplois que les autres secteurs d'activité. La plupart des exploitations agricoles de l'Équateur se situent sur la Costa. Bananes, oranges, blé et café constituent les principales cultures du pays. L'exportation des bananes représente presque la moitié des ventes extérieures de l'Équateur. Grâce à ses forêts, la Costa est le premier producteur mondial de bois de balsa. Outre les produits de la terre, d'autres ressources sont aussi exploitées. Ainsi, l'abondance de poissons et de fruits de mer, le long de la côte du Pacifique jusqu'aux îles Galápagos, a propulsé le pays au rang des premiers producteurs de crevettes d'élevage à l'échelle mondiale.

SOCIÉTÉ

Population

Les Amérindiens représentent plus de 40 % des 11,5 millions d'habitants de la population actuelle, tandis que presque 50 % du peuple est constitué de métis. Seulement 10 % de la population est blanche. La majorité de la population multiethnique de l'Équateur vit le long de la côte ainsi que dans les vallées et les hauts plateaux andins. Le reste des Équatoriens vivent à l'est dans la région de l'Oriente. Les peuples de l'Amazonie ont beaucoup de points en commun aussi bien dans leurs traditions ancestrales et leur croyance que dans les problèmes auxquels ils font face aujourd'hui. Leurs différences sont subtiles, et elles obligent, pour bien les connaître et les définir, à faire une étude anthropologique précise qui déborde la portée de ce guide. Les Sionas, les Secoyas, les Cofans, les Shuars, les Achuars, les Huaoranis et les Quichuas habitent la région de l'Amazonie.

La langue

La langue officielle de l'Équateur est l'espagnol. Elle est parlée par plus de 90 % de la population. Environ 10 % des Amérindiens parlent encore le quichua, mais ces derniers comprennent généralement bien l'espagnol.

Quelques expressions équatoriennes

Les expressions typiquement équatoriennes sont nombreuses et pleines de charme. Vous remarquerez aussi, dès votre arrivée, que bien des mots sont prononcés de manière différente. Sur la Costa, la terminaison de certains mots change et, parfois même, disparaît. Il en est ainsi pour le *buenos días* ou pour le *a las ordenes*, qui se prononcent souvent là-bas *bueno día* et *a la orden*.

chevere
génial

luego
plus tard

sigue sigue lo mas
poursuivez votre chemin

campesino, indegena
paysan, Amérindien

¿como le va?
comment allez-vous?

a la orden
à vos ordres

LES ARTS

En Équateur, l'art est aussi riche et coloré que la faune et la flore. La ville de Quito, parfois appelée à juste titre la «Florence de l'Amérique», est le lieu d'où origine une école d'art colonial religieux, connue sous le nom d'«Escuela de Quito» (École de Quito).

Né à Gand en 1495, le Flamand Jocke Ricke appartenait à l'ordre des franciscains lorsqu'il fonda la première école des beaux-arts à Quito en 1524. Sous sa direction, nombre d'Amérindiens commencèrent à s'exprimer dans leur art. Au cours des XVIIe et XVIIIe siècles, guidés et influencés par les ordres religieux qui se sont succédé en Équateur, et sous l'égide des conquistadors, les Équatoriens se mirent à sculpter le bois, à tailler la pierre et à travailler l'or avec un talent tout à fait exceptionnel, créant ainsi de véritables œuvres d'art qu'on retrouve désormais dans les nombreux sanctuaires religieux du pays. Ces constructions architecturales furent reconnues en 1978, lorsque l'UNESCO décréta le centre colonial de la ville de Quito «Patrimoine de l'Humanité».

Les artistes les plus connus sont Manuel Chili, dont le pseudonyme Caspicara veut dire «tête de bois», Miguel de Santiago et Bernado de Legarda. Néanmoins, la plupart des artistes issus de l'École de Quito demeureront à tout jamais dans l'anonymat.

La peinture

Miguel de Santiago est né à Quito en 1633 et est décédé en 1706. Fils naturel de Lucas Vizuete et de Juana Ruíz, il doit son nom au fait d'avoir été adopté par Hernando de Santiago. On ignore quels furent les maîtres qui l'initièrent à la peinture.

Il est un des peintres métis de la plus ancienne lignée de l'époque coloniale. On lui doit une série de tableaux sur la vie de saint Augustin pour l'ordre des pères augustins et sur les miracles de la Vierge de Guadalupe (1700) pour le couvent de Guápulo. Pendant toute sa vie, il a travaillé pour les pères franciscains.

Il fut considéré comme un génie de la peinture coloniale, car ce dessinateur hors pair utilise une technique très dépouillée. Ses peintures sont très attachées à la tradition espagnole (Zurbaran, Murillo, Ribera). Toutefois, les critiques modernes font parfois état de son manque d'originalité et de son caractère américain peu marqué.

Autour de son personnage se sont tissées divers anecdotes en raison de son mauvais caractère, comme celle qui affirme qu'il a tué un modèle qui posait pour peindre un Christ crucifié. Ce tableau fut mystérieusement volé peu après 1895...

Miguel de Santiago eut pour disciples Nicolás Javier Goribar, sa fille Isabel et Barnabé Valenzuela.

Les peintres du XIXe siècle

Antonio Salas (1780-1860)
Il est l'héritier des traditions de la peinture coloniale, car il fut disciple de Samuel Samaniego et de Bernardo Rodríguez. Il vécut la transition entre l'époque coloniale et l'époque républicaine. Il a peint les héros de l'indépendance comme Bolívar et Sucre, bien qu'il s'adonna également à la peinture religieuse. Il fut le père et le maître de toute une dynastie de peintres célèbres du XIXe siècle.

Rafael Salas (1821-1906)
Il est le fils d'Antonio Salas. Le président Gabriel García Moreno lui fit obtenir une bourse pour aller se perfectionner en Europe. Il est considéré comme un des trois maîtres les plus représentatifs de l'académisme équatorien. Il fut un excellent portraitiste et l'un des premiers paysagistes.

Ramón Salas (1815-1905)
Il est également le fils d'Antonio Salas et l'un des initiateurs de la peinture de mœurs (regard sur les types humains, les usages et les coutumes caractéristiques d'une époque). Occasionnellement, il fit aussi des miniatures, des portraits et des toiles à thèmes religieux. Le musée d'Art moderne possède quelques pièces intéressantes de son œuvre qui caractérise sa peinture de mœurs.

Luis Cadena (1830-1889)
Disciple d'Antonio Salas, il voyagea au Chili, où il eut des contacts avec Monvoisin. Ensuite, le président Robles lui obtint une bourse pour aller étudier en Italie. À son retour, il dirigea l'École des beaux-arts en Équateur. Il se distingua en réalisant des portraits modelés selon des normes académiques.

Juan Manosalvas (1837-1906)
Il fut boursier à Rome en 1871 du gouvernement de Gabriel García Moreno, et, à son retour, il fut nommé professeur à l'Académie des beaux-arts. Il fut le troisième des maîtres académiques à se distinguer à son époque, et il forma les générations de peintres suivantes.

Rafael Troya (1845-1920)
Il fut le disciple de Luis Cadena. Il commença par travailler pour la mission scientifique de Reiss et de Stubel, avec qui il parcourut le pays, prenant bonne note du paysage, sans «*détruire les formes fondamentales de la nature*». Il fut un grand paysagiste; il modela l'espace avec intuition et introduisit des silhouettes humaines dans ses compositions.

Antécédents de la peinture indigène

En même temps que triomphe la révolution libérale en 1895, s'étend un processus de laïcisation de la société accompagné de quelques réformes sociales qui seront décisives pour que s'amorce, au XXe siècle, une lente prise de conscience de la réalité sociale et culturelle de l'Équateur.

Jusqu'au début du XXe siècle, l'art n'était qu'une simple reproduction des créations artistiques européennes, à finalité décorative, et destinée à satisfaire la demande des classes bourgeoises conservatrices. Pour la génération des intellectuels des années trente, influencés par une nouvelle idéologie, il était devenu essentiel de rompre avec les canons classiques et romantiques, et, à partir de cette vision différente, de poser des questions plus profondes reliées à la problématique de l'identité (qui sommes-nous?).

L'indigénisme se définit comme une tendance à caractère plastique qui s'efforce de récupérer l'univers indigène andin en s'inspirant d'un langage pictural européen (impressionnisme, cubisme, expressionnisme).

Bien qu'ils aient été influencés également par la peinture murale mexicaine, les peintres de cette époque étudient le monde indigène dans son isolement et sa tragédie, et, pour cela, ils utilisent une forme exaspérée du naturel et la déformation physique des personnages.

Peintres précurseurs du changement

Pedro León (Ambato 1894-1956)
Il vécut le processus de transition entre la peinture académique et la peinture indigène. Il débute en s'attachant à l'impressionnisme ainsi qu'à la peinture de Cézanne, pour s'unir par la suite à la thématique indigène. Son œuvre la plus célèbre est *Cangahua* (1940).

Camilio Egas (Quito 1889 -1961)
Il est le premier peintre à s'associer en 1911 aux mouvements en vogue en Europe. Il se voue à la peinture indigène avec sobriété, dans le réalisme. On lui attribua le prix «Mariano Aguilera» (*Retrado de mujer, 1923*). En voyage à New York en 1927, il se laisse séduire par l'expressionnisme (*La Calle 14, 1937*). Jusque dans les années quarante, il se laisse influencer par le super-réalisme (*Desolación*-1949). C'est un peintre dont l'œuvre est très diversifiée et qui jouit de beaucoup de prestige dans les cercles culturels, même bien après sa mort. Camilo Egas s'exila en France pendant quelques années, pour revenir travailler en Équateur jusqu'à son décès, en 1961.

Victor Mideros (Ibarra 1888-Quito 1969)
Il fut disciple de Rafael Troya et l'un des peintres qui se sont acheminés de la peinture académique vers une peinture davantage spirituelle. Il s'est vu attribuer deux fois le prix «Mariano Aguilera».

Les peintres indigénistes

José Enrique Guerrero (Quito 1905-1988)
Il vécut la transition depuis l'impressionnisme jusqu'à l'expressionnisme. Son œuvre s'attache à exprimer un paysage caractérisé par la lourdeur de l'atmosphère, par l'empâtement et par des traits grossiers (*Quito horizontal*).

Leonardo Tejada (Latacunga 1908-)
Il développa le thème de l'indigène sous un regard plus lyrique, abordant dans son œuvre les arts populaires et le folklore (*Cuentayo*).

Eduardo Kingman (Loja 1913-)
Il est un des maîtres les plus marquants de l'indigénisme pour qui l'influence des peintres muraux mexicains est la plus frappante. Son style pictural se caractérise par un dessin bien profilé dans lequel les visages et les mains prédominent. Parmi ses œuvres maîtresses, on peut citer *La Visita* et *La Sed*. Son chef-d'oeuvre est sans l'ombre d'un doute *Los Guandos* (1941), par lequel il dénonce la condition sociale de l'indigène et sa relation avec le régisseur de l'*hacienda*. Les peintures d'Eduardo Kingman témoignent de l'oppression et de la souffrance du peuple amérindien.

Diogenes Parades (Quito 1910-1968)
Il commence par peindre des œuvres réalistes, mais il se rallie plus tard au thème de sa génération, créant un dessin hideux en employant des couleurs terreuses qui lui confèrent une atmosphère dramatique pour dénoncer la tragédie du peuple indigène. L'un des tableaux représentatifs de cette époque est *La Tormenta*.

Oswaldo Guayasamin (Quito 1919-)
Il est le peintre équatorien le plus universel. Il a commencé par se faire remarquer en gagnant le premier prix de la IIIe Biennale latino-américaine de Barcelone avec une œuvre de la série *Huaycayñan* (chemin de larmes). Ensuite, il réalise la série *La eda de la ira*, dans laquelle il exprime la douleur, le drame et la tragédie de l'homme contemporain. Puis, il réalise une série de peintures sur Quito et une autre sur la tendresse. Il a aussi effectué plusieurs peintures murales au pays et à l'étranger : le Palais du gouvernement, le Conseil provincial de Pichincha, la maison de la culture, l'aéroport de Barajas (Madrid).

La peinture contemporaine

En Amérique du Sud, on considère que la peinture contemporaine commence dans les années cinquante. Les précurseurs de la peinture contemporaine, et spécialement de la peinture abstraite, sont Alberto Coloma Silva, Manuel Rendón Seminario et Araceli Gilbert.

Manuel Rendón Seminario (1894-Portugal 1982)
Il est le créateur incontesté de la peinture abstraite équatorienne. Dans les années trente, il vint s'établir en Équateur et créa beaucoup de surprise et de désarroi. Comme peintre, il est formé à Paris, et, malgré sa grande préparation, la société de son époque l'a ignoré; en effet, celle-ci appréciait davantage la

peinture figurative de Guerrero, de Guayasamín et de D. Paredes. En 1951 et en 1954, il remporte le premier prix de la Biennale latino-américaine.

Araceli Gilbert (Guayaquil 1914-)
Il est peintre et en même temps sculpteur. En pleine apogée de la peinture indigéniste, il prend le relais de Manuel Rendón, et il produit une peinture abstraite géométrique, pour dériver par la suite vers la peinture cinétique. Au détour des années soixante, il commence à être connu et à être considéré dans les cercles artistiques. Il obtient des prix comme celui du Salon d'Octobre (1960) et le «Mariano Aguilera» (1961).

Les peintres contemporains

Estuardo Maldonado (1930-)
Peintre et sculpteur, il appartient au groupe caractéristique de la génération des années soixante, le groupe VAN, avant-garde de l'art qui s'oppose à la peinture figurative des indigénistes, les accusant de ce que leur peinture et son principe restent dans le superficiel tandis que leur art est devenu élitiste. Il étudie les beaux-arts à Guayaquil et voyage en Europe (Paris). Il utilise, au début, des signes précolombiens disposés géométriquement, et il aborde aussi la sculpture en utilisant une plaque en acier inoxydable (inox-couleur). De même que le firent d'autres peintres de cette génération, il actualise le contexte des signes précolombiens et ancestraux en les plaçant dans un environnement nettement contemporain.

Anibal Villacis (1927-)
Autodidacte, il voyage à Paris, où il subit de multiples influences, principalement de Canogar et de Tapies. Il reçoit le premier prix international au Salon de l'Indépendance latino-américaine en 1972. Il se joint au groupe VAN dans sa proposition précolombiniste. Il crée une peinture à textures ouvragées et à surfaces épaisses dans laquelle il ajoute des motifs calligraphiques à valeur signifiante empruntés à l'archéologie et au folklore.

Enrique Tabara (1930-)
Il débute son cursus dans l'expressionnisme de la génération indigéniste, mais rapidement il passe à la peinture abstraite. Il se joint aux précolombinistes, soit au groupe VAN, en utilisant les textures et les calligraphies de la céramique préhispanique pour les rendre dans le langage pictural contemporain. Pieds et jambes déplacent le langage précolombien et se convertissent en éléments répétitifs, et en même temps signifiants de sa peinture; sa recherche porte aujourd'hui sur la magie et le fétichisme.

Oswaldo Viteri (1931-)
Il fut d'abord autodidacte. Il obtint plusieurs mentions à la VIe Biennale de Sao Paulo (1961) et à la IIe Biennale de Cordoue (1964). À l'intérieur du courant abstrait, il recherche des formes nettes et des compositions géométriques. Il aborde, comme les autres peintres, le thème de l'identité, mais il est séduit par l'expérimentation avec la matière (empâtement et textures).

Luis Molinari (Guayaquil 1929-1994)
Il étudie à Buenos Aires (1951-1960), à Paris (1960) et à New York (1967). Il est le continuateur de l'art abstrait géométrique d'Araceli Gilbert. Après avoir été influencé plus tard par le milieu new-yorkais, il opte pour la peinture cinétique et les effets optiques.

Nelson Román (Latacunga 1943-)
Il est un des quatre artistes qui imposent leur style poétique à la génération des années soixante-dix de concert avec Washington Iza, Ramiro Jácome et José Unda. Cette génération de peintres renoue avec l'art figuratif, pas à la manière indigéniste, mais plutôt au moyen d'un dessin hideux où une ambiance magique est teintée d'épouvante, d'ironie et de grossièreté, complice de la dénonciation avec le désir de subvertir et d'inciter. Sa peinture est associée à l'épouvante : cieux dramatiques, groupes humains fantasmagoriques et êtres tirés du monde des cauchemars. Par la suite, il essaie de dépeindre le folklore et la magie.

Gonzalo Endara Crow (1936-1996)
Il commence avec un dessin plutôt hideux. Par la suite, il découvre le filon du réalisme merveilleux. Il opte pour des paysages sereins pleins d'atmosphère où cohabitent l'ingénuité de la vie quotidienne et la magie du merveilleux; pour cela, il peint des chevaux bleus, des oiseaux étranges, des œufs et des pommes gigantesques. Il fait les panneaux pour l'œuvre *Cent ans de solitude* de Gabriel García Márquez. Ensuite, il déplace ses thèmes de paysages sur la Costa en peignant des iguanes, des poissons et des objets semblables ayant trait au réalisme magique des tropiques.

Miguel Betancourt (Quito 1958-)
Il est un des jeunes peintres qui connaissent actuellement du succès. Sa peinture se situe dans la veine de l'expressionnisme abstrait. Les autres peintres importants de la nouvelle génération sont Luigi Stornaiolo et Marcelo Aguirre entre autres.

La sculpture

Au XVIIe siècle, un grand sculpteur de l'École de Quito, Manuel Chili, fut un nom bien connu, malgré le fait qu'on ignore sa date de naissance et de décès. Néanmoins, ses créations principales se retrouvent aujourd'hui dans l'église conventuelle San Francisco ainsi que dans la cathédrale de Quito. Le métis Bernado de Legarda fut aussi un grand sculpteur de l'École de Quito qui fit sa marque durant le XVIIIe siècle. Son œuvre maîtresse est sans doute le superbe retable de la chapelle de Cantuña.

La littérature

Très peu d'écrivains équatoriens ont réussi à être reconnus à l'extérieur du pays. Pourtant, l'Équateur a formé plusieurs poètes et auteurs qui méritent d'être mentionnés.

Fortement influencé par les modèles européens, l'évêque créole Gaspar de Villaroel (1587-1665) sera l'un des premiers à se distinguer dans le genre narratif. Eugenio Santa Cruz y Espejo (1747-1795) fut à la fois philosophe, journaliste et auteur de livres satiriques et contestataires. Il écrivit la première publication d'ordre journalistique en Équateur : *Primicias de la Cultura de Quito*.

À l'aube du XIXe siècle, le poète José Joaquín Olmedo, grandement inspiré par le lyrisme antique, compose *Canto a Bolívar*. Puis, Juan León Mera (1832-1894) relate la vie des Amérindiens au XIXe siècle dans son volume intitulé *Cumandá*; il compose aussi l'hymne national de l'Équateur. Juan

Montalvo utilise, quant à lui, sa plume pour contester le régime établi par García Moreno.

Le roman *Huasipungo* de Jorge Ycaza (1906-1979) raconte en détail les atrocités commises envers les Amérindiens, qui revendiquèrent le droit de propriété sur leurs terres au fil des années. Ce livre a été traduit en plusieurs langues; il porte en français le titre *La Fosse aux Indiens* et peut être considéré comme un des chefs-d'œuvre de la littérature latino-américaine. Pour ceux qui souhaitent comprendre davantage la lutte des classes en Équateur, ce livre est un incontournable.

La musique

La musique équatorienne tire ses influences des civilisations amérindiennes et européennes. Les instruments de musique précolombiens comprenaient des flûtes, des tambours et des percussions construits avec des coquillages et desos. Plus tard, les instruments à cordes tels que la guitare, la harpe et le violon furent introduits par les Espagnols. Tous ces apports influencent grandement la musique équatorienne telle que nous la connaissons aujourd'hui. On la retrouve principalement dans les *peñas*, ces endroits où jeunes et vieux viennent danser aux sons d'une musique folklorique équatorienne; les plus connues se trouvent à Quito et à Otavalo.

La flûte

La flûte est un des instruments à vent les plus anciens. On en connaît quatre types : la flûte droite, la flûte à bec, la flûte traversière et la flûte double.

Les **flûtes traversières** sont fabriquées avec plusieurs matériaux tels que le roseau et métal, comportent six orifices et sont peintes selon la tribu à laquelle elles appartiennent. On inclut dans le genre «flûte» le fifre et le *rondador*, qui sert d'équivalent à la flûte du dieu Pan ou (flûte de Pan ou syrinx).

En utilisant des tubes de roseau de différentes tailles et de différentes grosseurs reliés par des fibres végétales, on a inventé la première **flûte de Pan**, qui, au cours des temps, fut attribuée à l'intervention du dieu Pan de la mythologie grecque à cause de son amour enflammé pour la nymphe Siringa, de sorte qu'en certains lieux on la désigne sous le nom de *siringa* (ou syrinx). En Équateur, elle porte le nom de *rondador*.

La flûte de Pan est un instrument à vent au son extrêmement doux. Il en existe de toutes tailles et grosseurs, depuis les toutes petites avec seulement huit tubes jusqu'à celles qui en comptent 20, 30 et plus.

La **flûte de Pan pentaphone** (ou à cinq sons). Cette toute petite flûte de Pan est pentaphonique et est utilisée en certains endroits d'Imbabura seulement une fois l'an, parce qu'on considère qu'elle est un instrument rituel; on en joue au cours des festivités en hommage au soleil pendant l'équinoxe de septembre.

La **grande flûte de Pan** est hexaphone, c'est-à-dire à six sons, et c'est avec elle que certains Amérindiens font leurs gammes.

On trouve aussi des **flûtes de Pan de roseau**, lesquelles sont les flûtes traditionnelles d'os, de bois, de tuyaux de plume ou de roseau avec bandes de cuir.

La **flûte de Pan en pointes de condor**. Cet instrument est formé de tuyaux de plume de diverses longueurs, fixés l'un à côté de l'autre et maintenus ensemble par un fil fin.

La **flûte de Pan double**, pour jouer en duo. C'est un *rondador* équatorien formé d'une série de tubes en escalier, certains en ayant jusqu'à 40. Le *rondador* de grande dimension est manifestement d'origine profane et populaire.

Les **cornes andines**. Ce sont des cornes de bœuf à l'extrémité desquelles on fixe un mince roseau qui sert à émettre le son.

La Marimba. Elle est composée de touches de bois de palmier de différentes tailles. La caisse de résonance de l'instrument est formée de morceaux de canne de bambou placés à la manière d'une flûte de Pan sous chaque touche; la sonorité s'obtient en les frappant à l'aide de deux baguettes ou plus, en bois de palmier, recouvertes à leur extrémité de quelques couches de caoutchouc. L'instrument est soutenu par deux supports appelés *burros*. Pour accorder la marimba, on assemble fortement les plaques avec des ficelles de lin. Quand ils jouent de la marimba, les mulâtres d'Esmeraldas forment un véritable ensemble musical et orchestral typique qui comprend généralement une grosse caisse, quatre *guasás* et deux *cununos*.

RENSEIGNEMENTS GÉNÉRAUX

Il est facile de voyager partout en Équateur, que ce soit seul ou en groupe organisé. Pour profiter au maximum de son séjour, il est important de bien se préparer. Le présent chapitre a pour but de vous aider à organiser votre voyage. Vous y trouverez des renseignements pratiques visant à vous familiariser avec les habitudes locales. **Veuillez noter que tous les prix mentionnés dans ce guide sont en dollars américains**.

LES FORMALITÉS D'ENTRÉE

Avant de partir, veillez à apporter tous les documents nécessaires pour entrer et sortir du pays. Quoique ces formalités soient peu exigeantes, sans les documents requis, on ne peut voyager en Équateur. Gardez donc avec soin ces documents officiels, et ayez-les toujours sur vous.

Le passeport

Pour entrer en Équateur, si vous êtes citoyen français, canadien, belge ou suisse, vous devez posséder un passeport valide pour toute la durée du séjour. Ce document atteste officiellement votre identité.

Il est recommandé de toujours prendre soin de conserver une photocopie des pages principales et de conserver le numéro et la date d'émission de votre passeport. Dans l'éventualité où ce document serait perdu ou volé, il serait alors plus facile de le remplacer (faites de même avec votre certificat de naissance ou votre carte de citoyenneté). Lorsqu'un tel incident survient, il faut joindre l'ambassade ou le consulat de son pays (voir les adresses ci-dessous) pour se faire émettre un nouveau passeport.

La carte de tourisme

Pour entrer au pays, il est nécessaire d'avoir en sa possession, outre le passeport, une carte de tourisme (*tarjeta de turismo*). Dans la plupart des cas, cette carte est remise par l'agence de voyages à l'aéroport ou dans l'avion. Elle permet à tout visiteur (français, canadien, belge ou suisse) de séjourner 60 jours au pays. Généralement, le prix du billet d'avion ou du forfait comprend le montant nécessaire à l'achat de cette carte, laquelle coûte 10 $. Il faut la conserver avec soin durant tout le voyage, car elle devra être remise aux autorités à la fin de son séjour.

Le visa

Les touristes de nationalité canadienne, belge et suisse n'ont pas besoin de visa pour entrer en Équateur. Les visiteurs français doivent cependant s'en procurer un, au coût de 30 $. Ce visa est valide pour une période de trois mois.

La taxe de départ

Une taxe de départ de 25 $ (la plus chère en Amérique du Sud avec le Pérou) doit être versée par toute personne quittant l'Équateur. Le paiement de cette taxe se fait en partant, à l'aéroport, au moment de la réservation de votre siège. Veillez à disposer de cette somme en argent comptant ($ ou sucres), car les cartes de crédit ne sont pas acceptées.

La douane

On peut entrer au pays en ayant en sa possession un litre d'alcool, 200 cigarettes et des articles (autres que des articles personnels) d'une valeur de 100 $. Il est, bien sûr, interdit d'importer de la drogue ou des armes à feu.

LES AMBASSADES ET LES CONSULATS

Ils peuvent fournir une aide précieuse aux visiteurs qui se trouvent en difficulté (par exemple en cas d'accident ou de décès, fournir le nom de médecins ou d'avocats, etc.). Toutefois, seuls les cas urgents sont traités. Notez que les coûts relatifs à ces services ne sont pas défrayés par ces missions consulaires. De plus, il y est possible d'y recevoir du courrier.

Belgique

Ambassade
Calle Juan León Mera 863 et Wilson
Quito
☎ (02) 545-340
⇌ 507-367

Consulat
Calle Lizardo García 301 et Vélez
Guayaquil
☎ (04) 454-429

Canada

Consulat
Avenida 6 de Diciembre 2816
et James Orton
Quito
☎ (02) 543-214
⇌ 503-108

Consulat
Calle Córdova 810
et Victor Manuel Rendón, 21e étage
Guayaquil
☎ (04) 563-580 ou 566-747
⇄ 314-562

Colombie

Ambassade
Avenida Colón 133 et Amazonas
Quito
☎ (02) 553-263

France

Ambassade
Leonidas Plaza 107 et Patria
Quito
☎ (02) 560-789
⇄ 566-424

Consulat
Calle Diego de Almagro et Pradera
Edificio Kingman, 2e étage
Quito
☎ (02) 543-110

Consulat
Calle Aguirre 503
et Chimborazo, 6e étage
Guayaquil
☎ (04) 328-159
⇄ 322-887

Pérou

Consulat
Avenida Colón et Amazonas, Edificio España
Quito
☎ (02) 520-134

Suisse

Ambassade
Avenida Amazonas 3617
et Juan Pablo Sanz, Edificio Xerox, 2e étage
Quito
☎ (02) 434-948
⇄ 449-314

Consulat
Avenida 9 de Octubre 2105 et Tulcán
Guayaquil
☎ (04) 453-607
⇄ 394-023

LES AMBASSADES DE L'ÉQUATEUR

Belgique

Ambassade de l'Équateur
Chaussée de Charleroi, 70
1060 Bruxelles
☎ 537-9193
⇄ 537-9066

Canada

Consulat général de l'Équateur
1010, rue Sainte-Catherine Ouest
Bureau 440
Montréal, Québec
☎ (514) 874-4071
⇄ 874-9078

Ambassade de l'Équateur
50, rue O'Connor
Bureau 1311
Ottawa, Ontario
☎ (613) 563-8206
⇄ 563-5776

France

Ambassade de l'Équateur
34, avenue de Messine
75008 Paris
☎ 01 45 61 10 21
⇄ 01 42 56 06 64

L'**Association France-Ecuador** est un centre de documentation situé à 3 min à pied de la gare Sartrouville; on y trouve des cartes, des photos, des brochures, de la musique et des renseignements sur l'économie et la politique de l'Équateur.
66, rue de la Constituante
78500 Sartrouville
☎ 01 39 57 87 49

Suisse

Ambassade de l'Équateur
Helvetiastrasse 19-A
3005 Berne
☎ 351-1755
⇄ 351-2771

L'ENTRÉE AU PAYS

Par avion

La plupart des compagnies aériennes européennes desservent l'Équateur en passant par les États-Unis ou par d'autres pays d'Amérique latine. Selon l'endroit du pays où l'on se trouve, de nombreuses combinaisons sont possibles. Toutefois, depuis Paris, Air France assure une liaison directe avec Quito deux fois par semaine.

Il n'y a pas de vol direct depuis le Canada. Les Canadiens doivent d'abord passer par les États-Unis ou par d'autres pays d'Amérique latine et ensuite prendre un vol vers Quito ou Guayaquil.

Les aéroports

La plupart des visiteurs arrivent en Équateur par avion à l'un ou l'autre des deux aéroports internationaux du pays. L'***aeropuerto*** **Mariscal Sucre** est situé au nord de la ville de Quito, tandis que l'***aeropuerto*** **Simón Bolívar** se trouve dans la ville de Guayaquil.

Bureaux des lignes aériennes

Air France
Avenida 18 de Septiembre
et Amazonas
Quito
☎ (02) 524-201
⇄ 566-415

Avianca
Avenida 6 de Diciembre 511
et 18 de Septiembre
Quito
☎ (02) 508-843
⇄ 502-746

Ecuatoriana
Avenida Colón et Reina Victoria
Quito
☎ (02) 563-003 ou 563-891
⇄ 563-920

Iberia
Avenida Amazonas 239 et Jorge
Washington
Quito
☎ (02) 560-456 ou 546-547
⇄ 566-852

KLM
Avenida Amazonas 3617
et Juan Pablo Sanz
Quito
☎ (02) 455-233
⇄ 435-176

Par voie terrestre

Du Pérou : des autobus traversent la frontière équatorienne en passant par Huaquillas ou Macará. Sachez que des frictions de différentes envergures surgissent à la frontière du Pérou pratiquement tous les mois de janvier depuis quelques années, à la suite d'un conflit frontalier qui remonte à 1941. En janvier 1995, une guerre éclair entre l'Équateur et le Pérou, dans une zone frontalière contestée de 340 km^2, à l'extrême nord du Pérou, atteste que la situation n'est toujours pas réglée. Dans la mesure du possible, évitez de traverser la frontière durant cette période.

De la Colombie : des autocars traversent la frontière équatorienne en passant par Tulcán.

La frontière est ouverte de 6 h à 20 h. Les bureaux ferment entre 12 h et 13 h ou 14 h, selon les jours.

LES ASSURANCES

L'annulation

Cette assurance est normalement proposée par l'agent de voyages au moment de l'achat du billet d'avion ou du forfait. Elle permet le remboursement du billet ou du forfait dans le cas où le voyage doit être annulé, que ce soit en raison d'une maladie grave attestée par le médecin ou d'un décès. Les gens n'ayant pas de problème de santé ont peu de raison d'avoir recours à une telle protection. Elle demeure par conséquent d'une utilité relative.

L'assurance contre le vol

Pour les voyageurs européens, il est recommandé de prendre une assurance-bagages pour bien se prémunir en cas de vol. La plupart des assurances-habitation au Canada protègent une partie des biens contre le vol, même si celui-ci a lieu à l'étranger. Pour faire une réclamation, il faut avoir un rapport de police. En général, la couverture pour le vol en voyage correspond à 10 % de la couverture totale. Selon les montants couverts par votre police d'assurance-habitation, il n'est pas toujours utile de prendre une assurance supplémentaire.

L'assurance-vie

Si l'on achète des billets d'avion avec certaines cartes de crédit, on peut bénéficier d'une assurance-vie. Par ailleurs, beaucoup de voyageurs disposent déjà d'une telle assurance, de sorte qu'ils n'ont pas besoin de s'en procurer une supplémentaire.

L'assurance-maladie

Sans doute la plus utile, l'assurance-maladie s'achète avant de partir en voyage. Cette police d'assurance doit être la plus complète possible, car, en Équateur, le coût des soins s'élève rapidement. Au moment de l'achat de la police, il faudrait veiller à ce qu'elle couvre bien les frais médicaux de tout ordre, comme l'hospitalisation, les services infirmiers et les honoraires des médecins (jusqu'à concurrence d'un montant assez élevé, car ils sont chers). Une clause de rapatriement, pour le cas où les soins requis ne peuvent être administrés sur place, est précieuse. En outre, il peut arriver que vous ayez à débourser le coût des soins en quittant la clinique. Il faut donc vérifier ce que prévoit votre police dans ce cas. Durant votre séjour, vous devriez toujours garder sur vous la preuve que vous avez contracté une assurance-maladie, ce qui vous évitera bien des ennuis si par malheur vous en avez besoin.

LA SANTÉ

Malheureusement, les visiteurs de l'Équateur peuvent y attraper certaines maladies, comme la malaria, la typhoïde, la diphtérie, le tétanos, la polio et l'hépatite A. Rares sont les cas où les visiteurs contractent de telles infections, mais ils se présentent à l'occasion. **Aussi est-il recommandé, avant de partir, de consulter un médecin (ou une clinique des voyageurs) qui vous conseillera sur les précautions à prendre.** N'oubliez pas qu'il est bien plus simple de se protéger contre ces maladies que de les guérir et que les vaccins ne sont pas des substituts aux précautions courantes du voyage.

Les maladies

La brève description des principales maladies qui suit n'est présentée qu'à titre informatif. De plus, si vous voyagez avec des médicaments, tâchez d'avoir en main les ordonnances afin de justifier leur présence dans vos bagages.

La malaria

La malaria (ou paludisme) est causée par un parasite sanguin que l'on nomme *Plasmodium sp.* Ce parasite est transmis par un moustique (l'anophèle) qui est actif à partir de la tombée du jour jusqu'à l'aube. Le parasite est présent toute l'année en Équateur, au-dessous de 1 500 m d'altitude, dans les zones rurales et urbaines de la côte du Pacifique et de l'Amazonie. Par contre, il n'y a pas de risque de contracter la malaria à Quito et dans ses environs, ni dans les zones montagneuses touristiques du centre du pays. Les îles Galápagos sont aussi exemptes de malaria.

La maladie se caractérise par de fortes poussées de fièvre, des frissons, une fatigue extrême, des maux de tête ainsi que des douleurs abdominales et musculaires. L'infection peut parfois être grave quand elle est causée par l'espèce *P. falciparum*. La maladie peut survenir lors du séjour à l'étranger ou dans les 12 semaines après le retour. Exceptionnellement, elle se manifestera plusieurs mois plus tard. Malgré le fait que, dans la majorité des cas, cette maladie se soigne assez bien, il importe de prendre toutes les précautions nécessaires pour l'éviter. Le médecin vous prescrira le médicament à prendre pour votre voyage (cela peut varier selon votre destination, votre état de santé et la durée du voyage). Malheureusement, aucun médicament ne peut garantir une protection complète. Il devient donc important d'éviter les piqûres de moustiques (voir la rubrique «Les moustiques», p 48).

La fièvre jaune

Tout comme la malaria, la fièvre jaune est transmise par un moustique infecté. La maladie passe le plus souvent inaperçue, mais, quand elle se manifeste, les symptômes apparaissent en général de trois à six jours après l'infection et prennent la forme de fièvre, de maux de tête, de vomissements, de maux de dos et de douleurs musculaires. Ces symptômes sont en général de courte durée et de gravité variable. Il existe un vaccin efficace contre la fièvre jaune, qu'il vaut mieux recevoir avant de partir pour l'étranger; parlez-en à votre médecin. Encore une fois, ce vaccin n'offre pas de protection absolue, et il convient, dans la mesure du possible, d'éviter les piqûres de moustiques (voir p 48).

L'hépatite A

Cette infection est surtout transmise par des aliments ou de l'eau ayant été en contact avec des matières fécales avant que vous ne les ingériez. Les principaux symptômes en sont la fièvre, parfois la jaunisse, la perte d'appétit et la fatigue. Cette maladie peut se déclarer entre 15 et 20 jours après la contamination. Il existe un vaccin contre cette maladie. En plus de cette prévention, il est conseillé de se laver les mains avant chaque repas et de s'assurer de l'hygiène des lieux et des aliments consommés.

L'hépatite B

Tout comme l'hépatite A, l'hépatite B touche le foie, mais elle se transmet par contact direct ou par échange de liquides corporels. Ses symptômes s'apparentent à ceux de la grippe et se comparent à ceux de l'hépatite A. Un vaccin existe aussi, mais sachez qu'il est administré sur une certaine période, de sorte que vous devriez prendre les dispositions nécessaires auprès de votre médecin plusieurs semaines à l'avance.

La fièvre rouge (dengue)

La fièvre rouge (aussi appelée «fièvre solaire» ou «dengue») est transmise par les moustiques et, dans sa forme la plus bénigne, peut entraîner de légers malaises semblables à ceux d'une grippe : maux de tête, changements de température, muscles douloureux et nausée. Dans sa forme hémorragique, la plus grave et la plus rare, elle peut entraîner la mort. Il n'existe pas de vaccin contre cet organisme, alors il faut prendre des précautions contre les moustiques.

La fièvre typhoïde

Cette maladie est causée par l'ingestion d'eau et d'aliments ayant été en contact (direct ou non) avec les selles d'une personne contaminée. Les symptômes les plus communs en sont une forte fièvre, la perte d'appétit, les maux de tête, la constipation et, à l'occasion, la diarrhée ainsi que l'apparition de rougeurs sur le corps. Ils apparaissent de une à trois semaines après l'infection initiale. L'indication thérapeutique du vaccin (qui existe sous deux formes différentes, soit intramusculaire ou en pillule) dépendra de votre itinéraire. Encore une fois, il est toujours plus prudent de consulter la clinique quelques semaines avant le départ afin de bien planifier la série d'injection de vaccins.

La diphtérie et le tétanos

Ces deux maladies contre lesquelles la plupart des gens ont été vaccinés dans leur enfance ont des conséquences graves. Aussi, avant de partir, vérifiez si vous êtes bel et bien protégé contre elles; un rappel s'impose parfois. La diphtérie est une infection bactérienne qui se transmet par les sécrétions provenant du nez ou de la gorge, ou par une lésion de la peau d'une personne infectée. Elle se manifeste par un mal de gorge, une fièvre élevée, des malaises généraux et parfois des infections de la peau. Le tétanos est causé par une bactérie qui pénètre dans l'organisme lorsque vous vous blessez et que cette blessure entre en contact avec de la terre ou de la poussière contaminée.

***Soroche* (le mal des montagnes)**

L'étourdissement, le mal de tête, la perte d'appétit et les vomissements constituent les principaux symptômes du *soroche*. Il s'agit tout simplement d'un manque d'oxygène, votre système n'ayant pas eu le temps de produire le supplément de globules rouges nécessaire à l'oxygénation normale du sang en altitude. Le meilleur traitement est le repos. À Quito, il est probable que seul un mal de tête viendra temporairement perturber votre séjour. Prenez une aspirine, évitez les cigarettes et l'alcool, et détendez-vous. Toutefois, si les symptômes persistent, il est fortement recommandé de descendre de la montagne. Cela vous permettra de respirer plus facilement. Si vous prévoyez vous aventurer sur des sommets plus élevés que la ville de Quito elle-même, il est conseillé de passer quelques jours dans cette dernière afin de permettre à votre système de s'acclimater.

En aucun temps, ne prenez de somnifères, car ils ont pour effet de ralentir la respiration et par conséquent de diminuer l'apport de l'oxygène dans l'organisme. La descente à altitude moindre constitue le seul traitement pour améliorer son sort.

Le *soroche* peut frapper tout le monde sans exception, jeunes ou vieux, même ceux en excellente condition physique. Quiconque passe rapidement à une altitude supérieure à 2 400 m est sujet au mal des montagnes.

La rage

Depuis la fin des années quatre-vingt, plus de 120 cas de rage ont été rapportés en Équateur. Le risque de l'attraper est bel et bien présent. La maladie est généralement transmise par une morsure de chien. Bien que plusieurs campagnes de sensibilisation aient eu lieu, beaucoup de chiens demeurent à ce jour non vaccinés. En outre, les chauves-souris, les écureuils et les loups peuvent également être porteurs de cette maladie.

Le virus se propage à travers la salive d'un animal infecté, attaque votre système nerveux central et aboutit au cerveau. Cette maladie se manifeste par des spasmes violents pouvant provoquer la paralysie de certains de vos membres, et elle cause parfois la mort. Heureusement, la maladie ne se développe pas avant quelques semaines. Si vous êtes victime d'une morsure d'animal, lavez la plaie et consultez un médecin le plus rapidement possible. Dépendamment des circonstances, certaines mesures de «prévention post exposition» peuvent être appliquées. Plusieurs clinique de Quito offrent ce traitement. Veillez aussi à prévenir les autorités policières afin d'éviter que l'animal fasse d'autres victimes.

Les autres maladies

Des cas de maladies telles que l'hépatite B, le **sida** et certaines maladies vénériennes ont été rapportés; il est donc sage d'être prudent à cet égard. N'oubliez pas que le préservatif constitue la meilleure protection contre ces maux.

Les nappes d'eau douce sont fréquemment contaminées par un organisme causant la schistosomiase. Cette maladie, provoquée par un ver qui s'infiltre dans le corps pour s'attaquer au foie et au système nerveux, est difficile à traiter. Il faut donc éviter de se baigner dans toute nappe d'eau douce.

N'oubliez pas non plus qu'une trop grande consommation d'alcool peut causer des malaises, particulièrement lorsqu'elle s'accompagne d'une longue exposition au soleil. Elle peut aussi entraîner une certaine déshydratation.

Faute de moyens, les équipements médicaux de l'Équateur ne sont pas toujours aussi modernes que dans votre pays. Si vous requérez des soins médicaux en Équateur, attendez-vous à ce qu'ils ne soient pas les mêmes que chez vous. D'ailleurs, en dehors des grandes villes, les centres médicaux pourront vous paraître modestes. Dans les centres touristiques, il se trouve presque toujours des médecins parlant l'anglais. Lors de toute transfusion sanguine, veillez (si possible) à ce que les tests évaluant la qualité du sang aient été bien effectués.

Les malaises que vous risquez le plus d'éprouver sont causés par une eau mal traitée, susceptible de contenir des bactéries provoquant certains problèmes comme des troubles digestifs, de la diarrhée ou de la fièvre. Il est donc préférable d'éviter d'en consommer. L'eau en bouteille que vous pouvez acheter un peu partout au pays est la meilleure solution pour éviter ces ennuis. Lorsque vous achetez l'une de ces bouteilles, tant au magasin qu'au restaurant, vérifiez toujours qu'elle soit bien scellée. Dans les grands hôtels, il est courant que l'eau soit traitée, mais renseignez-vous toujours au personnel avant d'en boire. Les fruits et les légumes nettoyés à l'eau courante (ceux qui ne sont donc pas pelés avant d'être consommés) peuvent causer les mêmes désagréments. Ne mangez pas de laitues à moins qu'elles ne soient hydroponiques, car elles contiennent toutes des amibes. Quelques restaurants végétariens incluent ce type de laitues dans leurs salades; informez-vous.

Dans l'éventualité où vous auriez la diarrhée, diverses méthodes peuvent être utilisées pour la traiter. Tentez de calmer vos intestins en ne mangeant rien de solide et en buvant des boissons gazeuses, de l'eau en bouteille, du thé ou du café (évitez le lait) jusqu'à ce que la diarrhée cesse. La déshydratation pouvant être dangereuse, il faut boire beaucoup. Pour remédier à une déshydratation sévère, il est bon d'absorber une solution contenant un litre d'eau, deux à trois cuillerées à thé de sel et une de sucre. Vous trouverez également des préparations toutes faites dans la plupart des pharmacies. Par la suite, réadaptez tranquillement vos intestins en mangeant des aliments faciles à digérer, comme le riz. Des médicaments, tel l'Imodium, peuvent aider à contrôler certains problèmes intestinaux; cependant, il faut les éviter en cas de fièvre, car ils empêcheraient alors une élimination nécessaire. Dans les cas où les symptômes sont plus graves (forte fièvre, diarrhée importante, etc.), un antibiotique peut être nécessaire. Il est alors préférable de consulter un médecin.

La nourriture et le climat peuvent également être la cause de divers malaises. Une certaine vigilance s'impose quant à la fraîcheur des aliments et à la propreté des lieux où la nourriture est apprêtée. Une bonne hygiène (entre autres, se laver fréquemment les mains) vous aidera à éviter bon nombre de ces désagréments.

Les moustiques

Les moustiques qu'on retrouve en abondance un peu partout au pays s'avèrent souvent fort désagréables. Il sont particulièrement nombreux durant la saison des pluies. Pour vous protéger, vous aurez besoin d'un bon insectifuge. Les produits répulsifs renfermant du DEET sont les plus efficaces. La concentration de DEET varie d'un produit à l'autre; plus la concentration est élevée, plus la protection est durable. Dans de rares cas, l'application d'insectifuges à forte teneur (plus de 35 %) en DEET a été associée à des convulsions chez de jeunes enfants; il importe donc d'appliquer ce produit avec modération, seulement sur les surfaces exposées, et de se laver pour en faire disparaître toute trace dès qu'on regagne l'intérieur. Le DEET à 35 % procure une protection de 4 à 6 heures, alors que celui à 95 % protège pendant 10 à 12 heures. De nouvelles formulations de DEET, dont la concentration est moins élevée mais qui offrent une protection plus durable, sont disponibles.

Dans le but de minimiser les risques d'être piqué, couvrez-vous bien en évitant les vêtements aux couleurs vives, et évitez de vous parfumer. N'oubliez pas que les insectes sont plus actifs au crépuscule. Lors de promenades dans les montagnes et dans les régions forestières, des chaussures et chaussettes protégeant les pieds et les jambes seront certainement très utiles. Des spirales insectifuges vous permettront de passer des soirées plus agréables. Avant de vous coucher, enduisez votre peau d'insectifuge, de même que la tête et le pied de votre lit. Vous pouvez aussi dormir sous une moustiquaire, mais le mieux reste encore de louer une chambre climatisée.

Comme il est impossible d'éviter complètement les moustiques, vous devriez apporter une pommade pour calmer les irritations causées par les piqûres.

Le soleil

Le soleil, bien qu'il procure des bienfaits, entraîne de nombreux petits ennuis. Apportez toujours une crème qui protège des rayons nocifs du soleil. Plusieurs crèmes en vente sur le marché n'offrent pas une protection adéquate. Avant de partir, demandez à votre pharmacien de vous indiquer les crèmes qui préservent réellement de ses rayons dangereux. Une trop longue période d'exposition pourrait causer une insolation (étourdissement, vomissement, fièvre, etc.). Les premières journées surtout, il est nécessaire de bien se protéger et de ne pas prolonger les périodes d'exposition, car on doit d'abord s'habituer au soleil. Par la suite, il faut éviter les abus. Le port d'un chapeau et de lunettes de soleil peut aider à contrer les effets néfastes du soleil.

La trousse de santé

Une petite trousse de santé permet d'éviter bien des désagréments. Veillez à apporter une quantité suffisante de tous les médicaments que vous prenez habituellement; il peut, en effet, être malaisé de trouver certains médicaments dans les petites villes de l'Équateur. Apportez tout de même une ordonnance valide pour le cas où vous les perdriez. Les autres médicaments tels que ceux contre la malaria et l'Imodium (ou un équivalent) devraient également être achetés avant le départ. De plus, n'oubliez pas d'apporter des pansements adhésifs, des désinfectants, des analgésiques, des antihistaminiques, une paire de lunettes supplémentaire si vous en portez et des comprimés contre les maux d'estomac.

CLIMAT ET HABILLEMENT

En Équateur, le mot «climat» prend une tout autre signification. En raison de sa position sur la ligne équatoriale et du relief très accidenté, le pays présente une multitude de climats qui varient sur de courtes distances en fonction de l'altitude. En principe, l'année est séparée en deux saisons. L'hiver, chaud et humide, s'étale de décembre à mai, tandis que l'été, beaucoup plus frais, va de juin à novembre. Néanmoins, par leur situation géographique sur l'équateur, les régions septentrionales de la Costa connaissent une moyenne de température se situant autour de 27 °C. Le sud de la Costa est traversé par le courant froid de Humboldt, qui provoque ainsi un léger refroidissement des températures. Plus à l'est, le climat chaud, humide et pluvieux de l'Oriente présente des moyennes de température de l'ordre de 24 °C à 28 °C. La température de la Sierra diminue beaucoup en fonction de l'altitude; en moyenne, elle varie entre 14 °C et 18 °C. Finalement, les îles Galápagos offrent un climat sec et tempéré durant toute l'année.

C'est pourquoi le type de vêtements à apporter varie d'une région à l'autre. D'une manière générale, les vêtements de coton, amples et confortables, sont les plus appréciés dans ce pays. Pour les balades dans la région de la Sierra, il est préférable de porter des chaussures fermées couvrant bien les pieds, car elles protègent mieux des blessures qui risqueraient de s'infecter. Pour les soirées fraîches, un chemisier ou un gilet à manches longues peuvent être utiles. Un petit parapluie ou un imperméable s'avérera fort utile pour se protéger des ondées. En effet, il arrive que le beau ciel ensoleillé s'obscursisse et qu'il se mette tout à coup à pleuvoir. Le port de jupe courte par les femmes n'est pas très bien perçu, sauf sur les plages de la Costa. En prévision de certaines sorties, il est bon d'apporter des vêtements plus chic, puisque nombre d'endroits exigent le port d'une tenue vestimentaire soignée. La région amazonienne est caractérisée par son climat chaud, humide et pluvieux. Prévoyez des vêtements informels usés qui sèchent rapidement. Pour plus de renseignements sur ce qu'il faut apporter en Oriente, voir p 274. Enfin, si vous prévoyez une randonnée dans les montagnes, apportez de bonnes chaussures de marche couvrant les chevilles et un gilet.

QUAND VISITER L'ÉQUATEUR?

La haute saison touristique en Équateur se situe de la fin du mois de mai à la toute fin du mois d'août et du milieu du mois de novembre à la toute fin du mois de janvier. Si vous prévoyez séjourner durant ces périodes et que votre temps est limité, il est préférable d'effectuer vos réservations à l'avance, surtout si vous comptez visiter l'archipel des Galápagos ou l'Oriente. Par ailleurs, les plages de la Costa sont littéralement bondées de vacanciers équatoriens en février et en mars. De plus, de nombreuses fêtes religieuses ou commémoratives ont lieu tout le long de l'année, arrêtant parfois toutes activités. À titre d'exemple, la longue procession du sanctuaire de Cisne à Loja rend les routes de cette région inopérantes, car elles sont pleines de fidèles. Pour plus de renseignements sur les jours fériés, voir p 69. De plus, les tensions frontalières incessantes entre l'Équateur et le Pérou surgissent souvent au mois de janvier de chaque année. Par mesure de sécurité, évitez de franchir la frontière à pied au cours de cette période.

LA SÉCURITÉ

Contrairement à d'autres pays d'Amérique latine, l'Équateur n'est pas un pays dangereux, mais, comme partout ailleurs, il y a certains risques de vol. Les endroits favoris des voleurs sont les marchés publics, le *terminal terrestre* ainsi que les rues ou les parcs mal éclairés. Le niveau de criminalité est à la hausse dans certaines grandes villes; Guayaquil, Esmeraldas, Manta ainsi que quelques quartiers de la ville de Quito en sont quelques exemples.

N'acceptez jamais de nourriture et de boissons de la part d'étrangers. Vous risquez de vous réveiller quelques jours plus tard en territoire inconnu, sans argent ni bagages. Si vous louez une voiture, évitez de conduire la nuit. La plupart des routes ne sont pas éclairées, et les Équatoriens ont tendance à conduire dangeureusement vite. La route panaméricaine et l'autoroute qui relie la Costa à la Sierra en passant par Santo Domingo de los Colorados sont particulièrement dangereuses la nuit. Ces routes sont sinueuses, et la visibilité devient nébuleuse en altitude. Par ailleurs, la route entre Quevedo et Guayaquil est parfois le théâtre de vols.

Malgré tout, les probabilités que vous soyez victime d'un vol demeurent assez faibles. N'oubliez pas qu'aux yeux de la majorité des habitants vous détenez des biens (appareil photo, valises de cuir, caméscope, bijoux, etc.) qui représentent beaucoup d'argent. Une certaine prudence peut donc éviter bien des problèmes. Vous avez dès lors intérêt à ne porter que peu ou pas de bijoux, à ranger vos appareils électroniques dans un sac discret que vous garderez en bandoulière et à ne pas sortir tous vos billets de banque quand vous achetez quelque chose.

Une ceinture de voyage vous permettra de dissimuler une partie de votre argent, vos chèques de voyage et votre passeport. Dans l'éventualité où vous vous feriez voler vos valises, vous conserverez les documents et l'argent nécessaire pour vous dépanner. N'oubliez pas que moins vous attirez l'attention, moins vous courez le risque de vous faire voler.

Si vous apportez vos objets de valeur à la plage, il vous est fortement conseillé de les garder à l'œil en tout temps. La plupart des bons hôtels sont équipés de coffrets de sûreté dans lesquels vous pouvez placer vos objets de valeur, ce qui vous assurera la tranquillité d'esprit.

Femmes voyageant seules

En principe, une femme seule ne devrait pas rencontrer de problème majeur. Même si vous êtes dans un pays latin, les hommes sont généralement respectueux. Malheureusement, le risque de se faire harceler et siffler demeure bel et bien présent. N'en faites aucun cas, et poursuivez votre chemin dans l'indifférence. Un minimum de prudence s'impose donc. Évitez de porter des vêtements trop révélateurs. Tâchez d'éviter les endroits douteux et peu éclairés. Si vous voyagez dans la région de la Costa, évitez de marcher sur la plage une fois la nuit tombée. De plus, il est préférable d'apporter vos propres produits hygiéniques féminins, car il est difficile de s'en procurer en dehors des grandes villes comme Cuenca, Guayaquil et Quito. Malgré tout, il est possible qu'elles ne possèdent pas votre marque préférée.

L'homosexualité

Si vous êtes gay, dévoiler votre identité sexuelle en Équateur n'est probablement pas la meilleure des idées. L'État interdit formellement toute relation homosexuelle sous peine d'emprisonnement. Quelques bars homosexuels clandestins existent dans les villes de Cuenca, Guayaquil et Quito, mais sont difficiles à trouver. Pour plus de renseignements sur la vie gay en Équateur : fedaeps@orlando.ecx.ec.

VOS DÉPLACEMENTS

En voiture

Les distances sont parfois considérables en Équateur. D'autant plus que, même si la plupart des routes sont en bonne condition, l'état de certaines petites routes empêche de rouler à plus de 40 km/h. Aussi est-il important de bien planifier son itinéraire, en particulier pour éviter de rouler dans l'obscurité.

La location d'une voiture

Vous pouvez facilement louer une voiture en Équateur. La plupart des grandes agences de location y ont des bureaux. Il faut prévoir en moyenne 40 $ par jour (plus environ 0,12 $ le kilomètre dans certains cas) pour une petite voiture, sans compter les assurances et les taxes. Un véhicule à quatre roues motrices (tout-terrain) coûte plus cher, soit de 50 $ à 70 $ par jour. Considérez sérieusement cette dernière option si vous comptez voyager sur des chemins cahoteux. Choisissez une voiture en bon état, de préférence neuve. Quelques agences locales demandent des prix moins élevés, mais leurs véhicules sont souvent en mauvais état. Au moment de la location, il est fortement recommandé de prendre une assurance-automobile couvrant bien tous les frais que peut entraîner un accident. Une franchise d'environ 1 000 $ est généralement prévue (argent comptant ou carte de crédit). Avant de signer un contrat de location, veillez à ce que les modalités de paiement soient clairement définies. Lors de la signature du contrat, votre carte de

Ambato									
40	**Baños**								
306	309	**Cuenca**							
288	288	250	**Guayaquil**						
251	291	557	535	**Ibarra**					
47	87	353	335	204	**Latacunga**				
231	271	537	515	20	184	**Otavalo**			
136	176	442	420	115	89	95	**Quito**		
52	55	254	233	303	99	283	188	**Riobamba**	
376	416	682	660	125	329	145	240	428	**Tulcán**

Tableau des distances (km)

crédit devra couvrir les frais de location et le montant de la franchise de l'assurance. Certaines cartes de crédit vous assurent automatiquement contre le vol du véhicule et les collisions, mais, en général, elles ne couvrent pas les tout-terrains.

Le permis de conduire valide de votre pays est accepté.

Le code de la route et la conduite automobile

Bien qu'il soit très agréable d'avoir son propre véhicule et de pouvoir se rendre à des endroits difficiles d'accès hors des sentiers battus, nous ne vous recommandons pas de conduire en Équateur. Avec tout le respect que l'on doit aux Équatoriens, il faut admettre qu'ils conduisent dangereusement vite et que, même si les autoroutes et les routes principales sont généralement en bon état et bien revêtues, la route panaméricaine est sinueuse, parfois glissante, et de nombreux accidents s'y produisent. En outre, même si elles n'ont pas de voies d'accotement, on peut y rouler à bonne vitesse. On rencontre tout de même, çà et là, des trous dans la chaussée. Sachez aussi qu'une voiture peut vous doubler à tout moment, et ce, même si un véhicule arrive en sens contraire. Si vous avez de la chance, l'automobiliste derrière vous vous avertira qu'il veut vous dépasser par quelques coups de klaxons répétitifs. En raison du manque d'éclairage, du relief accidenté des montagnes et du manque de balisage des routes équatoriennes, il est fortement recommandé d'éviter de conduire la nuit. De plus, certaines voitures ne possèdent tout simplement pas de phares...

Voyager sur les routes secondaires demeure par contre une entreprise d'une tout autre nature. Elles sont souvent couvertes de pierraille, quelques-unes sont pavées, et la plupart sont parsemées de trous de toutes tailles. On y circule donc lentement. De plus, bon nombre d'animaux les traversent en tout temps, en particulier les chiens, qui, pour aucune raison apparente, l'écume à la bouche, se mettront à courir à toute vitesse vers votre véhicule en jappant de toute leur force et en vous fixant d'un regard inquiétant. Quoi faire? Premièrement, ne vous arrêtez surtout pas. Deuxièmement, souriez. Troisièmement, ralentissez un tant soit peu, et poursuivez tranquillement votre chemin sous les aboiements des chiens.

Par ailleurs, le long de ces routes se trouvent de petits villages que vous devrez traverser en prenant bien garde aux nombreux piétons. Des dos d'âne ont été placés dans les rues des villes afin de ralentir les automobilistes. Malheureusement, ceux-ci sont fort mal annoncés. On les retrouve généralement à l'entrée des villes. Les panneaux de signalisation routière sont également peu nombreux (peu d'indications de limite de vitesse, d'arrêts et de droit ou non au passage). Enfin, les indications routières sont en général inadéquates. Ainsi, pour retrouver son chemin, il n'existe parfois pas d'autres moyens que de s'adresser aux gens du village.

La circulation est dense dans les villes de Quito et de Guayaquil, où les automobilistes se faufilent rapidement et dangereusement à travers les rues de la ville. Les règles de conduite élémentaires sont inexistantes, et l'usage du clignotant est remplacé par le bruit répétitif du klaxon. Peu d'automobilistes surveillent leur angle mort lorsqu'ils dépassent. De plus, les piétons ont avantage à se montrer prudents avant de traverser la rue, car, même si le feu est rouge, les véhicules n'en font parfois aucun cas.

Dernier conseil : ne laissez jamais votre voiture sans protection. Tentez de choisir un hôtel qui dispose d'un stationnement privé. De plus, beaucoup d'Équatoriens s'offrent pour surveiller votre véhicule pendant votre absence. Acceptez de bonne foi, mais ne payez qu'à votre retour, et à une seule personne. En général, ces gens vous demanderont un montant variant autour de 1 000 sucres.

Le service à l'auto

Dans certaines régions du pays, particulièrement la Costa, il est fréquent que de jeunes Équatoriens s'offrent pour laver votre voiture; sans même vous le demander, souvent ils le font. Tous s'attendent cependant à recevoir quelque chose pour leur peine. Même si vous ne désirez pas leurs services, il est préférable de leur donner un peu d'argent (afin d'éviter quelque égratignure à votre automobile ou sur votre personne). En général, comptez environ 1 000 sucres.

La police

Le long de l'autoroute, des contrôles policiers et parfois militaires sont prévus pour surveiller les automobilistes. Les agents en poste ont la possibilité d'arrêter toute personne qui commet une infraction au code de la sécurité routière, ou de simplement vérifier les papiers du conducteur. Veillez à toujours avoir en votre possession votre passeport ou une photocopie certifiée par votre ambassade ou votre consulat. Faute d'identification, vous serez contraint à prouver votre identité, ce qui peut occasionner quelques désagréments. En règle générale, les agents sont serviables, et, si vous avez des problèmes sur la route, ils vous aideront. En cas d'urgence, composez le **101**.

L'essence

On trouve des postes d'essence partout au pays. Le prix de l'essence est assez bas. Peu de stations-service acceptent les cartes de crédit.

En taxi

Des services de taxi sont proposés dans presque toutes les villes de taille moyenne ainsi que dans les grandes villes. Les voitures sont souvent très vieilles, mais elles vous mèneront à bon port. Dans la majorité des cas, les prix sont déterminés par le compteur, mais ils peuvent être établis à l'avance. Si vous fixez un prix avant de partir, entendez-vous clairement sur ce qu'inclut le montant de la course avant de partir, et ne payez qu'à la fin.

Les taxis collectifs

Il existe des taxis collectifs (*taxis ruta*) offrant l'avantage de répartir le coût d'une course entre tous les occupants de la voiture, même si la destination de chaque personne varie. Ils font affaire surtout à Guayaquil.

En autocar

Bon nombre d'entreprises de transport par autocar desservent très bien tout le pays. Pratiquement toutes les villes possèdent un *terminal terrestre* qui centralise les arrivées et les départs. L'autocar constitue donc un moyen efficace et économique pour se déplacer. Pour prendre le car, il suffit de se rendre au *terminal terrestre* de la ville ou d'en arrêter un sur le bord de la route en faisant un signe de la main. Ces autocars s'arrêtent fréquemment et sont souvent bondés. Toutefois, il est possible d'acheter son billet à l'avance en se présentant en personne au *terminal terrestre.* Cette pratique représente une solution intéressante pour ceux qui prévoient passer de longues heures en autocar. Les personnes de grande taille pourront alors éviter les sièges situés au-dessus des roues. Aussi, les places du fond ne s'inclinent pas, et vous risquez de vous faire secouer joliment, car l'état des routes laisse parfois à désirer. Finalement, la très grande majorité des cars ne sont pas munis de toilettes.

Quelques entreprises possèdent des autocars climatisés, assez confortables et dotés d'un magnétoscope qui diffuse des films. Les arrêts sont peu nombreux, et les distances peuvent être parcoures assez vite. Le prix des sièges est à peine un peu plus élevé, et, pour

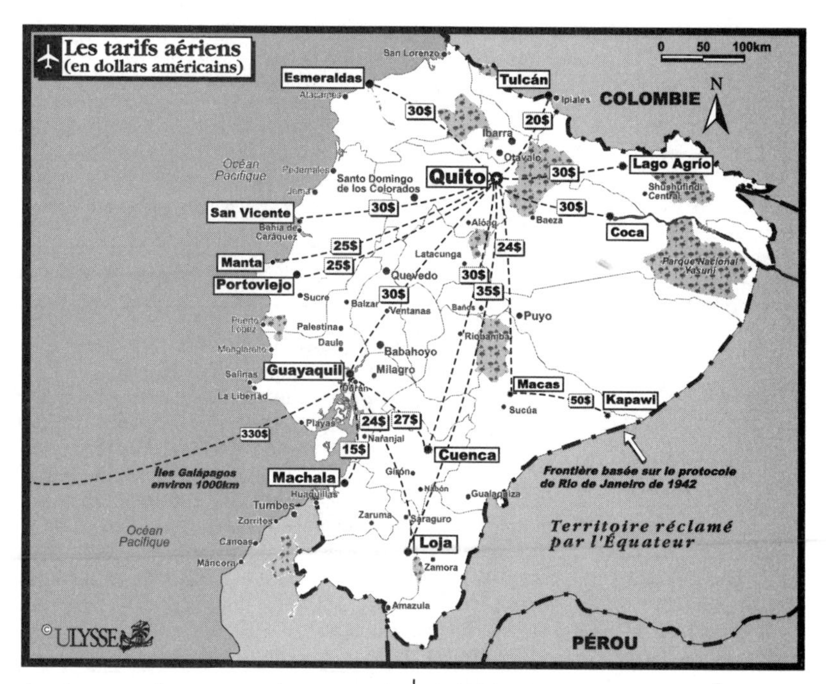

les longues distances, cela en vaut la peine, en raison du temps gagné.

Autres

Dans les régions éloignées, des camions et d'autres véhicules acceptent de prendre des passagers moyennement quelques sucres.

En avion

Les vols intérieurs constituent une solution pratique et relativement économique pour visiter le pays. En effet, un vol de Quito à Cuenca prend environ 30 min et coûte seulement une trentaine de dollars. Appartenant à l'État mais gérée par les militaires, **TAME** constitue la compagnie aérienne intérieure la plus importante en Équateur. Elle assure des liaisons avec presque toutes les villes majeures du pays. Les compagnies privées **SAN** et **SAETA** proposent également des vols à travers l'Équateur. Les prix sont les mêmes, et les départs sont fréquents.

TAME
Avenida Amazonas et Colón
6e étage
Quito
☎ (02) 509-375
⇄ 561-052
ou
Calle Colón 1001 et Rábida
☎ (02) 554-905

SAETA
Calle Santa María
et Avenida Amazonas
Quito
☎ (02) 542-148

SAN
Calle Santa María
et Avenida Amazonas
Quito
☎ (02) 564-969
⇄ 562-024

En train

L'un des moyens les plus lents pour traverser le pays, le train n'en demeure pas moins un des plus intéressants et des plus agréables. Seulement trois liaisons sont assurées sur une base régulière : Alausí à Durán, Ibarra à San Lorenzo et Quito à Riobamba. Le voyage d'Alausí à Durán est considéré par plusieurs comme un des trajets en train les plus spectaculaires du monde. Des milliers de touristes le font chaque année. Le train quittant Quito à destination de Riobamba sillonne les Andes à travers une végétation florissante; il permet d'admirer des paysages magnifiques tout le long du déplacement. Contrairement aux deux autres liaisons, le trajet d'Ibarra à San Lorenzo se fait en *autoferro*, et non en train; il s'agit d'un ancien autobus scolaire monté sur des rails de chemins de fer.

Les meilleurs sièges se situent sur le toit des trains ou des *autoferros*. En principe, les départs s'effectuent une fois par jour, et tous les billets s'achètent sur place lors du départ. Arrivez tôt, car les places sont limitées.

Trajets	Coût	Durée
Quito-Riobamba	8 $	5-7 heures
Ibarra-San Lorenzo	10 $	8-12 heures
Duran-Alausí	8 $	10-12 heures

En auto-stop

Si vous avez du temps, il est possible de vous déplacer en faisant de l'auto-stop. Les gens sont aimables et aiment converser avec les étrangers, mais s'attendent généralement à reçevoir un peu d'argent en retour. Un minimum de prudence s'impose toutefois. Les femmes voyageant seules devraient éviter de faire de l'auto-stop. Le prix des trajets en autocar étant relativement bas, utilisez cette option en dernier recours.

AGENCES D'EXCURSIONS

Au moment de préparer leur voyage en Équateur (ou n'importe où ailleurs), les voyageurs doivent établir quel genre de séjour ils ont en tête, de manière à déterminer s'ils doivent opter pour un voyage organisé ou une aventure indépendante.

Ceux et celles qui recherchent principalement un séjour de repos et de détente, à se laisser caresser par les rayons du soleil, resteront, pour la plupart, au même hôtel et dans la même région tout au long de leur voyage. Ce type de voyage est tout indiqué pour les formules tout compris. Cette formule s'avère très économique, mais risque de vous limiter au buffet de votre hôtel qui, après un certain temps, comporte sa part d'ennui. Ces formules tout compris sont disponibles auprès de votre agent de voyage ou, dans certains cas, par l'entremise des forfaits touristiques proposés par les compagnies aériennes.

Pour les voyageurs qui désirent se promener au pays, trois options sont proposées : le voyage organisé, le voyage indépendant, ou une combinaison des deux. Il vous sera, par ailleurs, impossible de visiter les sites les plus éloignés, comme la forêt tropicale humide, la Sierra et les parcs nationaux. Le contact avec les peuples autochtones sera, pour sa part, très limité. Les voyages organisés ne sont pas nécessairement indiqués pour les personnes plus âgées ou celles qui possèdent moins d'expérience de voyage. Cette formule est également appréciée des voyageurs qui préfèrent laisser les autres travailler plutôt que de s'attaquer au pays en solitaire. Ces voyages proposent généralement des itinéraires bien planifiés, des véhicules confortables, l'hébergement ainsi qu'un sentiment de sécurité fort apprécié. Cependant, on déplore un manque de flexibilité, la contrainte d'être toujours avec les mêmes personnes, et un isolement par rapport à la population locale. Les agences de voyages sont susceptibles d'avoir de l'information concernant ce genre de séjour, quoique souvent limitée.

L'aventure autonome attire beaucoup de visiteurs grâce à l'incroyable flexibilité d'horaires et d'itinéraires qu'elle permet. Cette formule permet également de choisir hôtels et restaurants en fonction des besoins précis du voyageur. Cependant, comme nous l'avons mentionné plus haut, plusieurs sites éloignés ne sont pas accessibles aux visiteurs, pour des raisons de sécurité et écologiques. Partir à l'aventure demande, naturellement, un certain don pour les langues, la capacité de fonctionner malgré les imprévus, et la volonté de faire face à quelques inconvénients.

Enfin, même les voyageurs attirés par l'aventure devraient considérer la combinaison voyage organisé - voyage d'aventure. On peut, par exemple, trouver un forfait d'une agence d'excursions locale afin de voir les attrait touristiques de l'Équateur, ou peut-être de faire l'expérience d'une aventure dans les régions les plus recluses du pays.

Voici une liste d'adresses des agences d'excursions qui vous permettront de visiter différentes régions de l'Équateur. Certaine d'entre elles proposent aussi des tours guidés de villes.

Metropolitan Touring
Avenida Amazonas 339
Quito
☎ (02) 560-550
⇄ 564-655
http:/www.ecuadorable.com
info@ecuadorable.com
(certains de leurs guides parlent français)
représenté à Paris par **ECRIT**
3, rue Tronchet
75008
☎ 01.44.51.01.63
⇄ 01.40.07.12.72

représenté aux États-Unis par **Adventure Associates**
13 150, Coit Road, suite 110
Dallas, Texas
☎ (800) 527-2500
⇄ (972) 783-1286

Nuevo Mundo
Avenida Coruña 1349 et Orellana
P.O. Box 402-A
Quito
☎ (02) 552-617
⇄ 565-261
http://www.venweb.com/ec/nmundo.htm
nmundo@uio.telconet.net

représenté aux États-Unis par **Big Five Tours & Expeditions**
819 South Federal Highway, Suite 103
Stuart, Florida 34994
☎ (561) 287-7995
⇄ (561) 287-5990

Sierra Nevada
Calle Juan León Mera 741
et Veintimilla
Quito
☎ (02) 553-658
⇄ 659-250

Safari
Calle Calama 380 et Juan León Mera
Quito
☎ (02) 552-505
⇄ 220-426
admin@safariec.ecx.ec

Surtek
Avenida Amazonas et Veintimilla
Quito
☎ (02) 561-129

Pamir Adventure Travel
Calle Juan León Mera 721
et Ventimilla
Quito
☎ (02) 547-576
⇄ 542-605

Crater Tours
Calle Calama 161 et Diego de Almagro
Quito
(certains de leurs guides parlent français)
☎ (02) 545-491
⇄ 554-503

Latin American Travel Consultants

P.O. Box 17-17-908
Quito
⇄ (02) 562-566
latc@pi.pro.ec
http://www.amerispan.com/latc ou http://www.greenarrow.com/latc.htm

Cette organisation publie un bulletin d'information trimestriel très intéressant sur l'Amérique du Sud et l'Amérique centrale. On y traite de sujets tels que la sécurité, la santé, la température, les coûts des voyages, l'économie et la politique. Ceux qui souhaitent s'abonner peuvent le faire au coût 39 $ pour l'année. Si vous souhaitez obtenir de l'information sur un pays en particulier, on peut vous la faire parvenir par télécopie ou par courrier électronique moyennant la somme de 10 $.

South American Explorers Club

Il s'agit d'une organisation à but non lucratif fondée en 1977 à Lima, au Pérou. Un deuxième bureau a ouvert ses portes à Quito en 1989. Cependant, le siège social se trouve dans l'État de New York. Le club fut fondé afin d'aider quiconque désire voyager en Amérique du Sud, spécialement en Équateur, aussi bien dans un but de recherche biologique ou anthropologique qu'à des fins sportives (alpinisme andin, descente de rivières, etc.) Les frais d'adhésion au club sont de 40 $ par personne ou de 60 $ par couple. L'inscription vous permet de recevoir les quatre numéros annuels du magazine du club et d'accéder à toute l'information dont dispose le club : cartes topographiques, cartes géologiques et routières, bibliothèque, rapports de voyage écrits par d'autres membres. De plus, les membres bénéficient d'un espace de rangement pour leur équipement de randonnée, leur tente et leur sac à dos. On peut aussi recevoir des lettres et du courrier électronique à l'adresse du club, et il s'agit d'un excellent endroit où former un groupe afin de partir en excursion. Les non-membres sont les bienvenus, mais, par respect pour les membres, on leur demande poliment de ne pas s'attarder sur les lieux. Le personnel est jeune, sympathique et dynamique.

À Quito

Lun-ven 9 h 30 à 17 h; Calle Jorge Washington 311 et Leonidas Plaza, ☎ et ⇄ (02) 225-228, explorer@saec.org.ec

À Lima

Lun-ven 9 h 30 à 17 h; Avenida República de Portugal 146 et Breña, ☎ (14) 314-480, montague@amauta.rcp.net

Aux États-Unis

Lun-ven 9 h 30 à 17 h; 126 Indian Creek Road, Ithaca, NY 14850, ☎ (607) 277-0488, ⇄ 277-6122, explorer@samexplo.org, http://www.samexplo.org

LES SERVICES FINANCIERS

La monnaie

La monnaie du pays est le **sucre**. Elle circule en billets de 50 000, 20 000, 10 000, 5 000, 1 000, 500, 100 sucres et parfois de 50, 20, 10 et 5 sucres, ainsi qu'en pièces de 1 000, 500, 100, 50, 20, 10, 5 et 1 sucre (au moment de mettre sous presse, 1 dollar américain = 3 100 S/.).

Les banques

Les banques sont ouvertes du lundi au vendredi, de 9 h 30 à 13 h. On en trouve dans toutes les villes de grande et de moyenne taille. La majorité d'entre elles changent le dollar américain; moins nombreuses sont celles qui changent les chèques de voyage et les autres devises étrangères. Gardez toujours des espèces sur vous.

Les *casas de cambio* ou bureaux de change

Il est interdit de changer de l'argent dans la rue. Dans certaines villes, des gens vous offriront d'échanger vos dollars, mais il est plus prudent de vous rendre dans un endroit spécialisé pour ce faire, car beaucoup de faux billets sont en circulation, et les arnaques se produisent régulièrement.

Les *casas de cambio* sont ouvertes du lundi au vendredi, de 9 h à 18 h, et parfois le samedi, de 9 h à 13 h. Elles offrent généralement un meilleur taux de change que les banques, et le service y est plus rapide.

Taux de change

1 $CAN	=	0,72 $US	1 $US	=	1,38 $CAN
1 FF	=	0,17 $US	1 $US	=	6,04 FF
1 FS	=	0,70 $US	1 $US	=	1,43 FS
10 FB	=	0,32 $US	1 $US	=	31,56 FB
100 PTA	=	0,63 $US	1 $US	=	159,64 PTA
1 000 LIT	=	0,66 $US	1 $US	=	1 509,67 LIT

Le taux de change officiel au moment de mettre sous presse est de 3 920 sucres = 1 $US

Tableau des taux de change

Pour bénéficier d'un meilleur taux de change, il est toujours préférable de changer ses devises dans les grandes villes comme, par exemple, Quito, Guayaquil ou Cuenca.

Les dollars américains

Il est toujours mieux de voyager avec des dollars ou des chèques de voyage en dollars américains, car, en plus d'être faciles à changer, les dollars américains bénéficient d'un meilleur taux.

Les chèques de voyage

Il est toujours plus prudent de garder la majeure partie de son argent en chèques de voyage. Ceux-ci sont parfois acceptés dans les restaurants, les hôtels ainsi que certaines boutiques. En outre, ils sont facilement échangeables dans les banques et les bureaux de change du pays. Il est conseillé de garder une liste des numéros des chèques dans un endroit séparé, car, si vous perdez vos chèques, la société émettrice pourra alors vous les remplacer plus facilement et plus rapidement. Cependant, gardez toujours des espèces sur vous.

Les cartes de crédit

Les cartes de crédit sont acceptées dans bon nombre de commerces, en particulier les cartes Visa (Carte Bleue) et MasterCard. Cependant, ne comptez pas seulement sur elles, car plusieurs petits commerçants les refusent. Encore une fois, même si vous avez des chèques de voyage et une carte de crédit, veillez à toujours avoir des espèces sur vous. Par ailleurs, si vous prévoyez séjourner aux Galápagos, sachez que la grande majorité des commerces n'acceptent pas la carte Visa. En effet, pour une raison obscure, MasterCard est une des rares cartes de crédit acceptées.

LES TÉLÉCOMMUNICATIONS

La poste

On trouve des bureaux de poste dans chaque ville. Certains hôtels offrent aussi un service efficace d'envois postaux. Quel que soit l'endroit où vous postez votre lettre, dites-vous bien qu'elle prendra beaucoup de temps à atteindre son destinataire. Le service postal est en effet un peu lent. Si votre envoi est urgent, utilisez plutôt la télécopie (le fax) à l'EMETEL. Les timbres sont vendus dans les bureaux de poste et dans quelques commerces.

Le téléphone et la télécopie

Les appels internationaux et locaux peuvent être effectués de l'**EMETEL**, qu'on retrouve dans presque toutes les villes ou dans les grands hôtels. De ces endroits, il est très facile de téléphoner à l'étranger. En téléphonant de l'EMETEL, vous éviterez de payer les frais supplémentaires que vous demandera votre hôtel, lesquels représentent presque le montant nominal. Nul besoin de faire provision de petite monnaie, puisque la durée des appels est enregistrée sur ordinateur et que vous payez au comptoir. Ces centres proposent aussi un système efficace de télécopie. Sauf à l'hôtel, il n'est pas possible de payer par carte de crédit. Les téléphones publics sont rares; on les retrouve parfois dans les grandes villes, dans les aéroports ou dans les universités. Quelques bureaux d'EMETEL vendent des *fichas* (jetons) permettant d'effectuer des appels locaux. Un minimum de trois minutes vous seront facturées pour les appels internationaux.

Trois minutes de conversation avec l'Amérique du Nord : environ 9 $.

Trois minutes de conversation avec l'Europe : environ 12 $.

L'indicatif régional du pays est le **593**. Pour téléphoner à l'extérieur du pays, le personnel du centre vous expliquera en espagnol, ou parfois dans un anglais maladroit, les démarches à suivre.

Préfixes régionaux

Voici les préfixess régionaux des différentes provinces de l'Équateur.

Pichincha et Quito : **02**
Bolívar, Chimborazo, Cotopaxi, Pastaza et Tungurahua : **03**
Guayas : **04**
Galápagos, Los Ríos et Manabí : **05**
Carchi, Esmeraldas, Imbabura, Napo et Sucumbios : **06**
Azuay, Cañar, El Oro, Loja, Morona Santiago et Zamora Chinchipe : **07**

Vous pouvez utiliser les services de Canada Direct pour appeler au Canada ou de France Direct pour appeler en France si vous disposez d'une carte d'appels. Vous paierez alors les tarifs canadiens ou français, plus un léger supplément; une téléphoniste vous répondra en français. Vous pouvez également effectuer des appels à frais virés (PCV). Pour atteindre le service Canada Direct en Équateur, composez le numéro sans frais le ☎ 999-175; pour le service France Direct, composez le ☎ 999-180.

Police : ☎ 101.
Pompiers : ☎ 102.
Appels internationaux : ☎ 116.

HÉBERGEMENT

Les tarifs mentionnés dans ce guide s'appliquent, sauf indication contraire, à une chambre pour deux personnes, en haute saison, et n'inclut pas la taxe de 20 %.

Il existe plusieurs formules d'hébergement en Équateur. Au prix des chambres des grands hôtels, il faut généralement ajouter 20 % de taxe. Il est également d'usage de laisser quelques sucres par jour pour les services fournis par la femme de chambre (à la fin de votre séjour).

La plupart des grands hôtels acceptent les cartes de crédit; les petits hôtels, quant à eux, les refusent souvent.

Les hôtels

De nombreuses chambres d'hôtels se trouvent à travers presque toutes les villes de l'Équateur. La qualité et le confort de ces chambres varient d'une ville à l'autre, mais vous trouverez généralement une chambre adaptée à vos besoins. Il existe beaucoup d'hôtels bon marché, mais certains présentent une propreté parfois sommaire. Aussi est-il préférable de toujours voir la chambre avant de la louer. De plus, selon les régions, assurez-vous de bien vérifier si la chambre dispose de l'eau chaude, d'une moustiquaire ou d'un ventilateur. En outre, les jours de marchés publics, les meilleurs hôtels sont généralement remplis à pleine capacité. Pour éviter des désagréments, réservez votre chambre à l'avance, ou arrivez l'avant-veille du jour du marché.

Les motels

Les motels sont des endroits douteux où on loue la chambre à l'heure et qui sont utilisés par des personnes qui sont à la recherche d'un lieu pour avoir des relations sexuelles discrètes.

Les *apart-hotels*

Les *apart-hotels* sont conçus comme des hôtels et en offrent tous les services, mais proposent en plus une cuisinette généralement équipée de vaisselle et de casseroles. Pour les longs séjours en Équateur, il s'agit d'une formule d'hébergement économique.

Les *cabañas*

Ce type d'hébergement ne diffère guère des hôtels. Les *cabañas* ont comme particularité d'offrir des chambres situées dans de petits pavillons indépendants. Elles sont généralement peu chères et sont parfois pourvues d'une cuisinette.

Les *Bed & Breakfasts*

Très peu de personnes ont adapté leur maison afin de recevoir des visiteurs. Le confort offert peut varier grandement d'un endroit à l'autre. Ces chambres ne possèdent généralement pas de salle de bain privée.

Les auberges de jeunesse

Il existe très peu d'auberges de jeunesse en Équateur. Quito et Guayaquil en comptent quelques-unes.

Le camping

Il est possible de camper dans certains parcs nationaux.

Les *lodges*

Les *lodges* se retrouvent principalement dans la forêt tropicale humide de l'Oriente, sur des propriétés privées tout près d'un parc national ou d'une réserve. Généralement, elles ne sont pas accessibles aux voyageurs n'ayant pas fait affaire avec une agence d'excursions. De cette façon, vous obtenez la pension complète ainsi qu'un tour guidé du parc ou de la réserve. Le chapitre «Oriente» de ce guide vous renseignera plus longuement au sujet des *lodges* (voir p 271).

RESTAURANTS

Près des sites touristiques se trouvent des restaurants proposant toutes sortes de cuisine : équatorienne, internationale, etc. Le service est toujours très courtois et attentionné, qu'il s'agisse d'un petit ou d'un grand établissement. Au prix du repas, s'ajoute une taxe de 20 %. Les prix mentionnés dans la classification ci-dessous s'appliquent à un repas pour une personne. Les boissons (vins, bières, apéritifs, etc.) et la taxe sont à ajouter au prix.

$ = 6 $ ou moins
$$ = 6 $ à 12 $
$$$ = plus de 12 $

Les pourboires

Sujet de conversation délicat, les pourboires font souvent l'objet d'éternels débats auprès des personnes concernées. En effet, que ce soit au restaurant ou à l'hôtel, les clients et le personnel de service ne semblent pas toujours s'entendre sur le montant d'argent à laisser. Au restaurant, certains clients sont persuadés qu'ils ne doivent donner que 15 % avant les taxes, tandis que les serveurs affirment que ce montant minimum doit être versé après les taxes. Bref, la situation en Équateur n'est pas différente qu'ailleurs. À titre d'exemple, la plupart des meilleurs bateaux de croisière possèdent de meilleurs guides, donc, en général, ils offrent un meilleur service, un bon service signifiant un bon pourboire aux yeux des guides ou des serveurs. À l'instar des serveurs, les guides ont un salaire de base dérisoire et comptent généralement sur leurs pourboires afin de pouvoir subsister. En principe, si vous êtes capable de vous offrir une croisière ou de vous payer un repas dans un bon restaurant, vous êtes en mesure de laisser un pourboire en conséquence.

LA CUISINE ÉQUATORIENNE

La cuisine équatorienne varie d'une région à l'autre. Cependant, au long de votre séjour en Équateur, vous trouverez une variété extraordinaire de fruits frais disponibles durant toute l'année. Oranges, *murucuyás* (fruits de la passion), papayes, bananes et melons d'eau n'en sont que quelques exemples. Dans les villes touristiques, bon nombre de restaurants proposent des plats bien connus des touristes (pizzas, hamburgers, etc.) ainsi que des spécialités équatoriennes régionales. On y trouve aussi de délicieux plats créoles. Dans la Sierra, le poulet, le porc et le bœuf sont apprêtés sous différentes formes.

La région de la Costa est baignée par les eaux du Pacifique, et il est normal qu'une grande variété de poissons et de fruits de mer soient les vedettes incontestées des menus qu'on y propose. Les *cebiches* (ou *ceviches* selon les endroits) sont délicieusement apprêtées dans la plupart des restaurants de cette région. Les Équatoriens et les Péruviens se disputent la paternité de ce savoureux plat traditionnel préparé avec des fruits de mer ou quelques variétés de poissons à peine cuits qu'on laisse mariner dans un mélange de jus très acide de citron vert et d'oignon, et souvent accompagné de grains de maïs. Toutefois, soyez prudent car le poisson peu cuit servi sous forme de *cebiche* peut contenir des germes parasites plus ou moins dangereux pour l'appareil digestif.

La région de la Costa compte de nombreuses plantations de bananes qui produisent toutes sortes de variétés. Selon la maturité de celles-ci, vous les découvrirez sous différentes formes et préparations.

La cuisine végétarienne

Si vous suivez un régime macrobiotique, aussi bien vous le dire tout de suite, vous ne pourrez survivre en Équateur. Cependant, si vous adoptez un régime végétarien à base de produits laitiers, vous n'aurez probablement pas de problème. Les grandes villes comme Cuenca, Quito et Guayaquil possèdent des restaurants végétariens qui sauront sans doute vous satisfaire. Parfois, la définition du végétarisme est quelque peu biaisée, car ils préparent des plats de poulet et de poisson. Dans les villages plus reculés, même si le menu n'affiche pas de plats végétariens, il est toujours possible de demander gentiment au serveur si la cuisine peut vous en préparer un plat.

Petit lexique gastronomique

Aji : condiment très épicé

Ajo : ail

Almuerzo : déjeuner

Arroz : riz

Café sin leche : café sans lait

Café con leche : café avec du lait

Carne : viande

Cerveza : bière

Cena : dîner

Chancho : porc

Comida : nourriture

Cuy : cochon d'Inde entier embroché et cuit tranquillement au-dessus d'un feu de braise.

Chifa : restaurant chinois

Desayuno : petit déjeuner

Spécimen colonial, témoin d'une époque de prospérité.

Iglesia de la Compañía de Jesús, sanctuaire chargé de mysticisme.

Vêtements colorés restituant l'atmosphère d'une époque révolue.

Empanadas : petits pâtés de maïs cuits et fourrés d'oignons, de bœuf, de poulet ou de légumes

Encocado : poisson mélangé avec du lait de coco

Huevos revueltos : œufs brouillés

Huevos fritos : œufs frits

Huevos duros : œufs durs

Hornado: cochon de lait

Jugo : jus

Leche : lait

Legumbres : légumes

Llapingachos : plat de pommes de terre, fromage et maïs

Locro : soupe à base de pomme de terre et de lait

Mantequilla : beurre

Pimienta : poivre

Pato : canard

Pavo : dinde

Pollo : poulet

Postre : dessert

Queso : fromage

Res : bœuf

Sal : sel

Seco : viande frite

Ternera : veau

Verde : chips de banane

Vino : vin

Recettes typiques équatoriennes

Muchines de Yuca

Râpez un yucca de taille moyenne, et mélangez-le avec un morceau de fromage de grosseur similaire, et râpez-le ou émiettez-le; ajoutez-y du sel, un oignon fort coupé en cubes et un œuf; formez-en de petites croquettes, et faites-les frire dans de l'huile ou du beurre.

Fritada

Prenez 1,5 kg de porc coupé en morceaux (des côtelettes de préférence); assaisonnez-les de sel, d'origan et de cumin en ajoutant trois ou quatre grosses gousses d'ail. Il est recommandé d'assaisonner la viande la veille ou au moins six heures avant la cuisson et de la faire cuire dans une poêle avec un peu d'eau. Lorsque l'eau s'évapore, ajoutez un peu d'huile, et continuez la cuisson jusqu'à ce que la viande devienne dorée.

Boissons alcoolisées

Bien qu'elles ne se comparent nullement aux bières européennes, deux marques de bières sont fabriquées en Équateur : la Club et la Pilsener. Une autre boisson alcoolisée se nomme l'*aguardiente*, à base de canne à sucre et d'épices.

MAGASINAGE

Les marchés amérindiens

L'Équateur possède une riche tradition artisanale qui s'est perpétuée au fil des siècles. Ces créations se retrouvent aujourd'hui dans les marchés publics des villages alignés le long de la cordillère des Andes. Le plus célèbre de tous est sans doute celui d'Otavalo (voir p 120); toutefois, d'autres, moins connus, n'en demeurent pas moins intéressants. Ces marchés sont l'expression sociale du peuple andin. Durant une journée, vêtements, tapis, fruits, fleurs et animaux colorent les rues de la ville, et offrent un spectacle pittoresque unique en Amérique latine. Essayez d'arriver l'avant-veille du jour du marché, car les meilleures chambres d'hôtels disparaissent rapidement.

Ces nombreux marchés locaux attirent une foule d'artisans, de producteurs, de consommateurs et de touristes qui viennent quotidiennement vendre ou acheter les articles les plus divers. Parmi les produits d'artisanat, on trouve non seulement des articles traditionnels tels que tapis, ponchos, foulards et autres accessoires vestimentaires des plus exotiques, mais aussi de nombreux animaux, morts ou vivants, appartenant à la faune locale et destinés à satisfaire l'appétit d'une clientèle des plus hétéroclites. Il peut arriver que le traitement cruel réservé à certaines catégories d'animaux vous semble choquant, mais sachez que vous êtes en pays étranger et que les us et coutumes bien ancrés dans les mœurs locales diffèrent de ceux en usage dans un contexte culturel différent. Si vous êtes sensible à cette disparité culturelle et voulez éviter d'être secoué par ce spectacle, ne vous attardez pas dans cette section particulière du marché, lequel, dans l'ensemble, vous enchantera.

Quelques idées de souvenirs à rapporter

Par ailleurs, certains marchés locaux se spécialisent dans une gamme spécifique de produits d'artisanat qui feront de bons souvenirs, comme par exemple, parmi les plus connus, celui de Cotacachi, situé au nord d'Otavalo, qui se voue au commerce du cuir et à la fabrication d'objets en cuir; citons encore celui de San Antonio de Ibarra, où l'ébénisterie et le travail du bois sont à l'honneur, et celui du village de Chordeleg, près de Cuenca, où un large éventail d'objets d'orfèvrerie alimente un commerce en grande activité.

Parmi d'autres idées de souvenirs à rapporter, mentionnons les panamas, pour ceux qui ont une tête à chapeau;

les lainages d'Otavalo, pour ceux qui ne sont pas allergiques à la laine;

ceux qui ont la peau plus sensible peuvent opter pour les lainages d'alpaca, dont la laine est beaucoup plus fine.

Le marchandage

Le marchandage fait partie des plaisirs lors de la visite des marchés. Plus souvent qu'autrement, les prix peuvent être négociés à la baisse. Sachez toutefois que les indigènes dépendent de la vente de leurs produits pour survivre. Si vous ne comptez pas vraiment acheter un produit, de grâce évitez de marchander pour votre simple plaisir. De plus, certaines personnes ne se rendent tout simplement pas compte qu'ils sont en train de négocier pour une différence d'à peine 1 $ à 2 $, montant dérisoire pour un touriste, mais qui représente énormément pour le vendeur.

Les marchés principaux

Lundi : Ambato (voir p 152).
Mardi : Guano (voir p 158), Latacunga (voir p 148), Riobamba (voir p 158).
Jeudi : Cuenca (voir p 183), Riobamba (voir p 158), Saquisilí (voir p 148), Tulcán (voir p 128).
Samedi : Cotacachi (voir p 124), Guano (voir p 158), Latacunga (voir p 148), Otavalo (voir p 120), Riobamba (voir p 158).
Dimanche : Cuenca (voir p 183), Pujilí (voir p 150), Sangolquí (voir p 119).

DIVERS

Religion

La grande majorité des Équatoriens se considèrent comme étant de religion catholique (environ 95 %). En effet, comme dans la plupart des pays latins, la religion catholique a occupé une place très importante dans l'histoire de l'Équateur, de l'époque coloniale jusqu'à ces dernières années. Aujourd'hui toutefois, sa pratique a tendance à décroître dans les grandes villes, mais la religion catholique continue d'inspirer une tradition vivace et demeure populaire dans de nombreuses régions rurales et andines. À certains moments de l'année, durant les fêtes religieuses traditionnelles, par exemple lors de la Semaine sainte, il peut arriver que toute activité économique cesse pendant plusieurs jours.

Électricité

La tension électrique des prises de courant est de 110 volts (60 cycles), et les fiches sont plates. Les appareils conçus pour d'autres tensions électriques doivent être utilisés conjointement avec un transformateur approprié.

Question de drogue

Il est facile de se procurer de la drogue en Équateur. Si vous avez l'intention de séjourner en Équateur avec un peu de haschich ou de marijuana, ou quelque autre substance interdite de ce genre en votre possession, nous tenons à vous avertir que plusieurs Nord-Américains et Européens qui se sont risqués à faire la même expérience se sont retrouvés dans les prisons de Quito. Ce serait sans doute une façon bien regrettable de mettre fin aussi brutalement à vos vacances. Pensez-y à deux fois. La police effectue régulièrement la fouille de vos bagages à l'aide de chiens lorsque vous transitez par Guayaquil.

De plus, si vous voyagez avec des médicaments, tâchez d'avoir en main les ordonnances afin de justifier leur présence dans vos bagages.

Si vous voulez rendre visite à ces infortunés détenus, qui sont toujours heureux d'accueillir des visiteurs, voici les adresses :

Penal García Moreno
(prison d'hommes)

Les heures de visite sont de 10 h à 12 h et de 14 h à 16 h, les mercredis, samedis et dimanches. Cette prison d'hommes est située dans un endroit assez douteux; il vaut mieux donc ne porter aucun objet de valeur sur soi. Elle se trouve dans le quartier «El Tejar», non loin de la Plaza San Francisco. De la Plaza, dirigez-vous au sud sur la Calle Sebastian de Benelcazar jusqu'à la Calle Vincente Rocafuerte. Ensuite, tournez à droite vers le mont Pichincha. Le Penal García Moreno se trouve à environ six rues sur la droite.

Carcel de las Mujeres
(prison de femmes)

Les heures de visite sont de 10 h à 16 h, les mercredis, samedis et dimanches. Cette prison de femmes est située dans un endroit relativement sécuritaire de la ville. Prenez n'importe quel autobus sur l'Avenida 6 de Diciembre en direction nord vers le quartier «El Inca», et descendez sur l'Avenida El Inca. Dirigez-vous ensuite vers l'est jusqu'à la Calle de las Toronjas. Tournez à gauche. La prison est à votre droite, à environ une rue.

N.B. Si vous visitez ces prisons, soyez assez aimable d'y apporter de la lecture, de la nourriture ou des produits d'hygiène (savons, dentifrice, serviettes sanitaires, etc).

Décalage horaire

L'Équateur est à l'heure normale de l'Est et à une heure de moins que l'heure avancée de l'Est en Amérique du Nord. Cela donne deux heures de plus que l'heure avancée du Pacifique et trois heures de plus que l'heure normale du Pacifique, soit cinq heures de moins que l'heure moyenne de Greenwich, six heures de moins que l'heure d'hiver de la majorité des pays européens, et sept heures de moins que l'heure d'été européenne. Les îles Galápagos, quant à elles, sont à une heure de moins que l'heure normale de l'Est et à deux heures de moins que l'heure avancée de l'Est en Amérique du Nord. Donc, elles ont trois heures de plus que l'heure avancée du Pacifique et quatre heures de plus que l'heure normale du Pacifique. Il faut compter six heures de moins que l'heure normale de Greenwich, sept heures de moins que l'heure d'hiver de la majorité des pays européens, et huit heures de moins que l'heure d'été européenne.

Compte tenu de sa position géographique, il n'y a pas d'heure d'été en Équateur, et les jours et les nuits sont d'égale durant toute l'année.

Poids et mesures

Officiellement, l'Équateur utilise le système métrique. Mais plusieurs produits, comme l'essence, sont vendus en mesures impériales. Voici donc une table de conversion :

Mesures de poids
1 livre (lb) = 454 grammes
Mesures de distance
1 pouce (po) = 2,5 centimètres
1 pied (pi) = 30 centimètres
1 mile (mi) = 1,6 kilomètre
Mesures de superficie
1 acre = 0,4 hectare
10 pieds carrés (pi^2) = 1 mètre carré (m^2)
Mesures de volume
1 gallon américain (gal) = 3,79 litres
Mesures de température
Pour convertir °F en °C : soustraire 32, puis diviser par 9 et multiplier par 5.
Pour convertir °C en °F : multiplier par 9, puis diviser par 5 et ajouter 32.

Jours fériés (nationaux et locaux)

1er janvier :	jour de l'An
6 janvier :	Épiphanie
12 février :	fête marquant la découverte en 1542 de l'Amazone par Francisco de Orellana
27 février :	commémoration de la bataille de Tarquí et jour du Patriotisme et de l'Unité nationale
Février ou mars :	Carnaval (du samedi au Mardi gras : jours précédant le début du carême); aussi, fête des fruits et des fleurs d'Ambato, qui coïncide chaque année avec le Carnaval et qui est soulignée par de nombreuses activités folkloriques : défilés, spectacles musicaux, etc.
2 mars :	fête de la canne à sucre et de l'artisanat à Atuntaqui
4 mars :	fête de la pêche à Gualaceo
19-21 avril :	fête agricole et industrielle à Riobamba
1er mai :	fête du Travail
11-14 mai :	fête agricole et industrielle de l'Amazonie à Puyo
24 mai :	fête civile nationale commémorant la bataille du Pichincha de 1822
Juin :	Fête-Dieu (ou Corpus Christi), célébrée dans les villages autour d'Ambato
24 juin :	fête de la Saint-Jean, célébrée à Otavalo et ses alentours
28-29 juin :	fête de Saint-Pierre et de Saint-Paul, célébrée dans les régions de Cayambe et d'Otavalo
16 juillet :	fête de la Vierge du Carmel
23-25 juillet :	fête de la fondation de Guayaquil
24 juillet :	fête de Simón Bolívar
3-5 août :	fête de l'indépendance de la ville d'Esmeraldas; aussi, foire agricole et industrielle
8 août :	fête de la Vierge de Guápulo (Quito)
10 août :	jour de l'Indépendance
2-15 août :	fête du Yamor à Otavalo (fête traditionnelle et populaire de la région d'Otavalo)
5 septembre :	fête de la Vierge del Cisne à Loja
6-14 septembre :	fête de la Jora à Cotacachi
8-9 septembre :	fête de Sangolqui (sud de Quito)
23-24 septembre :	fête de la Vierge de la Merced (Quito); aussi, fête de la Mama Negra (Latacunga)
20-26 septembre :	foire de la banane à Machala

Jours fériés (Suite)

24-28 septembre :	fête des lacs à Ibarra (course automobile autour du lac Yahuarcocha, danses)
9 octobre :	fête de l'indépendance de Guayaquil
12 octobre :	découverte de l'Amérique par Christophe Colomb (Día de la Raza)
14-18 octobre :	foire agricole à Porto Viejo
1er novembre :	Toussaint
2 novembre :	jour des Morts
3 novembre :	jour de l'Indépendance de Cuenca
1er au 6 décembre :	anniversaire de la fondation de Quito
25 décembre :	Noël
31 décembre :	jour de l'An vieux; à cette occasion, on brûle des marionnettes symbolisant des événements ou personnages marquants de l'année écoulée

PLEIN AIR

L'Équateur possède des attraits naturels fort riches et tellement diversifiés qu'un mot parvient immanquablement à surgir de notre imagination : «écotourisme». Malheureusement, il n'existe pas de définition propre à l'écotourisme, et tout le monde semble vouloir utiliser le mot comme bon lui semble.

Il n'y a pas si longtemps, les écologistes étaient considérés comme un groupe de rêveurs à la recherche du Saint-Graal. Aujourd'hui, le mot «écologie» est sur toutes les lèvres et se répercute sur d'autres champs tels que le tourisme. Ainsi depuis, quelques années, le tourisme de masse a fait place à l'écotourisme.

L'écotourisme, ou «tourisme vert» si l'on préfère, prend de plus en plus d'importance dans le monde entier et parvient à faire surgir de notre imagination des visions fantastiques, telles les expéditions photographiques d'animaux exotiques et les randonnées pédestres sillonnant des sentiers qui s'enfoncent dans une forêt luxuriante traversée par des cours d'eau où évoluent une faune et une flore aussi fascinantes qu'irréelles. L'écotourisme signifie sortir des sentiers battus et se hisser au sommet de hauts plateaux majestueux. Écotourisme est surtout synonyme de respect envers la nature et ses habitants.

L'écotourisme ou tourisme vert

Il est vrai que l'Équateur constitue un endroit de rêve pour les amateurs de tourisme vert. Les îles Galápagos demeurent aujourd'hui un site unique au monde grâce à leur faune et leur flore remarquables. En Amazonie, la Reserva Faunística Cuyabeno et le Parque Nacional Yasuní renferment, sous leur

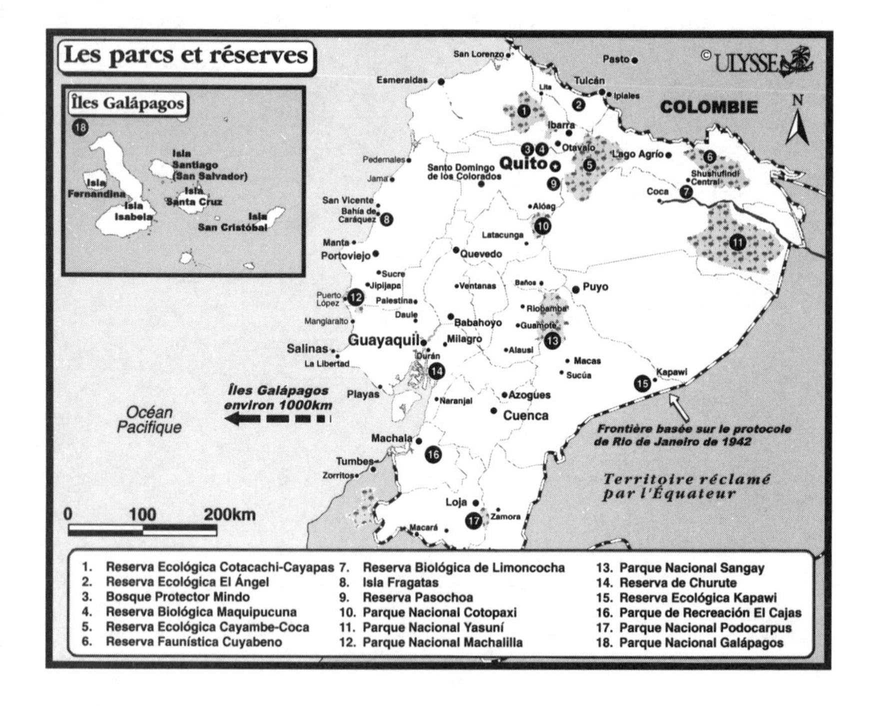

végétation touffue et tropicale, des bijoux de la nature.

Afin de préserver ce patrimoine écologique, qui peut s'avérer primordial pour les générations à venir, il est impératif de ne pas souiller et détruire la biodiversité de ce petit mais magnifique pays andin. Déjà, la découverte du pétrole en Amazonie a eu pour effet de faire reculer considérablement la forêt et de polluer l'environnement. De nombreuses espèces animales et végétales ont disparu à la suite de l'arrivée de l'homme, tandis que d'autres ont été conduites aux frontières de l'extinction. Des tribus indigènes ont été réduites au triste rôle de bêtes de cirque au profit des touristes inconscients en quête d'exotisme. Les îles Galápagos doivent restreindre le nombre de visiteurs dans le but de protéger l'écosystème fragile de l'archipel. Malgré cela, certains sentiers appartenant à ce merveilleux monde insulaire commencent à être dangereusement piétinés.

Protéger la nature veut également dire s'opposer à des aménagements destructeurs et aux gestes inconscients que l'on pose parfois. Au risque de sembler terriblement moralisateur, il est très important, pour ne pas dire impératif, d'obéir à certaines règles d'usage :

• Ne pas jeter ses déchets dans la nature, car ils polluent l'environnement.

• Ne pas faire de feux dans les parcs ou réserves, car ils détruisent la forêt.

• Ne pas nourrir les animaux.

• Ne pas acheter de souvenirs fabriqués de peaux ou de plumes d'animaux, car cela encourage les contrebandiers à tuer les animaux.

• Ne pas chasser les animaux. Si un guide vous propose un repas préparé avec un animal qu'il ira tuer pour vous, il vous faut refuser catégoriquement.

• Par respect, il faut demander la permission aux gens avant de les prendre en photo.

• Ne pas aller visiter les Huaoranis, car ces Amérindiens ne veulent absolument rien savoir de l'homme blanc, et les visiter augmente les frictions entre le monde moderne et leur culture, et les rabaisse au rôle d'attraction désolante.

• Apporter le moins de sacs de plastique possible, car plus souvent qu'autrement on les oublie sur place, et ils demeurent soit enfouis sous terre à tout jamais, soit sur le sol, contribuant ainsi à polluer l'environnement parce qu'ils ne sont pas biodégradables.

• Apporter avec soi du savon et du shampoing biodégradables.

LES PARCS ET LES RÉSERVES

L'Équateur possède six parcs nationaux, trois réserves écologiques, deux réserves fauniques, deux parcs de récréation et une réserve biologique. Ces endroits sont sillonnés de sentiers permettant la découverte d'une faune et d'une flore riches et variées. Chacun d'eux est décrit plus loin dans ce guide; en voici la liste :

Parcs nationaux
Le Parque Nacional Sangay (voir p 160), le Parque Nacional Machalilla (voir p 228), le Parque Nacional Cotopaxi (voir p 159), le Parque Nacional Yasuní (voir p 281), les îles Galápagos (voir p 289) et le Parque Nacional Podocarpus (voir p 190).

Réserves écologiques
La Reserva Churute (voir p 228), la Reserva Ecológica Cotacachi-Cayapas (voir p 129) et la Reserva Ecológica Cayambe-Coca (voir p 130).

Réserves fauniques
La Reserva Faunística Cuyabeno (voir p 281) et la Reserva Faunística Chimborazo (voir p 161).

Parcs de récréation
Le Parque de Recreación El Cajas (voir p 189) et l'Aera Nacional de Recreación el Boliche (voir p 159).

Réserve biologique
La Reserva Biológica de Limoncocha (voir p 282).

La plupart de ces endroits ne sont accessibles qu'avec l'aide de guides. Attention, si vous envisagez une excursion dans ces lieux, soyez prudent, car beaucoup de personnes non qualifiées s'improvisent en tant que guides ou représentants d'agences spécialisées.

Pour les visites des parcs nationaux ou des réserves, assurez-vous que le guide possède un certificat valide attestant sa compétence. Le guide doit être associé à une agence, laquelle doit posséder un permis lui donnant l'accès au parc.

Au cours des dernières années, beaucoup de touristes mal informés se sont fait arnaquer. Par exemple, plusieurs agences ne possèdent pas de permis pour entrer dans le parc national Yasuní. Par conséquent, elles proposent aux touristes des excursions à prix réduits et les emmènent au sud du parc en voguant sur le Río Cononaco. Les touristes, ne se doutant de rien, croient alors avoir visité le parc. Pour de l'information sur les agences d'excursions, voir p 56.

ACTIVITÉS DE PLEIN AIR

Randonnée pédestre et andinisme

L'Équateur étant traversé de majestueuses chaînes de montagnes, il constitue un endroit de rêve pour quiconque désire accéder à leurs cimes. Pourvu de cinq sommets, le volcan du Chimborazo, haut de 6 310 m, représente un défi intéressant pour les grimpeurs expérimentés. Le parc du Cotopaxi abrite un des volcans actifs le plus élevé du monde, et son cône presque parfait attire chaque année bon nombre de visiteurs. Considéré comme le volcan le plus facile d'accès, le Tungurahua constitue, quant à lui, un excellent endroit pour les apprentis grimpeurs.

Au cours des dernières années, l'intérêt porté à l'andinisme a donné naissance à une prolifération d'agences touristiques et de guides de montagne. Attention, plusieurs de ces personnes ne sont tout simplement pas qualifiées pour effectuer ce genre de travail. Pour attirer les touristes, elles proposent des excursions à des prix dérisoires, mais elles n'ont aucune notion des règles de sécurité en montagne, ne savent pas comment utiliser l'équipement requis et ne sauront pas comment réagir si jamais un problème survient en cours de route. C'est tout juste si elles connaissent le chemin pour se rendre au sommet de la montagne. L'inexpérience de ces pseudo-guides provoque malheureusement des accidents, parfois mortels.

À la suite de plusieurs accidents, des guides de montagne ont décidé de remédier à cette situation en formant l'**ASEGUIM**, l'**Asociación de Guias de Montaña** *(à Quito, Calle Juan Larrea 657 et Rio de Janeiro, ☎ 02-568-664)*. Située près du Parque El Ejido, cette organisation vise à éduquer les futurs guides sur les dangers qui les guettent. De plus, avec l'aide de consulats et d'ambassades étrangères, elle organise des opérations afin de secourir les personnes perdues dans les Andes.

Il y eut deux accidents fatals dans les montagnes équatoriennes en 1996. Vers la fin du mois de juillet, une touriste basque s'est malheureusement tuée alors qu'elle redescendait sur les flancs du volcan Cayambe. Moins d'une semaine plus tard, un touriste français s'est également tué après avoir vaincu le pic de l'Iliniza. Dans les deux cas, ces touristes s'étaient aventurés avec d'autres alpinistes, mais sans aucun guide. Environ 80 accidents mortels se sont produits sur les hauts sommets du pays depuis le milieu du siècle. Il est donc tout indiqué d'avoir recours aux agences spécialisées pour recruter les services d'un guide expérimenté qui seul pourra vous éviter de pareilles mésaventures; méfiez-vous des prétendus guides incapables de justifier leur compétences ou non recommandés par une agence.

L'ornithologie

La grande variété d'espèces d'oiseaux attire chaque année de nombreux ornithologues. Près de 2 000 espèces ont été recensées à travers tout le pays. Plusieurs sites sauront satisfaire la curiosité de chacun. À une quinzaine de kilomètres de Santo Domingo, l'hôtel Tinalandia (voir p 257) est devenu au cours des années un lieu de rencontre fort prisé des ornithologues. En effet, on y retrouve plus de 150 espèces subtropicales. À quelques heures de Quito, les férus d'ornithologie peuvent se rendre à la Reserva Biológica Maci-pucuna ou au Bosque Protector Mindo. Le bassin de l'Amazone (l'Oriente) et les îles Galápagos abritent aussi plusieurs espèces d'oiseaux rares.

La descente de rivières

En Équateur, les rivières coulent depuis les hauts sommets andins et se déversent dans de magnifiques canyons pour aboutir à la forêt tropicale verdoyante. Depuis quelques années, la descente de rivières est une activité qui devient de plus en plus populaire auprès des touristes visitant l'Équateur. Les rivières se classent du niveau I au niveau IV, donnant ainsi l'occasion aux voyageurs de choisir celle qui leur convient le mieux. Avant de vous embarquer dans une telle expérience, prenez le temps de bien de choisir une agence sérieuse et compétente. N'oubliez pas que la sécurité est souvent synonyme de réputation et que votre vie peut dépendre de la compétence de votre guide. De décembre à mai sont les meilleurs mois pour s'y adonner.

La plongée-tuba

L'équipement de plongée-tuba se résume à peu de chose : des palmes, un masque et un tuba. Aucun cours n'étant requis, cette activité demeure aujourd'hui l'une des plus intéressantes, accessible à tous ceux qui désirent admirer la beauté du monde sous-marin. Les îles Galápagos jouissent de sites remarquables pour s'y adonner. Sur la Costa, il est parfois difficile de louer l'équipement; apportez donc le vôtre.

La plongée sous-marine

Le meilleur endroit où s'adonner à la plongée se trouve à quelque 1 000 km à l'ouest du continent, soit dans les eaux qui entourent les îles Galápagos. Un peu loin, diront certains, mais le déplacement en vaut la peine. Toutefois, il est nécessaire d'avoir suivi des cours et de détenir un certificat en bonne et due forme. Une entreprise de Puerto Ayora, sur l'île de Santa Cruz, propose un tel cours : le Galápagos Sub-Aqua. Quelques villes de la Costa bénéficient également d'excellents sites. Où que vous alliez, veillez tout de même à plonger avec des gens qualifiés possédant du matériel en bon état.

Le surf et la planche à voile

Les débutants voulant profiter pleinement de ces deux sports trouveront quelques baies agitées le long de la côte du Pacifique, dans la région de Montañita (voir p 221).

La pêche en haute mer

Dans la plupart des grands centres touristiques côtiers, comme Salinas et Playas, on peut participer à des excursions de pêche en haute mer. Il s'agit d'une agréable occasion de se balader au large et d'apprécier les beautés de la mer. De plus, ces excursions permettent de se familiariser avec les différentes espèces de poissons qu'on pêche dans les eaux du Pacifique. À bord, équipement et conseils sont fournis.

Le vélo

Le réseau routier de l'Équateur n'est pas idéal pour pratiquer le cyclotourisme. Compte tenu des autoroutes sans accotement et des petites routes secondaires parsemées de trous, cette activité conviendra surtout à ceux qui pratiquent le vélo de montagne. Quoi qu'il en soit, il s'agit d'une façon agréable de découvrir le pays. Il faut cependant être très prudent, car les automobilistes roulent vite et ne respectent pas toujours le code de la route. À Quito, quelques agences organisent des excursions dans certaines régions isolées de l'Équateur (voir p 83).

L'équitation

Dans certaines régions du pays, notamment dans les hauts plateaux andins, les habitants se déplacent plus souvent à cheval qu'autrement. Les routes étant fréquemment très étroites et en terre battue, il s'agit là d'un moyen fort agréable pour se déplacer. Les visiteurs peuvent aussi goûter aux plaisirs équestres, car plusieurs hôtels et agences proposent de telles excursions.

La baignade

Les plages de la côte du Pacifique ne se comparent nullement aux plages de sable blanc de la mer des Caraïbes. Toutefois, certaines se prêtent agréablement bien à la baignade et à la détente. Les plages entre Muisné et Bahía de Caráquez ne sont pas encore très aménagées, mais n'en demeurent pas moins intéressantes.

Le football européen (*soccer*) ou *fútbol*

Le *fútbol* est sans contredit le sport le plus pratiqué à travers tout l'Équateur. Jeunes et moins jeunes s'y adonnent avec passion. Aussi, il est possible d'assister à des parties ayant lieu durant les fins de semaine dans les villes de Quito ou de Guayaquil. À Quito, les parties de *fútbol* ont lieu à l'Estadio Atahualpa (Avenida 6 de Diciembre et Naciones Unidas).

QUITO

Au moment où l'avion perce les nuages et la brume des hauteurs, le voyageur réalise immédiatement que Quito n'est pas une capitale ordinaire. En effet, en arrivant de jour à Quito, on ne peut qu'être fasciné par le site extraordinaire de cette ville entourée de superbes volcans qui semblent la protéger ou au contraire attendent de déverser sur elle le fiel contenu dans leurs entrailles. Les caractéristiques géographiques particulières à cette ville située à quelques kilomètres au sud de l'équateur, la ligne fictive qui divise le globe en deux hémisphères à la latitude de 0° 0', et perchée à 2 850 m d'altitude en font la deuxième capitale la plus haute de l'Amérique du Sud après La Paz, en Bolivie, et la troisième du monde, en incluant Lhassa, capitale religieuse du Tibet.

Malgré son visage à caractère espagnol, la capitale de l'Équateur fut jadis habitée par de nombreuses tribus dont les Incas, mais ceux-ci décidèrent de la détruire complètement avant l'arrivée des conquistadors. En effet, sous la direction de Rumiñahui, les Incas livrèrent une lutte sans merci aux Espagnols et préférèrent raser leur ville au lieu de la livrer aux mains des envahisseurs, si bien que, lorsque ceux-ci arrivèrent à Quito, ils purent voir les ruines de la ville encore fumantes.

Même si la ville fut anéantie par les Incas, son centre colonial fut cependant reconstruit avec opulence et une certaine splendeur, comme il sied à une capitale. Quito fut donc officiellement fondée le 6 décembre 1534 par Sebastián de Benálcazar pour le compte de la couronne d'Espagne. En effet, les nouveaux arrivants allaient infuser un sang neuf à la ville, le monde espagnol supplantant le monde incaïque.

Le Quito colonial est parcouru de rues étroites où les pèlerins se pressent à l'entrée des nombreux sanctuaires religieux devant lesquels on vend des cierges et des images pieuses. Les nombreuses constructions coloniales perpétuent le souvenir de l'ère espagnole et confèrent à ce quartier un charme qui porte à la rêverie et à la poésie. Les églises regorgent d'inestimables trésors artistiques, et le style baroque flamboyant est mis à l'honneur dans certaines d'entre elles où le souci du détail semble poussé à l'extrême du possible. Vu ses richesses architecturales et l'impressionnante quantité de musées et d'églises dont s'enorgueillit le centre colonial de Quito, celui-ci fut ajouté à la liste du Patrimoine mondial de l'UNESCO en 1978 et décrété Patrimoine culturel de l'État en 1984. L'Iglesia de la Compañía de Jesús, l'Iglesia y Convento de San Agustín et la Plaza San Francisco ne sont que quelques exemples de monuments colonials exceptionnels. La plupart de ces constructions sont l'œuvre d'artistes issues de l'École de Quito. Il est à noter qu'à cause du tremblement de terre de 1987 qui a sévèrement touché de nombreux sites, le centre historique de la ville fait encore l'objet d'importants travaux de restauration.

Une trentaine d'années après sa fondation, Quito fut élevée au rang d'Audiencia Real en 1563, ce qui renforça encore la domination espagnole au cours des trois siècles suivants. À cette époque, les colonies espagnoles furent divisées en vice-royautés, chacune étant placée sous l'autorité d'un vice-roi auquel le roi d'Espagne déléguait son pouvoir royal. L'Audiencia Real de Quito fut d'abord rattachée à la vice-royauté de Lima, mais, en raison de la grande distance séparant ces deux capitales, il fut décidé, à la fin du XVIIe siècle, que l'Audiencia Real de Quito dépendrait désormais de la vice-royauté de la Nouvelle-Grenade (Colombie actuelle). Un siècle et demi plus tard, elle fut libérée de l'emprise espagnole à la suite de la célèbre bataille du Pichincha, en 1822, au cours de laquelle le général vénézuélien Antonio Sucre écrasa les troupes coloniales. L'Audiencia Real de Quito se joignit alors à la Grande-Colombie, qui regroupait à cette époque la Colombie, le Venezuela et le Panamá. Cette union ne dura que quelques années, puisqu'en 1830 Quito déclara son indépendance de la Grande-Colombie pour devenir la capitale de l'Équateur, nom qui fut adopté un an plus tard pour désigner ce pays.

Au cours des 30 dernières années, la population est passée de 200 000 habitants à près de 1 300 000, qui cohabitent aujourd'hui dans le foyer culturel du pays.

POUR S'Y RETROUVER SANS MAL

La ville de Quito s'étire sur plus de 30 km, sur une largeur variable d'au plus 10 km et se divise en deux quartiers distincts : le Quito moderne et le Quito colonial. Le Quito moderne est caractérisé par des inégalités sociales voyantes et dresse ses hautes silhouettes regroupant de riches demeures bourgeoises très protégées, des centres commerciaux et des banques avoisinant des quartiers populaires. Par contre, le centre historique de la ville, situé au sud, abrite surtout les quartiers pauvres. Comme dans tout le reste de l'Amérique latine, la Panaméricaine parcourt le pays du nord au sud; elle traverse la capitale sous le nom d'«Avenida 10 de Agosto». Les rues sont communément appelées *avenidas* ou *calles*. Les *avenidas* constituent les artères

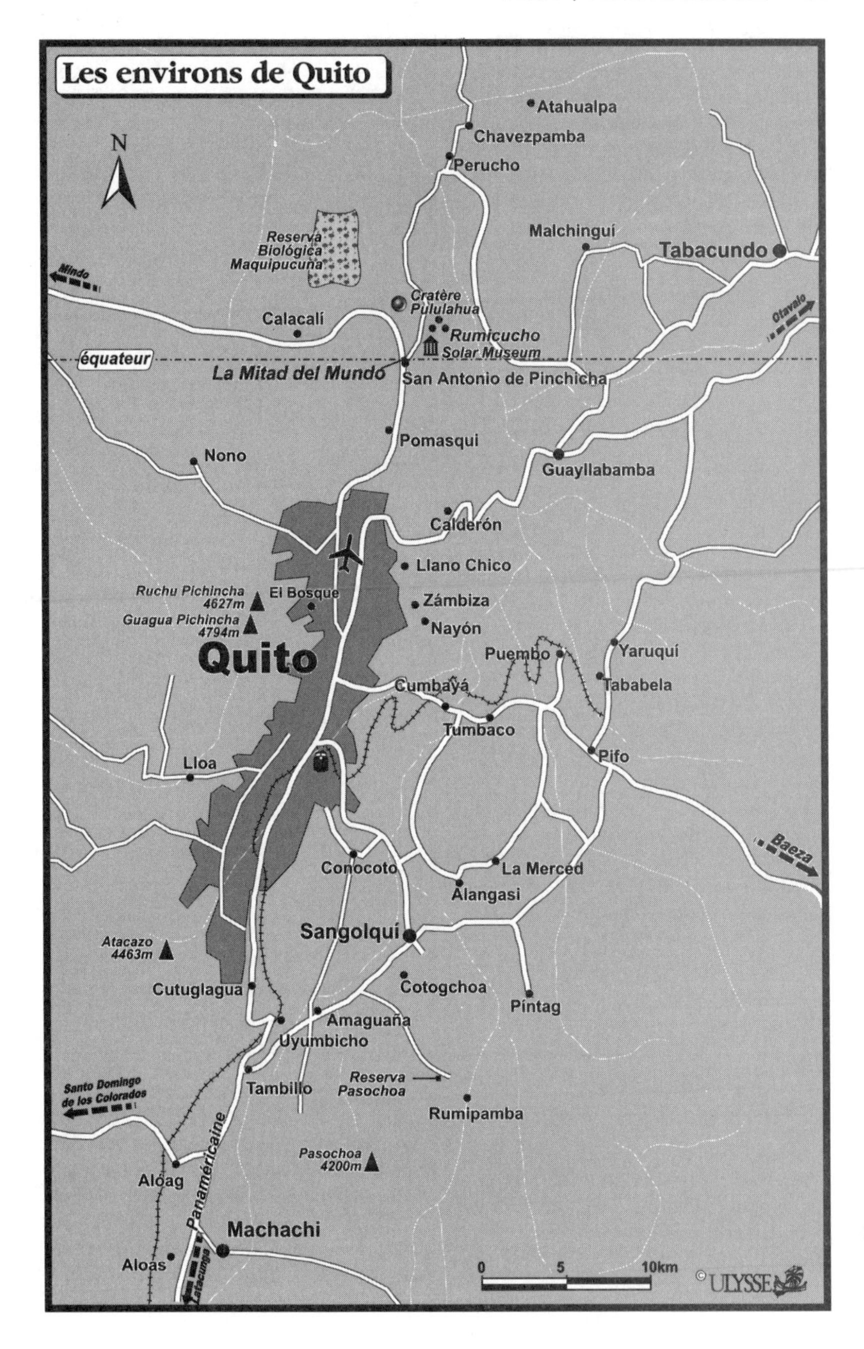
Les environs de Quito
N
Atahualpa
Chavezpamba
Perucho
Reserva Biológica Maquipucuna
Malchinguí
Tabacundo
Mindo
Cratère Pululahua
Calacalí
Rumicucho
Solar Museum
Otavalo
équateur
La Mitad del Mundo
San Antonio de Pinchicha
Pomasqui
Nono
Guayllabamba
Calderón
Llano Chico
Ruchu Pichincha 4627m
El Bosque
Zámbiza
Guagua Pichincha 4794m
Nayón
Quito
Puembo
Yaruquí
Tababela
Cumbayá
Tumbaco
Pifo
Lloa
Baeza
Conocoto
La Merced
Alangasi
Sangolquí
Atacazo 4463m
Cutuglagua
Cotogchoa
Píntag
Amaguaña
Uyumbicho
Santo Domingo de los Colorados
Tambillo
Reserva Pasochoa
Rumipamba
Panaméricaine
Pasochoa 4200m
Aloag
Machachi
Aloas
Latacunga
0
5
10km
© ULYSSE

principales et s'étendent généralement du nord au sud, alors que les *calles* leur sont perpendiculaires. Sachez que bon nombre de Quiteños ne connaissent pas le nom des rues de leur propre ville; ainsi, il peut être utile de se souvenir du nom d'un bâtiment public situé près de la rue recherchée, soit une église ou un hôtel. D'autre part, El Centro (le Quito colonial) peut être facilement visité à pied, mais s'avérer dangereux, surtout la nuit.

De l'aéroport

Le petit aéroport **Mariscal Sucre** est situé sur l'Avenida Amazonas, au nord de la ville. En sortant de l'aéroport, vous serez accueilli par d'innombrables chauffeurs de taxi anxieux d'offrir leurs services. Pour vous rendre à votre hôtel du centre-ville, ces derniers vous demanderont de 3 $ à 4 $. Si un chauffeur exige le double de cette somme, allez en voir un autre. Si votre budget ne vous permet pas une telle dépense, l'autobus constitue une option plus économique. Dirigez-vous tout droit vers l'Avenida 10 de Agosto avec vos bagages afin de sauter dans un autobus en direction du sud. Sachez toutefois que l'autobus risque de vous déposer à quelques minutes de marche de votre hôtel. De plus, si vous avez quelques bagages, sachez qu'il n'y a pas beaucoup d'espace de rangement dans les autobus.

En voiture

Il est déconseillé de conduire à Quito : vous perdriez beaucoup de temps dans les embouteillages, sans compter les problèmes d'orientation et les difficultés de stationnement. De plus, les Équatoriens conduisent dangereusement vite et ne respectent pas toujours les règles de conduite internationales. Pour éviter les ennuis de la conduite et profiter de la liberté que procure la voiture, on peut louer une voiture avec chauffeur à l'hôtel Akros (voir plus bas).

Location de voitures

Budget rent-a-car
Avenida Colón et Amazonas
☎ (02) 548-237 ou 237-026

Dans l'hôtel Akros
Avenida 6 de Diciembre 3986
☎ (02) 430-610
⇄ 431-727
(voitures avec chauffeur)

Ecuacar
Avenida Colón et Amazonas
☎ (02) 529-781

Aeropuerto Mariscal Sucre
☎ (02) 459-052

Hotel Colón Internacional
☎ (02) 525-328
⇄ 562-705

Avis rent-a-car
Avenida Colón 1741 et 10 de Agosto
☎ (02) 550-238 ou 550-243

En autobus

Les autobus sont facilement reconnaissables et se classent en trois catégories de confort : les *selectivos*, les *ejecutivos* et les *populars*, dont les tarifs fixes sont respectivement de 0,50 $, 0,40 $ et 0,25 $. Pour une différence de 0,20 $, il est fortement recommandé de voyager à bord des *selectivos* ou

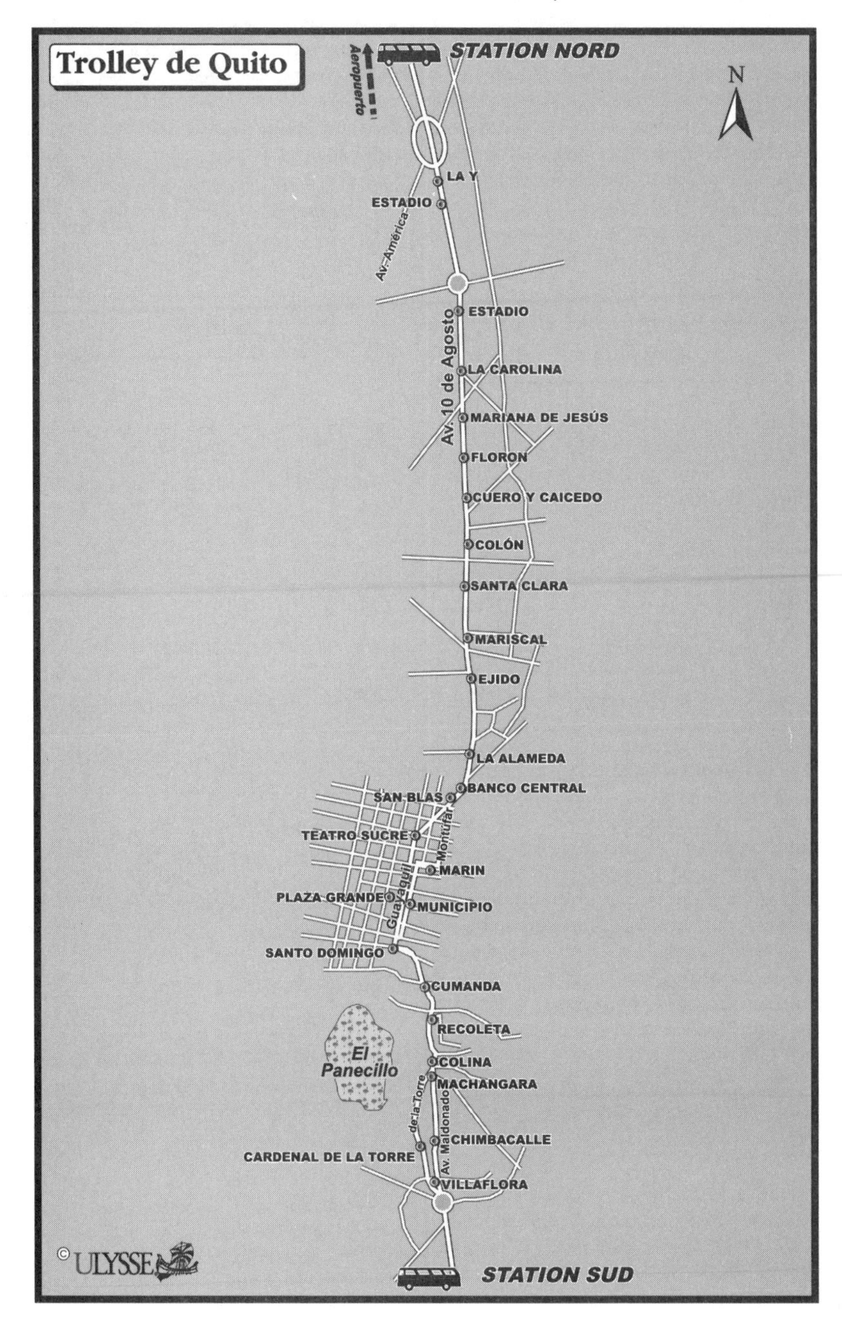
Trolley de Quito
STATION NORD
Aeropuerto
N
LA Y
ESTADIO
Av. América
ESTADIO
Av. 10 de Agosto
LA CAROLINA
MARIANA DE JESÚS
FLORON
CUERO Y CAICEDO
COLÓN
SANTA CLARA
MARISCAL
EJIDO
LA ALAMEDA
BANCO CENTRAL
SAN BLAS
TEATRO SUCRE
Montufar
MARIN
PLAZA GRANDE
Guayaquil
MUNICIPIO
SANTO DOMINGO
CUMANDA
RECOLETA
El Panecillo
COLINA
MACHANGARA
de la Torre
Av. Maldonado
CHIMBACALLE
CARDENAL DE LA TORRE
VILLAFLORA
© ULYSSE
STATION SUD

des *ejecutivos*, car ils sont nettement plus confortables et sécuritaires. Les billets sont réclamés à la sortie. Faites attention car les bus n'effectuent pas d'arrêt complet. En effet, ils ne font que ralentir leur course avant de poursuivre leur chemin. Si vous portez beaucoup de bagages, il est préférable de prendre un taxi, car les autobus sont parfois bondés.

En trolleybus

Le système de trolleybus électrique fut instauré durant l'année 1996 pour pallier le problème croissant de la pollution créée par les nombreux autobus. En tout, il y a 54 trolleybus avec une capacité totale d'environ 6 000 passagers. Le trolleybus circule du sud au nord et vice-versa. Le coût fixe du trajet est de 0,30 $.

En taxi

Les taxis sont nombreux et très abordables par rapport aux tarifs nord-américain ou européens. En général, selon les distances, la course ne devrait pas vous coûter plus de 4 $ ou 5 $. Attendez-vous à débourser un peu plus une fois la nuit tombée. Si vous voulez retenir les services d'un chauffeur pour toute la journée, il vous en coûtera environ 50 $. L'entreprise Tele Taxi *(☎ 02-220-800)* est en activité 24 heures par jour.

Gare routière (*terminal terrestre*)

La gare routière se trouve complètement au sud de Quito, à l'angle de la Calle Maldonado et Cumandá, tout près de la Plaza Santo Domingo. De cet endroit, les cars desservent pratiquement toutes les villes et villages du pays. De nombreuses entreprises de transport par autocar ont des employés qui circulent dans les allées en criant le nom d'une destination, à la recherche de clients potentiels. On peut s'y rendre par le nouveau trolleybus en s'arrêtant à l'arrêt Cumandá.

En train

La gare ferroviaire est située à quelques kilomètres au sud du Quito colonial, peu après le *terminal terrestre.* En principe, le train quitte la gare tous les samedis matins aux alentours de 8 h pour se rendre jusqu'à Riobamba. Le prix du billet se chiffre autour de 10 $; les tickets sont en vente à la gare à partir du vendredi matin.

RENSEIGNEMENTS PRATIQUES

Bureaux de tourisme (CETUR)

Calle Eloy Alfaro 214 et Carlos Tobar
☎ (02) 225-190 et 507-560

Calle Venezuela et Mejía
☎ (02) 514-044

Aeropuerto Mariscal Sucre
☎ (02) 246-232

Agences d'excursions

Même si vous voyagez de façon indépendante, il y a certains avantages à utiliser les agence d'excursions. Parfois, ils s'avèrent la seule façon d'atteindre des sites éloignés comme la forêt humide tropicale, les montagnes élevées ou les îles Galápagos. Si vous voulez en savoir plus sur l'architecture ou sur différents quartiers, ces agences sont idéales. Voici une liste d'agences qui se spécialisent dans les tours guidés, situés à Quito :

Metropolitan Touring
Avenida Amazonas 339
☎ (02) 560-550
⇄ 564-655
http:/www.ecuadorable.com
info@ecuadorable.com
(certains de leurs guides parlent français)
représenté à Paris par **ECRIT**
3, rue Tronchet
75008
☎ 01.44.51.01.63
⇄ 01.40.07.12.72

Nuevo Mundo
Avenida Coruña 1349 et Orellana
P.O. Box 402-A
☎ (02) 552-617
⇄ 565-261
nmundo@uio.telconet.net

Sierra Nevada
Calle Juan León Mera 741
et Veintimilla
☎ (02) 553-658
⇄ 659-250

Safari
Calle Calama 380 et Juan León Mera
☎ (02) 552-505
⇄ 220-426
admin@safariec.ecx.ec
Surtek
Avenida Amazonas et Veintimilla
☎ (02) 561-129

Pamir Adventure Travel
Calle Juan León Mera 721
et Veintimilla
☎ (02) 547-576
⇄ 542-605

Crater Tours
Calle Calama 161 et Diego de Almagro
(certains de leurs guides parlent français)
☎ (02) 545-491
⇄ 554-503

Postes de télécommunication (EMETEL)

Avenida 10 de Agosto et Colón

Calle Benalcázar, entre Mejía et Sucre

Avenida 6 de Diciembre et Colón

Au *terminal terrestre*

Bureaux de change *(Casas de cambio)*

Casa Paz
Avenida Amazonas et Robles
☎ (02) 563-900 ou 564-500

Avenida Amazonas 370
et Jaramillo Arteaga
☎ (02) 516-844

Ecuacambio
Avenida de la República 192
et Almagro
☎ (02) 540-148 ou 543-575

Multicambio
Avenida Colón et Reina Victoria
☎ (02) 561-734

Instituto Geographico Militar

On peut s'y procurer de bonnes cartes du pays.
Calle Paz et Mino
☎ (02) 522-066

L'Alliance française

Avenida Eloy Alfaro 1900
☎ (02) 246-589
On y diffuse des films en français.

Réparation d'appareils photo

En Équateur, tenter de trouver un endroit pour faire réparer son appareil photo peut être toute une aventure. CEMAF, Centro de Mantenimiento Fotografico, est l'adresse à retenir. Gustavo Gómez, le réparateur, également propriétaire, est en mesure de faire des miracles avec des appareils photos ou des lentilles. Situé près du Parque El Ejido, sur la Calle Asunción 130 à l'angle de l'Avenida 10 de Agosto, Edificio Molina, Of. 1, ☎ (02) 230-855. Même si les bureaux ont des allures un peu vétuses, le service est efficace et sympathique.

Bureaux de poste (*Correo Nacional*)

Calle Colón et Reina Victoria

À l'aéroport

Avenida 9 de Octubre et Eloy Alfaro

Avenida 12 de Octubre et Fosch

Avenida Naciones Unidas et Japón

Calle Benalcázar 688 et Chile

Laveries

Lavandería Lavalimpio
Calle Tamayo 420 et Roca

Lavandería Opera de Jabón
Calle Joaquin Pinto 325

Lavandería Modernas
Avenida 6 de Diciembre 2400 et Colón

Laviseca
Calle Luis Cordero et Tamayo

Pharmacies

Fybeca
Calle Venezuela et Bolívar

Fybeca
Avenida 6 de Diciembre et Checoslovaquia

Fybeca
Avenida Amazonas (face à la Plaza de Toros)

Farmacía Alaska
Calle Venezuela et Rocafuerte

Hôpitaux

Hopital Voz Andes
Calle Juan Villalengua 263
(certains de leurs médecins parlent anglais)
☎ (02) 241-540

Metropolitano
Avenida Mariana de Jesús
et Occidental
☎ (02) 431-457

Les cours d'espagnol

De nombreuses écoles proposant des cours d'espagnol sont établies à Quito depuis maintenant plusieurs années. Il s'agit d'un excellent contexte pour

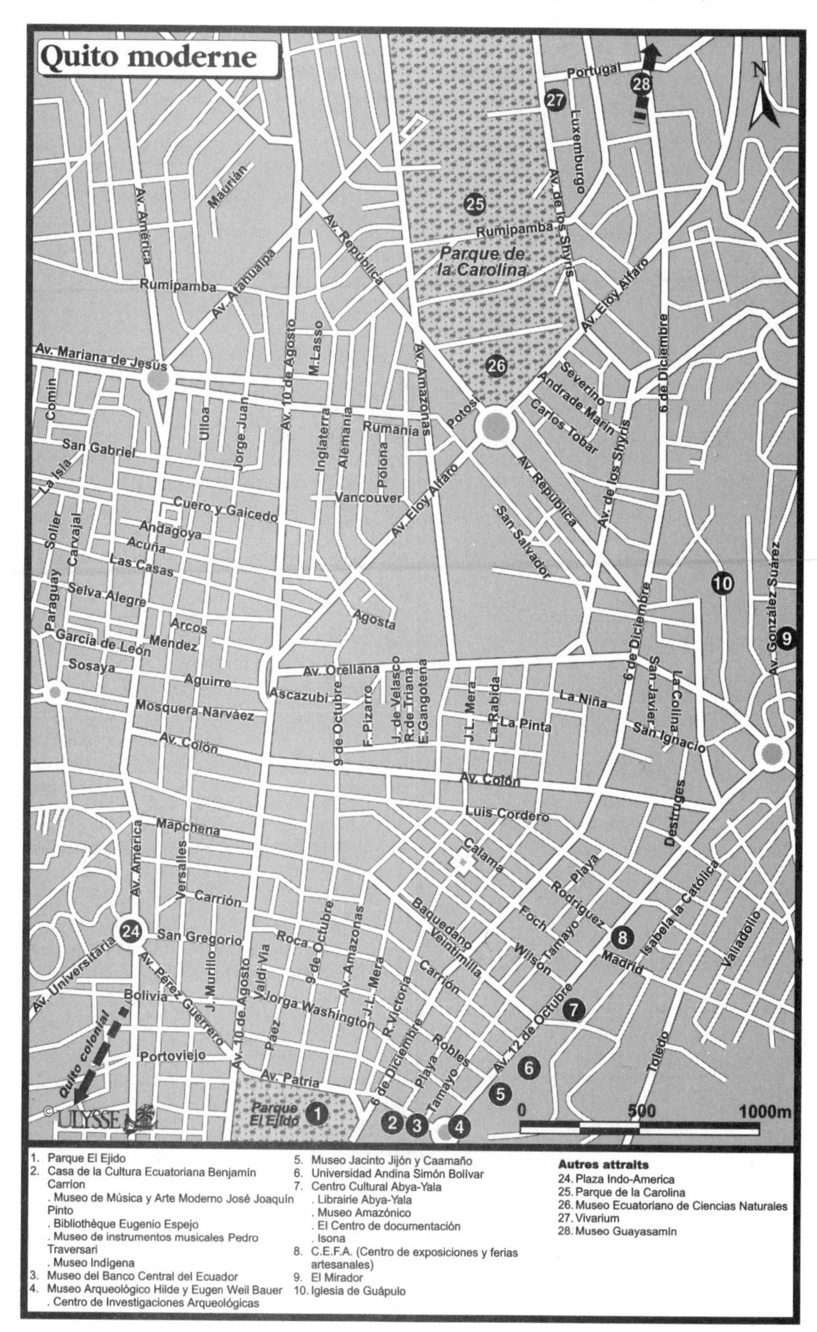
Quito moderne
Portugal
Luxemburgo
Av. de los Shyris
Maurián
Av. América
Av. República
Rumipamba
Parque de la Carolina
Av. Atahualpa
Av. Eloy Alfaro
6 de Diciembre
Av. Mariana de Jesús
Av. 10 de Agosto
M. Lasso
Av. Amazonas
Potosí
Severino
Andrade Marín
Carlos Tobar
Comin
Ulloa
Jorge Juan
Inglaterra
Alemania
Rumania
Polona
San Gabriel
La Isla
Vancouver
Cuero y Caicedo
Andagoya
Acuña
Las Casas
Solier
Carvajal
Paraguay
Selva Alegre
San Salvador
Agosta
Arcos
Mendez
García de León
Sosaya
Aguirre
Av. Orellana
Ascazubi
Mosquera Narváez
9 de Octubre
F. Pizarro
J. de Velasco
R. de Triana
E. Gangotena
J.L. Mera
La Rabida
La Pinta
La Niña
San Javier
La Colina
San Ignacio
Av. González Suárez
Av. Colón
Luis Cordero
Destruges
Mapchena
Calama
Playa
Rodriguez
Isabela la Católica
Valladolid
Versalles
Carrión
Baquedano
Foch
Veintimilla
Tamayo
Wilson
Madrid
San Gregorio
Roca
Av. Universitaria
Av. Pérez Guerrero
Murillo
Valdivia
Bolivia
Jorga Washington
R. Victoria
Av. 12 de Octubre
Robles
Toledo
Quito colonial
Portoviejo
Paez
Av. Patria
Parque El Ejido
0
500
1000m
© ULYSSE
1. Parque El Ejido
2. Casa de la Cultura Ecuatoriana Benjamín Carríon
. Museo de Música y Arte Moderno José Joaquín Pinto
. Bibliothèque Eugenio Espejo
. Museo de instrumentos musicales Pedro Traversari
. Museo Indígena
3. Museo del Banco Central del Ecuador
4. Museo Arqueológico Hilde y Eugen Weil Bauer
. Centro de Investigaciones Arqueológicas
5. Museo Jacinto Jijón y Caamaño
6. Universidad Andina Simón Bolívar
7. Centro Cultural Abya-Yala
. Librairie Abya-Yala
. Museo Amazónico
. El Centro de documentación
. Isona
8. C.E.F.A. (Centro de exposiciones y ferias artesanales)
9. El Mirador
10. Iglesia de Guápulo
Autres attraits
24. Plaza Indo-America
25. Parque de la Carolina
26. Museo Ecuatoriano de Ciencias Naturales
27. Vivarium
28. Museo Guayasamín

apprendre une langue étrangère, en plus de se familiariser avec une nouvelle culture. Les programmes sont très variés et peuvent s'étendre sur une semaine ou sur plusieurs mois. Nous vous proposons ici quelques écoles.

Academia de Español Equinoccial
Calle Roca 533 et Juan León Mera
☎ (02) 525-690
⇄ 529-460
eee@eee.org.ec

Academia Latinoamericana de Español
Calle José Queri et Eloy Alfaro
☎ (02) 452-824
⇄ 433-820
latinoa1@spanish.com.ec

Amazonas
Calle Jorge Washington 718
et Amazonas
Edificio Rocafuerte, 3e étage
☎ et ⇄ (02) 504-654

American Spanish School
Calle Carrión 768 et 9 de Octubre
☎ et ⇄ (02) 229-165
jproano@srv1.telconet.net

South American Spanish Institute
Avenida Amazonas 1549
et Santa María
☎ (02) 544-715
⇄ 226-348
mlramire@srv1.telconet.net

Estudio de Español Pichicha
Calle Xaura 182, entre Lizardo García et Foch
☎ (02) 452-891
⇄ 601-689

Instituto Superior de Español
Calle Ulloa 152 et Jeronimo Carrión
☎ (02) 223-242
⇄ 221-628
Institut@superior.ecx.ec

Experiment in International Living
Calle Hernado de la Cruz 143
et Avenida Mariana de Jesús
☎ (02) 229-596

ATTRAITS TOURISTIQUES

Circuit 1 : le Quito moderne ★★

La numérotation des attraits réfère à la carte du Quito moderne.

Les attraits du Quito moderne comprennent une demi-douzaine de musées divers, un parc, un mirador et quelques autres curiosités.

Ancien jardin botanique, le **Parque El Ejido ★ (1)** est le plus grand espace vert du centre-ville de Quito. Les fins de semaine, de nombreux artisans viennent y exposer leurs peintures et leurs différentes créations sous le feuillage d'arbres centenaires. Au centre du parc se trouve une statue commémorative d'Eloy Alfaro, président de la République de 1897 à 1901 et de 1907 à 1911. Malheureusement, le soir venu, il est dangereux de s'aventurer dans ce parc.

Située à l'est du parc El Ejido et érigée en 1944, la **Casa de la Cultura Ecuatoriana Benjamín Carrión (2)** *(angle Avenida Patria et Avenida 12 de Octubre, ☎ 02-565-721 ou 565-808)* avec sa gigantesque façade circulaire vitrée, est considérée comme le plus important centre culturel du pays. Cette maison de la culture équatorienne met à la disposition du public de nombreuses salles d'exposition et de conférences, et abrite, au premier étage, le **Museo de Música y Arte Moderno José Joaquín Pinto ★** *(1,25 $; mar-ven 10 h à*

18 h, sam-dim 10 h à 14 h). Nommé en l'honneur du peintre José Joaquín Pinto, le musée, surtout fréquenté par des étudiants équatoriens, expose des œuvres d'artistes équatoriens du XIXe siècle thématique est axée sur la religion, ainsi que des portraits de personnages illustres, peints vers 1822, année de l'indépendance. Joaquín Pinto (1842-1906) vécut à une époque où le pays connut de grands bouleversements. Peintre autodidacte, il s'efforce constamment de se dépasser. Il est considéré comme le meilleur peintre équatorien du XIXe siècle pour son style personnel, sa large palette thématique et la variété des techniques picturales qu'il emploie (huile, aquarelle, pastel, fusain, crayon et gravure). Son esprit scientifique le conduisit à collaborer étroitement avec Auguste Cousin (chercheur français) pour réaliser les illustrations de son livre *Faune malégologique de la République de l'Équateur*, une contribution monumentale pour la connaissance des mollusques équatoriens. Parmi son œuvre si foisonnante, le plus important est peut-être sa peinture de mœurs qui reflète les multiples facettes de la vie quotidienne.

La Casa renferme également le Museo de instrumentos musicales Pedro Pablo Traversari, de même que la **bibliothèque Eugenio Espejo**. Au deuxième étage, le **Museo de instrumentos musicales Pedro Pablo Traversari ★★★**, deuxième en importance au monde et premier en Amérique, présente plus de 4 000 instruments de musique provenant de tous les coins du monde. Le musée fut nommé en souvenir de Pedro Pablo Traversari, fils d'un Italien qui a immigré en Équateur vers 1895 et qui a travaillé pour Eloy Alfaro comme professeur de musique. Inauguré vers 1980, le musée exhibe toutes sortes d'instruments de l'époque coloniale et de l'époque précolombienne, jusqu'à ceux ayant appartenu aux nomades qui y vivaient 10 000 ans av. J.-C., de même que ceux de peuplades qui habitent aujourd'hui l'Équateur. Sur le même étage se trouve aussi le **Museo Indígena**, où l'on peut voir une collection de vêtements traditionnels divers.

Adjacent à la Casa de la Cultura Ecuatoriana Benjamín Carrión, le plus grand musée de l'Équateur, le **Museo del Banco Central del Ecuador ★★★ (3)** *(3 $; mar-dim 9 h à 16 h; Avenida Patria, entre Avenida 6 de Deciembre et Avenida 12 de Octubre, ☎ 02-223-259)* illustre, sur trois étages, l'histoire du pays de façon chronologique, depuis l'arrivée des premiers habitants jusqu'à l'époque moderne, à l'aide d'impressionnantes collections d'art précolombien, d'œuvres d'art religieuses datant de la période coloniale, de tableaux et de meubles d'époques variées. De plus, le musée abrite un magnifique masque d'or personnifiant le soleil vénéré par les Incas, symbole adopté comme emblème d'El Banco Central del Ecuador.

Prenez à droite en direction de l'Avenida 12 de Octubre.

Le **Museo Arqueológico Hilde & Eugen Weil Bauer (4)** *(entrée libre; angle Avenida 12 de Octubre et Calle Ladron de Gueverra, de biais avec l'ambassade américaine, ☎ 02-230-577)* appartient à l'**Universidad Católica del Ecuador** et expose une importante collection d'objets archéologiques, notamment des haches et des pierres découvertes dans la partie orientale du pays par un couple de citoyens allemands intéressés par l'archéologie équatorienne, Eugen et Hilde Weil Bauer. En raison du décès de M. Eugen Weil Bauer en 1986, son épouse fit don de leur collection particulière à la Pontificia Universidad Católica del Ecuador. Ouvert au public depuis le 13 avril 1988, le musée déménagera probablement au cours de l'année 1997 afin de s'intégrer au Museo Jacinto Jijón y Caamaño.

Au deuxième étage de ce même édifice se trouve le **Centro de Investigaciones Arqueológicas**. Il s'agit d'un lieu éminemment didactique; toutes ses salles présentent des cartes, des photos et toutes sortes de documents et d'ouvrages de référence permettant de mieux comprendre et de situer les objets archéologiques provenant de la région côtière, de la Cordillère et de la région orientale.

En sortant du musée, tournez à droite et suivez l'Avenida 12 de Octubre jusqu'aux portes du campus de la Pontificia Universidad Católica del Ecuador. Tournez à droite, puis à gauche, et montez au troisième étage de l'édifice.

Le **Museo Jacinto Jijón y Caamaño ★ (5)** *(0,50 $; lun-ven 9 h à 16 h; ☎02-529-260 ou 529-270)* est un petit musée institutionnel privé qui abrite de nombreux chefs-d'œuvre d'art colonial et républicain datant des XVIIe, XVIIIe et XIX ^e^ siècles, ainsi qu'une petite salle consacrée à l'archéologie de certaines cultures pré-incas.

Il est à noter que la bibliothèque de la Pontificia Universidad Católica del Ecuador est une des plus complètes au pays.

Revenez sur l'Avenida 12 de Octubre et tournez à droite.

Peu après avoir croisé la Calle Carrión, en quittant le campus universitaire, on aperçoit à droite l'**Universidad Andina Simón Bolívar (6)**, ouverte seulement depuis le 20 septembre 1993.

À côté de l'université, le **Centro Cultural Abya-Yala (7)** se consacre à la recherche et à la promotion des cultures indigènes à travers diverses publications. Il regroupe à la fois la librairie **Abya-Yala**, le **Museo Amazónico, Isona** et**El Centro de documentación** *(0,50 $; lun-ven 9 h à 12 h et 14 h à 18 h; angle Avenida 12 de Octubre 1430 et Avenida Wilson, ☎ 02-506-267 ou 562-633)*. Le centre de documentation compte dans ses collections bibliographiques plus de 15 000 volumes consacrés aux nombreuses cultures indigènes des Amériques. Le musée sensibilise le public aux modes de vie des peuplades amérindiennes d'Amazonie. On y expose entre autres des poteries et des vêtements. La librairie vend des livres qui traitent de l'histoire, de la médecine douce, de l'anthropologie et des mythologies des cultures indigènes. Isona se consacre à la diffusion et à la vente de musique de l'Équateur et de l'Amérique latine.

En sortant, tournez à droite et dirigez-vous vers le nord.

Le **C.E.F.A. (Centro de exposiciones y ferias artesanales) (8)** *(entrée libre; mar-sam 9 h à 18 et dim 9 h à 12 h; angle Avenida 12 de Octubre 1738 et Avenida Madrid, ☎ 02-225-464 ou 503-873)* est un lieu où des artistes équatoriens peuvent venir exposer sans frais leurs créations. Sculptures, tableaux, instruments de musique et vêtements y sont exposés.

Continuez jusqu'au bout de l'Avenida 12 de Octubre, tournez à gauche sur l'Avenida Colón, passez l'Hotel Quito, puis tournez à droite sur l'Avenida González Suárez.

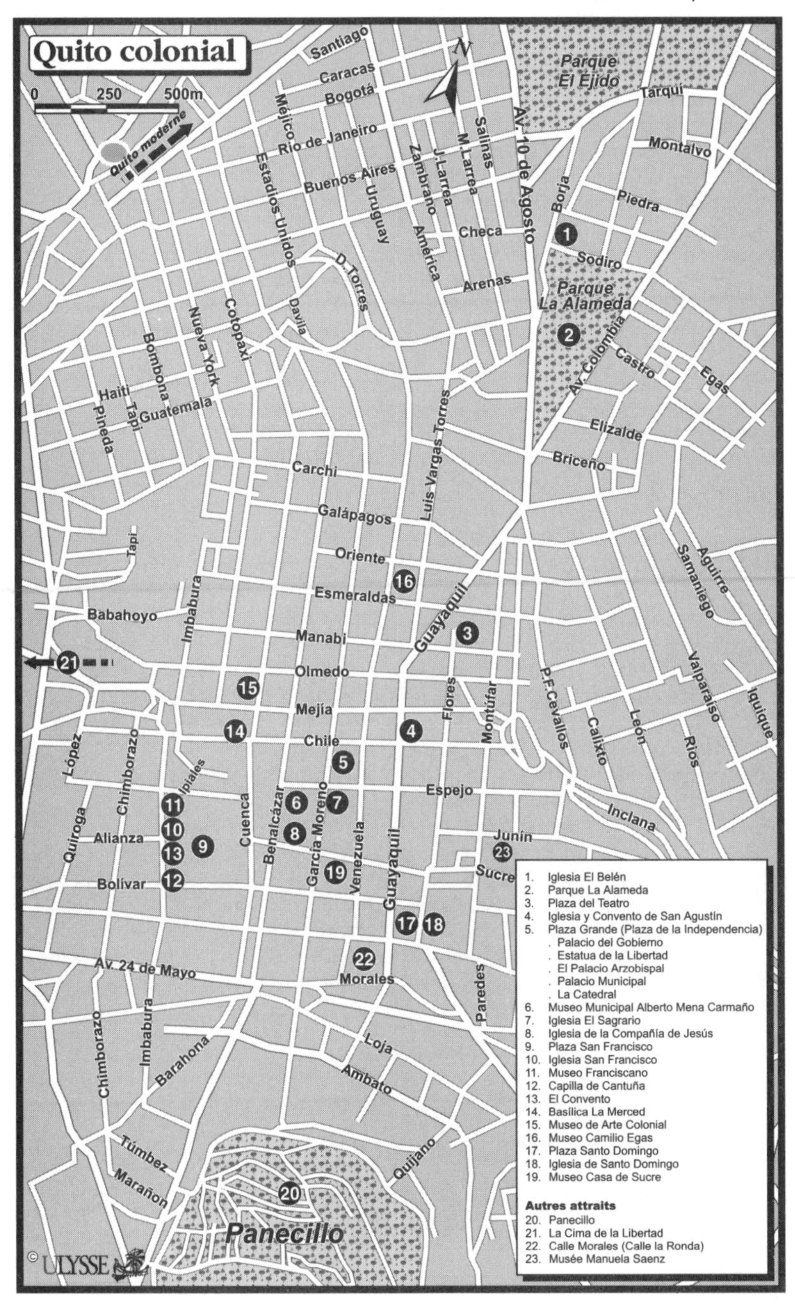

Quito colonial
0 250 500m
Quito moderne
Santiago
Caracas
Bogotá
Mejico
Rio de Janeiro
Buenos Aires
Estadios Unidos
Uruguay
Zambrano
J-L.Larrea
M.Larrea
Salinas
Av. 10 de Agosto
Parque El Ejido
Tarqui
Montalvo
Borja
Piedra
América
Checa
Sodiro
Parque La Alameda
Arenas
D.Torres
Davila
Cotopaxi
Nueva York
Bombona
Haiti
Tapi
Guatemala
Pineda
Av. Colombia
Castro
Egas
Elizalde
Briceño
Luis Vargas Torres
Carchi
Galápagos
Oriente
Esmeraldas
Tapi
Babahoyo
Imbabura
Manabi
Guayaquil
Aguirre
Samaniego
Olmedo
Mejía
Chile
Flores
Montúfar
P.F.Cevallos
Calixto
León
Valparaiso
Rios
Iquique
López
Chimborazo
Ipiales
Espejo
Quiroga
Alianza
Cuenca
Benalcázar
García Moreno
Venezuela
Inclana
Junín
Sucre
Bolívar
Av. 24 de Mayo
Morales
Paredes
Chimborazo
Imbabura
Barahona
Loja
Ambato
Túmbez
Marañon
Quijano
Panecillo
© ULYSSE
1. Iglesia El Belén
2. Parque La Alameda
3. Plaza del Teatro
4. Iglesia y Convento de San Agustín
5. Plaza Grande (Plaza de la Independencia)
. Palacio del Gobierno
. Estatua de la Libertad
. El Palacio Arzobispal
. Palacio Municipal
. La Catedral
6. Museo Municipal Alberto Mena Carmaño
7. Iglesia El Sagrario
8. Iglesia de la Compañía de Jesús
9. Plaza San Francisco
10. Iglesia San Francisco
11. Museo Franciscano
12. Capilla de Cantuña
13. El Convento
14. Basílica La Merced
15. Museo de Arte Colonial
16. Museo Camilio Egas
17. Plaza Santo Domingo
18. Iglesia de Santo Domingo
19. Museo Casa de Sucre
Autres attraits
20. Panecillo
21. La Cima de la Libertad
22. Calle Morales (Calle la Ronda)
23. Musée Manuela Saenz

On arrive à un **mirador ★★★ (9)** d'où l'on a une vue spectaculaire sur la cordillère Orientale. Lorsque le ciel est dégagé, on peut clairement voir les volcans Cayambe et Puntas, d'une hauteur de 5 740 m et de 4 450 m respectivement. C'est à partir d'ici que Francisco de Orellana lança sa célèbre expédition vers l'Amazonie à la recherche de l'Eldorado. On aperçoit aussi un petit sentier jalonné de marches menant à l'Iglesia de Guápulo. Il est préférable de ne pas se risquer à descendre les marches; prenez plutôt un taxi ou un autobus, les attaques contre les touristes étant fréquentes.

L'**Iglesia de Guápulo ★★★ (10)** *(dans le creux de la cordillère Orientale, à quelques kilomètres de l'Hôtel Quito)* a été érigée en 1649 en l'honneur de la Vierge de Guadalupe. Au cours du mois de mai, ce sanctuaire reçoit de nombreux pèlerins qui viennent rendre hommage à la Vierge. Sa façade, toute de pierre grise, datant de 1693, année d'achèvement des travaux de l'église, fut construite par Fray Antonio Rodríguez, premier architecte franciscain de Quito. De beaux retables ornent les niches à l'intérieur de l'église, et la chaire, œuvre de Juan Bautista Menacho, est considérée à juste titre comme une des plus jolies de toute l'Amérique du Sud. De hauts et élégants vitraux surmontant l'entablement intérieur diffusent chaleureusement la lumière. Le temple et sa sacristie abritent des peintures de Miguel de Santiago et de Nicolás Javier de Goríbar.

Circuit 2 : le Quito colonial ★★★

La numérotation des attraits réfère à la carte du Quito colonial.

Ce circuit couvre essentiellement les joyaux du Quito de l'époque coloniale. Parcourir les rues du vieux Quito permet au voyageur d'observer et d'apprécier les richesses architecturales du passé de l'Équateur. Beaucoup de ces constructions portent les marques du temps. Ainsi, la plupart d'entre elles ont été, à un moment ou à un autre, endommagées par des séismes. Il n'est donc pas surprenant de remarquer les différents styles architecturaux propres aux XVIe, XVIIe et XVIIIe siècles se juxtaposer sur les monuments religieux de la ville. La décoration intérieure de ces églises est l'œuvre d'artistes provenant de l'École de Quito. Toutes ces créations furent finalement reconnues à leur juste valeur lorsque le centre colonial et historique de la ville fut placé sous la tutelle de l'UNESCO et décrété Patrimoine Mondial de l'Humanité. Sachez que la plupart des églises du centre colonial ouvrent leurs portes à des heures pas toujours régulières. De plus, depuis le tremblement de terre de 1987, les travaux de restauration font en sorte que certaines d'entre elles peuvent être fermées lors de votre passage.

Au coin de la Calle Luis Sodiro, face au parc **La Alameda**, se dresse l'**Iglesia El Belén ★ (1)**, aussi appelée «**Capilla El Belén**». C'est là que fut célébrée la première messe à Quito, soit la messe de minuit de Noël 1534, par le père Juan Rodríguez. Quelques tableaux créés par des artistes de l'École de Quito en décorent l'intérieur.

En face de l'église, montez les marches qui mènent au parc **La Alameda ★ (2)**, le plus ancien parc de Quito. Ses origines remontent à 1746, époque à laquelle les Espagnols avaient l'habitude d'y laisser paître leurs chevaux. Aujourd'hui, on a aménagé à cet endroit un lac artificiel sillonné de canaux. On y trouve aussi les installations du plus vieil observatoire astronomique de l'Amérique. Construit en 1868 par l'ex-président Gabriel García Moreno, il fut considéré par plusieurs astronomes comme le meilleur de son époque. Au centre du parc, on aperçoit quelques statues érigées en mémoire des membres de l'expédition scientifique française à laquelle participait Charles Marie de La Condamine. Ces scientifiques étaient chargés de vérifier l'hypothèse de Newton, selon laquelle la Terre était aplatie aux pôles.

Descendez la Calle Guayaquil (Sabaña Santa) jusqu'à la Calle Flores. Vous entrez alors dans la zone coloniale. Aussi bien en raison de sa beauté que par mesure de sécurité, gardez vos cinq sens en alerte! Vous remarquerez que la plupart des maisons possèdent des portes hautes et larges, ainsi construites pour laisser entrer les chevaux et les charrettes transportant toutes sortes de vivres. Les Espagnols laissaient ensuite les chevaux errer librement dans le parc La Alameda.

Sur la **Plaza del Teatro ★★ (3)** se trouve le **Teatro Sucre**. Construit en 1878, il constitue l'un des principaux centres culturels de l'Équateur et propose au public des salles de concerts et de conférences. Un monument dédié au général Sucre, accompagné d'une demoiselle brisant ses chaînes et symbolisant la liberté, orne la façade extérieure du théâtre. Cependant, il ne s'agit pas du monument originel. En effet, ce dernier représentait Sucre, écrasant fièrement du pied un lion, symbole de l'Espagne.

Continuez sur Guayaquil jusqu'à la Calle Chile.

Les plans de l'**Iglesia y Convento de San Agustín ★★★ (4)** *(angle Calle Chile et Calle Guayaquil)* ont été réalisés par l'architecte Francisco Becerra, également responsable de ceux de la cathédrale de Puebla, au Mexique. La construction de l'église a débuté en 1581 et a été terminée en 1617. Ce sanctuaire religieux possède trois nefs. La nef principale est couronnée par une fausse voûte en croisée d'ogives, tandis que les nefs latérales sont couvertes de voûtes surhaussées. La façade extérieure est flanquée de colonnes de pierre et parée de quatre figurines d'animaux symbolisant les quatre évangélistes (saint Jean, saint Mathieu, saint Marc et saint Luc). L'intérieur est un curieux mélange de style néo-gothique et mauresque. Diverses œuvres de Miguel de Santiago tapissent les murs de l'église. Malheureusement, l'église fait l'objet de travaux de restauration pour une période indéterminée.

On peut toutefois visiter la galerie intérieure du **Convento** *(0,50 $; horaire variable)*, où de magnifiques cadres dorés mettent en valeur une suite de tableaux peints en 1656 par Miguel de Santiago d'après des gravures du Hollandais Schelte Bolswert qui relatent la vie et les miracles de San Agustín. D'autre part, la **Sala Capitular ★★★**, adjacente au couvent, date des années 1741-1746. Elle est rectangulaire, et son plafond à caissons à pente a été érigé selon une conception de la Renaissance incluant toiles et médaillons peints. Il s'agit du lieu où a été signé le premier acte d'indépendance de l'Équateur, le 10 août 1809. Les restes des héros de la guerre d'indépendance se trouvent au centre de la salle, au sous-sol. On peut accéder aux caveaux en descendant une échelle; malheureusement, il n'y a pas d'électricité!

En sortant, tournez à droite sur la Calle Chile. Vous arrivez alors au cœur du Quito colonial.

Mieux connue sous le nom de «**Plaza Grande**» ★★★ **(5)**, la **Plaza de la Independencia** est l'endroit où fut fondée la ville de Quito. On y trouve, comme dans toutes les villes coloniales de l'Amérique latine, un regroupement des principaux monuments traditionnels de la ville où les autorités de l'époque avaient logé les pouvoirs civils, religieux et municipaux.

À l'ouest se dresse le **Palacio del Gobierno** ★★, où siège l'actuel président de la République, Fabián Alarcón. Il fut construit au XVIIIe siècle et fut le siège de l'«Audiencia Real» (lieu où, par charte royale d'affranchissement, siège une cour de justice). Remarquez les soldats qui montent la garde, tous habillés d'uniformes du XVIe siècle, ceux-là même que portèrent les troupes équatoriennes lors de la célèbre bataille du Pichincha. La balustrade de la galerie extérieure fut importée en 1890 par le président de l'époque, Antonio Flores, des Tuileries de Paris, incendiées un siècle plus tôt lors de la Révolution française. À l'intérieur du palais présidentiel, on peut admirer un magnifique ensemble de tableaux peints par le célèbre artiste équatorien Oswaldo Guayasamín et illustrant l'aventure de Francisco Orellana à la découverte de l'Amazonie.

Au centre de la place s'élève fièrement l'**Estatua de la Libertad** ★, un monument commémoratif couvert de symboles et érigé en 1909 en souvenir du premier cri pour l'indépendance, 100 ans auparavant. Œuvre de bronze et de marbre, cette statue fait voir entre autres un lion en fuite blessé par une flèche, symbolisant le départ des Espagnols, de même qu'un condor brisant une chaîne entre ses pattes, qui évoque la libération du peuple de l'Équateur jusque-là soumis à la domination espagnole.

Au nord de la place, **El Palacio Arzobispal** ★ a été construit au XVIIe siècle, puis restauré au XXe siècle. Sa décoration et son architecture sont de style néo-classique.

À l'est de la place, le **Palacio Municipal**, de construction récente, dresse sa silhouette moderne en béton. Bien qu'il soit beaucoup moins élégant que les autres édifices de la place, c'est du moins un bâtiment public plus pratique pour les fonctionnaires qui y travaillent.

La **Catedral** ★★★ (Basílica San Pedro) fut édifiée au XVIe siècle, mais elle dut être rénovée à maintes reprises au fil des ans, et elle offre aujourd'hui une perspective intéressante des différents styles architecturaux qui y ont été intégrés à travers les siècles. Trois nefs séparées entre elles par des arcs en forme de lancette composent cet édifice religieux. La nef principale est rehaussée d'un plafond mudéjar, et les nefs latérales sont coiffées d'un toit à un seul rampant. En 1797, un tremblement de terre endommagea la cathédrale, et seuls la partie la plus ancienne et les éléments en bois survécurent. L'église abrite des peintures remarquables d'artistes issus de l'École de Quito. Vous y trouverez entre autres, au-dessus de l'autel, l'un des chefs-d'œuvre de l'artiste Caspicara intitulé *La Sábana Santa* (la descente de croix). Les dépouilles mortelles du général Antonio Sucre et du général Flores sont conservées dans l'enceinte d'une petite chapelle.

Selon certaines rumeurs, les armes des soldats espagnols qui ont combattu entre 1534 et 1822 se trouvent enfouies sous la **Plaza de la Independencia**.

Continuez votre balade en direction ouest en empruntant la Calle Espejo.

Le **Museo Municipal Alberto Mena Caamaño ★ (6)** *(entrée libre; mar-ven 9 h à 16 h 30, sam 9 h à 13 h 45; Calle Espejo 1147 et Calle Benalcázar, ☎ 02-210-863)* est aménagé à côté du **Palacio del Gobierno** dans une ancienne caserne et abrite des œuvres d'art, des meubles anciens ainsi qu'une collection d'armes de l'époque coloniale. Au sous-sol, quelques statues de cire grandeur nature reproduisent une scène de patriotes mis à mort par des royalistes déguisés en pères franciscains le 2 août 1810.

Revenez sur vos pas, puis tournez à droite sur la Calle García Moreno (ou Calle de las Siete Cruces).

Jouxtant la Catedral, l'**Iglesia El Sagrario ★★★ (7)** *(Calle García Moreno et Espejo)*, une ancienne chapelle qui était autrefois une dépendance de la première, fut sévèrement endommagée par le tremblement de terre de 1987. Selon l'inscription gravée sur le portail, la construction de l'église aurait débuté en 1669 pour être achevée en 1706. Il s'agit d'un sanctuaire à trois nefs. L'arc en plein centre du portail est flanqué de colonnes corinthiennes. Ce lieu de culte est bâti de pierres grises magnifiquement taillées. Sa façade affiche un style néo-classique, et de magnifiques fresques représentant des archanges, signées Bernardo de Legarda, y ont récemment été découvertes grâce aux travaux de restauration. Bernardo de Legarda est un artiste équatorien métis qui vécut à Quito au XVIIIe siècle et qui fut principalement sculpteur, mais également peintre, miroitier et doreur. S'inspirant essentiellement de thèmes religieux, il conçut plusieurs œuvres maîtresses qu'on retrouve aujourd'hui dans des édifices religieux du Quito colonial, par exemple la décoration de la coupole d'El Sagrario et le retable de la chapelle de Cantuña.

Continuez sur la même rue jusqu'à la Calle Sucre.

Considérée comme un des monuments religieux les plus spectaculaires de l'Amérique du Sud du XVIIe siècle, l'**Iglesia de la Compañía de Jesús ★★★ (8)** *(Calle García Moreno et Calle Sucre)* s'offre alors aux regards. À l'intérieur, plus de quatre tonnes d'or brillent sous vos yeux et illuminent de leurs reflets les murs, les portes, l'autel et le plafond. Amorcée par les Jésuites au début des années 1600, la construction de l'église fut achevée en 1774. La façade extérieure est constituée de pierres volcaniques travaillées dans un style baroque. Alors qu'on effectuait des travaux de restauration au mois de février 1996, un incendie causa beaucoup de dommages à l'église. Vous pouvez quand même la visiter.

Montez la Calle Sucre jusqu'à la Calle Cuenca.

La **Plaza San Francisco ★★★ (9)** est aménagée autour d'une fontaine, et plusieurs bâtiments d'intérêt historique l'entourent : l'Iglesia San Francisco, le Museo Franciscano, la Capilla de Cantuña et le Convento. La construction de cette célèbre place a débuté peu après la fondation de Quito, le 25 janvier 1535. Elle demeure aujourd'hui le premier ensemble architectural religieux de l'Amérique du Sud et le plus grand

Iglesia San Francisco

regroupement de constructions d'époque coloniale de la ville.

L'**Iglesia San Francisco ★★★ (10)** fut érigée selon les plans tracés par l'architecte Francisco Becerra, un homme renommé pour avoir conçu les plans de la cathédrale de Puebla, au Mexique. D'abord, l'église conventuelle fut érigée vers la fin du XVIe siècle; elle était terminée en 1623. La façade de l'église San Francisco et certaines portes des dépendances offrent à l'œil un panorama plus qu'intéressant du style d'architecture de la Renaissance. L'église se compose d'une nef à travée unique, d'un transept de même largeur ainsi que de plusieurs magnifiques chapelles latérales communiquant entre elles par des arcs de style mudéjar. À l'origine, l'église était dotée d'un magnifique plafond mudéjar en caissons. Malheureusement, il y a deux siècles, un fâcheux incendie détruisit tout, sauf ce que contenaient les parties correspondant au chœur du transept. Sur le maître-autel de l'église, une statue de Notre-Dame de Quito représente un parfait exemple d'œuvre provenant de l'École de Quito. Les murs et le plafond sont d'un style baroque remarquable et ornés de tableaux illustrant des scènes de la vie de saint Paul et de saint Pierre.

Adjacent à l'église, le **Museo Franciscano ★★★ (11)** dispose d'une impressionnante collection de tableaux, de sculptures et de créations issues de l'École de Quito.

La **Capilla de Cantuña ★★★ (12)** a été ainsi nommée en mémoire de son bâtisseur, l'Amérindien Francisco Cantuña. Selon une légende, ce dernier avait promis de terminer la construction de la chapelle à une date déterminée. Lorsqu'il comprit qu'il ne pourrait atteindre son objectif dans le délai fixé, il vendit son âme au diable afin de pouvoir terminer son travail. Cependant, Cantuña regretta son pacte et se mit à prier pour sauver son âme. Lorsque la chapelle fut inaugurée, il y manquait une pierre : Cantuña était sauvé, car le travail du diable restait inachevé. Une deuxième légende veut que la construction de la chapelle ait été financée par l'or caché des Incas. La chapelle de Cantuña possède une seule nef et abrite de magnifiques créations d'artistes de l'École de Quito. Parmi les exemples dignes de mention, citons le retable principal, richement travaillé, œuvre de Bernardo de Legarda.

Édifié sous la direction du père franciscain Jodocko Ricke, le **Convento ★★ (13)** *(lun-dim 7 h à 12 h et 15 h à 18 h)* est devenu, au cours des siècles suivants, un important atelier de l'École de Quito où des Amérindiens exprimaient leur art. Ricke est également reconnu comme le premier homme à avoir semé du blé en Équateur. La vie de San Francisco est racontée à l'intérieur du couvent par de magnifiques tableaux. Le cloître comporte, quant à lui, de nombreuses colonnes doriques.

En sortant, dirigez-vous vers la gauche et traversez le petit marché de la Calle Cuenca jusqu'à la Calle Chile.

On doit la construction de la **Basílica La Merced ★ ★★** (14) *(angle Calle Cuenca et Calle Chile)* à José Jamie Ortiz. Dernière église érigée à l'époque coloniale, au début du XVIIIe siècle, cette église se distingue des autres par le fait qu'elle fut entièrement bâtie par des Espagnols. Selon la légende, la Vierge de la Merced protège les habitants de Quito des tremblements de terre et des éruptions volcaniques. De plus, la basilique abrite de nombreuses œuvres d'artistes de l'École de Quito. À titre d'exemples dignes de mention, citons le grand autel, qui est l'œuvre de Bernado de Legarda, les spectaculaires tableaux de Victor Mideros et une très jolie toile de Goríbar. Elle comporte une haute tour supportant une lourde cloche et une vieille horloge, construite à Londres en 1817 (elle s'impose en outre comme la plus ancienne de Quito). La cloche n'a sonné qu'une fois, car ses vibrations ont endommagé la tour! La façade de la basilique est de style baroque, tandis que le plafond est garni de moulures creuses datant du XVIIe siècle.

Son couvent abrite, pour une raison inconnue, un monument non religieux : une statue de Neptune, placée au milieu de la fontaine du cloître...

Continuez votre route sur la Calle Cuenca jusqu'à la Calle Mejía.

Aménagé dans une très jolie maison coloniale, le **Museo de Arte Colonial ★★★ (15)** *(1 $; mar-ven 10 h à 18 h, sam 10 h à 15 h, dim 10 h à 14 h, lun fermé; Calle Cuenca 901 et Mejía,* ☎ *02 212-297)* est disposé sur deux étages et est pourvu d'une intéressante collection de tableaux et de sculptures des XVIe, XVIIe et XVIIIe siècles. La peinture du XVIe siècle est statique et se caractérise par beaucoup d'ingénuité. Celle du XVIIe se signale par des couleurs sombres et des scènes un peu austères s'inspirant d'une thématique originaire d'Espagne. La peinture du XVIIIe siècle utilise des couleurs plus claires et plus lumineuses privilégiant le blanc, le vert, le bleu et le rouge. En outre, le mouvement y est plus présent. La sculpture la plus célèbre du musée est sans doute *Le Christ ressuscité* de Manuel Chili, représentant le triomphe du Dieu fait homme sur la mort. Remarquez la finesse du détail des dents et des cheveux. Manuel Chili, également connu sous le pseudonyme de «Caspicara», est un des sculpteurs équatoriens les plus importants du XVIIIe siècle, car il est réputé pour ses miniatures très fouillées.

Tournez à gauche sur la Calle Mejía et marchez jusqu'à la Calle Venezuela. Tournez à gauche, puis à droite sur la Calle Esmeraldas pour finalement aboutir à la Calle Luis Vargas Torres.

Le **Museo Camilio Egas ★ (16)** *(0,50 $; mar-ven 9 h à 12 h 30 et 15 h à 18 h, sam 9 h à 13 h; Calle Venezuela et Esmeraldas, ☎ 02-514-511)* porte le nom du peintre contemporain équatorien Camilio Egas, qui s'exila durant quelques années en France avant de revenir à Quito. Le musée expose de nombreuses toiles de l'artiste et présente un certain intérêt, même pour ceux qui ne sont pas familiers avec son art. Camilio Egas vécut de 1889 à 1962.

Revenez à la Calle Venezuela et prenez à gauche jusqu'à la Calle Simón Bolívar, puis tournez à gauche et continuez jusqu'à la Calle Guayaquil.

Votre attention sera attirée par la **Plaza Santo Domingo (17)**; face à l'église, un monument perpétue le souvenir du général José Antonio Sucre, son bras droit pointant fièrement vers le volcan Pichincha, lieu où le général sortit victorieux du combat qui détermina l'écroulement de l'emprise espagnole, le 24 mai 1822. L'**Iglesia de Santo Domingo ★★ (18)** renferme un des plus vieux autels de la République. De plus, une statue de la Virgen del Rosario, donnée en cadeau à l'époque par le roi d'Espagne Charles Quint, constitue l'un des attraits principaux de l'église.

À côté du couvent de l'Iglesia Santo Domingo se dresse le **Museo Fray Pedro Bedón ★★** *(1,50 $; lun-ven, 9 h à 12 h 30 et 13 h à 18 h 30; Calle Flores Plaza de Santo Domingo)*. L'objectif premier de ce petit musée est de présenter l'histoire et l'essor de l'ordre des dominicains dans le monde et en Amérique. Sous cette optique, on peut admirer un nombre appréciable de portraits à l'huile et de sculptures de saints ayant appartenu à l'ordre tels que saint Dominique Guzmán, sainte Catherine de Sienne, saint Vincent Ferrer et saint Thomas d'Aquin. On y trouve aussi des représentations de la Vierge Marie sous plusieurs vocables tels que la «Vierge de l'Eucharistie» et la «Vierge du Rosaire».

Une partie de ces œuvres, celles d'origine européenne, sont attribuables à Francesco Guerini (peintre italien du XVIIIe siècle) et à Pedro de Mena (sculpteur espagnol du XVIIe siècle). Parmi les œuvres d'artistes de l'École de Quito, on peut voir des tableaux attribués à frère Pedro Bedón (XVIIe siècle), à Miguel de Santiago (XVIIe siècle), à Manuel Samaniego (XVIIIe siècle), ainsi que des sculptures du père Carlos (XVIIe siècle) et de Bernard de Legarda (XVIIIe siècle).

En parcourant le musée, on peut lire de brèves évocations biographiques de prêtres importants de l'ordre tels que :

- Frère Bartolomé de las Casas (1474-1566), célèbre défenseur des Amérindiens qui fut «*le premier Européen à dénoncer l'injustice du système colonial ...*» (Enrique Duseel).

- Frère Pedro Bedón (Quito 1555), artiste peintre, politicien, théologien et défenseur des Amérindiens. Il fut le fondateur et le directeur de la Confrérie du Rosaire. (Confrérie : fraternité de dévots qui font profession d'observer les règles de l'Église.)

Enfin, on y montre divers objets ayant appartenu au couvent de Santo Domingo et ayant servi à l'ordre au cours des siècles, par exemple un rosaire de coquillages et d'argent (XIXe siècle), des livres de la Confrérie du Rosaire (XVIIIe siècle) et des vêtements cérémoniels des prêtres brodés en fils d'or et d'argent (XVIIIe siècle).

Revenez sur la Calle Simón Bolívar, et tournez à droite sur la Calle Venezuela.

Appartenant à l'Armée, le **Museo Casa de Sucre ★★ (19)** *(1 $; mar-ven 8 h à 12 h 30 et 13 h 30 à 16 h 30, sam 8 h à 13 h; Calle Venezuela 573 et Sucre, ☎ 02-512-860)* occupe depuis 1978 l'ancienne demeure de José Antonio Sucre, le général vénézuélien qui servit sous les ordres de Bolívar et qui est renommé pour sa célèbre victoire lors de la bataille du Pichincha. Sucre y séjourna à peine 10 mois, mais on y trouve aujourd'hui des documents, des vêtements, des armes et des drapeaux lui ayant appartenu, et dont certains furent utilisés lors de bataille du Pichincha. Les meubles de l'étage sont des copies des originaux.

Autres attraits de la ville

La numérotation des attraits suivants réfère à la carte du Quito colonial.

Surplombant Quito à 3 200 m d'altitude, le **Panecillo ★★★ (20)** est la reproduction géante de la Vierge de l'Immaculée-Conception créée par Bernardo de Legarda. Elle domine la ville et offre une vue spectaculaire sur ses alentours. On aperçoit à l'ouest le lieu de la célèbre bataille du Pichincha. Une longue série de marches commence tout près de la gare de Chimbacalle et aboutit au Panecillo. Malheureusement, la route est souvent le théâtre d'attaques au couteau contre les touristes. Il est préférable de partager en petit groupe les frais d'un taxi.

La Cima de la Libertad ★★ (21) *(entrée libre; horaire variable)* est un musée niché à quelque 3 000 m d'altitude dans le flanc du volcan Pichincha, le lieu même où le général Sucre remporta la bataille historique pour l'indépendance de l'Équateur le 24 mai 1822. Un musée d'armes ainsi qu'une énorme murale ont été édifiés pour commémorer l'événement. La vue est tout simplement saisissante.

Théoriquement appelée «**Calle Morales**», la **Calle la Ronda ★★★ (22)** *(entre la Calle García Moreno et la Calle Venezuela, tout près de l'Avenida 24 de Mayo)* constitue la plus vieille rue coloniale de toute la ville de Quito. De nombreux balcons garnissent les demeures traditionnelles de cette charmante petite rue étroite, autrefois le lieu de marché des Amérindiens. Malheureusement, le soir venu, cette rue est souvent le théâtre d'attaques contre les touristes.

Le **musée Manuela Saenz ★ (23)** *(1 $; horaire variable; Calle Junín 710)* loge dans une jolie maison coloniale. Sur trois niveaux, il expose entre autres des tableaux, des armes et des lettres de correspondance entre Simón Bolívar et Manuela Saenz, née à Quito en décembre 1795. Elle fut la maîtresse et la muse de Simón Bolívar. À la suite du décès de Bolívar, elle s'exila à Paita, au nord du Pérou, où elle mourut le 23 novembre 1856 à l'âge de 61 ans.

La numérotation des attraits suivants réfère à la carte du Quito moderne.

La **Plaza Indo-America (24)** *(en face de la faculté des sciences administratives de l'Université centrale de l'Équateur et du Teatro Universidad)* honore les chefs aborigènes de tous les pays d'Amérique latine. On y trouve entre autres la statue du célèbre général d'Atahualpa : Rumuñihui (mot qui signifie «face de pierre» en quichua; en l'apercevant, vous comprendrez pourquoi!)

Le **Parque de la Carolina ★ (25)**, long de 4 km, accueille les amateurs de jeu de pelote ou *pelota de guante* le samedi et le dimanche. Ce jeu de pelote moderne est une sorte de volley-ball qui se joue à trois contre trois. Presque au centre du parc se dresse une immense croix en souvenir de la visite du pape le 30 janvier 1985. De plus, les fins de semaine, le parc devient très populaire auprès des familles désireuses de respirer un peu d'air pur et de faire de l'exercice physique (jogging, aérobic, etc.). Un lac artificiel se love au creux du parc; malheureusement, il est très pollué! On trouve même dans ce parc un club de jardinage pour ceux qui désirent apprendre l'horticulture.

Le **Museo Ecuatoriano de Ciencias Naturales ★ (26)** *(0,25 $; Calle Rumipamba 341 et Avenida de los Shyris, ☎ 02-449-824)* est situé à l'intérieur même du parc. Il s'agit d'un petit musée sans but lucratif qui expose toute la richesse des ressources biologiques, géologiques et paléontologiques de l'Équateur. On y trouve entre autres de nombreuses cartes, des mammifères empaillés et des papillons.

Ceux qui n'ont pas la chance d'aller visiter l'Oriente peuvent se rendre au **Vivarium ★★ (27)** *(2 $; mar-dim 9 h à 12 h et 15 h à 18 h; Avenida de los Shyris 1130 et Portugal, ☎ 02-230-988, ⇄ 448-425, touzet@orstom.ecx.ec)*, qui possède de fascinants reptiles et amphibiens trouvés à travers l'Amérique du Sud.

Le **Museo Guayasamín ★★★ (28)** *(entrée libre; lun-ven 9 h à 12 h 30 et 15 h à 18 h 30, sam 9 h à 12 h 30; Calle José Bosmediano 543, ☎ 02-446-277)* est situé dans le secteur Bella Vista, au nord de la ville. Pour vous y rendre, prenez le bus numéro 3, qui indique «Bella Vista». Ce musée, ancienne demeure du célèbre peintre contemporain Guayasamín, abrite une impressionnante collection de tableaux et de céramiques, ainsi que de nombreuses répliques d'œuvres archéologiques et coloniales créées par l'artiste lui-même.

ACTIVITÉS DE PLEIN AIR

Le vélo

Boutiques de location de vélos

Ces boutiques proposent la location de vélos et éventuellement organisent des excursions de groupes sous la conduite d'un guide officiel dans des régions pittoresques du pays :

Pedal Andes
P.O. Box 17-12-602
☎ (02) 220-674
explorer@saec.org.ec

Aventura Flying Dutchman
Calle Foch 714 et Juan León Mera
☎ (02) 542-8806 ou 449-568
⇄ 567-008

Rent Bike Biciteca
Avenida Brasil 1612 et Edmundo Carvajal (près du centre commercial El Bosque)
☎ (02) 241-687

La descente de rivières

Il y a plusieurs agences qui ne travaillent tout simplement pas dans des conditions sécuritaires. N'hésitez pas à poser beaucoup de questions, et n'oubliez pas que, même si beaucoup d'agences existent, elles ne sont pas toutes également réputées. Nous avons parlé avec de nombreux guides qui n'avaient jamais suivi de cours certifiés ou de cours d'agence de descente de rivières. La différence entre les prix n'est pas tellement grande. Informez-vous avant de prendre une décision, car votre vie en dépend peut-être.

Voici quelques adresses d'agences qui vous aideront à organiser une descente de rivières dans la grande région de Quito :

Row Expediciones
Calle Salazar Gómez 144 et Martínez Mera
☎ et ⇄ (02) 458-339
rafting@row.ecx.ec

Cette agence vous permettra d'explorer certaines des rivières les plus sauvages du pays. Une variété d'excursions est proposée sur des rivières allant de la classe I à la classe V. De plus, Row Expediciones dispose de guides professionnels bilingues et certifiés ayant suivi des cours de premiers soins. Les groupes sont généralement petits, et toutes les excursions incluent les repas. Une journée coûte environ 70 $, et deux jours coûtent environ 140 $.

Sierra Nevada
Calle Pinto 637 et Avenida Amazonas
☎ (02) 553-658
⇄ 554-936

Cette agence propose sensiblement les mêmes services que Row Expediciones.

HÉBERGEMENT

La ville de Quito est pourvue d'une foule d'hôtels et de lieux d'hébergement de toutes sortes. Les hôtels les plus sécuritaires et les mieux équipés se trouvent sans l'ombre d'un doute dans le Quito moderne.

Quito moderne

En plein cœur du Quito moderne et à deux pas du luxueux Alemada Real se trouve un sympathique petit hôtel qui loge uniquement des femmes : l'**Hostal Eva Luna** *(6 $ par personne; tv, bc, ℂ, ec; Calle Roca et Avenida Amazonas, ☎ 02-234-799)*. On y trouve des chambres de quatre à six lits pour un total de 14 personnes. Les clientes ont même accès à la cuisine. Les couvre-lits sont fabriqués à partir de tissus traditionnels d'Otavalo et vous gardent au chaud durant les soirées fraîches des Andes.

L'établissement dispose aussi d'une terrasse dotée d'une table et de chaises pour se reposer à la suite d'une visite de la ville. On peut aussi laver son linge sur place. Dans cette auberge tenue par Alsafari Turismo, l'agence située juste à côté, les clientes sont toujours bien informées des différentes excursions disponibles, la plupart axées sur l'écotourisme. De plus, les clientes peuvent entrer et sortir comme bon leur semble. Les prix varient en fonction de la durée du séjour.

L'**Alberque Juvenil Mitad del Mundo** *(7 $ par personne pdj; bc, ℜ; Calle Pinto 325 et Reina Victoria, ☎ 02-543-995)* loue des chambres à plusieurs lits (deux à quatre) et communes, un peu spartiates mais très économiques. Les détenteurs de la carte «Auberge de Jeunesse Internationale» bénéficient d'une légère réduction.

S'inspirant du même concept qu'El Cafecito, **The Magic Bean** *(7 $ par personne; bc, ℜ; Calle Foch 681 et Juan León Mera, ☎ 02-566-181)* est un sympathique petit restaurant qui dispose de quelques chambres modestement décorées (voir p 105), mais qui est l'un des meilleurs établissements «petit budget» de Quito. Le personnel est jeune et sympathique, et l'on peut même y recevoir du courrier électronique.

Situé près du Parque El Ejido, l'**Hostal Tatu** *(8 $ pdj; bc, ℂ, ℜ; Avenida 9 de Octubre 275 et Jorge Washington, ☎ 02-544-414 ou 236-699)* propose de grandes chambres propres, simplement aménagées et comprenant plusieurs lits. Ceux qui le désirent peuvent utiliser la cuisine.

El Cafecito *(12 $; bc, ℜ; Calle Luis Cordero 1124 et Reina Victoria, ☎ 02-234-862)* est à la fois un petit café et un petit hôtel. Il représente une option économique pour les voyageurs soucieux de leur budget. Très bien situé, l'endroit est populaire parmi les voyageurs sac à dos qui aiment discuter et échanger des histoires de voyage. On y prépare de bons plats végétariens.

La **Posada del Maple** *(15 $; bp, ℜ, ℂ, tv; Calle Rodríguez et Avenida 6 de Diciembre, ☎ 02-237-375)* propose des chambres propres, sécuritaires et sans fioriture. L'endroit est populaire auprès des touristes. Le service est sympathique, et les voyageurs ont accès à la cuisine.

Pour le prix demandé, les sept petites chambres de **La Estancia Inn** *(15 $; bp, tv, ℜ; Calle Wilson 508 et Diego de Almagro, ☎ 02-235-993, ⇄ 568-664)* représentent un bon choix. Elles sont sans luxe, mais confortables, propres, économiques et bien situées. Service sympathique et familial.

Au centre du Quito moderne, l'**Alston Inn Hotel** *(25 $; tv, ec, ℜ, bp; Calle Juan León Mera 741 et Baquedano, ☎ et ⇄ 02-521-587, 229-955 ou 508-956)* propose des chambres simples ainsi qu'un service de laverie, mais le bruit des véhicules et des passants qui émane de la rue peut déranger les personnes dont la chambre est en devanture. Son petit restaurant donne sur la rue Juan León Mera et permet de prendre une bouchée tout en observant les promeneurs.

Situées dans le nord de la ville, les chambres de l'**Hotel Zumag International** *(25 $; bp, tv; Calle Mariana de Jesús et Avenida 10 de Agosto, ☎ 02-232-450 ou 526-578, ⇄ 504-070)* se révèlent un peu sombres et austères;

certaines d'entre elles bénéficient toutefois d'une vue intéressante sur le volcan Pichincha.

Situé tout près de l'hôpital Vaca Ortiz et des bureaux de la Fundación Macipucuna, l'hôtel scandinave **Rincón Escandinavo** *(25 $; ℜ, bp, ec, tv; Leonidas Plaza et Baquerizo, ☎ 02-222-168 ou 540-794, ⇄ 222-168)* dispose de 25 chambres propres et tranquilles au plancher de bois franc, pourvues de toutes les commodités; un restaurant italien s'y trouve.

Situé près de l'EMETEL, l'**Hotel Ambassador** *(25 $; ℜ, tv, bp, ec; Avenida 9 de Octubre 1052 et Avenida Colón, ☎ 02-561-777 ou 562-054, ⇄ 503-712)* possède des chambres propres, spacieuses et garnies de moquette, mais qui ont définitivement vu de meilleurs jours. Un restaurant et un stationnement privé sont à la disposition des clients.

Situé tout près de l'ambassade de France, l'**Hostal Plaza Internacional** *(28 $; ℜ, bp, ec; Leonidas Plaza et 18 de Septiembre, ☎ 02-549-937 ou 522-735, ⇄ 505-075)* est aménagé dans une ancienne maison coloniale et loue de petites chambres bien tenues, chaleureusement meublées d'antiquités et garnies de boiseries originales. Le gérant est très serviable et parle le français, l'italien, le portugais, l'allemand et, bien sûr, l'espagnol.

L'**Hotel Embassy** *(30 $; bp, ec, tv; Calle Presidente Wilson 441 et Avenida 6 de Diciembre, ☎ 02-561-990, ⇄ 563-192)* compte 35 chambres quelque peu démodées, mais toutefois propres et sécuritaires.

Situé à deux pas de la trépidante Avenida Amazonas et du Parque El Ejido, le **Rincón de Bavaria** *(30 $; tv, bp, ec, ℜ; Calle Gral Páez 232 et 18 de Septiembre, ☎ 02-509-401)* renferme des chambres spacieuses, propres et décorées avec simplicité.

Le **Café Cultura** *(50 $; bp, ec, tv; Calle Robles 513 et Reina Victoria, ☎ et ⇄ 02-224-271, sstevens@pi.pro.ec)* niche dans une très jolie maison coloniale et abrite 16 chambres, généralement occupées par une clientèle internationale un peu bohème. Les chambres sont propres et adéquatement meublées, mais, si vous êtes prêt à débourser six dollars de plus, optez pour la suite. Celle-ci est baignée de tons pastel et dotée de vieux meubles; elle s'ouvre sur un immense balcon. Idéal pour un séjour romantique.

Aménagé dans une jolie maison coloniale dont le charme a su être admirablement bien conservé, l'**Hostal Palm Garten** *(50 $; ℜ, bp, ec, tv; Avenida 9 de Octubre 923 et Luis Cordero, ☎ 02-526-263 ou 523-960, ⇄ 568-944)* propose une vingtaine de chambres propres, chaleureuses et meublées avec goût. Certaines disposent d'un balcon.

L'**Hotel Santa Barbara** *(53 $; tv, bp, ec, ℜ; Avenida 12 de Octubre 2263 et Coruña, ☎ 02-225-121, ⇄ 564-382)* abrite 16 chambres propres au plancher de bois franc, aménagées dans une vieille maison coloniale et dont certaines disposent d'un balcon. Demandez une chambre avec vue sur le volcan Pichincha. Un stationnement est à la disposition des clients.

Situé à deux pas du South American Explorers Club, l'**Amarantha Internacional** *(56 $; tv, ℜ, bp, ⊗; Leonidas Plaza 194 et Jorge Washington, ☎ 02-543-619 ou 508-887, ⇄ 560-586)* est un *apart-hotel* où l'on dénombre

19 suites spacieuses et éclairées, toutes équipées d'une cuisinette avec poêlons, casseroles et vaisselle.

Un peu loin du centre colonial, l'**Hotel República** *(60 $; tv, bp, ec ; Calle República et Azuay, ☎ 02-436-391 ou 436-553, ⇌ 437-667)* est néanmoins situé dans un quartier tranquille et sécuritaire. Les chambres sont bien entretenues, mais la décoration est très quelconque.

L'**Hotel Tambo Real** *(78 $; ℜ, ec, bp, tv; Avenida 12 de Octubre et Patria, ☎ 02-563-820, ⇌ 554-964)*, sis en face de la Casa de la Cultura Ecuatoriana, propose 90 chambres spacieuses et propres; demandez-en une avec vue sur le volcan Pichincha. Certaines disposent d'un minibar et d'une cuisinette. On offre le service aux chambres 24 heures par jour.

Le propriétaire de l'**Hotel Chalet Suisse** *(80 $; ℜ, bp, ec, tvc; Calle Reina Victoria et Calama, ☎ 02-562-700 ou 563-966, ⇌ 563-966)*, Jean-Pierre Magnena, est l'ex-président de l'association des hôteliers de la province du Pichincha. Toutes les chambres sont coquettes et bien équipées, et disposent d'un minibar. Certaines ont un bidet. Son restaurant jouit d'une bonne réputation.

De construction récente, l'**Hotel Sebastián** *(83 $; ℜ, bp, ec, tvc; Calle Almagro 822 et Luis Cordero, ☎ 02-222-300 ou 223-400, ⇌ 222-500)* appartient aux mêmes propriétaires que l'agence Nuevo Mundo (voir p 83). Ces chambres sont équipées d'un petit appareil de chauffage, se révèlent lumineuses, enjolivées de tons chauds et meublées avec goût. En plus d'avoir un bon restaurant, le Sebastián est un des rares établissements en Équateur qui purifie l'eau qui coule dans ses robinets. Le personnel est sympathique et serviable, et peut facilement vous aider à organiser des excursions à travers le pays. Bref, sa situation centrale et la qualité de ses installations en font sûrement l'un des meilleurs hôtels à Quito.

Les chambres de l'**Hotel Quito** *(95 $; bp, ≈, tvc, ℜ, ec; Avenida González, ☎ 02-544-600 ou 544-514, ⇌ 567-284)* s'avèrent toutes confortables, mais sont surtout recommandées pour leur calme et la vue formidable qu'on y a sur la vallée du Guapulo. Optez pour celles à l'arrière, car elles jouissent d'une vue nettement plus intéressante que les autres et ne coûtent pas plus cher. Sa jolie piscine extérieure permet aux clients de se rafraîchir à la suite d'une visite de la ville.

Situées à deux pas de l'Avenida Amazonas et du parc El Ejido, les chambres de l'hôtel **Alameda Real** *(95 $; ℜ, tvc, bp, ec; Calle Roca 653 et Avenida Amazonas, ☎ 02-562-345, ⇌ 565-759)* sont agréablement enjolivées de tons pastel et pourvues d'un minibar, et répondent aux critères de qualité des touristes les plus exigeants. Le hall d'hôtel renferme de jolies fontaines qui jaillissent auprès d'une cascade de feuillage. On y propose les services de télécopie et de change.

L'**Hotel Colón** *(100 $; ℜ, tvc, bp, ec; Avenida Amazonas et Patria, ☎ 02-560-666, ⇌ 563-903)* est un grand établissement qui offre tout le confort qu'on peut trouver dans les hôtels de catégorie supérieure. Certaines chambres ont une jolie vue sur le parc El Ejido. Un étage non-fumeurs, un casino et une discothèque y ont été aménagés.

L'**Hotel Akros** *(125 $; tvc, bp, ec, ℜ; Avenida 6 de Diciembre 3986, ☎ 02-430-610, ⇄ 431-727)* plaira autant aux voyageurs d'affaires qu'aux vacanciers. Les chambres sont lumineuses, spacieuses, élégantes et baignées de couleurs claires. Toutes les salles de bain sont modernes, spacieuses et dotées d'un téléphone. L'établissement dispose d'un excellent restaurant, d'un stationnement et d'un service de location de voitures, avec chauffeur. Le personnel est attentionné et est prêt à tout faire pour rendre votre séjour le plus agréable possible.

Situé au nord du Parque de la Carolina, à quelques minutes de l'aéroport, le **Holiday Inn** *(170 $; tvc, ⊛, bp, ec, ℜ; Avenida de los Shyris 1757 et Naciones Unidas, ☎ 02-445-305 ou 251-666, ⇄ 251-958 ou 445-180, http://www.crowneplaza.com)* est le signe de l'envahissement progressif des Américains en Équateur. L'établissement haut de gamme ne propose que des suites et est doté de salles de conférences, d'un bar, d'un restaurant, d'une salle d'exercices et d'un bassin à remous. Visiblement, l'hôtel a été conçu pour les voyageurs d'affaires.

Si vous êtes à la recherche d'un hôtel qui respire le grand luxe et que l'argent ne vous pose pas de problème, l'**Oro Verde** *(240 $; ec, bp, tvc, ≈, △, ℜ; Avenida 12 de Octubre 1820 et Luis Cordero, ☎ 02-566-497 ou 567-128, ⇄ 569-189)* est sans aucun doute un établissement haut de gamme par excellence, très bien entretenu et particulièrement fier de l'attention que son personnel porte aux clients. Les chambres se révèlent claires, impeccables et bien équipées. Quatre excellents restaurants, trois étages non-fumeurs, un casino, une piscine, un sauna, un gymnase, un terrain de squash et de *raquet-ball* sont à la disposition des clients. Que demander de plus?... Ah oui, un médecin loge à l'hôtel 24 heures par jour.

Quito colonial

La majorité des hôtels du centre historique n'offrent qu'un confort limité et une propreté parfois douteuse. Si vous recherchez le confort et le grand luxe, optez plutôt pour ceux du Quito moderne.

Les chambres de l'**Hotel Santo Domingo** *(6 $; Plaza Santo Domingo)* comptent parmi les moins chères en ville, mais aussi parmi les moins charmantes. Elles conviendront aux personnes peu exigeantes au niveau du confort et qui n'ont pas l'intention de passer leur journée à l'intérieur.

Si vous êtes à la recherche d'un gîte économique situé près du *terminal terrestre*, optez pour l'**Hotel Juana de Arco** *(8 $; Calle Rocafuerte 1311 et Maldonado, ☎ 02-214-175)*. Les chambres sont spartiates, mais conviendront à ceux qui veulent n'y passer qu'une nuit.

Situé près du parc Alemada, le **Residencial Marsella** *(9 $; bc, ℜ; Calle de los Ríos 2035 et Julio Castro, ☎ 02-515-884)* propose des chambres relativement propres. L'endroit dispose d'une terrasse et d'un restaurant.

L'**Hotel Gran Casino Internacional** *(10 $; Avenida 24 de Mayo et Loja, ☎ 02-514-905, 216-595 ou 214-502)* dispose de chambres au confort rudimentaire et à la propreté parfois douteuse, mais qui conviendront très bien aux voyageurs aventuriers et désargentés. L'endroit est très populaire parmi les touristes voyageant sac au dos.

Pour quelques dollars de plus, l'**Hostal Huasi Continental** *(12 $; bp, ec; Calle Flores 332 et Sucre, ☎ 02-517-327)*, situé près de la Plaza Santo Domingo, propose des chambres relativement propres et économiques.

Tout près de la Plaza del Teatro, l'**Hostal La Casona** *(20 $; bp, ec, tv; Calle Manabí 255, ☎ 02-514-764, ⇌ 563-271)* offre à sa clientèle un service de lessive ainsi que des chambres propres et coquettes qui s'articulent autour d'une cour intérieure. L'endroit présente sans doute l'un des meilleurs rapports qualité/prix du centre colonial.

RESTAURANTS

À l'instar des hôtels, les meilleurs restaurants de la ville sont concentrés dans la partie moderne de Quito. On y trouve toutes sortes de restaurants qui sauront satisfaire les goûts de chacun.

Quito moderne

Aménagé dans une ancienne demeure, **El Maple** *($; Calle Páez 485 et Roca, ☎ 02-520-994)* est un restaurant végétarien qui propose de généreuses portions de repas naturels à des prix économiques et qui varient selon l'inspiration du jour. Ses boiseries lui confèrent une touche chaleureuse.

Le **Taco Factory** *($; Calle Foch 713 et Juan León Mera, ☎ 02-543-956)* est un petit restaurant mexicain qui prépare d'excellentes tortillas maison à prix abordables. Service sympathique et décor sans prétention.

Tenu par des Algériens, le restaurant **El Arabe** *($; Calle Reina Victoria 627 et Carrion, ☎ 02-549-414)* est l'endroit idéal pour prendre un *shawarma*, un *shish taouk* ou un *falafel* avant de poursuivre sa route. Le service est sympathique et la nourriture alléchante.

Le restaurant **Chapati** *($; Calle Calama et Diego de Almagro, ☎ 02-521-244)* constitue une autre bonne adresse à Quito où l'on peut déguster bon nombre de plats variés à tendance végétarienne. Le service est sympathique et courtois. Goûtez le jus de carotte!

El Holandez *($; Calle Reina Victoria 600 et Carrión, ☎ 02-522-167)* saura satisfaire les personnes à la recherche de délicieux mets végétariens variés. Le menu propose des plats à saveur indienne, thaïlandaise et japonaise. L'établissement dispose d'une terrasse pour ceux qui souhaitent manger à l'extérieur.

L'ambiance amicale du café **Art Forum** *($; Calle Juan León Mera 870 et Wilson, ☎ 02-544-185)* attire aussi bien les intellectuels et les étudiants que les petits commerçants du coin qui aiment pratiquer l'art de la conversation; pour leur part, les touristes en profitent pour souffler un peu.

Le **Tex-Mex** *($$; Calle Reina Victoria 847 et Wilson, ☎ 02-527-689)* est établi dans une ancienne maison coloniale dont les murs intérieurs sont baignés de chaleureux tons pastel. On y sert un bon choix de plats mexicains tels que des *tacos*, des *burritos* et des *enchiladas*. Service sympathique.

Le petit restaurant du **Café Cultura** *($$; Calle Robles et Reina Victoria, ☎ 02-224-271)* constitue un bon endroit où prendre une bouchée rapide entre deux visites ou siroter un café ou un thé tout en discutant tranquillement. L'ambiance est informelle et le service sympathique. Quelques plats végétariens figurent au menu.

The Magic Bean *($$; Calle Foch 681 et Juan León Mera, ☎ 02-566-181)* est rapidement devenu un endroit fort populaire auprès des touristes un peu bohèmes. Il s'agit de l'un des rares endroits en Équateur où l'on peut manger une bonne salade biologique. Réputé pour son grand choix de crêpes, il propose aussi d'excellents cafés express. Sa terrasse permet aux clients de se reposer et d'échanger des histoires de voyage.

Le **Bambú Bar** *($$; Calle Diego de Almagro 2213, ☎ 02-543-107)* prépare une délicieuse soupe d'*aguacates* (tomates et avocats) ainsi que de savoureuses *empanadas*. Il s'agit d'une bonne adresse pour le déjeuner.

Tous les dimanches, le restaurant de l'**Hotel Colón Internacional** *($$; Avenida 9 de Octubre 1052 et Avenida Colón, ☎ 02-561-777)* sert un excellent brunch qui saura rassasier l'appétit des plus gourmands.

Au **Rincón del Gaucho** *($$; Calle Diego de Almagro 422 et Lizardo García, ☎ 02-547-846 ou 223-782)*, un petit restaurant argentin, des bouteilles de vin alignées le long du mur constituent l'attrait principal. On y sert une bonne cuisine de type international avec un bon choix de viandes.

Le restaurant **El Cebiche** *($$; Calle Juan León Mera 1232 et Calama)* est la preuve qu'il est possible de déguster d'excellents *cebiches* à Quito. Décor simple et sans prétention.

Le grand choix de pizzas proposé par la chaîne américaine **Pizza Hut** *($$; Calle Espejo 847 et Calle Guayaquil)* attire autant les Équatoriens que les touristes en manque de nourriture nord-américaine.

Si vous préférez goûter aux pizzas équatoriennes, rendez-vous au restaurant**El Hornero** *($$; Calle Veintimilla et Avenida Amazonas).*

Le **Shorton Grill** *($$; Calle Calama 216 et Diego de Almagro)* a remporté l'honneur de figurer parmi les bons restaurants de grillades en ville grâce à ses plats de viande de première qualité. Végétariens s'abstenir.

Reconnu par les carnivores comme un des meilleurs endroits en ville pour les grillades, le restaurant **La Casa de Mi Abuela** *($$$; Calle Juan León Mera et La Pinta, ☎ 02-230-945)* loge dans une ancienne maison et se contente de préparer avec soin d'excellentes et généreuses portions de steaks tout à fait délectables.

Aménagé dans une ancienne maison coloniale, **La Querencia** *($$$; Avenida Orellana 155 et 12 de Octubre, ☎ 02-229-993)* se dispute avec La Choza le titre du restaurant qui prépare les meilleurs plats typiquement équatoriens. Il associe une atmosphère chaleureuse à une merveilleuse cuisine locale. Un choix à la carte varié et une table d'hôte enviable lui ont valu une reconnaissance unanime.

Le restaurant **La Choza** *($$$; Avenida 12 de Octubre, ☎ 02-507-901)*, en face de l'hôtel Oro Verde, propose une délicieuse cuisine traditionnelle équatorienne dans un cadre confortable d'antan. L'endroit est populaire pour ses petits déjeuners.

Située au nord de la ville, **la Taberna Piedmonte** *($$$; Calle Arosemena Tola 173 et Eloy Alfaro, ☎ 02-433-607)* présente une intéressante sélection de plats typiquement italiens. Le service est amical, discret et efficace. Ce restaurant convient à merveille pour un dîner d'affaires ou intime.

Le service du restaurant **Vecchia Roma** *($$$; Calle Roca 618 et Juan León Mera, ☎ 02-565-659)* est courtois et très attentionné, tandis qu'une variété de plats italiens compose son délicieux menu. Le décor se distingue par d'innombrables bouteilles de vin vides suspendues au plafond.

En plus de proposer de bonnes recettes variées, le restaurant de l'hôtel Quito, **El Techo del Mundo**, *($$$; Avenida González 2500, ☎ 02-567-284 ou 230-300)* se trouve au dernier étage et permet de jouir d'une vue saisissante sur la ville.

Le restaurant **El Tártaro** *($$$; Calle Calama 153 et Avenida 6 de Diciembre, ☎ 02-230-936 ou 528-181)* reçoit principalement des gens d'affaires qui préfèrent une bonne cuisine internationale sans fantaisie.

Le Chalet Suisse *($$$; Calle Calama 312 et Reina Victoria, ☎ 02-562-700)* attire bon nombre de clients qui apprécient la cuisine suisse bien présentée. Outre les traditionnelles fondues, on y prépare bon nombre de plats à base de viande nappés de sauces onctueuses bien relevées. Le service est attentionné et sympathique.

Le **Rincón de Francia** *($$$; Calle Roca 779 et 9 de Octubre, ☎ 02-232-053 ou 554-668)* constitue le bon vieux restaurant traditionnel français où les gens de la bonne société viennent céder au péché de la gourmandise. Le menu affiche de nombreux plats de viande préparés selon les merveilleuses recettes culinaires de l'Hexagone. Le service est sans ostentation et un peu lent.

Le restaurant **Los Redes de Mariscos** *($$$; Avenida Amazonas 845 et Veintimilla)*appartient aux mêmes propriétaires que le chic Mare Nostrum (voir plus loin). Ici, la qualité des fruits de mer est aussi bonne, mais le décor et le service sont plus informels. Une petite terrasse permet aux clients de déguster leurs plats sur la trépidante Avenida Amazonas.

Comme son nom l'indique, **La Casa China** *($$$; Calle Cordero et Tamayo)* est un chic restaurant oriental où l'on prépare de bons plats sichuanais et cantonais.

Si vous êtes à la recherche d'un restaurant japonais, rendez-vous au **Fudji** *($$$; Calle Robles)*, qui, selon l'opinion de beaucoup d'habitants de Quito, prépare de meilleurs plats que celui de l'hôtel Oro Verde, le Tanoshii. Situé de biais avec le Café Cultura, il est un des restaurants les plus appréciés de Quito.

Si le Fudji est plein, rendez-vous à l'hôtel Oro Verde, où son restaurant japonais, le **Tanoshii** *($$$; Avenida 12 de Octubre 1820 et Luis Cordero, ☎ 02-566-497 ou 567-128)*, saura sans doute vous satisfaire.

Même si vous êtes un peu loin de la Costa, il est tout de même possible de se rassasier avec d'excellents plats de poisson et de fruits de mer au restaurant **Mare Nostrum** *($$$; Calle Foch 172 et Tamayo, ☎ 02-237-236)*. Le bâtiment principal comporte un foyer, et les murs sont percés de jolis vitraux qui distribuent chaleureusement la lumière. La nourriture et le service sont irréprochables.

El Mesón de la Pradera *($$$; Orellana et Avenida 6 de Diciembre, ☎ 02-504-815)* signale sa présence grâce à ses drapeaux qui flottent au vent. Le restaurant occupe une chaleureuse maison coloniale merveilleusement rénovée et est l'un des établissements les plus prisés en ville. Les murs sont lambrissés, et trois foyers réchauffent l'atmosphère. Le menu se distingue par plusieurs plats traditionnels espagnols de veau, de bœuf, de fruits de mer et de poulet.

Au restaurant de l'hôtel **Akros** *($$$; Avenida 6 de Diciembre 3986, ☎ 02-430-610)*, un pianiste joue durant votre repas pour vous faire oublier l'activité grouillante qui règne sur l'Avenida 6 de Diciembre. Viandes, poissons et volailles figurent au menu.

Le Gourmet *($$$; Avenida 12 de Octubre 1820 et Luis Cordero, ☎ 02-566-497 ou 567-128)* est l'un des quatre restaurants du luxueux hôtel l'Oro Verde. L'élégance des lieux, l'attention des serveurs qui semblent se mouvoir avec une rare discrétion, de même qu'un menu personnel et inventif, en font l'une des meilleures salles à manger de Quito.

Quito colonial

Juste à côté du restaurant la Cueva del Oso, **La Cafetería la Zamba Teresa** *($; Calle Chile et Venezuela, ☎ 02-583-826)* est l'endroit idéal pour siroter un café ou un thé avant de poursuivre sa visite du Quito colonial.

Pour une bouchée rapide, économique et sans façon, vous pouvez opter pour le restaurant de l'hôtel **Gran Casino** *($; Avenida 24 de Mayo et Loja)*.

Dans un petit local décoré sans aucune prétention, le restaurant **El Criollo** *($$; Calle Flores 825 et Olmedo)* sert de nombreux plats de viande et de poulet.

Situé à l'angle de la Plaza Grande, le restaurant **La Cueva del Oso** *($$; Calle Chile et Venezuela, ☎ 02-583-826)* occupe une ancienne demeure coloniale dotée de très hauts plafonds et où les plats proposés sont servis avec élégance et se révèlent fort savoureux. Des musiciens folkloriques animent les soirées. Viandes, volailles et fruits de mer sont rehaussés d'épices et de fines herbes.

SORTIES

Le soir venu, on peut trouver à Quito plusieurs boîtes de nuit à l'ambiance particulière, appelées *peñas*, qui se caractérisent par une musique typique jouée sur des instruments andins (flûte de pan...) et par un style vivant, propre à la culture et à l'expression musicale de ce pays. Parmi les *peñas* les plus populaires, citons **El Rincón Andino** *(Calle Luis Cordero et 6 de Diciembre)*, **La Peña Ñucanchi** *(Avenida Universitaria 496 et Armero)* et **La Peña del Castillo** *(Calle Calama 270 et Reina Victoria)*.

Le **Rumours** *(Calle Juan León Mera et Veintimilla)* est un endroit populaire où les voyageurs viennent prendre un verre et bavarder tranquillement.

Le **Reina Victoria** *(Calle Reina Victoria 530 et Roca)* est un charmant petit bar qui tente de récréer l'atmosphère d'un pub anglais grâce à ses jeux de fléchettes, à son foyer et à ses plats sans prétention. L'un des rares endroits à Quito où l'on peut savourer une bonne bière importée.

Si vous cherchez un endroit pour prendre une bière tout en jouant au billard ou aux fléchettes, rendez-vous au **Ghoz Bar** *(Calle La Niña 425 et Reina Victoria)*. La musique est variée, et l'on y trouve de nombreux voyageurs et résidants.

À ne pas confondre avec le Ghoz Bar, le **No Bar** *(Calle Calama, entre Juan León Mera et Avenida Amazonas)* est un petit bar sans prétention qui accueille autant les voyageurs que les résidants qui s'attablent autour d'une bière fraîche en s'échangeant des histoires de voyage.

Le bar **Papillon** *(Calle Diego de Almagro et Santa María)* est un lieu très couru auprès des jeunes touristes voyageant sac au dos. La musique est forte et variée, et la place enfumée.

Le **Teatro San Gabriel** *(Avenida América et Mariana de Jesús; pour réservations, ☎ 02-506-650 ou 464-780)* présente, tous les mercredis et les vendredis soirs des spectacles de ballet folklorique où 60 danseurs et plusieurs musiciens s'éclatent sur scène.

Salles de cinéma

Cinéma Benalcázar
Avenida 6 de Diciembre et Portugal

Cinéma Colón
Avenida 10 de Agosto et Colón

Cinéma Fénix
Avenida 6 de Diciembre et Luis Cordero

Plus souvent qu'autrement, ces trois salles de cinéma présentent des films américains.

Pour des films un peu plus intéressants, informez-vous auprès de La Casa de la Cultura.

MAGASINAGE

Art et artisanat

Parmi les nombreuses boutiques de Quito qui se spécialisent dans les créations équatoriennes, boliviennes ou péruviennes, quelques-unes se distinguent par la qualité exceptionnelle de leurs produits. De plus, contrairement aux marchés publics, on y accepte les cartes de crédit.

Centro Artesanal
Calle Juan León Mera 804
☎ (02) 548-235

Galeria Latina
Calle Juan León Mera 833
☎ (02) 540-380 ou 540-998

La Bodega
Calle Juan León Mera 614

Olga Fisch's Folklore
Avenida Colón 260

Fundación Sinchi Sacha
Calle Reina Victoria 1780 et La Niña
☎ (02) 230-609

Casa Indo Andina
Calle Roca 606 et Juan León Mera

Handicrafts Otavalo
Calle Sucre 255

Productos Andinos
Calle Urbina 111 et Luis Cordero

La trépidante **Avenida Amazonas** est ponctuée de nombreux vendeurs ambulants qui exposent leurs produits.

Le marché **Ipiales** *(Calle Chile)* se trouve dans le Quito colonial et se tient tous les jours. On y trouve de nombreux produits d'artisanat et des vêtements, ainsi qu'une variété d'articles hétéroclytes.

Un magasin qui n'avait pas encore de nom lors de notre passage mérite définitivement une visite en raison de la variété d'**instruments de musique** qui s'y trouvent à prix économiques : guitares, flûtes, etc. Situé dans le Quito colonial, sur la Calle Flores 654, à l'angle de la Calle Chile, ☎ (02) 225 591.

Librairies

Libri Mundi possède le plus grand choix de guides de voyage et d'œuvres littéraires en Équateur. On y trouve un bon nombre d'ouvrages écrits en français, en anglais, en espagnol et en allemand.

Siège social
Calle Juan León Mera 851 et Veintimilla
☎ (02) 234-791 ou 529-587

Dans l'hôtel Colón
☎ (02) 550-455
Dans l'hôtel Oro Verde
☎ (02) 567-128 ou 566-497

South American Explorer's Club
Calle Jorge Washington 311 et Leonidas Plaza
On y vend une variété de guides de voyage neufs ou usagés.

Abya-Yala
Avenida 12 de Octubre 1436
Cette librairie vend de nombreux ouvrages sur les peuples de l'Équateur.

Centres commerciaux

Quito dispose de quelques centres commerciaux modernes qui sauront satisfaire les voyageurs qui s'ennuient de chez eux : **El Bosque** *(au nord de la ville, Avenida Occidental)* ou **Multicentro** *(Avenida 6 de Diciembre et La Niña)*.

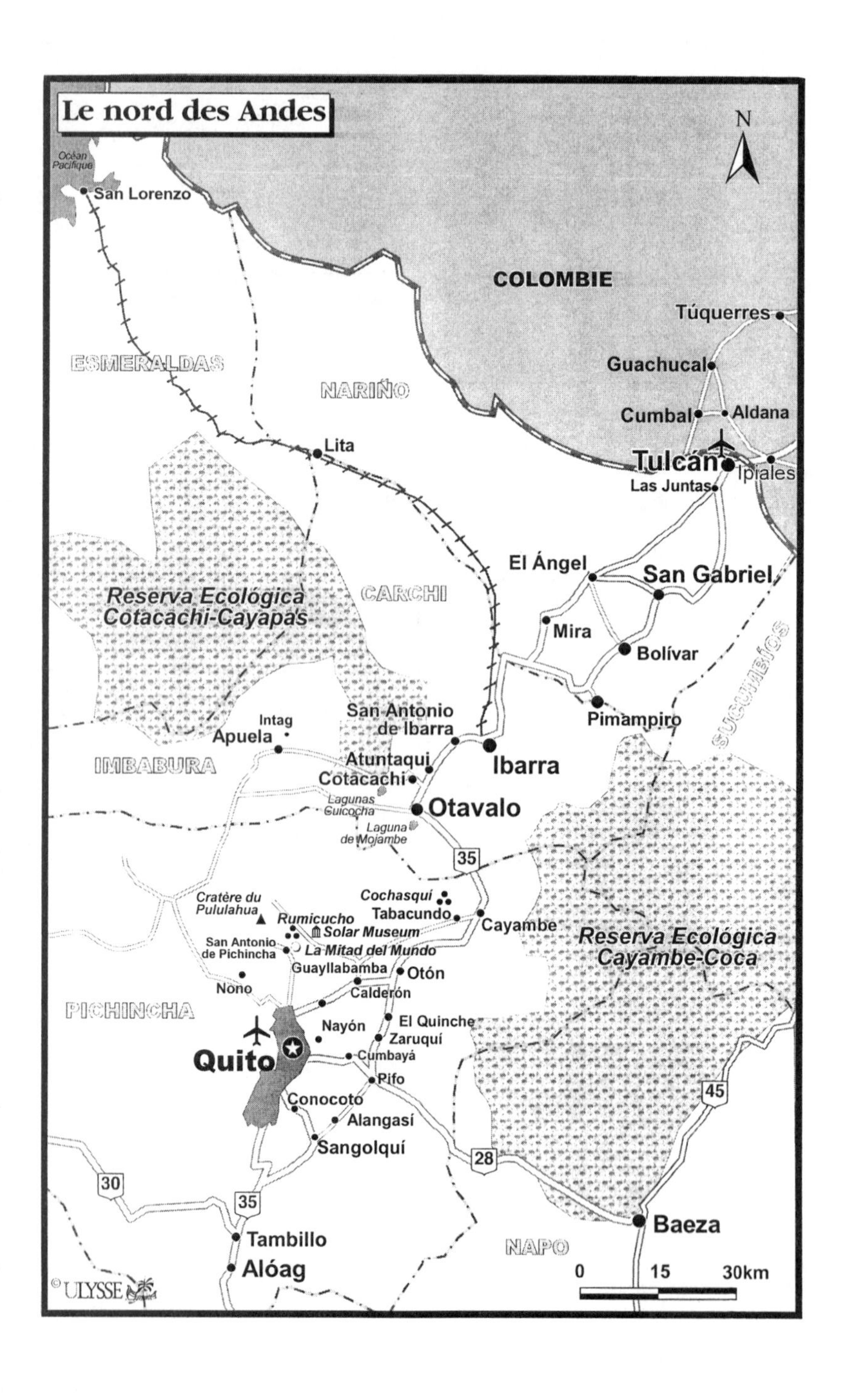

Le nord des Andes
N
Océan Pacifique
San Lorenzo
COLOMBIE
Túquerres
Guachucal
Cumbal
Aldana
Tulcán
Ipiales
Las Juntas
ESMERALDAS
NARIÑO
Lita
El Ángel
San Gabriel
Reserva Ecológica Cotacachi-Cayapas
CARCHI
Mira
Bolívar
Pimampiro
SUCUMBÍOS
San Antonio de Ibarra
Intag
Apuela
IMBABURA
Atuntaqui
Ibarra
Cotacachi
Lagunas Cuicocha
Otavalo
Laguna de Mojambe
35
Cratère du Pululahua
Cochasquí
Rumicucho
Tabacundo
Solar Museum
Cayambe
San Antonio de Pichincha
La Mitad del Mundo
Reserva Ecológica Cayambe-Coca
Guayllabamba
Otón
Nono
Calderón
PICHINCHA
El Quinche
Nayón
Zaruquí
Quito
Cumbayá
Pifo
45
Conocoto
Alangasí
Sangolquí
28
30
35
Baeza
Tambillo
NAPO
Alóag
0
15
30km
© ULYSSE

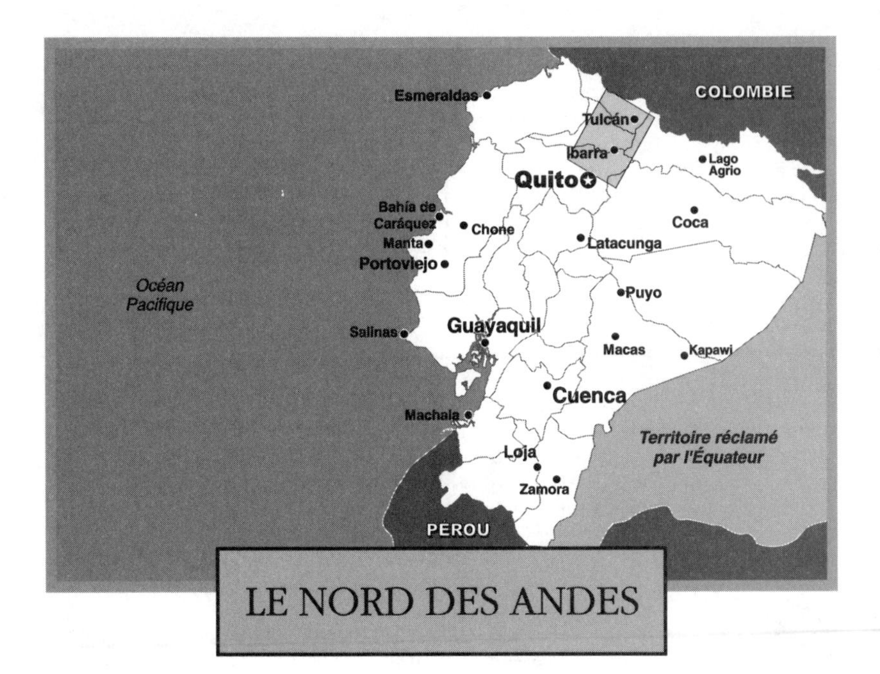

LE NORD DES ANDES

La région au nord de Quito recèle un grand nombre d'attraits aussi spectaculaires qu'inattendus et quantité de paysages pleins de charme. En vous éloignant de Quito, vous avez rendez-vous avec l'histoire, celle du milieu du monde, puisqu'en effet vous n'allez pas tarder à rencontrer sur votre route un monument destiné à remémorer aux visiteurs qu'ici même le scientifique français Charles Marie de La Condamine et ses compagnons ont un jour calculé la courbure de la Terre. D'autre part, la route panaméricaine traverse le village de Calderón, renommé pour la fabrication de figurines originales en pain de sel, trace ensuite son chemin à flanc de montagne, puis descend dans la magnifique vallée de Guayllabamba. Peu à peu, les montagnes s'écartent et le ciel s'ouvre. On peut apercevoir alors, si le temps n'est pas brumeux, le troisième plus haut sommet du pays, le Cayambe, qui se dresse à l'horizon et culmine à 5 790 m d'altitude. Ce volcan a tout pour plaire aux amateurs d'alpinisme andin expérimentés. La route poursuit son tracé pour aboutir dans une région qui compte comme principale attraction le célèbre marché d'Otavalo (sans doute le plus populaire du pays), qui se tient tous les samedis, ainsi que ceux qui ont lieu régulièrement dans les petits villages amérindiens des alentours. Ces marchés sont des endroits privilégiés où se rassemblent nombre d'artisans qui fabriquent des panamas, des bijoux et autres bibelots très prisés des voyageurs; en effet, ceux-ci les rapportent comme trophées de voyage afin de décorer un intérieur et pour lui donner une touche d'originalité empreinte d'exotisme. De là, impossible de manquer d'apercevoir les volcans Imbabura et Cotacachi, qui enserrent Otavalo et qui reflètent leur silhouette majestueuse dans les nombreux lacs avoisinants. Viennent ensuite quelques gros bourgs et petites bourgades tels que Cotocachi et San Antonio de Ibarra, dont les habitants sculptent le bois avec une dextérité surprenante et travaillent le cuir admirablement bien. Un peu plus loin, la tranquille ville d'Ibarra, patrie de l'Inca Atahualpa, est aussi le point de départ du célèbre *autoferro* (autocar circulant sur des rails de chemin de fer) qui emmène les voyageurs à San Lorenzo, sur la côte du Pacifique. Ensuite, plus au nord, la route descend de plus en plus, la végétation change un peu, et une autre surprise agréable vous attend : la vallée de la Chota, véritable coin d'Afrique perdu dans les Andes. Si vous continuez votre chemin, vous aboutirez à Tulcán, porte de sortie vers la Colombie.

POUR S'Y RETROUVER SANS MAL

Il est facile de visiter les villes et les attraits situés au nord de la capitale équatorienne. En effet, plusieurs circuits d'autocar sillonnent la route panaméricaine en direction de ces villes. Si vous prévoyez louer une voiture pour partir à leur découverte, sachez que la route panaméricaine traverse le pays du nord au sud et que la grande majorité des villes de la région y sont reliées. De plus, cet axe routier central est en excellente condition en toute saison.

Pomasquí

En autocar

Depuis le Parque Hermano Miguel, de nombreux cars circulent sur l'Avenida America à destination de La Mitad del Mundo et traversent le petit village de Pomasquí. Le coût du voyage est d'environ 0,25 $, et le trajet prend un peu moins d'une heure.

La Mitad del Mundo

En autocar

Depuis le Parque Hermano Miguel, de nombreux cars circulent sur l'Avenida America à destination de La Mitad del Mundo. Le coût du voyage est d'environ 0,25 $, et le trajet dure un peu moins d'une heure.

Rumicucho

En autocar

De Quito, plusieurs autocars se rendent au petit village de San Antonio. De là, faites environ 4 km à pied vers le nord ou prenez un taxi.

Le cratère Pululahua

En autocar

De Quito, prenez un autocar pour San Antonio. De là, prenez un taxi ou essayez de trouver un autocar qui se rend près du cratère.

Calderón et Guayllabamba

En autocar

Des autocars quittent régulièrement le *terminal terrestre* à Quito en direction de Calderón et de Guayllabamba en passant par l'Avenida 10 de Agosto.

El Quinche

En autocar

De Quito, les autocars prennent un peu moins d'une demi-heure pour aboutir à El Quinche.

Sangolquí

En autocar

Depuis Quito, des cars mettent environ une vingtaine de minutes pour se rendre à Sangolquí.

Les pyramides de Cochasquí

En autocar

De nombreux autocars roulant vers le nord en provenance de Quito peuvent vous conduire tout près des pyramides. Demandez au chauffeur de vous laisser au bord de la route. De là, vous serez contraint de marcher de 10 min à 15 min.

En taxi

De Guayllabamba, prenez un taxi pour environ 15 $.

Cayambe

En autocar

De nombreux cars circulent depuis Quito en direction de Cayambe. Le trajet dure environ une heure et coûte un peu moins de 2 $.

Otavalo

En autocar

Un grand nombre d'autocars circulent sur la route panaméricaine en provenance de Quito ou de Tulcán en direction d'Otavalo, mais seules les entreprises Transportes los Lagos et Transportes Otavalo vous déposeront dans la ville d'Otavalo. Le billet coûte environ 2 $, et le trajet s'étire sur environ 2 heures. Les autres cars vous laisseront sur la route panaméricaine, et vous serez contraint de marcher une dizaine de minutes. Les samedis, les cars quittent Quito pratiquement aux 20 min.

Gare routière *(terminal terrestre)*

Avenida Abdón Calerón et Bolívar.

En train

L'agence Ecuagal assure des liaisons entre Otavalo et Ibarra pour la somme de 10 $. Départs les samedis matins vers 11 h; durée : 1 heure 30 min. De plus, selon le nombre de personnes, elle assure aussi des liaisons entre Otavalo et San Lorenzo, puis Ibarra et San Lorenzo; les départs ont lieu le dernier dimanche de chaque mois vers 7 h 30. Le coût des billets est de 30 $ et de 25 $ respectivement. Pour information à Quito : Avenida Amazonas 1113 et Pinto, ☎ 02-229-579 ou 229-580, ⇄ 550-988. Demandez à parler à Hébert.

Peguche

En autocar

Certains autocars quittent Otavalo et vont à Peguche pour environ 0,25 $. Toutefois, ceux qui désirent s'y rendre en marchant depuis Otavalo peuvent le faire en longeant la voie ferrée en direction de la forêt, puis en tournant à gauche sur un chemin de terre qui mène aux cascades de Peguche. De là, le village se trouve à environ 1 km. Le trajet à pied dure environ une heure.

Iluman

En autocar

Des autocars en provenance d'Otavalo se rendent à Iluman pour la modique somme de 0,25 $.

Cotacachi

En autocar

Plusieurs autocars roulant vers le nord en provenance de Quito, d'Otavalo ou de Tulcán peuvent vous y conduire.

San Antonio de Ibarra

En autocar

Une grande quantité d'autocars quittant Otavalo ou Ibarra assurent une liaison régulière avec San Antonio de Ibarra.

Ibarra

En autocar

Pratiquement toutes les heures, plusieurs autocars en provenance de Quito desservent Ibarra. Le trajet dure environ 3 heures et coûte un peu plus de 2 $. À Otavalo, des cars à destination d'Ibarra quittent la gare aux heures pour la modique somme de 0,30 $.

Gare routière *(terminal terrestre)*

Pedro Moncayo et Flores; Velesca et Boria; et tout près de l'Obélisque.

La Esperanza

En autocar

Depuis Ibarra, de nombreux cars desservent La Esperanza pour un montant se situant autour de 0,50 $.

El Ángel

En autocar

Des cars partent de Quito presque toutes les heures pour s'y rendre. Le trajet dure environ 4 heures et coûte autour de 2,60 $.

Tulcán

En autocar

Un grand nombre d'autocars en provenance de Quito et d'Otavalo se rendent à Tulcán. Depuis Quito, comptez environ 5 à 6 heures pour un montant de 4 $.

Gare routière *(terminal terrestre)*

Le *terminal terrestre* se situe à 4 km au sud de la ville.

En avion

La compagnie aérienne TAME assure des vols réguliers à partir de Quito du lundi au vendredi. Les avions s'envolent aux alentours de 12 h; l'aller simple coûte environ de 20 $.

Aéroport

L'aéroport se trouve à quelques kilomètres au nord de Tulcán.

RENSEIGNEMENTS PRATIQUES

Calderón

Poste de télécommunication (EMETEL)

Face au parc central, sur la rue principale.

Cayambe

Poste de télécommunication (EMETEL)

Entre Calle Sucre et Restauración.

Otavalo

Il n'y a pas de bureau de tourisme officiel. De nombreuses agences qui organisent des excursions dans les villages des alentours ainsi que dans les parcs nationaux sont en mesure de distribuer de l'information touristique. Toutefois, bon nombre d'entre elles font affaire de façon illégale. Nous vous proposons ici celle qui nous semble la plus honnête.

Zulaytur
Calle Colón et Sucre, 2e étage
☎ (06) 921-176
⇄ 921-176

Le propriétaire se nomme Rodrigo Mora. Il travaille en collaboration avec le Club Aventure à Montréal. En plus de donner de l'information touristique gratuite, son agence organise des excursions à caractère anthropologique et social, telles des visites de maisons. À travers ces sorties, il cherche à montrer le mode de vie des Amérindiens, l'éducation qu'ils reçoivent, leurs croyances religieuses, de même que l'organisation sociale et la politique qu'ils se donnent. De plus, son agence organise des voyages à travers la région : aux Lagunas de Mojanda, à la Gruta de la Paz et aux *fralejones* de la Reserva Ecológica El Ángel.

Poste de télécommunication (EMETEL)

Avenida Abdón Calerón, entre Jaramillo et Sucre.

Banques

Cambios S.A.
Calle Modesto Jaramillo et Pasaje Saona
Calle Sucre et Colón

Bureau de poste

À l'intérieur de l'édifice municipal, sur la Calle García Moreno, en face du parc central.

Cargo

Si vous n'avez de place dans vos bagages et que vous souhaitez envoyer vos achats par voie aérienne, voici l'adresse à retenir.

Ecuador Cargo System I.A.T.A.
Calle Sucre 1208, entre Morales et Salinas
☎ et ⇄ 06-921-188

Pharmacie

Farmacía la Dolorosa
Calle Calderón et Bolívar

Buanderie

Lavandería
Calle Roca 942

Bureau de Saeta

Calle Sucre 1005
☎ (06) 921-819

École de langues

Instituto Superior de Español
Calle Sucre 1110 et Morales, 2e étage
☎ (06) 922-414
⇄ 922-415

Ibarra

Bureau de tourisme (CETUR)

Calle Colón et Olmedo

Autoferro

Au bout de la Calle Chica Narváez, face à l'obélisque.

Banques

Imbacambios
Dans le centre commercial WAY
Calle Oviedo et Bolívar, 2e étage
☎ (06) 955-129 ou 958-749

Banco Continental
Calle Olmedo et Colón

Poste de télécommunication (EMETEL)

Calle Sucre 448 et García Moreno

Bureau de poste *(Correos del Ecuador)*

Calle Salinas 664 et Oviedo

Tulcán

Bureau de tourisme (CETUR)

Calle Pichincha (entre Calle Sucre et Bolívar)

Poste de télécommunication (EMETEL)

Calle Olmedo et Ayacucho

Au *terminal terrestre*

Banques

Calle Sucre et Avenida 10 de Agosto

Casa Paz
Calle Ayacucho et Bolívar

La Mitad del Mundo

Bureau de poste

Calle Bolívar et Junín

La frontière

La frontière colombienne est ouverte de 6 h à 20 h. Les bureaux ferment parfois entre 12 h et 13 h ou 14 h, selon les jours.

Le consulat de la Colombie

Calle Bolívar et Bocaya

Pomasquí

Deux kilomètres avant d'arriver à La Mitad del Mundo, Pomasquí est un petit village sans grand intérêt qu'on traverse rapidement sans même sans rendre compte. Toutefois, si vous y faites halte, allez admirer l'intérieur de son église, qui abrite un tronc d'arbre centenaire où est sculpté ***el Señor del arbol*** ★, une représentation originale et ancienne du Christ sur bois. La tradition orale lui prête de nombreux miracles qui sont illustrés par des tableaux disposés autour de la sculpture.

La Mitad del Mundo ★★

À 15 km au nord de Quito, à une altitude de 2 483 m, une petite allée, bordée des bustes des scientifiques européens et équatoriens qui ont participé aux nombreuses recherches et expéditions entreprises afin de vérifier l'hypothèse de Newton quant à l'aplatissement de la Terre aux pôles, aboutit à un monument commémoratif quelque peu insolite. Ici s'élève fièrement depuis près de 20 ans **La Mitad del Mundo** (le milieu du monde), qui marque l'emplacement de la ligne équinoxiale tel que calculé par Charles Marie de La Condamine et les membres de la mission géodésique française vers le milieu du XVIIIe siècle. Les visiteurs peuvent y vivre une expérience unique en mettant un pied dans l'hémisphère sud et l'autre dans l'hémisphère nord.

À l'intérieur du monument se trouve le **Museo Etnográfico** ★ *(0,50 $; mar-dim 10 h à 17 h 30; ☎ 02-527-077)*. Sur trois étages, ce musée retrace l'histoire des différentes ethnies qui forment aujourd'hui la population de l'Équateur. On peut y voir de nombreuses pièces d'artisanat, des instruments de musique et des vêtements.

Face au monument se dresse un complexe touristique construit selon le modèle d'une ville coloniale, sauf que personne n'habite ici. On y trouve de nombreux magasins de souvenirs, quelques galeries d'art, un EMETEL, de petits comptoirs de restauration rapide ainsi que deux restaurants de qualité.

À l'ouest du monument de La Mitad del Mundo, un petit bâtiment renferme une superbe **maquette reproduisant le Quito colonial** *(0,50 $; lun-dim 10 h à 17 h)*. Tout près de La Mitad del Mundo, dans le petit village de San Antonio, le **Solar Museum** ★★ est injustement boudé par les voyageurs et par les agences qui organisent des excursions à travers le pays. À notre avis, ce petit musée est beaucoup plus significatif que le Museo Etnográfico, à l'intérieur du monument de La Mitad del Mundo, car il expose des éléments ayant rapport à l'astronomie. Il se dresse sur la ligne équinoxiale et fut construit par Luciano Andrade Marín. On y trouve des cartes du ciel, quelques maquettes et d'autres objets intéressants dont un fascinant chronomètre solaire qui permet d'indiquer l'heure et le mois. Aujourd'hui, le musée est géré par M. Oswaldo Muñoz, de l'agence Nuevo Mundo, voir p 83.

Rumicucho

Rumicucho constitue un petit site archéologique de ruines précolombiennes se trouvant à environ 4 km du petit village de San Antonio de Pichincha et évoquant d'anciennes citadelles militaires. Sachez toutefois que la vue sur les paysages environnants est beaucoup plus intéressante que les ruines en tant que telles.

Le cratère du Pululahua ★★

Situé à environ 5 km de La Mitad del Mundo, le cratère du Pululahua impressionne plus d'un visiteur par ses 8 km de diamètre et son mirador. Celui-ci offre une vue tout à fait spectaculaire sur la profondeur de cet ancien volcan qui était encore actif au début de ce siècle. Quelques habitants y ont élu domicile et y cultivent paisiblement la terre. Malheureusement, le spectacle est parfois gâché par des nuages qui viennent obstruer le champ de vision. Un petit sentier mène tout en bas. Avis aux intéressés : la descente nécessite une bonne forme physique.

Calderón

Calderón est le nom d'une petite bourgade bien tranquille, située à 30 km au nord de Quito; elle s'anime à l'occasion de son **marché** du samedi et du dimanche. Calderón est également renommée pour ses populaires figurines en pain de sel, communément appelées *masapáns*. Ces figurines, faites de farine et de sel, puis cuites au soleil ou dans un four et peintes manuellement, sont des curiosités dont l'origine mystérieuse réside peut-être dans l'offrande qu'on avait l'habitude de faire au jour des morts. Il s'agit d'un artisanat familial et local, d'inspiration populaire, qui se compose généralement d'éléments décoratifs finement travaillés et de petite taille. Ces éléments peuvent prendre la forme de poupées, de pendentifs, de broches ou autres. Parmi les endroits dignes de mention où l'on peut se procurer les *masapáns*, citons le Folklore Artístico, Figuras de Masapán *(Calle Carapungo 745, ☎ 02-822-470)* et, juste en face de ce dernier, l'Artesanía Carapungo, Figuras de Masapán *(Calle Carapungo, ☎ 02-822-476)*. Le 2 novembre, jour des morts, les habitants de la ville s'habillent de couleurs vives et assistent à la messe, puis vont visiter les défunts au cimetière pour discuter de leur vie et de leurs aspirations.

Guayllabamba

Ce petit bourg se trouve dans une magnifique vallée où coule un fleuve (tous les deux portent le même nom que le bourg). De nombreux arbres fruitiers, tel l'avocatier, enjolivent le paysage. Rien de particulier à signaler sauf la beauté des paysages qui vous laissera bouche bée d'admiration.

El Quinche

Située à environ 5 km au sud-ouest de Guayllabamba, cette petite bourgade abrite, dans son église, la vierge qui porte le même nom que celui de la bourgade : Nuestra Señora de El Quinche. Il s'agit d'une statue de bois sculptée par l'artiste Diego de Robles à la toute fin des années 1500. De nombreux pèlerins viennent vénérer la vierge pour les nombreux miracles qui lui sont attribués. L'église renferme également quelques peintures illustrant les plus célèbres de ces miracles ainsi que des tableaux et des sculptures, œuvres d'artistes de l'école de Quito.

Sangolquí

En poursuivant votre route vers le sud, vous aboutirez à Sangolquí, un gros bourg andin, comme en font foi ses 35 000 habitants. Il est cependant passablement tranquille, mais s'anime lors de son **marché** dominical. Les jeudis, un deuxième **marché**, plus petit que le premier toutefois, attire également quelques curieux.

Les pyramides de Cochasquí ★★

À quelques kilomètres de Guayllabamba et exactement à 5 km de la ligne équinoxiale se trouve le site archéologique de Cochasquí, dont les origines remontent aussi loin que l'an 150 de notre ère. Les archéologues racontent que le site fut vraisemblablement construit par la civilisation des Quitus-Cara, mais que, beaucoup plus tard, soit vers le XVe siècle, il fut occupé par les Incas avant de tomber aux mains des conquérants espagnols.

On y trouve un total de 15 pyramides tronquées, dont 9 possèdent une rampe permettant d'accéder au sommet, ce qui donne à l'ensemble, en vue plongeante, la forme d'un *T*. La formation en *T* combine deux éléments significatifs : la ligne verticale, qui s'appelle *pa*, signifiant «la vie», et la ligne horizontale, qui s'appelle *tum*, signifiant la mort. Si l'on combine les deux appellations on obtient le mot *tumpa*, terme qui signifie «tombe, lieu du séjour des morts».

D'ailleurs, parmi ces pyramides, on a aussi retrouvé 15 tumulus funéraires. Qui plus est, le niveau où les pyramides sont tronquées correspond pratiquement à la hauteur des tumulus des pyramides égyptiennes.

Par ailleurs, ce site se trouve aligné avec d'autres sites archéologiques et des éléments naturels tels que le volcan Cayambe, le cylindre de Puntatzil, au pied du volcan, les Cerros de la Marca et Rumicucho.

Ces éléments naturels et archéologiques forment donc une ligne imaginaire, connue traditionnellement sous le nom de *Inti-Yan,* ce qui veut dire *Camino del Sol*. Cette expression signifie «chemin du soleil», c'est-à-dire le parcours que le soleil suivait voici 2 000 ans durant les équinoxes de mars et de septembre.

Les observateurs du soleil et astronomes de l'époque avaient donc deviné que l'équateur passait dans cette région. Ils ne s'étaient pas trompés de beaucoup, car les mesures astronomiques effectuées 2 000 ans plus tard ont démontré que l'équateur passait 5 km plus au sud.

Cayambe

Tout près de la ligne équinoxiale, Cayambe est établie au pied du volcan du même nom. Situé dans la **Reserva Ecológica Cayambe-Coca** ★★ (voir p 130), le **volcan Cayambe** ★★★ représente un défi intéressant pour les amateurs d'alpinisme andin expérimentés. Lors de son passage en Équateur, le célèbre voyageur Alexander von Humboldt avait décrit ce volcan comme un monument éternel de la nature. Par ailleurs, les produits laitiers et la fabrication de biscuits *bizcochos* forment l'essentiel de l'activité économique de la ville.

Otavalo ★★★

Tous les samedis, Otavalo devient un des villages les plus animés de l'Équateur grâce à son célèbre **marché**. Une promenade à travers celui-ci révèle une succession de comptoirs aux couleurs éclatantes où sont vendus les nombreux lainages et produits textiles identifiés à Otavalo, car la popularité de ces produits a franchi les frontières du pays.

Outre les textiles, on y trouve un choix illimité de produits d'artisanat à prix modiques tels que panamas, bijoux, poteries diverses et autres bibelots, ce qui en fait un lieu fort couru des visiteurs. La plupart des prix peuvent être négociés; d'ailleurs, les Otavaleños éprouvent un plaisir particulier

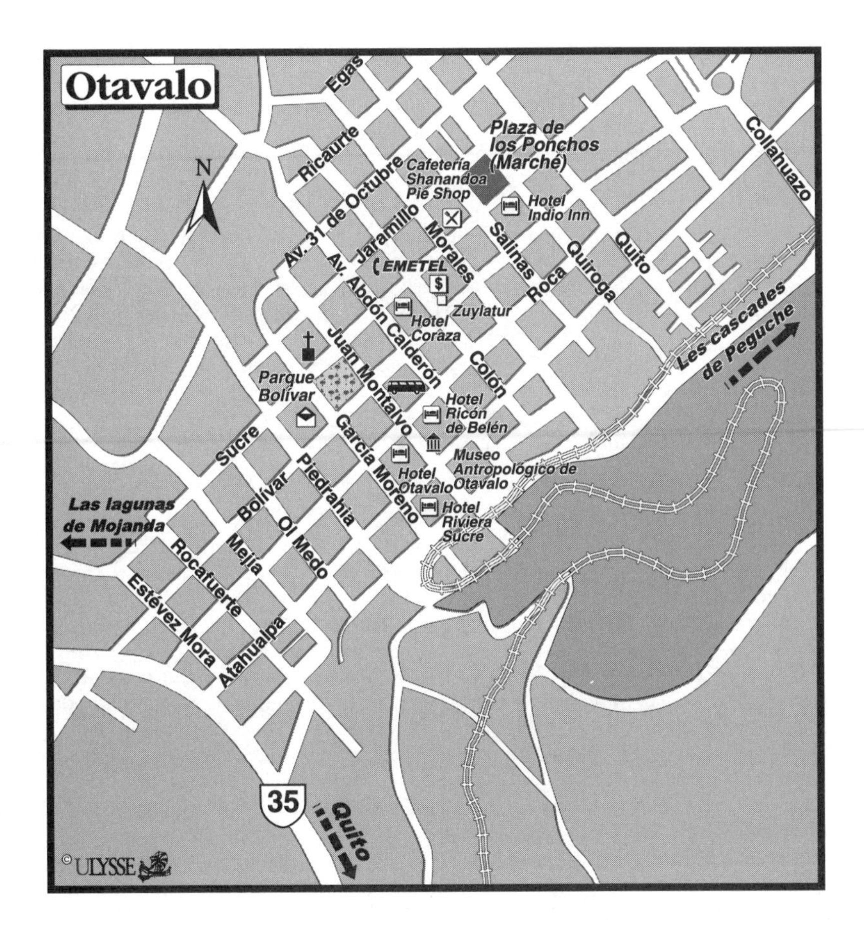
Otavalo
N
Egas
Ricaurte
Av. 31 de Octubre
Plaza de los Ponchos (Marché)
Cafetería Shanandoa Pié Shop
Hotel Indio Inn
Collahuazo
Jaramillo
Morales
Salinas
Quiroga
Quito
Roca
EMETEL
Av. Abdón Calderón
Hotel Coraza
Zuylatur
Les cascades de Peguche
Juan Montalvo
Colón
Parque Bolívar
Hotel Ricón de Belén
Museo Antropológico de Otavalo
Sucre
García Moreno
Hotel Otavalo
Bolívar
Piedrahia
Hotel Riviera Sucre
Las lagunas de Mojanda
Mejía
Ol Medo
Rocafuerte
Estévez Mora
Atahualpa
35
Quito
© ULYSSE

au jeu du marchandage. Entrepreneurs habiles, ils possèdent un don inné pour le commerce.

Les origines du délicat et minutieux travail de tisserand des Otavaleños, descendants du peuple cara, remontent bien avant la domination des Espagnols sur les Incas. Avant d'être colonisés par les Incas, les Caras s'étaient établis à Otavalo ainsi que dans les petits villages des environs, où ils confectionnaient des vêtements qu'ils échangaient aux peuplades de l'Oriente et de la Costa. Par la suite, les Incas furent à leur tour colonisés, puis exploités par les Espagnols. Ainsi, à travers les siècles, de nombreux ateliers de tissage sont apparus, et les Amérindiens ont été contraints d'y travailler pendant près de 100 heures par semaine dans des conditions inhumaines sous la direction des Espagnols afin de subvenir aux besoins des conquistadors. Ce malheureux apprentissage aura toutefois permis aux Otavaleños de développer une technique de tissage hors du commun. En effet, au début du XXe siècle, un tisserand décida de reprendre comme motif un tweed écossais alors à la mode. Ce dernier connut un tel succès que, depuis ce temps, les produits d'Otavalo sont renommés à l'échelle mondiale. Les Otavaleños parcourent le monde à longueur d'année dans le but de commercialiser leurs produits. Ils sont facilement reconnaissables. Les hommes sont généralement coiffés d'un chapeau et portent de longs cheveux tressés. Leur habillement est complété d'un pantalon et d'une chemise blanche, ainsi que d'un poncho marine et de sandales. Pour leur part, les femmes se distinguent par leurs nombreux colliers en boules de verre éclatantes et par une longue étoffe marine leur recouvrant la tête et les épaules. Elles portent aussi des sandales et une jupe longue de couleur bleu foncé.

La tenue vestimentaire des groupes d'indigènes était imposée par les colonisateurs espagnols. Les propriétaires des *haciendas*(terres privées cultivées pour profit) voulant se différencier des habitants imposèrent ce costume comme uniforme.

Aujourd'hui, ce sont les femmes qui préservent et maintiennent la tradition, surtout notable dans l'habillement.

Les hommes, de leur côté, ont remplacé le costume traditionnel par un habit plus occidental et moderne. La longue tresse est symbole de virilité chez les hommes. Autrefois, pour les punir, on la leur coupait. En général, les indigènes qui vont à Quito à la recherche de travail ne portent pas de costume traditionnel, car, pour accroître la possibilité de se dénicher un emploi, il vaut mieux être pris pour un métis que pour un indigène.

Le **Parque Bolívar**, densément boisé, porte peut-être le nom d'un Vénézuélien, mais ici, contrairement aux autres parcs qui existent dans le monde, vous ne trouverez aucun buste de héros espagnols ou européens, mais celui d'un Amérindien presque inconnu : Ruminahui, second d'Atahualpa.

Situé au deuxième étage de l'Hostería Los Andes, le **Museo Antropológico de Otavalo** *(Calle Juan Montalvo et Roca)* expose une intéressante collection d'objets archéologiques dont un crâne humain vieux de 28 000 ans.

Par ailleurs, si vous vous trouvez à Otavalo à la fin du mois de juin, vous assisterez à la Fiesta de San Juan, qui se tient du 22 au 27 juin. Durant cette

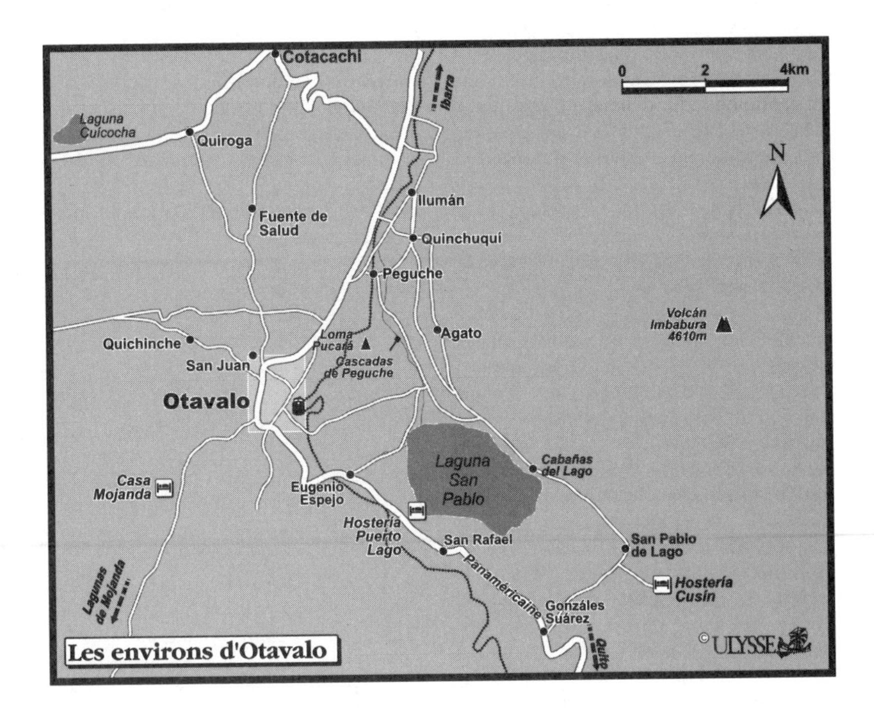

Les environs d'Otavalo

période, Otavalo s'illustre par son sens de la fête. Cela donne lieu à des défilés et à des danses qui ont lieu dans les rues de la ville. De plus, le lac San Pablo devient le théâtre de régates, tandis que de nombreux combats de coqs soulèvent l'enthousiasme des Amérindiens. La Fiesta de San Juan est une des manifestations culturelles et traditionnelles les plus anciennes non seulement d'Otavalo, mais aussi de toutes les Andes. Grosso modo, la fête de San Juan est une sorte d'ode à la nature. Par là, on exprime sa reconnaissance envers la nature pour la fécondité de la terre et l'abondance de la récolte de maïs. La fête débute le 22 juin par un bain rituel. Pour cela, les Amérindiens cherchent un lieu où il y a suffisamment d'eau dans les montagnes environnantes afin de se purifier le corps, l'âme et l'esprit, et pour avoir assez de force pour résister à la fatigue des jours de fête qui se succèdent. Après le bain rituel, les groupes d'Amérindiens se divisent pour aller danser dans les petits villages traditionnels en passant de maison en maison. Au cours de cette fête, les Amérindiens mélangent consciemment les rites traditionnels et les rites religieux propres au catholicisme. Pour ce faire, les hommes et les femmes se déguisent de façon à ridiculiser les métis, les Blancs, l'Armée et tous ceux qui symbolisent une certaine forme d'oppression à leurs yeux. Les deux derniers jours donnent lieu à de violents combats pour déterminer quelle est la communauté la plus forte. Malheureusement, ces combats ont souvent lieu alors que les Amérindiens sont en état d'ébriété avancé, et il n'est pas rare que cela dégénère en affrontements sanglants pouvant se solder par des blessés et même quelques morts.

Un peu plus tard, au mois de septembre, soit du 3 au 14, les Amérindiens célèbrent chaque année la Fiesta del Yamor. Danses et groupes folkloriques animent les rues de la ville. Sachez toutefois que, durant ces périodes de festivités, les Amérindiens boivent plus que de coutume. Il peut arriver malheureusement que ces beuveries dégénèrent en rixes parfois violentes entre eux.

Les alentours d'Otavalo promettent aux visiteurs d'intéressantes excursions. Le long des nombreux lacs se succèdent quelques petits villages fréquentés par des voyageurs.

Un peu avant le parc Cotacachi-Cayapas, on trouve la petite réserve **Intag** (voir p 129), un site idéal pour profiter de la nature dans le plus pur respect de l'environnement.

Peguche

À quelques kilomètres au nord-est d'Otavalo, ce tranquille petit bourg possède deux sympathiques petits hôtels et parvient à attirer de nombreux visiteurs désireux de se détendre près de **cascades** ★★ où coule une eau effervescente et gonflée de mousse au creux de bosquets d'eucalyptus enchanteurs. Par ailleurs, Peguche tire quelques revenus de la vente de produits textiles. Plusieurs personnes viennent visiter la cascade chaque semaine. Malheureusement, beaucoup d'entre elles laissent derrière eux leurs déchets, si bien que l'endroit commence à être drôlement pollué. Si vous apportez de la nourriture avec vous, de grâce ramenez vos déchets.

Cotacachi ★

S'étendant à environ 15 km au nord d'Otavalo, cette ville est renommée pour l'habileté dont font preuve traditionnellement ses habitants spécialisés dans le travail du cuir. De nombreuses boutiques bordent ses rues principales. De plus, Cotacachi attire aussi les voyageurs n'ayant pas de contraintes budgétaires, lesquels viennent se délecter des mets du superbe restaurant de l'Hostería La Mirage. Tout près de la ville, la **Reserva Ecológica Cotacachi-Cayapas** (voir p 129, 255) intéressera les amateurs de plein air.

San Antonio de Ibarra ★

Situé à une vingtaine de kilomètres au nord d'Otavalo, juste avant Ibarra, ce tout petit village est peuplé de gens travaillant admirablement bien le bois. Autour de sa place centrale se trouvent de nombreuses petites boutiques où les artisans exposent fièrement leurs créations. La boutique la plus populaire, et probablement la plus chère, est sans doute la **Galería de Arte Luis Potosí** *(☎ 06-932-056)*.

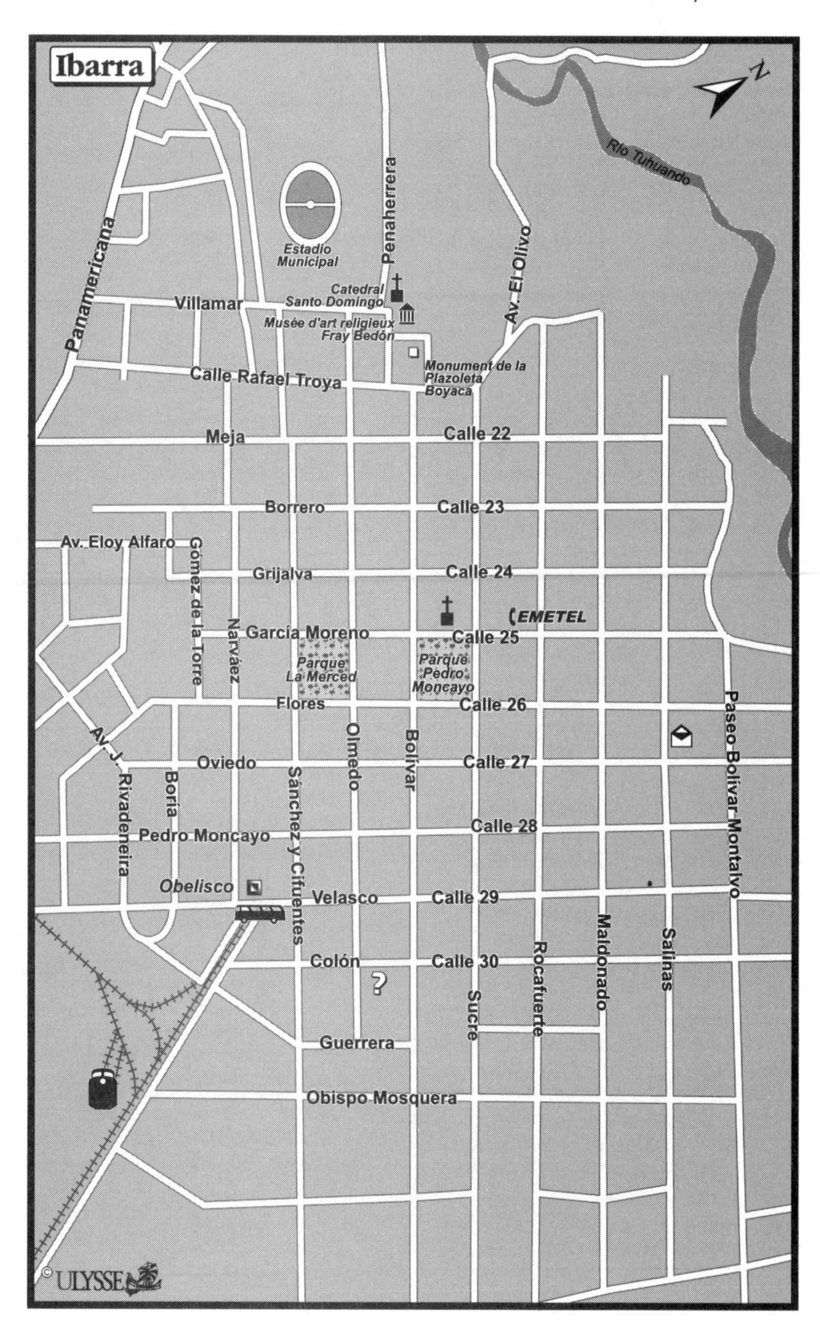
Ibarra
Río Tuhuando
Panamericana
Estadio Municipal
Penaherrera
Av. El Olivo
Catedral Santo Domingo
Musée d'art religieux Fray Bedón
Villamar
Monument de la Plazoleta Boyaca
Calle Rafael Troya
Meja
Calle 22
Borrero
Calle 23
Av. Eloy Alfaro
Grijalva
Calle 24
EMETEL
Gómez de la Torre
Narváez
García Moreno
Calle 25
Parque La Merced
Parque Pedro Moncayo
Flores
Calle 26
Paseo Bolívar Montalvo
Av. J. Rivadeneira
Oviedo
Olmedo
Bolívar
Calle 27
Boria
Sánchez y Cifuentes
Pedro Moncayo
Calle 28
Obelisco
Velasco
Calle 29
Maldonado
Salinas
Colón
Calle 30
Rocafuerte
Sucre
Guerrera
Obispo Mosquera
© ULYSSE

Ibarra ★

Communément appelée la «cité blanche», la capitale d'Imbabura doit son surnom aux nombreuses maisons blanches qui parsèment son territoire. Elle tient tellement à sa réputation que les propriétaires des maisons de la vieille ville qui ne sont pas peintes en blanc sont tenus de payer une amende. Érigée en 1606, elle est traversée par le Río Tahuando et fut presque détruite lors du tremblement de terre de 1868. Celles et ceux qui souhaitent éviter l'activité grouillante et trop touristique d'Otavalo choisissent souvent de s'arrêter ici, le temps de flâner dans les rues de cette paisible ville au charme colonial un peu suranné.

Les voyageurs se rendent habituellement à Ibarra dans le but de monter dans l'***autoferro*** ★★★ (autocar circulant sur des rails de fer), qui les conduit à San Lorenzo. Il s'agit d'une petite bourgade en bordure du Pacifique où cohabitent l'humidité et la chaleur, et qui doit sa popularité à cet *autoferro* qui assure une liaison ferroviaire bien connue entre San Lorenzo et Ibarra. Il n'y a pas si longtemps, outre l'*autoferro*, la mer était le seul moyen d'accès à ce port maritime. Une route relie désormais Ibarra à San Lorenzo depuis 1995. D'autre part, la ville possède très peu d'attraits, mais s'anime au son des accords et des rythmes traditionnels qui font vibrer irrésistiblement toute la population de la Costa. L'*autoferro* débute son trajet à plus de 2 200 m d'altitude, traverse des forêts luxuriantes et de nombreux cours d'eau, et longe des plantations de canne à sucre et des montagnes escarpées avant de déboucher sur la côte du Pacifique. Pour avoir une bonne vue du panorama, les meilleures places se trouvent sur le toit de l'*autoferro*! En général, ce dernier quitte Ibarra tous les deux jours, mais l'horaire est sujet à changement. Arrivez tôt, car il n'y a qu'un départ vers 7 h, et les places sont limitées. Les billets sont vendus à partir de 5 h du matin, et le trajet peut durer de 7 à 12 heures. Il arrive parfois que le chemin soit temporairement obstrué par des animaux ou de petits éboulements. Mais soyez sans crainte, car le train circule à basse vitesse, ce qui vous laisse tout le temps d'admirer le paysage. On peut retourner à Ibarra par train. Les visiteurs qui souhaitent voir plus de paysages peuvent continuer leur périple pour visiter les villages et les plages de la Costa situés au sud de San Lorenzo (voir p 253). En ce moment, le service Ibarra-San Lorenzo est interrompu, mais l'agence Ecuagal (voir p 113) assure des liaisons avec San Lorenzo grâce à son propre *autoferro*.

Le **Parque La Merced** abrite un petit musée et une sympathique église, l'**Iglesia de la Merced**. À l'intérieur de cette dernière est exposée la Virgen de la Merced, vénérée pour avoir effectué de nombreux miracles. La façade de l'Iglesia de la Merced est faite de pierre et comporte trois voûtes supportées par des colonnes corinthiennes.

Le **Parque Moncayo** se distingue par sa jolie cathédrale, de même que par les nombreux arbres qui l'agrémentent. Il s'agit d'un excellent endroit où souffler un peu avant de poursuivre sa route.

Un monument à la mémoire de Simón Bolívar s'élève fièrement sur la **Plazoleta Boyaca** en l'honneur de sa victoire lors de la bataille d'Ibarra, le 17 juillet 1823.

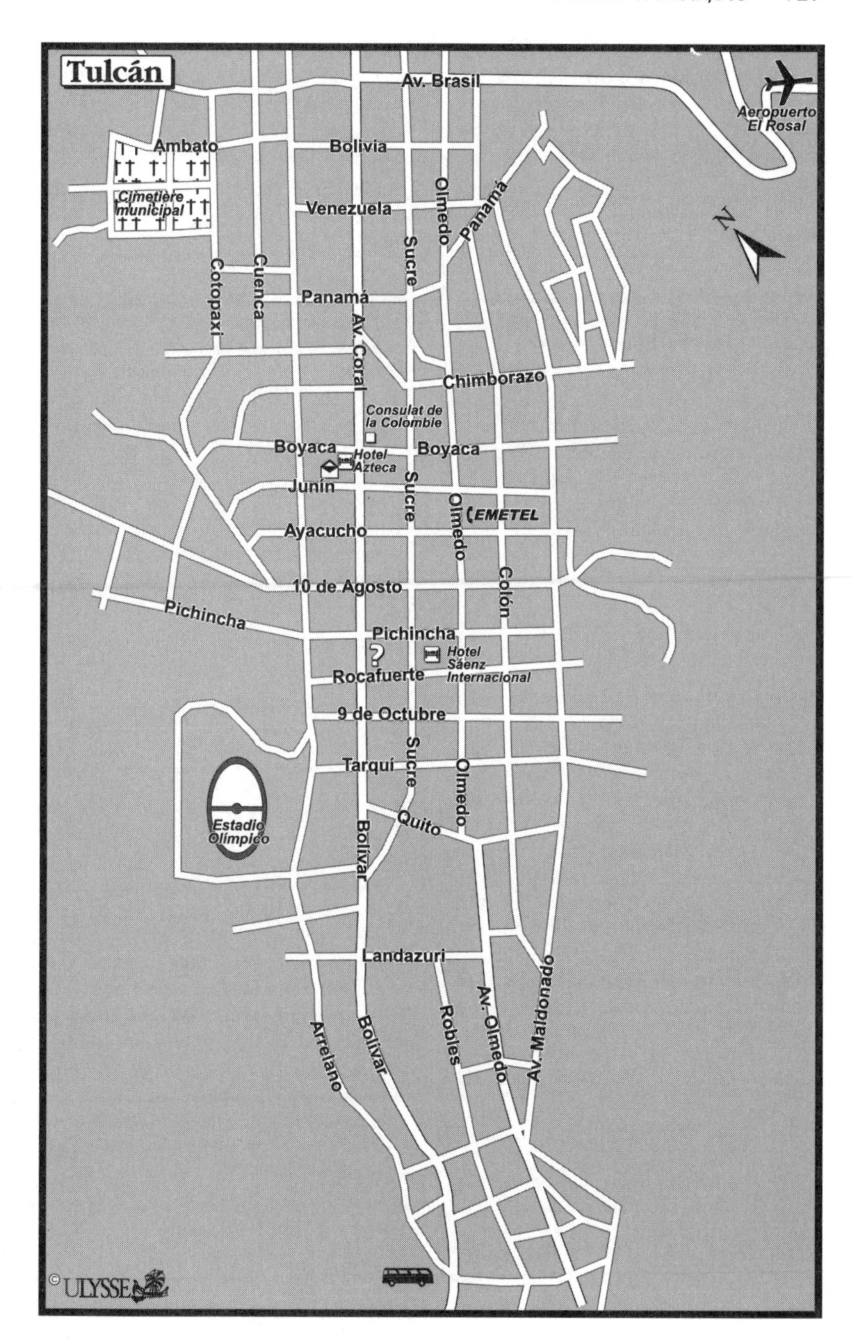
Tulcán
Av. Brasil
Aeropuerto El Rosal
Ambato
Bolivia
Cimetière municipal
Venezuela
Olmedo
Panamá
Sucre
Cotopaxi
Cuenca
Panamá
Av. Coral
Chimborazo
Consulat de la Colombie
Boyaca
Hotel Azteca
Boyaca
Junín
Sucre
Olmedo
EMETEL
Ayacucho
Colón
10 de Agosto
Pichincha
Pichincha
Hotel Sáenz Internacional
Rocafuerte
9 de Octubre
Sucre
Tarquí
Olmedo
Estadio Olímpico
Quito
Bolívar
Landazuri
Av. Maldonado
Av. Olmedo
Robles
Bolívar
Arrelano
© ULYSSE

Jouxtant la cathédrale de Santo Domingo, le petit **musée d'art religieux Fray Bedón** *(1 $; horaire variable)* expose quelques tableaux créés par des artistes issus de l'École de Quito.

La Esperanza

Situé à 7 km d'Ibarra et à environ 2 700 m d'altitude, le tranquille petit village de La Esperanza forme, avec la nature qui l'environne, une douce harmonie au charme particulier. L'endroit est populaire auprès des touristes voyageant sac au dos, lesquels aiment s'y arrêter pour flâner à leur guise. L'infrastructure touristique est sommaire, mais il existe un sympathique petit hôtel.

La vallée de Chota

Au nord d'Ibarra, les plaisirs de la découverte sont encore variés. On se hisse progressivement sur le flanc des montagnes pour ensuite redescendre aux alentours de 1 500 m d'altitude. Au hasard de la promenade, vous découvrirez la vallée de Chota, dont les terres arables sont presque entièrement consacrées aux cultures fruitières et qui représente un petit coin d'Afrique en terre équatorienne. La région est peuplée en effet de descendants d'anciens esclaves noirs qui furent arrachés de leurs terres natales en Afrique pour venir travailler dans les plantations de canne à sucre au profit des jésuites au XVIIIe siècle.

Mira

Mira est un bourg de montagne surnommé «le balcon des Andes». Adossé aux flancs de la cordillère des Andes, il permet de jouir d'une vue splendide sur toute la campagne environnante. Il s'agit de l'endroit où l'on transforme l'eucalyptus en billets de banque.

El Ángel

Niché à environ 3 000 m en altitude, le petit village d'El Ángel est la patrie de José Franco, artiste responsable des créations insolites du cimetière de Tulcán. El Ángel est également la porte d'entrée de la réserve écologique El Ángel.

La Gruta de la Paz

Située à 1 heure 30 min de Tulcán en autocar, La Gruta de la Paz est une jolie caverne où l'on trouve une sculpture de la Vierge Marie.

Tulcán

Perchée à 2 960 m au-dessus du niveau de la mer, Tulcán constitue la plus haute ville du pays. Située à 7 km de la frontière colombienne, elle est la porte de sortie nord de l'Équateur et une plaque tournante de la drogue. Ville grouillante et agitée, elle s'anime encore davantage le samedi à l'occasion de son **marché** hebdomadaire. Près du Parque Isidro, un fascinant **cimetière ★★★** *(Calle Cotopaxi et Ambato)* où croît un buis sculpté représente sa principale curiosité. De plus, le jeudi et le dimanche, d'autres **marchés** égaient les rues de la ville.

Franchir la frontière

Depuis Tulcán, les voyageurs peuvent prendre l'autobus pour se rendre jusqu'à la frontière, à un endroit désigné sous le nom de **Rumichaca**. Une fois sur place, les voyageurs doivent faire valider leur passeport (*exit stamp*) au bureau de l'immigration équatorienne. Ensuite, vous serez contraint de faire environ 200 m à pied jusqu'en Colombie, soit jusqu'au bureau de l'immigration colombienne et de nouveau faire valider votre passeport. Après ces formalités, deux options s'offrent aux voyageurs. Premièrement, prendre un taxi jusqu'à la ville colombienne d'Ipiales; le trajet vous coûtera 400 pesos par personne, et il y a toujours quelques voyageurs qui vous demanderont d'effectuer le voyage avec vous. Deuxièmement, marcher environ 30 min sur un chemin accidenté jusqu'à Ipiales.

PARCS

Reserva Ecológica Cotacachi-Cayapas ★★

La Reserva Ecológica Cotacachi-Cayapas (voir aussi p 255) s'étend sur plus de 304 400 ha de territoire et renferme de nombreuses espèces animales telles que le condor, le faucon, le cerf, le loup et le lapin, qui évoluent parmi une végétation qui varie selon l'altitude. Dans cette réserve difficile d'accès, on entre uniquement par la Sierra ou la Costa. De plus, il est pratiquement impossible d'y pénétrer par une région pour en sortir par une autre.

Intag ★★

Administrée par un sympathique et dynamique couple, Carlos Zorilla et Sandy Statz, la petite réserve privée Intag couvre environ 500 ha sur le flanc ouest des Andes, au nord du petit village d'Apuela, tout juste avant la Reserva Ecológica Cotacachi-Cayapas. Voilà un endroit idéal pour les amants de la nature souhaitant s'éloigner des sentiers battus et du brouhaha touristique d'Otavalo et de ses environs. On y découvre de nombreux sentiers qui s'enfoncent un peu partout dans une forêt inondée de nuages au milieu du lacis des rivières et qui mènent à de petits villages isolés. Cette forêt est le refuge de nombreux animaux exotiques tels que l'ours à lunettes, le singe-hurleur, l'ocelot, le jaguar et le puma. On y trouve aussi le toucan et le perroquet à oreilles jaunes, ce dernier étant en voie d'extinction. Il est possible de marcher de village en village pendant plusieurs jours, mais il n'y a pas d'infrastructure touristique dans la plupart des endroits à l'extérieur des villages reliés aux routes principales. Si vous souhaitez néanmoins atteindre ces villages isolés, nous vous suggèrons d'emporter votre tente et votre sac de couchage.

Carlos Zorilla est membre à part entière d'une organisation régionale de conservation de la nature qu'il a lui-même cofondée pour promouvoir le tourisme comme solution intermédiaire à l'exploitation minière, à la chasse illégale et au déboisement. En matière de chasse illégale, il n'est pas rare que des braconniers tuent, par exemple, l'ours à lunettes pour sa vésicule biliaire. Précisons qu'à cet égard le tourisme a une influence bénéfique sur toute la région d'Intag. L'organisme environnemental de protection de la nature s'appelle DECOIN (Defensa y Conservación Ecológica de Intag) et possède un petit bureau à Apuela.

Afin de minimiser les effets négatifs que peut avoir le tourisme sur la vie sociale des habitants et sur l'écologie de la réserve, ses propriétaires n'acceptent qu'un nombre limité de groupes par année. Les groupes doivent être constitués d'environ six personnes et rester un minimum de deux nuitées. Intag reçoit uniquement les gens qui ont réservé leur place à l'avance, car, à cause de l'implication du couple envers l'environnement, celui-ci doit parfois s'absenter de la réserve pour voyager à travers le pays. Si cette expérience vous intéresse, faites parvenir par écrit et longtemps à l'avance vos réservations, car le courrier est lent. Comptez environ 40 $ par personne avec pension complète : Intag, Casilla 18, Imbabura, Otavalo, Ecuador.

Notez que la nourriture qu'on sert à Intag est strictement végétarienne, avec beaucoup de produits laitiers et d'œufs, sans poulet ni viande rouge.

Reserva Ecológica Cayambe-Coca ★★

Fondée en 1970, la Reserva Ecológica Cayambe-Coca englobe le volcan Cayambe ★★★ (voir p 120) et les hauts plateaux andins des alentours. Elle s'étend sur une superficie de 400 000 ha, depuis les hauts sommets andins jusqu'au piémont amazonien. On y trouve des rapaces (faucons et condors), des loups et des renards, ainsi qu'une flore assez particulière. De nombreux lacs parsèment son territoire, permettant aux amateurs de pêche d'y attraper l'une des nombreuses truites qui frétillent dans leurs eaux. L'infrastructure touristique est sommaire, ce qui explique le petit nombre de personnes qui la fréquentent. Avec ses 5 790 m, le volcan Cayambe est le troisième sommet le plus élevé au pays. Ce volcan n'est surtout pas un terrain d'entraînement pour les randonneurs débutants. La route vers le sommet est parsemée de crevasses, rendant son accès particulièrement difficile. À près de 5 000 m d'altitude se trouve un refuge rudimentaire, mal isolé et sans commodités. Avant de vous y aventurer, consultez une bonne agence (voir p 56).

Lacs

Les environs d'Otavalo sont parsemés de lacs aussi resplendissants que différents qui sauront vous séduire. En voici quelques-uns.

Les **Lagunas de Mojanda** ★★★ sont à environ 15 km d'Otavalo en empruntant un chemin de terre montant et cahoteux. À pied, la montée dure environ une heure. Alors, lorsque le ciel est dégagé, le sommet de la montagne offre aux visiteurs une vue splendide sur la cordillère Occidentale, sur le volcan Cayambe et sur les petits villages blottis dans le creux de la vallée. Les lacs, d'une beauté sauvage, sont encore épargnés de la présence d'hôtels et de restaurants. D'ailleurs, on n'y trouve qu'un simple refuge pour y passer la nuit. De plus, il s'agit d'un excellent endroit où pêcher la truite. Un taxi depuis Otavalo vous coûtera environ 7 $ pour un aller simple jusqu'aux Lagunas.

La **Laguna Cuicocha** ★★★ se love distinctement à un peu plus de 3 000 m d'altitude dans un ancien cratère situé à une dizaine de kilomètres à l'ouest de Cotacachi. La Laguna fait partie de la Reserva Ecológica Cotacachi-Cayapas. La vue sur le lac et ses environs est tout à fait saisissante. Deux petits îlots volcaniques semblent flotter au centre du cratère. Toutefois, leur accès est interdit en raison des études scientifiques que l'on y effectue. Des bateaux peuvent toutefois être loués pour sillonner le lac (environ 16 $). Les eaux du lac sont alimentées par le dégel de la neige du volcan Cotacachi. De plus, un petit restaurant permet aux voyageurs de se rassasier tout en observant la lagune.

Le majestueux **Lago San Pablo** ★ se situe quelques kilomètres au sud d'Otavalo et offre de nombreuses activités nautiques aux vacanciers. Il est fréquent d'y apercevoir des lavandières le long des roseaux.

Le **Lago Yahuarcocha** ★ a été baptisé «le lac de sang». Ce nom s'explique par le fait qu'autrefois un grand nombre de Caras y furent massacrés en tentant de résister aux Incas. À l'issue de la bataille, les corps ensanglantés des Amérindines vaincus furent jetés dans le lac, changeant ainsi la couleur de l'eau. Ce sombre passé est bien révolu, et l'on peut désormais apprécier les charmes de ce lac entouré de jolis paysages. Une piste de course automobile entoure le lac.

Reserva Ecológica El Ángel ★★

Administrée par l'INEFAN, la Reserva Ecológica El Ángel fut créée en 1992 et s'allonge sur environ 15 700 ha parmi des hauteurs variant de 3 400 m à plus de 4 000 m d'altitude. L'attrait principal de cette réserve est sans l'ombre d'un doute le *paramo* où poussent d'étranges plantes désignées sous le nom de *fralejones*. Ces plantes sont recouvertes de nombreux petits poils qui les protègent des vents, de la glace et du soleil. L'agence Zulaytur organise des excursions dans la réserve. Pour information, communiquez avec Señor Rodrigo Mora, à Otavalo, Calle Colón et Sucre, 2e étage, ☎ et ⇌ 06-921-176.

HÉBERGEMENT

Guayllabamba

L'**Hostería María José** *(12 $; bp, ec, ⌂; Guayllabamba via Tabacundo sur la route panaméricaine)* est située dans un cadre très paisible. On y vend du miel. Les chambres sont petites mais propres.

Cayambe

Aménagé dans une vieille maison construite voilà près de 70 ans, l'**Hostal Cayambe** *(7 $; Calle Ascázubi et Bolívar, ☎ 06-361-007)* fait face au Banco del Pichincha. L'accueil attentionné des hôtes vous fera oublier la petitesse des chambres modestement décorées.

Située à la sortie de la ville, l'**Hostería Napoles** *(16 $; tv, ec, ℜ, bp; route panaméricaine Nord, ☎ 06-361-388 ou 360-366)* dispose de plusieurs petites *cabañas* sympathiques et chaleureusement parées de murs de brique intérieurs. Un stationnement est à la disposition des clients.

Otavalo

Sans nul doute le haut lieu du tourisme du nord des Andes, Otavalo offre aux voyageurs des lieux d'hébergement pour tous les goûts et tous les budgets. La plupart des hôtels se trouvent à moins de 10 min à pied du marché, mais certains hôtels de qualité se dressent un peu à l'écart de la ville, près du Lago San Pablo ou sur la route qui mène aux Lagunas Mojanda, pour ceux et celles qui sont à la recherche d'un peu de calme et de tranquillité. Si vous prévoyez visiter le marché du samedi, il est préférable d'arriver dans la ville l'avant-veille du marché, tôt dans la matinée, afin de pouvoir choisir la chambre qui vous convient, car, le jour du marché, les meilleurs hôtels affichent souvent complet.

Le **Residencial Santa Martha** *(4 $; ec le matin seulement, bc; Calle Colón 704 et 31 de Octubre)* peut compter sur un personnel sympathique. Il dispose de chambres petites et simples, attenantes à une salle de bain commune.

Le **Residencial Colón** *(4 $; ec toute la journée, bc; Calle Colón 713, entre 31 de Octubre et Ricaurte, ☎ 06-920-022)* procure un gîte sans cérémonie à ceux qui cherchent une chambre peu coûteuse.

Aménagé dans une vieille maison coloniale, le **Residencial Le Rocio** (*6 $; ec, bp; Calle Morales et Miguel Egas, ☎ 06-920-584)* dispose de chambres propres au décor fort simple. Demandez une chambre offrant une vue sur le volcan. Le personnel sympathique de l'hôtel propose un service de lessive.

Tout près du «marché des ponchos», l'**Hotel Indio** *(6 $; bp, ec; Calle Colon et Sucre),* à ne pas confondre avec le plus chic Indio Inn (voir ci-dessous), est un petit établissement économique aux chambres propres mais sans véritable charme. Le personnel est sympathique et accueillant.

Les chambres exiguës de l'**Hostal Residencial La Cascada** *(8 $; ec matin et soir; Calle Cristóbal Colón et Sucre, ☎ 06-920-165)* et de l'**Hostal Los Pendoneros** *(8 $; ℜ; Avenida Abdón Calderón 510 et Bolívar, ☎ (06) 921-258)* n'ont guère de cachet et manquent certes de vie, mais conviendront aux voyageurs qui désirent n'y faire escale qu'une nuit ou deux.

Pour le même prix, optez plutôt pour l'hôtel **Riviera Sucre** *(8$; Calle García Moreno 380 et Roca, ☎ 06-920-241).* Il loge dans une chaleureuse maison coloniale dont les chambres au plancher de bois franc sont propres, très spacieuses et aérées. Certaines sont prolongées par un balcon. On peut tout à loisir laver son linge sur place près d'un jardin agrémenté de cactus géants, de plantes et de fleurs, permettant ainsi d'échapper au tapage touristique du centre-ville. Le personnel est très sympathique et serviable, et peut vous aider à organiser des excursions dans les environs. Bref, c'est l'endroit idéal pour les voyageurs au budget limité qui cherchent un environnement de qualité.

Aménagé dans une jolie maison centenaire, l'**Hotel Otavalo** *(12 $ bp, 11 $ bc; ℜ, ec; Calle Roca 504, entre Juan Montalvo et García Moreno, ☎ 06-920-416)* compte parmi les bons hôtels de la ville. Ses chambres, de grandeur inégale et décorées de façon différentes, s'articulent autour de grandes cours intérieures séparées par des arches. Insistez pour qu'on vous montre quelques chambres avant d'arrêter votre choix.

Il existe deux hôtels désignés sous le nom d'«Indio» dans la ville. L'hôtel **Indio**

Inn *(12 $; bp; Calle Sucre 1214 et Salinas, ☎ 06-920-004)* est sans l'ombre d'un doute le meilleur des deux et fait partie des bons établissement de la ville. On y trouve 31 chambres distribuées sur trois étages, toutes propres et bien entretenues, mais celles qui sont dotées de balcons peuvent paraître quelque peu bruyantes. Si vous avez le sommeil léger, optez pour celles donnant sur la cour intérieure.

L'hôtel **El Cacique** *(16 $; bp, ℜ, ec, tvc; Avenida 31 de Octubre 900, entre Calle Quito et route panaméricaine Nord, ☎ 06-921-740, ⇄ 920-930)* offre un excellent rapport qualité/prix aux économes. Les chambres sont garnies de moquette, dotées d'une commode exiguë et munies d'une toute petite fenêtre pour l'aération. Le sympathique propriétaire se nomme Luis Cabascango.

El Cacique Real (*16 $; bp, ec; en face de l'hôtel El Cacique*), tenu par le frère de Luis, est un petit établissement hôtelier proposant des chambres semblables à celles qu'on trouve à l'hôtel El Cacique (voir ci-dessus).

Se dressant tout près du parc central, l'hôtel **Rincón de Belén** *(16 $; ℜ, ec, tv, bp; Calle Roca 820 et Juan Montalvo, ☎ et ⇄ 06-921-860)* propose des chambres propres et modernes, garnies de moquette. Un stationnement est à la disposition des clients.

Pour quelques dollars de plus, optez pour le plus grand hôtel de la ville, l'**Hotel Coraza** *(22 $; bp, ec, ℜ; Calle Abdón Calderón et Sucre, ☎ 06-921-225, ⇄ 920-459).* Situé en plein centre-ville, à quelques minutes de marche du marché et tout juste à côté du S.I.S.A. (voir p 138), il loue une quarantaine de chambres propres, modernes, lumineuses et sécuritaires.

Fièrement campé au bord du Lago San Pablo, à 5,5 km au sud d'Otavalo, l'hôtel **Puerto Lago** *(55 $; ℜ, bp, ec; Sector San Rafael, au sud d'Otavalo, ☎ 06-920-920, ⇄ 920-900)* semble protégé au nord par le volcan Imbabura, à l'ouest par le Cotacachi et au sud par le Mojanda, et jouit d'une superbe vue sur le lac. Toutes les chambres sont chaleureusement dotées d'un foyer. Certaines ont vue sur le lac, tandis que d'autres donnent sur les volcans. L'hôtel dispose d'une embarcation qui emmène les touristes faire le tour du lac. De plus, il s'agit d'une bonne occasion d'immortaliser le paysage sur pellicule. Son restaurant jouit d'une excellente réputation dans la région, et son personnel est plus que serviable. L'endroit est idéal pour ceux qui souhaitent s'éloigner du brouhaha d'Otavalo.

Située à quelques kilomètres au nord de San Pablo, juste avant Otavalo, l'**Hostería Cabañas del Lago** *(55 $; ℜ, bp, ec; sur le bord du lac San Pablo, ☎06-918-001, ⇄ 918-108)* propose de petites chambres propres, décorées de murs de brique et regroupées au bord du lac et près d'un minigolf. Cependant, une profonde tristesse peut serrer le cœur du voyageur à la vue de quelques animaux en cage pour le simple plaisir des curieux. Pour se distraire, les visiteurs peuvent aussi y louer des pédalos ainsi que des scooters des mers.

À notre avis, l'hôtel **Ali Shungu** *(60 $; ℜ, bp, ec; Calle Quito et Egas, Casilla 34, ☎ 06-920-750)* est le meilleur endroit où loger en ville. L'établissement est ouvert depuis un peu plus de cinq ans et, année après année, parvient à maintenir un excellent standard de qualité. Les propriétaires, Margarita et Francisco, forment un sympathique couple d'Américains capable d'accueillir chaleureusement les touristes et de leur réserver une attention toute particulière. Afin de préserver une ambiance amicale propice à la détente, ils refusent de recevoir les groupes de voyageurs à forfait et préfèrent avoir comme hôtes des voyageurs indépendants. Les 16 chambres que compte l'hôtel sont, quant à elles, d'une propreté impeccable, toutes décorées avec soin et meublées avec goût. Deux suites ont récemment été aménagées pour les familles; elles comprennent chacune deux chambres avec système de son, cassettes, livres, réfrigérateur et balcon. Un joli jardin à l'aspect bucolique est aménagé dans une grande cour intérieure où les clients peuvent flâner à leur guise. Des spectacles de musique folklorique y sont présentés les fins de semaine. Le personnel est courtois, aimable et efficace. Ceux qui se rendent à Otavalo en voiture peuvent jouir d'un stationnement privé, gardé par trois chiens féroces pour dissuader le plus téméraire des voleurs. Moyennant un léger supplément, on peut même venir vous chercher à l'aéroport.

Isolé sur le flanc des Andes par une route cahoteuse, et situé à 8 km avant les Lagunas de Mojanda, l'hôtel **Casa Mojanda** *(70 $ ½p; ℜ, bp, ec; Apdo Postal 160, Otavalo, ☎ 06-731-737, ⇌922-969, mojanda@srvl.telconet.net)* est un véritable petit paradis dans les montagnes tenu par un sympathique couple : Betty, une Américaine, et Diego, un Équatorien. Les chambres sont toutes lumineuses, dotées de vieux meubles et offrant une vue tout à fait incroyable sur les montagnes. Certaines ont même un foyer où des bûches crépitent doucement et où les flammes dansent dans l'âtre. Vous avez des enfants? Une salle de jeux où l'on visionne aussi des vidéos a été aménagée pour leur plaisir et votre tranquillité. Ceux qui souhaitent partir à la découverte de la région peuvent louer l'un des six chevaux de l'hôtel. Pour la somme de 25 $ par personne incluant le petit déjeuner et le dîner, les voyageurs peuvent dormir dans un grand dortoir comportant cinq lits très confortables et superposés, deux douches et une salle de bain. De plus, l'hôtel possède un excellent restaurant qui prépare selon l'inspiration du jour uniquement des plats végétariens. On insiste sur le mot «végétarien», car même les viandes blanches ne font pas partie du menu. La salle à manger est dotée d'un foyer, et la vue qu'on découvre sur les paysages avoisinants est superbe. Si le temps n'est pas brumeux, vous aurez peut-être la chance d'observer le volcan Cotacachi. Un taxi d'Otavalo vous coûtera environ 2 $ pour un voyage de 5 min.

Fondée en 1602, l'**Hacienda Cusín** *(80 $; ℜ, ≈, ec, bp; à 10 km au sud-est d'Otavalo, ☎ 06-918-003, ⇌ 918-013, réservations de Quito, ☎ 02-243-341)* semble s'être figée dans le souvenir du XVIIe siècle. En effet, le décor rustique de cette vieille maison coloniale est séduisant, et le bâtiment principal a gardé des traces de son passé comme l'attestent les superbes boiseries et les antiquités placées çà et là, mais un charme désuet émane des 25 chambres décorées de façon très inégale. Une cour ombragée d'arbres permet aux clients d'échapper au brouhaha d'Otavalo. Des vélos et des chevaux peuvent être loués sur place.

Comme son nom l'indique, l'**Hacienda Pinsanquí** *(80 $ ou 120 $ pdj; bp, ec, ℜ; ☎ et ⇌ 06-920-387)* est une ancienne hacienda reconvertie en hôtel de luxe et dont les fondations remontent à 1790. Situé à 5 km d'Otavalo et à 7 km de Cotacachi, cet hôtel au charme suranné plaira sans doute aux âmes romantiques à la recherche d'un séjour calme de qualité et plein d'atmosphère. Chaque chambre est différente et agréablement décorée de vieux meubles. Après une visite des environs, les voyageurs peuvent se détendre dans le jardin à l'aspect bucolique tout en observant en toute quiétude les lamas qui se baladent en toute tranquillité. On peut également louer des chevaux pour les plaisirs de la découverte.

Peguche

Les personnes qui veulent fuir les cohortes de touristes d'Otavalo peuvent se rendre au sympathique petit village de tisserands de Peguche, qui possède deux sympathiques hôtels, très populaires auprès de la clientèle bohème et internationale. Pour vous y rendre, prenez place dans un autocar pour Ibarra, et demandez au chauffeur de vous déposer au petit village de Peguche (environ 5 min passé Otavalo). Une fois sur place, vous pouvez soit demander de l'information aux Amérindiens ou suivre les nombreuses affiches situées de part et d'autre de la «rue principale». Depuis Otavalo, vous pouvez franchir la distance à pied en suivant la voie ferrée; comptez environ 40 min.

Situées tout près des rails de la voie ferrée, les chambres du sympathique **Hostal Aya Huma** *(9 $ ou 14 $; ec, bc, ℜ; P.O. Box 98, Otavalo, ☎ 06-922-663, ⇄ 922-664)* sont propres et simplement décorées de produits d'artisanat de la région. On y offre le service de lessive et des cours d'espagnol, et l'on vous aide à organiser des excursions dans les environs. Derrière l'hôtel, un joli jardin a été aménagé, et quelques hamacs sont tendus près d'un ruisseau qui coule dans un doux murmure. De plus, son restaurant prépare de délicieux plats pouvant satisfaire les carnivores et les végétariens.

L'**Hostería Peguche Tío** *(14 $; ☎ et ⇄ 06-922-619)* est situé à courte distance de la route et propose un gîte de qualité quelque peu supérieur à l'Hostal Aya Huma (voir ci-dessus). L'aire centrale abrite un bar et un restaurant qui sert une variété de mets locaux. Au dernier étage, on peut observer à loisir les paysages spectaculaires des environs. Les chambres se trouvent dans des cabanes derrière le bâtiment principal. Elles sont simplement décorées de couleurs locales et sont équipées de foyers qui réchauffent les nuits fraîches des montagnes. Il n'est pas rare que des lamas surgissent pour embellir le paysage.

Cotacachi

En plein centre-ville, **El Mesón de las Flores** *(28 $; ≈, ℜ, ec, bp; ☎ 06-915-928)* loge dans une jolie maison coloniale et propose de petites chambres modestement décorées. On ne peut rien lui reprocher quant à la propreté des lieux.

Située juste à côté de l'Hostería La Mirage (voir ci-dessous), l'**Hostería La Banda** *(50 $; ℜ, ⌂, ⊛, bp, ec; ☎ 06-915-176; ⇄ 915-873; réservations de Quito, ☎ 02-520-698, ⇄ 541-387)* vit en harmonie avec la nature. Des sentiers pédestres ont été aménagés, et peut-être pourrez-vous y rencontrer quatre sympathiques lamas.

Chacune des chambres est d'une propreté immaculée et possède un foyer, des lits antiques, un secrétaire et une commode spacieuse. Bassins à remous et saunas sont à la disposition des clients.

Discrètement nichée dans les Andes à environ 15 min d'Otavalo, la très romantique **Hostería La Mirage** *(120 $ ou 185 $ ½p; ec, tv, ℜ, ≈; Avenida 10 de Agosto, ☎ 06-915-237, 915-077 ou 915-561, ⇌ 915-065; des États-Unis ou du Canada ☎ 800-327-3573)* mélange admirablement bien les architectures coloniale et moderne. Elle est entourée d'une végétation luxuriante, méticuleusement entretenue par un personnel de 12 jardiniers et sillonnée de quelques sentiers qui invitent à la promenade. Les 24 chambres varient en dimensions, portent le nom d'une espèce d'oiseau ou d'une fleur, et sont toutes chaleureusement décorées d'une façon différente, mais demeurent non moins charmantes : lits à baldaquin, meubles de l'époque coloniale, tapis orientaux, etc. Chaque chambre est dotée d'un foyer qu'un membre du personnel prend le soin d'allumer tous les soirs afin que les visiteurs puissent rester bien au chaud durant les nuits fraîches de la Sierra. De plus, toutes les chambres disposent d'une splendide salle de bain privée pourvue d'une très grande douche. Ses installations comprennent une piscine chauffée et une jolie petite chapelle pour les occasions spéciales. On peut même y louer des chevaux. Si vous le désirez, on peut également venir vous chercher à l'aéroport. De plus, son restaurant (voir p 139) est considéré comme l'un des meilleurs du pays.

Ibarra

En entrant dans la ville, sur la droite, face à l'hôtel Ajavi, les chambres simples mais propres de l'**Hostal Familiar Imbacocha** *(12 $; tv, ec, bp; Calle Cristóbal Gómez Jurado 527 et Avenida Mariano Acosta, ☎ 06-640-646)* donnent sur un joli jardin enjolivé par des colibris et des orangers. Le propriétaire est sympathique et accueillant. Ne soyez pas surpris si vous devez sonner plusieurs fois avant que quelqu'un vienne vous répondre.

L'hôtel **La Casona de Los Lagos** *(18 $; ec, bp, ℜ; Calle Sucre 350 et Grijalva, ☎ 06-951-629)* est aménagé dans une vieille maison de style colonial et possède des chambres propres, chaleureuses et spacieuses, au plancher de bois. Le personnel est accueillant et dynamique.

Érigé en plein centre-ville, l'hôtel **Montecarlo** *(24 $; tvc, ℜ, ⌂, ec, ≈, bp; Avenida Jaime Rivadeneira 565 et Calle Oviedo, ☎ 06-958-182 ou 958-266, ⇌ 958-182)* propose 35 chambres modernes, confortables, garnies de moquette et distribuées sur trois étages. Sauna, hydromassage et stationnement privé sont à la disposition des clients. Le personnel est sympathique.

Situées au nord de la ville, près de la route panaméricaine, les 50 chambres de l'hôtel **Turismo Internacional** *(24 $; ℜ, ⌂, tv, ec, bp; Calle Rafael Troya et Juan Hernández, ☎ 06-952-814 ou 956-331, ⇌ 956-413)* sont toutes garnies de moquette et décorées sans véritable charme. Les voyageurs en quête de repos s'offriront un sauna ou un bain turc.

Se dressant au sud d'Ibarra, en entrant dans la ville, sur la gauche, l'hôtel **Ajavi** *(40 $; ℜ, ≈, tv, ec, bp; Avenida Mariana Acosta 1638, ☎ 06-955-555 ou 955-221, ⇄ 955-640)* est considéré comme l'un des meilleurs en ville. Ses 55 chambres sont confortables et spacieuses. Une agence de voyages, un stationnement privé, un service de lessive, un restaurant et un bureau de change, tout près de la réception, font partie des avantages de l'hôtel.

Populaire auprès des Équatoriens et des Colombiens, l'**Hostería Natabuela** *(25 $; bp, ec, tv, ℜ, ≈; à 8 km au sud d'Ibarra, ☎ 06-932-032 ou 932-482, ⇄ 640-230)* dispose de chambres propres et bien tenues, dispersées pour la plupart autour de la piscine.

À quelques kilomètres au sud de la ville, l'**Hostería Chorlaví** *(50 $; ℜ, ≈, △, ⊛, ec, bp; route panaméricaine, ☎ 06-955-777 ou 955-775, ⇄ 932-222; réservations de Quito, ☎ 02-522-703, ⇄ 956-311)* fait le bonheur des voyageurs en quête de confort. Les chambres spacieuses de cette ancienne hacienda sont meublées à l'ancienne et garnies d'antiquités. Court de tennis, terrain de squash, sauna et bassin à remous sont à la disposition des clients.

Tulcán

La plupart des hôtels de Tulcán sont d'une propreté parfois douteuse et sont à l'image de la ville : bruyants et sans le moindre charme. De plus, le prix des chambres est un peu plus élevé que dans les autres villes de la Sierra.

À deux coins de rue de CETUR, le petit **Residencial Quito** *(4 $; bc; Calle Ayacucho 450)* loue des chambres spartiates et un peu sombres, mais à des prix difficiles à battre. En dernier recours seulement.

Pour quelques dollars de plus, optez pour l'**Hotel Imperial** *(8 $; bc, ec; Calle Bolívar et Panamá)*. Situé à deux pas du cimetière, il propose des chambres on ne peut plus simples, relativement propres et sécuritaires. Idéal pour les voyageurs au budget restreint.

L'**Hotel Azteca** *(15 $; ℜ, ≈, bp, ec; Calle Bolívar, ☎ 06-981-899)* compte parmi les «meilleurs» endroits où se loger en ville. Les chambres sont propres et spacieuses, mais les lits ne sont pas tellement confortables. Les fins de semaine, sa discothèque attire une faune bigarrée et un tant soit peu bruyante.

Situé à deux pas de CETUR, l'hôtel **Sáenz Internacional** *(20 $; ℜ, bp, ec; Calle Sucre et Rocafuerte, ☎ 06-981-916)* dispose de chambres propres, sécuritaires et bien équipées.

RESTAURANTS

La Mitad del Mundo

Ouvert depuis 25 ans, l'**Equinoccio** *($$; ☎ 02-394-128)* est construit sur la ligne équinoxiale. Y sont disposées de sympathiques petites tables réparties sur deux étages. On y sert de généreuses portions de viande. Des spectacles folkloriques sont présentés les fins de semaine.

Construit sur le modèle colonial, le restaurant **Cochabamba** *($$; ☎ 02-394-263)* invite ses clients à déguster une fine gastronomie internationale et équatorienne. Le service est courtois et sympathique.

Cayambe

Le **Paradero Miraflores** *($; en sortant de la ville sur la route panaméricaine Nord)* est renommé pour l'excellente qualité de ses *bizcochos* et de son fromage maison.

À côté du Banco del Pichicha, le petit restaurant **Don Carlos** *($)* sert de simples petits *secos de pollo* et des *ceviches*.

Si l'odeur d'un savoureux morceau de viande cuit sur la braise de charbon de bois suffit à susciter votre intérêt, rendez-vous au restaurant de l'**Hostería Napoles** *($$; en sortant de la ville sur la route panaméricaine Nord, ☎ 02-361-388 ou 360-366)*, où l'on mitonne de délicieux plats argentins. Ne manquez pas de goûter le fromage maison.

Situé tout juste au nord de l'Hostería Napoles, le restaurant **Casa D'Fernando** *($$; route panaméricaine Nord, ☎ 02-360-262 ou 360-756)* se trouve au pied du volcan Cayambe. Dans la chaleureuse salle à manger dotée d'un toit en voûte, on peut savourer de délicieux filets mignons ainsi que des truites marinées devant un feu de bois.

Otavalo

La **Pastelería Mi Pan** *($; Calle Colón et Modesto Jaramillo)* prépare de délicieux pains et croissants. Idéal pour une bouchée rapide entre deux visites ou pour commencer la journée.

Le restaurant **El Alamo** *($; Calle Morales et 31 de Octubre)* est un excellent endroit où prendre une bouchée rapide et sans façon.

Le cuisinier du petit restaurant de l'hôtel **El Cacique** *($; Avenida 31 de Octubre 900, entre Calle Quito et route panaméricaine Nord, ☎ 06-921-740)* apprête un délicieux cochon d'Inde cuit sur charbon de bois.

Le restaurant **Alimicuy** *($; au nord du «marché des ponchos»)* prépare un délicieux pain de bananes ainsi que d'excellents jus de fruits.

Très fréquenté par les voyageurs, le **Hard Rock Café** *($; Calle Quiroga 504 et Sucre)* est une bonne adresse où prendre une bouchée et discuter au son d'une musique entraînante.

Le petit restaurant **Asadero Koko Rico** *($; à côté de l'hôtel La Cascada)* sert du délicieux poulet braisé.

Le resto **Chifa Estrella China** *($; Calle Colon 510 et Sucre)* se spécialise dans la préparation de mets chinois.

Le restaurant de l'hôtel **Indio** *($; Calle Sucre 1214 et Salinas)* propose des plats équatoriens typiques tels que le *pollo a la brasa*.

Si vous êtes à la recherche d'un sympathique petit restaurant qui prépare de magnifiques recettes culinaires aux parfums de l'Hexagone, rendez-vous à l'**Olivier** *($$; Calle Roca et Morales)*.

Le **S.I.S.A.** *($$; Calle Abdón Calderón 409 et Sucre)* est un établissement qui abrite sous un même toit un sympathique petit café, un restaurant, une librairie ainsi qu'un centre d'artisanat.

Située en face de la Plaza de Ponchos, la **Cafetería Shanandoa Pie Shop** *($$; Calle Salinas)* est renommée pour l'excellence de ses délicieuses tartes maison, toujours fraîches et préparées avec soin. Idéal pour une bouchée rapide à toute heure de la journée.

Le menu du restaurant **La Pizza Siciliana** *($$; Calle Sucre 1003 et Avenida Abdón Calderón, ☎ 06-920-213)* propose un vaste choix de pizzas.

La nourriture du restaurant de l'hôtel **Ali Shungu** *($$; Calle Quito et Quiroga, ☎ 06-920-750)* est décidément l'une des meilleures en ville. Son menu affiche un vaste choix de viandes et de poissons, ainsi que de fins plats végétariens à être dégustés devant un chaleureux feu de foyer. Des spectacles folkloriques animent les fins de semaine. Service sympathique et attentionné.

Dans la serre du restaurant de l'hôtel **Puerto Lago** *($$; sector San Rafael, au sud d'Otavalo, ☎ 06-920-920)*, vous pouvez déguster en toute quiétude une savoureuse cuisine équatorienne tout en observant paresseusement le mouvement perpétuel des vagues. Poissons, viandes et volailles figurent au menu.

Cotacachi

Le restaurant de l'**Hostería La Banda** *($$; à côté de La Mirage, ☎ 06-915-176; de Quito, ☎ 02-520-698)* sert des plats typiques de la tradition culinaire régionale et internationale avec fruits et légumes provenant du jardin de l'hôtel. La salle à manger est très aérée; son immense toit en voûte protège un joli plancher de bois franc sur lequel reposent de sympathiques tables en bois.

Le restaurant de l'**Hosterta La Mirage** *($$$; Avenida 10 de Agosto, ☎06-915-237 ou 800-327-3573)* attire autant les riches touristes que la bourgeoisie équatorienne. Sa salle à manger principale est dotée de meubles anciens, de superbes miroirs et de tables françaises recouvertes de nappes en lin et décorées de fleurs séchées, ainsi que d'ustensiles en cuivre. Une fine gastronomie nationale et internationale y est préparée avec soin, puis servie par des employées vêtues selon la tradition populaire d'Otavalo. Le menu affiche une variété de plats comme les crevettes nappées dans une sauce au vin blanc, le canard à l'orange ou la fricassée de poulet sauce curry. Les desserts sont également attrayants, et vous aurez de la difficulté à résister au délicieux gâteau au chocolat... Par ailleurs, un bâtiment comportant de grandes fenêtres a été spécialement aménagé pour prendre le petit déjeuner tout en admirant les montagnes environnantes et les nombreux colibris qui viennent se sustenter sur les mangeoires disposées çà et là.

Ibarra

Charlotte Pizzería *($; Calle Jaime Rivadeneira et Flores)* jouit d'une bonne réputation dans la préparation de pizzas.

Le petit **Café Moliendo** *($; Calle Velasco et Bolívar)* sert du bon café et propose une variété de petits plats. Le service est sympathique.

Le **Chifa Kam** ($; *Calle Olmedo et Flores*) est réputé pour l'excellente qualité de sa nourriture asiatique à prix économique.

El Delfín Azul *($; Calle Alfredo Perrez Guerrero et Olmedo)* est un petit restaurant qui présente un copieux menu de poissons fraîchement pêchés et préparés à votre goût.

Le **Charlotte Steak House** *($$; Avenida Jaime Rivadeneira et Oviedo, ☎ 06-959-793)* prépare avec soin de généreuses portions de viande.

Le restaurant **El Mesón Colonial** *($$; Calle Abdón Calderón)* vous suggère un vaste choix de viandes et de poissons. D'ailleurs, la plupart des poissons qui figurent au menu proviennent des lacs avoisinants.

La cuisine du restaurant de l'hôtel **Ajavi** *($$; Avenida Mariana Acosta 1638, ☎ 06-955-555 ou 955-221)* met l'accent sur les spécialités de la région. Le menu affiche viandes et poissons préparés selon la tradition culinaire du pays.

SORTIES

Otavalo

Les *peñas* sont ces endroits où jeunes et vieux viennent valser au son d'une musique folklorique équatorienne. Otavalo en compte quelques-unes.

La **Peña Amauta** *(Calle Jaramillo et Salinas)* et la **Peña Tucano** *(Calle Morales et Sucre)* font partie des boîtes de nuit les plus animées en ville.

La **Peña Tuparina** *(Calle Morales et 31 de Octubre)* est également considérée comme un bon endroit où écouter de la musique folklorique nationale. Elle ouvre ses portes seulement les vendredis et samedis soirs, et est surtout fréquentée par les touristes.

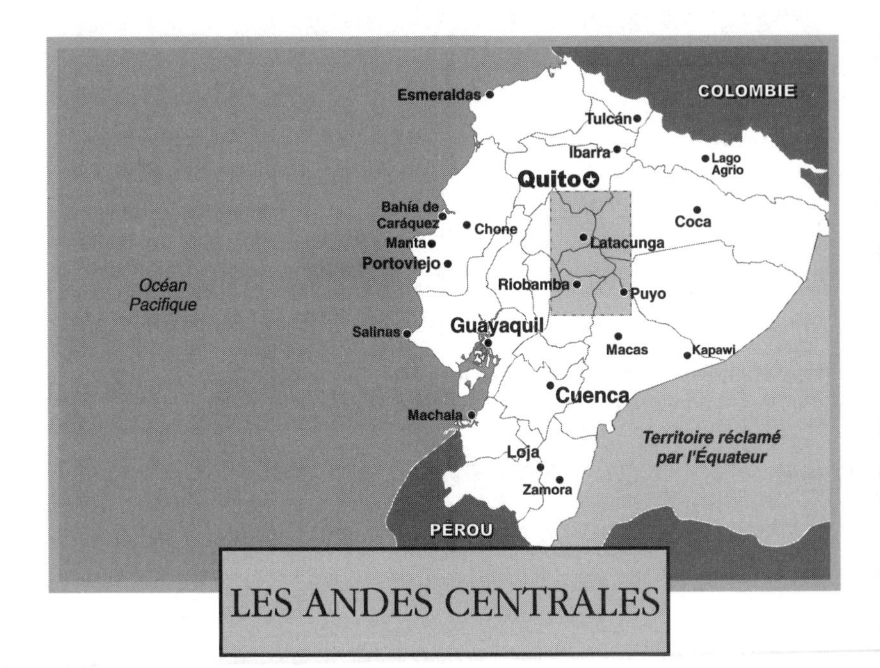

LES ANDES CENTRALES

La route qui traverse la cordillère des Andes au sud de Quito fut baptisée par Alexander von Humboldt l'«Avenue des Volcans». Cette «Avenue», qui s'étire entre les nombreux volcans majestueux à la cime enneigée, offre aux visiteurs un panorama éblouissant qui prend par endroits un éclat indicible ou irradiant, en d'autres une douceur pénétrante, ce qui confère aux paysages autant un aspect tranquille qu'un caractère spectaculaire qui raviront les voyageurs dont l'âme est attirée à la fois par la beauté et par la contemplation. De plus, les amateurs d'alpinisme andin expérimentés seront comblés par la présence, dans la région, de nombreux lieux d'escalade avec, entre autres, l'Illiniza, le Chimborazo, le Sangay, le Tungurahua, l'Altar et le Cotopaxi. Sachez toutefois que le volcan Cotopaxi, coiffé d'un cône de glace à la symétrie presque parfaite, est aussi magnifique à regarder que dangereux à escalader. Son activité permanente représente une menace constante pour les villages avoisinants qu'il a déjà engloutis par le passé. Haut de 6 310 m, le Chimborazo est sans conteste le plus haut sommet au pays. Le volcan Sangay se trouve dans une des régions les plus inaccessibles de l'Équateur et nécessite environ une semaine d'approche avant de le gravir. Le Tungurahua, quant à lui, constitue un bon terrain d'entraînement pour quiconque veut s'attaquer aux plus hauts sommets andins.

La région au sud de Quito est également marquée par la présence de pittoresques petits villages amérindiens, qui se distinguent surtout par leurs marchés tout à fait charmants et tous différents les uns des autres. On y trouve les produits d'artisanat locaux que les voyageurs aiment ramener à la maison pour leur style particulier empreint d'exotisme. Les voyageurs qui veulent explorer la région au sud de

Quito d'une manière plutôt originale et pittoresque peuvent parcourir les flancs des Andes en prenant place sur le train qui les emmènera à Riobamba. Après une halte d'une soirée, le train repart dès l'aube et parvient à la petite bourgade d'Alausí, reconnue comme le point de départ et d'arrivée de l'un des parcours ferroviaires les plus spectaculaires du monde. Celui-ci descend des hauts plateaux andins de la Sierra pour aboutir au bord de la Costa, sur la côte du Pacifique...

POUR S'Y RETROUVER SANS MAL

Reserva Pasochoa

En autocar

De nombreux autocars quittent Quito en direction sud et vous laisseront sur la route panaméricaine. Avisez le chauffeur à l'avance. Malheureusement, vous aurez environ 5 km à marcher avant d'arriver aux portes de la réserve. Départs pratiquement aux heures pour la somme d'un peu moins de 1 $.

Parque Nacional Cotopaxi

En autocar

Plusieurs autocars partent de Quito toutes les heures et vous déposeront sur la route panaméricaine. De là, vous serez contraint de faire quelques kilomètres à pied avant d'arriver à l'entrée du parc. Les autocars réclament des frais d'environ 1 $. Si vous passez tout droit, il existe une deuxième entrée située un peu plus au sud sur la route panaméricaine.

En train

Le train en provenance de Quito vous conduira à l'intérieur du parc national tous les samedis matins. Vérifiez les horaires avant de partir. Le coût du trajet s'élève autour 4 $.

Saquisilí

En autocar

Bon nombre d'autocars partent régulièrement de Quito et de Latacunga en direction de Saquisilí. Depuis Quito, le trajet dure un peu moins de 3 heures et coûte autour de 1,50 $. De Latacunga, les autocars réclament des frais d'environ 0,25 $ et parviennent à Saquisilí en une demi-heure.

En taxi

Si vous formez un groupe, il peut être économique de partager un taxi à partir de Latacunga. Comptez environ 30 $.

Latacunga

En autocar

Il n'y a pas de *terminal terrestre* à Latacunga. Les autocars quittent Quito pratiquement aux heures et vous laisseront à l'entrée de la ville, sur la route panaméricaine. Le coût du billet s'élève autour de 1 $.

En train

La gare se trouve à l'ouest de la route panaméricaine, à l'angle de la Calle Julio Andrade et de l'Avenida Aurelio

Subia, derrière l'Hostal Quilotoa. Le train part généralement de Quito les samedis matins pour se rendre à Riobamba en passant par Latacunga. Il arrive à Riobamba vers la fin de la matinée et retourne à Quito le lendemain matin vers 8 h. Le coût du billet est d'environ 5 $.

Pujilí

En autocar

À partir de Latacunga, les autocars desservent Pujilí toutes les deux heures et réclament des frais d'un peu moins de 2 $.

Zumbahua

En autocar

Des autocars font la navette entre Latacunga et Zumbahua pour la somme d'environ 1 $. Il y a un départ presque toutes les deux heures depuis Latacunga.

Laguna de Quilotoa

En autocar

Des autocars assurent une liaison irrégulière entre le petit village de Zumbahua et le lac. Le lac se trouve au fond d'un cratère volcanique, à environ 4 heures de marche de Zumbahua ou, si vous préférez, 15 km. Si vous comptez effectuer ce trajet à pied, habillez-vous chaudement car le vent est violent.

Chugchilán

En autocar

Il y a peu de départs par jour depuis la ville de Latacunga. Le trajet dure environ 3 heures, et le coût du billet s'élève à un peu moins de 2 $.

Ambato

En autocar

Du nord, de nombreux autocars en provenance de Quito et de Latacunga se rendent à Ambato pratiquement toutes les heures, tandis que, du sud, bon nombre d'autocars quittant Baños et Riobamba desservent aussi Ambato. Depuis Quito, le trajet s'étale sur près de 3 heures et coûte environ 2 $.

Salasaca

En autocar

D'Ambato, montez à bord de n'importe quel autocar pour Baños. Le trajet dure environ une demi-heure.

Baños

En autocar

Plusieurs autocars en provenance de Quito, Latacunga, Ambato ou Riobamba vous déposeront à Baños. De Quito, le trajet dure un peu moins de 4 heures et coûte autour de 3 $. Riobamba se trouve à une heure de route (1 $). La gare routière se trouve sur la Carretera principale entre la Calle Reyes et Maldonado.

Riobamba

En autocar

De nombreux autocars assurent des liaisons pratiquement toutes les heures entre Quito, Latacunga, Ambato, Baños et Riobamba. Depuis Quito, les autocars réclament des frais d'un peu plus de 3 $ pour un voyage d'environ 4 heures.

Gare routière *(terminal terrestre)*

À environ 2 km au nord-est de Riobamba.

En train

Tous les samedis matin après son départ, soit aux alentours de 8 h, le train en provenance de Quito circule le long de l'«Avenue des Volcans» et vous conduit à Riobamba. Il s'agit d'un trajet très touristique qui attire autant les voyageurs étrangers que les Équatoriens eux-mêmes, en raison de ses paysages grandioses et reposants. Le lendemain, vers 8 h, un train quittant Riobamba se rend à Quito. Si vous poursuivez votre chemin en direction sud, un train quitte la gare de Riobamba le dimanche matin vers 6 h en direction d'Alausí. Le coût du billet s'élève autour de 10 $.

Guaranda

En autocar

Depuis Riobamba ou Quito, un service d'autocars assure une liaison régulière avec Guaranda. De Riobamba, le trajet jusqu'à Guaranda dure 2 heures 30 min pour une somme d'environ 1,25 $. De Quito, les autocars réclament des frais d'un peu plus de 3 $ pour un voyage de 4 à 5 heures.

Guano, Guamote et Cajabamba

En autocar

De Riobamba jusqu'à Guano, comptez environ 0,20 $ pour un trajet d'une vingtaine de minutes. Pour Cajabamba, les autocars roulent pendant un peu moins d'une heure et réclament des frais d'un peu moins de 1 $. Pour Guamote, le trajet dure environ 1 heure 30 m pour un montant autour de 1,30 $.

Alausí

En autocar

Des autocars en provenance de Quito ou de Cuenca se rendent régulièrement à Alausí. Le trajet depuis Quito dure environ 6 heures et coûte un peu plus de 3 $. De Cuenca, comptez environ le même montant pour une durée d'environ 4 heures.

En train

Le train en provenance de Durán vous déposera à Alausí, après avoir traversé des paysages tout à fait spectaculaires. En général, le service ferroviaire est assuré tous les jours, et le prix du billet s'élève autour de 7 $. Le trajet peut durer entre 8 et 10 heures.

Latacunga

Poste de télécommunication (EMETEL)

Calle Quevedo Belisario et Maldonado

Bureau de poste

Calle Maldonado et Quevedo Belisario

Banques

Banco de Pichincha et Banco Popular. Ces deux établissements bancaires font face au Parque Vicente León.

Ambato

Bureau de tourisme (CETUR)

Calle Guayaquil et Rocafuerte, à côté de l'hôtel Ambato

Poste de télécommunication (EMETEL)

Calle Castillo et Bolívar

Bureau de poste

Calle Castillo et Bolívar, face au Parque Juan Montalvo

Banques

Banco del Pacifico
Calle Cevallos et Lalama

Banco de Guayaquil
Calle Juan León Mera 514

Cambiato
Calle Bolívar 686

Agence d'excursions

Metropolitan Touring
Calle Bolívar 471 et Castillo

Baños

Il n'y a pas de bureau de tourisme officiellement reconnu par CETUR, mais de nombreuses agences de tourisme sont prêtes à vous fournir de l'information et sont même disposées à vous conduire vers les hauts sommets andins. Toutefois, faites très attention aux escrocs et écumeurs de tout poil! En effet, depuis quelques années, la petite ville de Baños a mauvaise réputation, car de nombreux vols et accidents fâcheux y ont été rapportés.

La ville compte très peu d'individus possédant les compétences nécessaires pour offrir des services en tant que guides qualifiés de haute montagne. Voici donc les adresses de quelques agences qui vous fourniront d'utiles renseignements avant de vous aventurer en montagne :

Rainforestur
Calle Ambato et Maldonado
☎ 03-740-743

Pension Patty
Calle Eloy Alfaro 556, entre Calle Oriente et Ambato

Willie Navarete
Calle Luis Martínez 270

Poste de télécommunication (EMETEL)

Au coin du Parque Central

Bureau de poste

En face du parc, à côté de l'EMETEL sur la Calle Rocafuerte et Halflants

Banque

Banco del Pacifico
Tout près de l'église
Calle Luis Martínez et 12 de Noviembre

École de langues

Instituto Español Alternativo
Calle Juan Montalvo et Eloy Alfaro
☎ et ⇄ 740-799

Spanish School
Calle 2 et Avenida Oriente
☎ 740-632

Riobamba

Bureau de tourisme (CETUR)

Avenida 10 de Agosto et España

Poste de télécommunication (EMETEL)

Calle Tarquí, entre Calle Veloz et Constituyente

Bureau de poste

Avenida 10 de Agosto et España

Banques

Banco Internacional
Avenida 10 de Agosto
et García Moreno

Casa de Cambio Chimborazo
Avenida 10 de Agosto et España,
à côté de CETUR

Agence d'excursions

Andes Trek
Marcelo Puruncajas
Calle Colón 2225 et 10 de Agosto
☎ 03-940-964
⇄ 03-940-963

Machachí

Un peu au nord de Machachi s'étend la **Reserva Pasochoa** (voir p 159).

L'eau minérale a une origine volcanique. Ce n'est donc pas par hasard que l'on trouve, en plein cœur de l'«Avenue des Volcans», le petit village de Machachi, lieu de mise en bouteille de l'eau minérale Güitig. Lors de votre passage en Équateur, vous constaterez que l'eau minérale Güitig se trouve dans la plupart des restaurants de la grande région de Quito. Riche en sel minéraux, elle procure à l'organisme du calcium et du magnésium. Peu de voyageurs s'attardent ici, même que la plupart de ceux-ci traversent le village sans s'en rendre compte. Au sud de Machachí s'étend le Parque Nacional Cotopaxi. Pour de l'information supplémentaire, voir p 159.

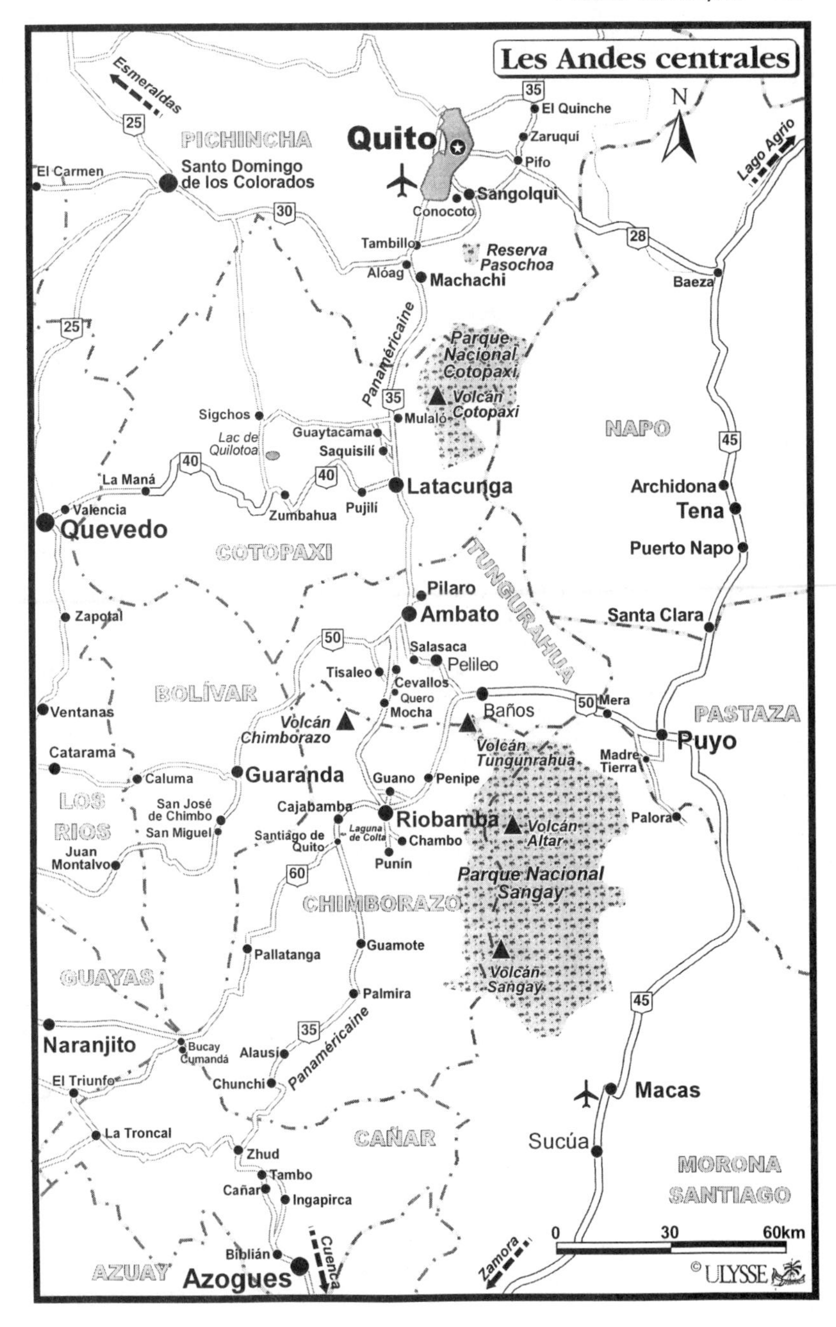

Les Andes centrales
Quito
Esmeraldas
PICHINCHA
Santo Domingo de los Colorados
El Carmen
El Quinche
Zaruquí
Pifo
Lago Agrio
Sangolquí
Conocoto
Tambillo
Reserva Pasochoa
Alóag
Machachi
Baeza
Panaméricaine
Parque Nacional Cotopaxi
Volcán Cotopaxi
Sigchos
Mulaló
NAPO
Lac de Quilotoa
Guaytacama
Saquisilí
La Maná
Latacunga
Archidona
Valencia
Zumbahua
Pujilí
Tena
Quevedo
COTOPAXI
Puerto Napo
TUNGURAHUA
Pilaro
Ambato
Santa Clara
Zapotal
Salasaca
Pelileo
Tisaleo
Cevallos
BOLÍVAR
Quero
Mocha
Baños
Mera
PASTAZA
Ventanas
Volcán Chimborazo
Volcán Tungunrahua
Puyo
Catarama
Madre Tierra
Caluma
Guaranda
Guano
Penipe
LOS RIOS
San José de Chimbo
Cajabamba
Riobamba
Palora
San Miguel
Santiago de Quito
Laguna de Colta
Chambo
Volcán Altar
Juan Montalvo
Punín
Parque Nacional Sangay
CHIMBORAZO
Guamote
Pallatanga
GUAYAS
Volcán Sangay
Palmira
Naranjito
Bucay
Cumandá
Alausí
Panaméricaine
El Triunfo
Chunchi
Macas
La Troncal
CAÑAR
Sucúa
Zhud
MORONA SANTIAGO
Tambo
Cañar
Ingapirca
Cuenca
0
30
60km
Zamora
Biblián
AZUAY
Azogues
© ULYSSE

Lasso

Lasso est un petit village sans intérêt qui doit son nom à la famille qui habitait jadis cette région à l'époque de la colonisation. En effet, la famille Lasso était tellement puissante que ses terres s'étendaient depuis Quito jusqu'à la ville d'Ambato. L'Hostería la Ciénaga (voir p 162) appartient toujours à la famille Lasso et constitue sans doute le seul attrait du village.

Saquisilí ★

Une dizaine de kilomètres avant Latacunga s'étend la petite bourgade de Saquisilí. Chaque jeudi, celle-ci s'anime et devient, à l'heure du **marché**, l'un des endroits les plus courus de la région. Il s'agit d'un marché moins fréquenté par les touristes mais plus authentique : davantage d'animaux et de produits d'artisanat, consommés surtout par la population autochtone. Certains vont même jusqu'à dire que ce marché est plus intéressant que celui d'Otavalo. Pour les personnes à recherche de pittoresque, l'ambiance du marché de Saquilisí justifie à elle seule le déplacement.

Latacunga

À environ 80 km au sud de Quito, Latacunga, capitale de la province de Cotopaxi, surplombe la route panaméricaine à une altitude de 2 850 m et refuse de disparaître malgré les éruptions destructrices du volcan Cotopaxi. À trois reprises, en 1742, en 1768, puis en 1877, le volcan s'est réveillé brutalement et a déversé sa fureur ravageuse sur la petite bourgade de Latacunga, l'anéantissant à chaque fois. Elle a su conserver son cachet colonial espagnol grâce à ses maisons blanches construites à partir de blocs de lave grise du volcan Cotopaxi et à ses églises. Ainsi, il est agréable de déambuler parmi les rues du centre, où une sorte de torpeur engourdit les demeures coloniales. Cependant, dès que l'on quitte les rues du centre, les maisons ont une allure moderne et sont dénuées de tout charme.

Si vous prévoyez explorer le parc national du Cotopaxi, le marché de Saquisilí ou de Pujilí, la ville de Latacunga représente un choix intéressant comme point de départ. De Quito, le trajet jusqu'à Latacunga est tout à fait remarquable; en effet, la route panaméricaine passe au pied de nombreux volcans, formant, selon l'expression d'Alexander von Humboldt, l'«Avenue des Volcans». De Latacunga, si le ciel est dégagé, vous aurez peut-être la chance d'observer le volcan Cotopaxi, qui dresse sa magnifique silhouette à l'horizon.

Le **marché** du samedi, qui se tient sur la Plaza San Sebastían, constitue l'attrait principal de la ville. On y trouve des produits de toutes sortes tels que des objets d'artisanat (bijoux, accessoires), des fruits, des légumes et, bien sûr, des vêtements typiques de laine, tissés selon une technique propre aux artisans d'Otavalo. Un deuxième **marché** a lieu le mardi et anime aussi les rues de la ville. On y trouve cependant peu de produits d'artisanat, mais une quantité incroyable de fruits, d'épices et de légumes.

Chaque année, le 24 septembre, on célèbre la **Mama Negra**. Une fête populaire locale est alors organisée pour honorer la Virgen de la Merced et donne lieu à de grandes réjouissances.

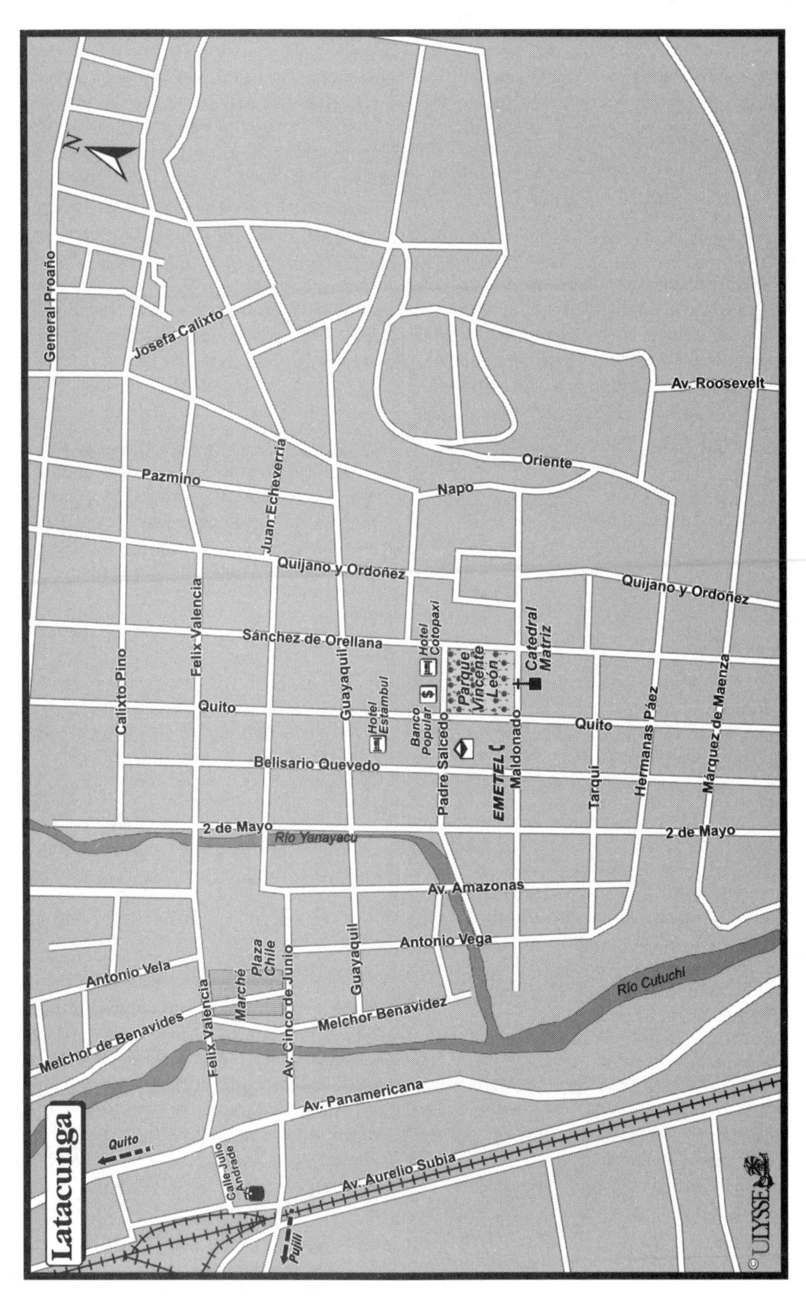
Latacunga
N
General Proaño
Josefa Calixto
Av. Roosevelt
Oriente
Napo
Pazmino
Juan Echeverria
Quijano y Ordoñez
Quijano y Ordoñez
Sánchez de Orellana
Hotel Cotopaxi
Calixto Pino
Felix Valencia
Guayaquil
Hotel Estambul
Banco Popular
Parque Vincente León
Catedral Matriz
Quito
Quito
Belisario Quevedo
Padre Salcedo
EMETEL
Maldonado
Tarqui
Hermanas Páez
Márquez de Maenza
2 de Mayo
2 de Mayo
Río Yanayacu
Av. Amazonas
Antonio Vega
Antonio Vela
Plaza Chile
Marché
Av. Cinco de Junio
Guayaquil
Melchor Benavidez
Melchor de Benavides
Felix Valencia
Río Cutuchi
Av. Panamericana
Quito
Calle Julio Andrade
Av. Aurelio Subia
Pujilí
© ULYSSE

À cette occasion, en effet, la ville tout entière s'embrase soudain dans une explosion de couleurs et de musiques, tandis qu'une foule de danseurs costumés s'empare des rues de la ville.

Le **Parque Vicente León** est dominé par de grands arbres et couvert de jolies fleurs. Il s'agit d'un bon endroit où souffler un peu avant de continuer son chemin. En face du Parque Vicente León se dresse la **Catedral Matriz**. Érigée au XVIIe siècle, cette cathédrale, d'architecture classique, présente un intérieur d'une grande sobriété, rehaussé d'un beau retable. Elle mérite une visite.

Pujilí

À environ 10 km à l'ouest de Latacunga, la pittoresque mais pauvre bourgade de Pujilí s'éparpille sans ordre dans les Andes et s'anime lors de son traditionnel **marché** dominical. Ceux et celles qui sont à la recherche d'un petit marché épargné par la présence de nombreux touristes y trouveront leur compte. Son église, bâtie avec de la pierre volcanique, vaut aussi le détour. Pujilí fut gravement endommagée par un séisme vers la fin du mois de mars 1996, et les travaux de reconstruction sont toujours en cours.

Zumbahua

Les voyageurs qui voulent sortir des sentiers battus peuvent se rendre à cet autre petit village amérindien qu'est Zumbahua, disséminé dans les andes équatoriennes à une soixantaine de kilomètres à l'ouest de Pujilí. Il présente en effet un intérêt certain grâce à son pittoresque **marché** du samedi. De plus, il s'agit de l'un des rares endroits en Équateur où l'on peut toujours apercevoir des lamas. Après avoir visité le marché, ne manquez surtout pas d'aller admirer le superbe **Laguna de Quilotoa ★★★** (voir p 160). Si vous disposez de suffisamment de temps, le parcours pour se rendre au lac demande environ cinq heures de marche depuis le village. Sinon, il est possible de louer un véhicule à partir de Zumbahua.

Chugchilán

Cet autre charmant mais pauvre et petit village amérindien est situé à environ 35 km au nord de Zumbahua, passé le lac Quilotoa, encore plus loin des sentiers battus et qui semble s'être endormi dans les sommets des montagnes. On s'y rend pour le simple plaisir de communier avec la nature et d'apprécier la splendeur des paysages, qui vous laisseront tout simplement bouche bée d'admiration. Même si Chugchilán dispose de peu d'infrastructure touristique, il représente néanmoins un point de départ intéressant pour ceux qui veulent observer le lac Quilotoa et ses environs.

San Miguel de Salcedo

En continuant votre route vers le sud, moins de 15 km après avoir quitté la ville de Latacunga, vous aboutirez à la petite bourgade de San Miguel de Salcedo : la «capitale de la crème glacée». En effet, malgré la petite taille de la ville, de nombreux petits commerces sont disposés un peu partout à travers les rues. Si vous êtes en manque de sucre, il s'agit d'un endroit idéal pour s'arrêter sur l'«Avenue des Volcans».

Ambato

Ambato se situe sur la route panaméricaine à 2 500 m d'altitude et à 140 km au sud de Quito. Il ne sert à rien de rechercher le passé colonial de cette ville, car elle fut la triste victime des ravages causés par le séisme de 1949. Ambato est donc une ville d'allure plutôt moderne qui fut reconstruite sur ses propres ruines. Comptant plus de 150 000 habitants, elle détient le titre de la quatrième plus grande ville de l'Équateur. L'atmosphère de la ville s'enflamme et s'anime chaque année, au mois de février, lors de sa célèbre **Fiesta de Flores y Frutas**. Durant cette période de festivités, les rues de la ville sont entièrement décorées de fleurs et envahies par une foule d'artisans et de commerçants, et il est pratiquement impossible de se procurer une chambre d'hôtel à moins de l'avoir réservée à l'avance. La Fiesta de Flores y Frutas fut créée à la suite du séisme qui frappa la ville en 1949 et inaugurée deux ans plus tard, le 17 février 1951.

Ambato est aussi la patrie de quelques personnages célèbres qui, à leur façon, ont marqué l'histoire de l'Équateur, entre autres l'auteur de l'hymne national du pays, Juan León Mera, l'écrivain Juan Montalvo, bien connu pour avoir dénoncé les injustices commises envers le peuple, et Juan Benigno Vela, un homme politique qui, avec passion, a défendu la cause des pauvres.

Juan León Mera vit le jour à Ambato le 28 juin 1832. Au cours de son existence, il fut connu non seulement comme l'auteur de l'hymne national de l'Équateur, qu'il composa en 1865, mais aussi en tant qu'autodidacte, poète, écrivain et homme politique. Il mourut à l'âge de 61 ans le 13 décembre 1894.

Juan Montalvo est né la même année que Juan León Mera, mais quelques mois avant lui, soit le 13 avril, et fut un révolutionnaire célèbre. Doué pour les langues, il devint d'abord polyglotte en apprenant l'anglais, l'italien, le français, le grec et le latin. En 1858, il séjourna en Europe, en particulier à Paris, pour revenir en Équateur deux ans plus tard afin de contester farouchement avec sa plume le régime du président García Moreno. De ce fait, Montalvo fut contraint de s'exiler temporairement et retourna en Europe. À la suite du décès de García Moreno, il revint s'installer dans sa ville natale et mit aussitôt sa plume au service des pauvres et des démunis. Il mourut à Paris le 17 janvier 1889, quelque 100 ans après la Révolution française.

Un peu plus jeune que ses concitoyens d'Ambato, Juan Benigno Vela y est né le 9 juillet 1843. Il fut lui aussi un homme politique libéral, un journaliste, un grand orateur et un admirateur de Juan Montalvo. Il est mort dans sa ville natale en 1920 à l'âge de 77 ans.

Le **Museo de Fotografía Zoológica y Botánica** *(horaire variable; Calle Sucre, face au Parque Cevallos)* expose des collections photographiques et zoologiques thématiques sur l'Équateur. On peut y observer d'innombrables animaux empaillés, dont certains sont complètement difformes et présentent même de curieuses anomalies morphologiques, chacune étant un cas d'espèce (on y trouve par exemple un porc à deux têtes), ainsi qu'une jolie collection de photos prises au début du siècle par un alpiniste andin équatorien.

La **Quinta de Juan León Mera** ★ est l'ancienne demeure de l'écrivain équatorien Juan León Mera (voir ci-dessus). Des sentiers pédestres descendant jusqu'au Río Ambato ont été aménagés au milieu d'une végétation verdoyante sur une superficie de 5 ha. À l'intérieur de la demeure, on peut visiter toutes les pièces, dont certains meubles sont des originaux. Remarquez en particulier ceux qui ornent la chambre à coucher.

L'**ancienne maison de l'écrivain Juan Montalvo** ★ *(Calle Montalvo et Calle Bolívar)* mérite aussi un déplacement. On y trouve des meubles et des vêtements lui ayant appartenu.

Le **marché** d'Ambato, qui se tient tous les lundis, réussit à drainer les habitants de la région environnante. Toutefois, deux autres **marchés**, plus petits que celui du lundi, ont lieu les mercredis et les vendredis.

Salasaca

Ce petit village amérindien pauvre se trouve à une dizaine de kilomètres d'Ambato, sur la route de Baños, et compte environ 10 000 habitants, dont près de 70 % d'entre eux vivent de l'artisanat. Leur incroyable dextérité, qui s'exerce en particulier dans la fabrication de textiles aux motifs précolombiens, leur vaut d'être comparés aux Otavaleños. Cette communauté amérindienne vivait autrefois en Bolivie avant d'être asservie, puis arrachée de ses terres ancestrales par les Incas au milieu du XIIIe siècle. Salasaca se distingue aussi par le particularisme culturel de ses habitants, vêtus de ponchos noirs et de pantalons blancs. Au dire de certains, la sobriété de leur tenue vestimentaire est un signe de respect que les habitants de Salasaca manifestent en souvenir de leur ancien Inca, Atahualpa, et de son attitude héroïque devant la mort.

Pelileo

Tout juste avant d'arriver à Baños, on traverse le petit village de Pelileo, qui n'a pas survécu aux nombreux séismes qui l'ont anéanti à plusieurs reprises au cours des siècles, la dernière fois en 1949. Pelileo est l'endroit en Équateur où l'on fabrique des jeans dans toutes sortes de formats et de styles. De plus, son **marché** du samedi attire quelques curieux; la route qui descend vers Baños en zigzaguant sur les flancs du volcan Tungurahua offre aux voyageurs des paysages de rêve qui les laisseront tout simplement pantois d'admiration.

Baños ★★★

Située à 1 900 m d'altitude, Baños doit son nom aux bains thermaux qui se trouvent sur son territoire et qui prennent leur source au pied du volcan Tungurahua. Géographiquement, cette ville d'environ 20 000 habitants occupe une position clé, car elle est à la fois une porte de sortie vers la région de l'Oriente et une porte d'entrée de la région de la Sierra. Bon nombre de voyageurs s'y arrêtent brièvement avant de poursuivre leur chemin vers l'une ou l'autre de ces deux régions.

Toutefois, l'endroit s'avère idéal pour se détendre pendant quelque temps et se repaître de la beauté des paysages de montagne enchâssés dans la verdure. Grâce à sa situation, au cœur des Andes, Baños peut facilement servir de base pour explorer la région. Que ce soit pour escalader les pentes du **vol-**

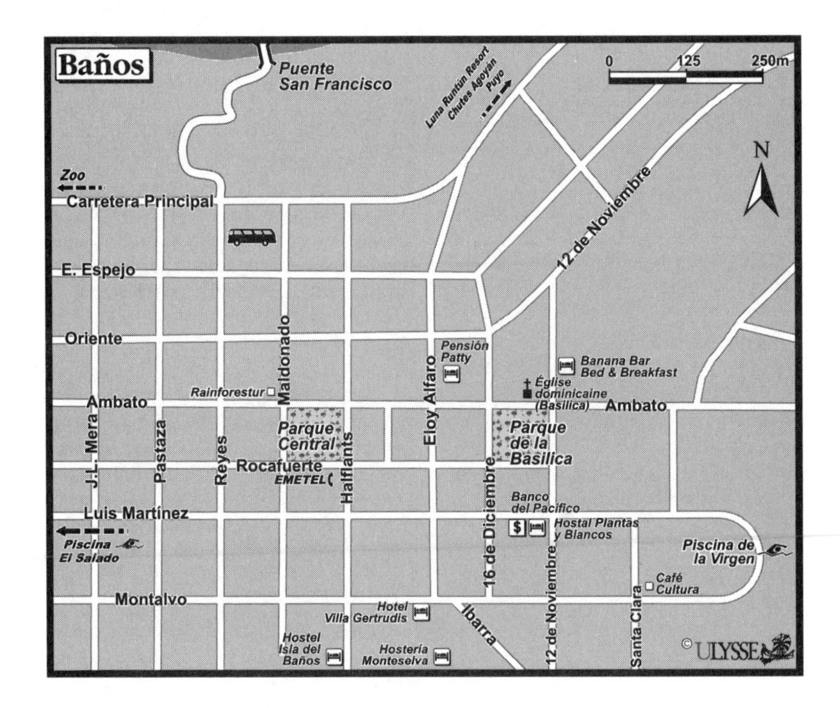

can Tungurahua (voir p 160), pour visiter les petits villages amérindiens tels que Salasaca ou simplement pour s'arrêter quelques jours avant de poursuivre sa route, Baños a les qualités d'une ville tranquille, sécuritaire et sympathique. Les fins de semaine, la ville s'anime et attire de nombreux Équatoriens avides de se reposer eux aussi dans ce lieu privilégié. Chaque année, le 15 décembre, la ville célèbre l'anniversaire de sa fondation. Ce jour-là, ainsi que le lendemain, on y organise une grande parade, et toute la ville prend part à ces réjouissances qui se déroulent au rythme de la musique folklorique locale.

Si vous comptez vous décontracter et vous relaxer dans les **bains** de la ville, il est préférable d'arriver très tôt dans la matinée (5 h 30 ou 6 h), car, à cette heure matinale, l'eau y est nettement plus propre. Plus tard dans la journée, l'eau risque d'être plus souillée, en raison du grand nombre de personnes à s'y être baignées. Tous les bains ouvrent leurs portes vers 5 h. Le droit d'entrée s'élève à environ 1 $ pour chaque bain.

Le plus populaire de ceux-ci est sans doute la **Piscina de la Virgen** *(en face de l'hôtel Sangay, sous la gigantesque chute d'eau)*, qui dispose de nombreuses piscines, chacune présentant un niveau de température différent.

À côté de la Piscina de la Virgen s'étendent les **Piscinas Municipales Modernas**.

Le bain appelé «**El Salado**» *(à quelques kilomètres à l'ouest de la ville)* se révèle moins populaire auprès des voyageurs, mais n'en demeure pas moins intéressant.

L'**église dominicaine** fut érigée en l'honneur de la Virgen del Agua Santa. À l'intérieur, les murs sont couverts de tableaux qui relatent les nombreux miracles attribués à la vierge. Chaque année, de nombreux Équatoriens viennent lui rendre hommage.

Le **Zoo** *(0,25 $; horaire variable)* de Baños suscite contreverse et indignation. À notre avis, il est inconcevable qu'on puisse garder de façon confinée autant d'animaux sauvages contre leur gré pour le seul plaisir des touristes et des voyagistes. D'autres personnes trouvent le zoo divertissant. Jugez-en par vous-même...

En vous dirigeant vers Puyo, si vous franchissez une distance d'environ 8 km, vous aboutirez aux **chutes Agoyán**. Sur votre route, les plaisirs de la découverte vous mèneront au sentier du **Pailón del Diablo**. Le sentier s'enfonce dans la forêt jusqu'à un pittoresque **pont suspendu** ★★ d'où l'on peut apercevoir les **chutes du Río Verde**.

Riobamba ★★

Capitale de la province de Chimborazo, Riobamba se trouve à près de 200 km de Quito et à 300 m de Cuenca, à une altitude de 2 700 m. Selon les annales de l'histoire, la ville fut fondée par Diego de Almagro en 1534. Toutefois, en 1797, un puissant séisme rasa entièrement la ville qui, fut par la suite reconstruite à environ 25 km à l'est de son emplacement original : Cajabamba. Riobamba jouit d'une position géographique intéressante, car elle est entourée de magnifiques sommets avec, entre autres, le plus haut volcan de l'Équateur, le **volcan Chimborazo**, qui culmine à 6 310 m (voir p 161). D'autres sommets, non moins intéressants, se trouvent réunis dans le **parc national Sangay** (voir p 160), qui regroupe le **volcan Sangay** (voir p 160) et le **volcan Altar**(voir p 160), lesquels combleront les attentes des amateurs d'alpinisme. Toutefois, avant de vous aventurer dans ces lieux, consultez une bonne agence (voir p 56).

Par ailleurs, une promenade à travers les rues de Riobamba ramène les voyageurs une centaine d'années plus tôt et laisse à l'esprit le souvenir vivant d'une ville riche de son passé colonial et au charme indéniable. Les voyageurs se rendent également à Riobamba dans le but de prendre le **train** ★★★ qui les mènera jusqu'à Alausí.

L'histoire du train en Équateur remonte à un peu plus de 200 ans, mais son avenir semble très incertain en raison du vieillissement des infrastructures, des inondations et des séismes qui menacent l'ensemble du réseau, et des éboulements fréquents en altitude qui risquent d'obstruer les voies. À l'origine, on voulait relier par chemin de fer la Sierra à la Costa afin de pouvoir acheminer, d'un point à l'autre, des marchandises. Il y a donc une seule ligne de chemin de fer transandine en Équateur : la ligne Quito-Ambato-Riobamba, avec arrêt obligatoire à Riobam-

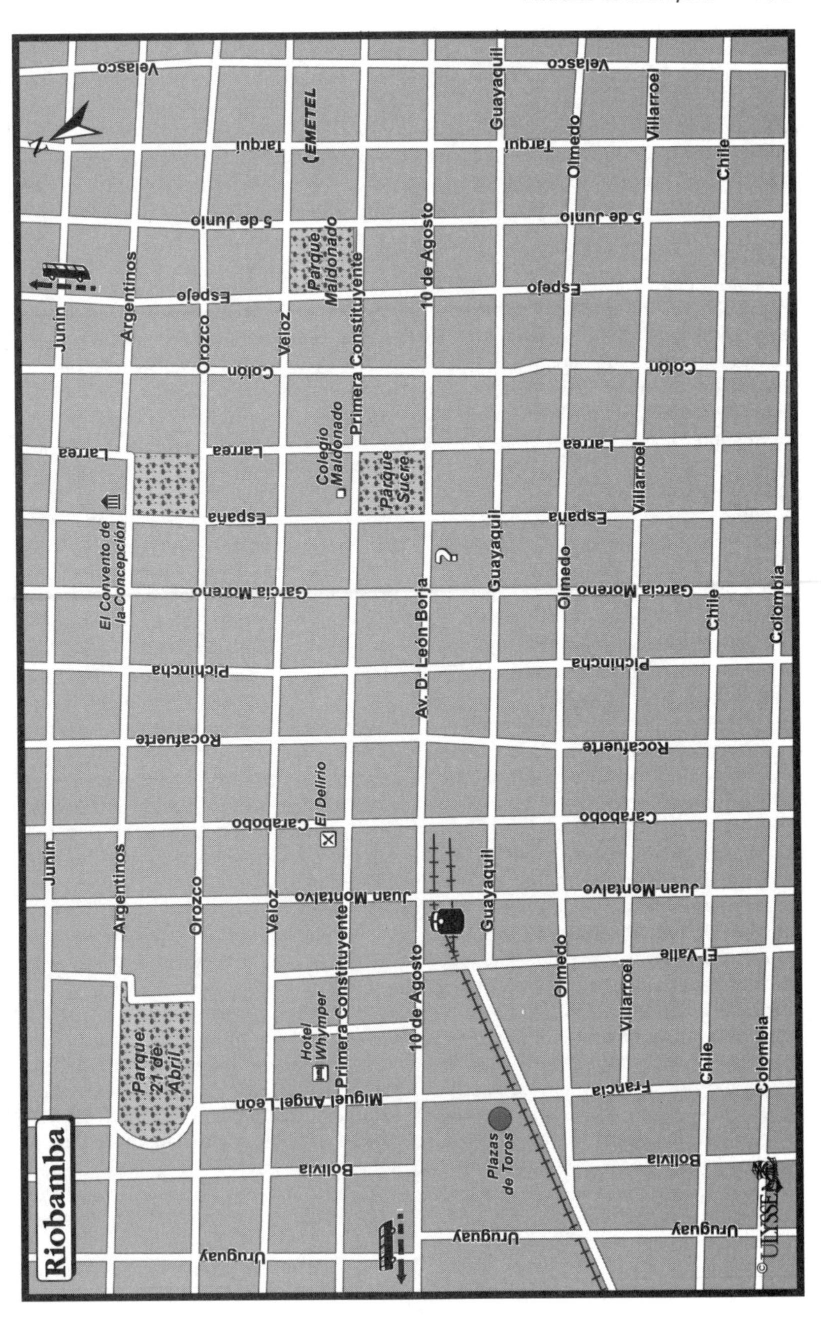
Riobamba
Velasco
Tarqui
5 de Junio
Espejo
Colón
Larrea
España
García Moreno
Pichincha
Rocafuerte
Carabobo
Juan Montalvo
El Valle
Miguel Angel León
Francia
Bolivia
Uruguay
Junín
Argentinos
Orozco
Veloz
Primera Constituyente
10 de Agosto
Av. D. León Borja
Guayaquil
Olmedo
Villarroel
Chile
Colombia
EMETEL
Parque Maldonado
Colegio Maldonado
Parque Sucre
El Convento de la Concepción
El Delirio
Hotel Whymper
Parque 21 de Abril
Plazas de Toros
© ULYSSE

ba, puis le tronçon Riobamba-Alausí-Guayaquil, soit une longueur totale pour les deux tronçons de 465 km, exception faite de l'*autoferro*, une ligne particulière d'autobus montés sur rails qui font un trajet transandin au nord de la capitale.

Aujourd'hui, bien que bon nombre d'Équatoriens utilisent ce mode de transport, la plupart préfèrent utiliser les routes ou les lignes aériennes. En effet, les sièges des trains sont généralement occupés par de nombreux touristes venus admirer les paysages grandioses des Andes tout en voyageant à une vitesse d'à peine 30 km/h. Les meilleures places se trouvent sur le toit des wagons.

Le train débute son trajet le samedi matin à Quito, vers 8 h, mais doit obligatoirement s'arrêter à Riobamba. Le lendemain, le train repart tout juste avant l'aube entre 6 h et 7 h. Le tronçon entre Riobamba et Alausí n'est pas aussi pittoresque que celui entre Alausí et Bucay, car, sur ce dernier tronçon, on passe d'une altitude de 2 800 m à 300 m sur un parcours de seulement 55 km! Toutefois, si vous comptez vous asseoir dès votre départ de Riobamba sur le toit du wagon, habillez-vous chaudement, car les pluies sont fraîches et fréquentes et la brise y est souvent cinglante. Si vous prévoyez monter à l'intérieur du wagon pour le tronçon Riobamba-Alausí, il y a de fortes chances que vous ne puissiez prendre place ensuite sur le toit des wagons en raison des nombreux voyageurs qui s'y sont déjà installés depuis Riobamba. Par ailleurs, Metropolitan Touring organise des excursions de trois jours combinant la visite de quelques marchés amérindiens, la nuitée à Riobamba, puis le trajet avec son propre wagon, attelé à l'arrière du dernier wagon jusqu'à Bucay, où un autocar vous conduira à Cuenca pour la visite de la ville et ses environs, d'où finalement vous reviendrez à Quito par avion. Si cela vous intéresse, communiquez avec cette agence *(Quito, Avenida Republica del Salvador 970, ☎ 02-463-680, ⇄ 464-702)*. Le seul inconvénient, c'est que vous ne pouvez pas prendre place sur le toit du wagon de Metropolitan. Toutefois, s'il y a de la place, une fois que vous serez arrivé à Alausí, tentez de vous faufiler sur le toit des autres wagons.

Bref historique du train transandin

Cette liaison ferroviaire fut inaugurée au tout début du XXe siècle, en 1908, mais le service fut interrompu à la suite des nombreuses averses qui inondèrent la région en 1983. Pour le grand plaisir des voyageurs, la ligne fut restaurée au début des années quatre-vingt-dix. Depuis lors, chaque année, de nombreux curieux en quête de sensations fortes viennent admirer le spectacle grandiose qui s'offre sous leurs yeux. En effet, après avoir quitté Riobamba à 2 800 m d'altiude, le train poursuit nonchalamment son chemin jusqu'à Cajabamba, où il atteint 3 167 m pour descendre légèrement à 3 048 m au village de Guamote, avant de remonter jusqu'à 3 239 m à Palmira pour ensuite redescendre à Alausí, à 2 814 m d'altitude. Le train fait halte de 10 min à 20 min selon la quantité de marchandises à embarquer, puis il circule au bord des précipices, longe les parois abruptes des montagnes, descend sur les flancs des Andes, franchit quelques tunnels et traverse des cours d'eau pour terminer sa course à Durán, tout près de Guayaquil, sur la côte du Pacifique. Le point culminant du voyage est sans conteste le cul-de-sac dans lequel le train s'engage, puis s'arrête, avant de repartir en sens inverse, effectuant de la sorte un virage en épingle à cheveux très serré, dénommé «Narriz del Diablo» (Nez du Diable), peu après Alausí.

Arrivez tôt, car, en général, il n'y a qu'un seul départ par jour, et les places sont limitées. Les billets sont vendus à partir de 5 h du matin pour un départ qui a lieu entre 6 h et 7 h. Le trajet dure de 10 à 12 heures.

Aux alentours de 1860, quelques esquisses de tracé ferroviaire entre Quito et Guayaquil furent ébauchées, mais furent vite mises de côté. En 1895, alors qu'Eloy Alfaro est au pouvoir, l'Équateur engage quelques techniciens nord-américains dans le but de construire ce qui, à l'époque, fut appelé «la ligne de chemin de fer la plus périlleuse du monde». C'est ainsi que, quelques années plus tard, en 1899, les premiers kilomètres de rails furent posés à Guayaquil. La construction allait bon train, et l'on avait atteint plusieurs villages, entres autre Naranjito, Barraganetal et Bucay. Cependant, lorsque les travailleurs grimpèrent sur les flancs abrupts des Andes, ils se butèrent, peu avant d'arriver à Alausí, à un obstacle de taille : une muraille rocheuse quasi verticale, un passage appelé «Narriz del Diablo». Les raisons qui motivèrent les gens à désigner cette formation rocheuse sous l'appellation de «Narriz del Diablo» sont simples. Indépendamment de sa forme bizarre et de sa situation en haut des montagnes, ce lieu arracha la vie de plusieurs ouvriers pendant la construction pour arriver à franchir cet obstacle de taille.

Ce trajet particulièrement accidenté aboutit pour la première fois à la ville d'Alausí en septembre 1902 et permet aux voyageurs de contempler les paysages les plus spectaculaire de ce parcours. Près de trois ans plus tard, soit en juillet 1905, le train atteint la ville de Riobamba. La même année, il franchit le point le plus élevé de son parcours à Urbina, à 3 604 m d'altitude, et parvient à sa destination finale, Quito, le 25 juin 1908.

Quelques années plus tard, en septembre 1915, les travaux de construction commencèrent sur le tronçon Sibambe-Cuenca, lequel fut inauguré seulement le 6 mars 1965. Malheureusement, la liaison fut interrompue au début des années quatre-vingt-dix à cause des inondations.

Devant l'église San Antonio de Padua, en gravissant les marches qui aboutissent au **Parque 21 de Abril** *(Calle Argentinos)*, vous pourrez admirer une superbe murale illustrant l'histoire de l'Équateur à l'aide de personnages de différentes époques. Continuez de monter les marches, et baladez-vous à votre guise tout en jetant un coup d'œil à votre droite, d'où vous pourrez jouir d'une très jolie vue sur la ville et ses environs. Si le ciel est dégagé, vous aurez peut-être la chance d'observer les majestueux volcans qui dressent leur silhouette caractéristique à l'horizon, entre autres le Chimborazo et l'Altar.

Le **Colegio Maldonado** a une importance non négligeable pour les amateurs de patrimoine historique. En effet, il s'agit de l'endroit où fut signée la première constitution de l'Équateur, en 1830.

El Convento de la Concepción ★ *(2 $; mar-sam 9 h à 12 h et 14 h à 18 h)* a été reconverti en musée et présente différents objets, tableaux et sculptures à caractère religieux datant de l'époque coloniale.

Riobamba s'enorgueillit d'avoir donné le jour à des personnages qui ont marqué l'histoire de l'Équateur, notamment le scientifique Pedro Vicente Maldonado, né à Riobamba en 1704 et mort en 1748, encore jeune, à l'âge de 44 ans. Il assista Charles Marie de La Condamine lorsque ce dernier calcula l'aplatissement de la Terre. Maldonado, mathématicien et géographe, fut de plus considéré comme un grand intellectuel.

Tous les samedis, le **marché** amérindien anime les rues de la ville et attire nombre d'habitants de la région.

Guaranda

La ville de Guaranda fut anéantie en même temps que celle de Riobamba lors du terrible séisme de 1797. Quelques années plus tard, en 1802, un grand incendie défigura encore davantage le visage de la ville, avant qu'elle ne soit complètement reconstruite. Aujourd'hui, ayant peu d'attraits, Guaranda n'offre rien de particulier au voyageur outre son **marché** du samedi. Cependant, la route qui mène à ce village amérindien, depuis Ambato, présente aux voyageurs des paysages grandioses qui justifient à eux seuls le déplacement.

Guano

Un crochet vers le nord permet aux voyageurs qui sont à la recherche d'une idée de cadeau originale d'apprendre que les habitants du petit village de Guano se spécialisent dans la fabrication de tapis en tout genre. La plupart de ses boutiques sont disposées autour de son parc central et de son église.

Cajabamba

Ce pauvre et petit village amérindien situé à l'ouest de Riobamba se trouve à l'emplacement initial où, en 1534, la ville de Riobamba fut fondée. Toutefois, en 1797, la ville fut anéantie par un puissant tremblement de terre. Aujourd'hui, Cajamba, construit sur les ruines de l'ancienne ville de Riobamba, se distingue par son pittoresque **marché** du dimanche. Par ailleurs, à quelques kilomètres du village, se dresse **La Balbanera** ★. Érigée en 1534, cette chapelle est la plus ancienne au pays.

Guamote

Une vingtaine de kilomètres au sud de Cajabamba s'étend Guamote, encore un sympathique petit bourg qui se distingue par son **marché** coloré, le jeudi celui-là. En effet, ce bourg attire tous les jeudis les nombreux Amérindiens des alentours venus exposer et vendre leurs créations artisanales entremêlées de fruits et de légumes.

Santa Teresita

Près de Guano, Santa Teresita, une pittoresque et typique bourgade andine, vaut le déplacement, ne serait-ce que pour avoir le plaisir de se tremper dans ses eaux thermales, dont la température, assez fraîche, se maintient en permanence autour de 20 °C, afin de revigorer à la fois son corps et son esprit. Ensuite, habillez-vous chaudement, puis allez admirer en toute quiétude les paysages spectaculaires qui s'offrent à votre regard tout autour du village.

Alausí ★★★

Entourée de magnifiques montagnes, Alausí se situe à un peu plus de 150 km au sud de Riobamba et à une quarantaine de kilomètres au sud de Guamote. La plupart des voyageurs qui passent par Alausí y viennent pour prendre le **train qui circule à travers les Andes jusqu'à Durán ★★★**, un petit bourg en banlieue de Guayaquil. Le trajet entre Alausí et Durán est considéré par beaucoup de visiteurs comme l'un des voyages en train les plus spectaculaires du monde (voir p 156). Le **marché** qui s'y tient chaque dimanche attire également quelques voyageurs friands de couleurs locales.

PARCS

Reserva Pasochoa ★★

Outre le volcan éteint Pasochoa, la Reserva Pasachoa, qui se situe à quelque 40 km au sud de Quito, abrite plus de 120 espèces d'oiseaux bien acclimatées au milieu tropical humide que leur offre la réserve. Celle-ci est administrée par l'organisme non gouvernemental **Fundación Natura** *(Avenida America 5653 et Voz Andes, Quito, ☎ 02-447-343)*. L'accès à la réserve coûte environ 8 $. Le camping y est permis moyennant une somme d'environ 10 $ par jour.

Parque Nacional Cotopaxi ★★★

Décrété parc national en 1975, le **Parque Nacional Cotopaxi** *(droit d'entrée 8 $)* s'étend sur une superficie de plus de 32 000 ha et abrite bon nombre d'espèces ailées telles que le condor et le colibri. En outre, des lamas, des renards, des pumas et des ours se partagent le vaste territoire de ce parc naturel.

Le sommet du volcan Cotopaxi fut atteint pour la première fois le 28 novembre 1872 par l'Allemand Wilhelm Reiss. Depuis lors, chaque année, bon nombre d'adeptes de l'escalade en haute montagne s'attaquent à son cône glacé presque parfait. Même si la dernière éruption volcanique remonte à 1882, alors qu'elle détruisit une bonne partie de la ville de Latacunga, ce volcan est encore actif. Toutefois, aucune manifestation violente ne s'est produite depuis lors. On a néanmoins observé une activité modérée en 1975, laquelle s'est traduite par des fumerolles et quelques secousses. Le Cotopaxi compte parmi les volcans actifs les plus élevés du monde (5 897 m d'altitude). On peut conclure que ce volcan, bien que peu actif ces 100 dernières années, peut à tout moment entrer en éruption et représente, par conséquent, une menace toujours présente pour les habitants qui vivent à proximité.

Par ailleurs, on peut presque se rendre au refuge en automobile. De là, selon votre expérience des escalades andines, comptez entre 6 et 9 heures d'ascension avant d'atteindre la cime.

À l'intérieur du parc s'étend l'**Aera Nacional de Recreación el Boliche ★★** *(droit d'entrée compris dans celui du parc)*. Cette aire récréative fut inaugurée afin d'aider à réintroduire dans le parc le cerf de Virginie. Des lamas en captivité peuvent en outre y être vus. Parmi les installations destinées aux visiteurs, il y a un centre d'information donnant un bref aperçu de la flore et de la faune qu'on trouve dans le parc. Par contre, aucun hôtel ni restaurant ne se trouvent à proximité. Seul un refuge est disponible. Par conséquent, apportez avec vous de la nourriture si vous comptez y séjourner.

Laguna de Quilotoa ★★★

Perchée à presque 4 000 m d'altitude, la **Laguna de Quilotoa** est un magnifique lac de couleur émeraude qui se love dans l'ancien cratère d'un volcan éteint, à une dizaine de kilomètres au nord du village de Zumbahua. En plus de vous offrir une vue saisissante sur le lac, vos efforts pour vous déplacer sur la crête parfaitement circulaire du cratère seront récompensés par le privilège d'admirer en toute quiétude les nombreuses cimes enneigées qui se découpent sur l'horizon ou qui se mirent paresseusement dans les eaux.

Parque Nacional Sangay ★★

Le Parque Nacional Sangay se trouve dans une région parmi les plus difficiles d'accès en Équateur. Il s'étend sur une superficie de 271 000 ha et englobe les volcans Sangay, Tungurahua et Altar. La flore change selon l'altitude et les régions; ainsi, on peut se promener dans une forêt tropicale humide, pour déboucher soudainement sur des plateaux froids et enneigés. Par ailleurs, un grand nombre d'amphibiens et de poissons fourmillent dans ses nombreux lacs et rivières. Sachez que la visite de ce parc nécessite une excellente condition physique, demande un minimum de huit jours de séjour et exige un minimum de cinq personnes : tous ceux qui souhaitent tenter l'aventure devraient consulter une bonne agence (voir p 56).

Le **volcan Sangay ★★**, qui culmine à 5 200 m d'altitude, représente pour les amateurs de sensations fortes un intéressant défi à relever. Au fur et à mesure que vous vous approcherez de son sommet, un grondement venu des profondeurs ira en s'intensifiant, et une odeur de soufre de plus en plus forte émoustillera vos narines.

Haut de 5 020 m, le **volcan Tungurahua ★★** constitue un excellent terrain d'entraînement avant l'ascension de plus hauts volcans tels que le Chimborazo, qui culmine à 6 310 m d'altitude. Néanmoins, il est dangereux de s'y aventurer sans être accompagné d'un guide qualifié.

Autrefois appelé «Capac Urcu», ce qui signifie «montagne majestueuse», le **volcan Altar ★★** reçut son nouveau nom à l'arrivée des conquistadors. Il culmine à 5 320 m et est sans doute l'un des sommets les plus difficiles à vaincre en Équateur. En effet, il fallut attendre jusqu'au 7 juillet 1963 pour qu'un groupe d'Italiens (Mariano Tremonti, Ferdinando Gaspard et Claudio Zardini) réussisse à atteindre sa cime. Toutefois, si vous êtes un alpiniste patient et expérimenté, l'Altar saura récompenser vos efforts par de magnifiques paysages, de même que par la vue sur des lacs aussi superbes que mystérieux. Chaque lac possède en effet une eau de couleur différente, soit bleue, verte, jaune, etc.

Marché de Riobamba : pittoresque et animé.

Un des paysages des Andes centrales qui vous laisseront pantois.

Volcán Chimborazo ★★★

Même si le Chimborazo (6 310 m) n'est plus considéré comme la montagne la plus élevée du monde, il demeure sans conteste le plus haut sommet des Andes équatoriennes. Précisons qu'autrefois les hauts sommets de la cordillère des Andes péruviennes et chiliennes, de même que ceux de la chaîne Himalayenne, n'étaient pas encore connus. Dès 1802, Alexander von Humboldt tenta à plusieurs reprises de gagner le haut sommet glacé du Chimborazo. Hélas, il n'y parvint jamais. Après de nombreux échecs successifs, il calcula qu'il avait gravi la cordillère jusqu'à une altitude de près de 5 880 m. Peu avant sa mort, en 1859, Humboldt se félicitait d'avoir été l'homme ayant atteint une altitude qu'aucun homme n'avait franchie avant lui. Cependant, une vingtaine d'années plus tard, le 4 janvier 1880, Edward Whymper détrôna le record de Humboldt pour avoir été le premier grimpeur à conquérir la cîme du Chimborazo, à 6 310 m.

Le Chimborazo récompense les efforts de ceux qui ont eu le courage, la patience et la témérité de gravir ses pentes jusqu'à son sommet par des paysages hors du commun pour lesquels on est vite à court de superlatifs.

Il existe deux refuges sur le sentier vers le sommet. Le deuxième refuge se trouve à 5 000 m d'altitude et constitue le plus haut refuge au pays. Avant que vous entrepreniez l'escalade du Chimborazo, il est très important que votre système cardiovasculaire se soit habitué à l'altitude. Prenez donc le temps de passer au moins quatre jours à 3 000 m au-dessus du niveau de la mer avant de partir en haute montagne, sinon vous risquez de souffrir du *soroche* (mal des montagnes).

Reserva Faunística Chimborazo ★

Située sur les flancs du majestueux volcan Chimborazo, la Reserva Faunística Chimborazo se distingue par son nombre de vigognes et de lamas, réintroduits dans un but de préservation et de reproduction. Colibris, condors et pumas cohabitent également dans cette réserve.

Laguna de Colta ★

Tout près de la ville de Cajabamba, une route enserre la jolie Laguna de Colta et permet d'observer tranquillement le paysage.

ACTIVITÉS DE PLEIN AIR

Andinisme

Voici les adresses de quelques agences dans la région qui vous fourniront d'utiles renseignements avant de vous aventurer en montagne.

Baños

Willie Navarete
Calle Luis Martínez 270

Rainforestur
Calle Ambato et Maldonado
☎ 03-740-423

Pensión Patty
Calle Eloy Alfaro 556

Riobamba

Marcelo Puruncajas
Colón 2225 et 10 de Agosto
☎ 03-940-963
⇄ 940-963

Vélo

Baños

Dans le centre-ville de Baños, vous pouvez facilement louer un vélo et pédaler jusqu'à la ville de Puyo. Cette petite balade vous fera apprécier les merveilles de la nature. Des paysages à couper le souffle, des vallées et des cours d'eau s'offriront de part et d'autre à votre regard. Une fois arrivé à destination, revenez à Baños en autocar, sur le toit duquel vous pourrez ranger votre vélo. Le trajet est long d'une soixantaine de kilomètres.

Location de vélos

Rainforestur
Calle Ambato et Maldonado
☎ 03-740-423

Hostal Plantas y Blancos
Calle Luis Martínez et 12 de Noviembre
☎ 03-740-044

Café Hood
Avenida 16 de Diciembre et Luis Martínez
☎ 03-740-516

Randonnée pédestre

Baños

En vous dirigeant vers le sud de la Calle Maldonado, vous arrivez à un petit sentier pédestre qui aboutit à la **croix de Bellavista**. Cette dernière porte très bien son nom, «Bellavista» signifiant «belle vue». En effet, la vue y est tout simplement magnifique!

HÉBERGEMENT

Lasso

À 4 km de la route panaméricaine, une voie cahotante et tortueuse, bordée de part et d'autre par de magnifiques eucalyptus centenaires se dressant avec une inexprimable beauté, mène à l'**Hostería la Ciénega** *(50 $; bp, ec, ℜ; à environ 10 km au nord de Latacunga, ☎ 03-719-052, ⇄ 719-182; réservations de Quito, Calle Cordero 1442 et Avenida Amazonas, ☎ 02-541-337, ⇄ 549-126)*. Fondée il y a plus de 350 ans, cette vieille hacienda est riche de son histoire et jouit d'un cadre enchanteur au sein de l'«Avenue des Volcans». Malheureusement, la splendeur de l'architecture du bâtiment principal ne parvient pas à s'exprimer jusqu'aux chambres. Il s'agit d'un bâtiment construit en pierre de taille; les murs intérieurs sont lambrissés, et les escaliers sont en pierre. Certaines chambres ont conservé quelques traces de leur passé, mais, en général, elles se veulent coquettes, bien meublées et bien équipées. Leurs murs sont les témoins muets d'un passé révolu, mais murmurent, à qui veut bien tendre l'oreille, les histoires des célèbres voyageurs qui y ont séjourné. Parmi ceux-ci figurent les scientifiques français et allemand, Charles Marie de La Condamine et Alexander von Humboldt.

Par ailleurs, on peut y louer des chevaux et se balader tranquillement sur son vaste terrain s'étendant sur 10 ha. De plus, des sentiers pédestres, un court de tennis et une salle de billard sont à la disposition des clients. Le service est sympathique mais relativement lent. Pour ceux qui veulent visiter les petits marchés des environs ou le parc national Cotopaxi, être hébergé ici peut être une expérience intéressante, mais un peu coûteuse. Si vous êtes en voiture et que vous circulez depuis Quito sur la route panaméricaine, juste avant d'arriver au petit village de Lasso, peu avant la station d'essence Texaco à gauche, tournez à droite. Si vous avez dépassé la station, revenez sur vos pas. Les autocars qui roulent sur la route panaméricaine vous laisseront à 4 km de l'*hostería*. Si vous choisissez cette dernière option, communiquez avec le personnel de l'hôtel afin qu'on vienne vous chercher. Finalement, le train depuis Quito passe par là tous les samedis matin, mais vous serez contraint de marcher quelques kilomètres pour vous rendre à l'hôtel; vérifiez l'horaire du train.

Latacunga

Les chambres d'hôtels de Latacunga sont modestement décorées et n'offrent qu'un confort limité ainsi qu'une propreté parfois douteuse. Ceux qui désirent un peu plus de luxe et qui disposent d'un bon budget peuvent choisir des hôtels situés un peu à l'extérieur de la ville : soit au sud, dans la ville de Salcedo, à l'Hostería Rumipamba de las Rosas, ou, au nord, dans le petit village de Lasso, à l'Hostería la Ciénega.

Situées tout près du marché, les chambres de l'**Hotel Cotopaxi** *(8 $; ℜ; Parque Vicente León, ☎ 03-801-310)* manquent de charme certes, mais elles conviendront parfaitement aux personnes qui souhaitent ne s'y arrêter qu'une seule nuit. En revanche, certaines chambres offrent tout de même une jolie vue sur le Parque Vicente León.

L'**Hotel Estambul** *(12 $; Calle Belisario Quevedo 7340 et Salcedo, ☎ 03-800-354)* est sans doute l'un des meilleurs hôtels économiques de Latacunga. Ses chambres sont assez propres, et le personnel souriant peut même vous organiser des excursions dans la région.

Face à la coopérative d'autocars Cotopaxi, l'**Hostal Quilotoa** *(12 $; ec; route panaméricaine, ☎ 03-800-099)* propose de petites chambres bruyantes qui s'avèrent relativement propres. Sa situation, sur la route panaméricaine, peut présenter un avantage pour certaines personnes qui souhaitent se lever tôt pour prendre l'autocar.

San Miguel de Salcedo

Dès votre arrivée à l'**Hostería Rumipamba de las Rosas** *(60 $; ℜ, bp, ec, ≈; route panaméricaine Sud, à 10 km au sud de Latacunga, ☎ 03-726-128, 726-306 ou 727-103; réservations de Quito, Calle Orellana 1811, Edificio El Cid, ☎ 02-507-121 ou 568-884)*, vous remarquerez une ancienne, charmante et imposante caisse enregistreuse qui orne sa réception, vous donnant ainsi un aperçu du pittoresque, mais sans outrance, qui vous attend dans les chambres. En effet, les murs de celles-ci sont toutes décorés de façons différentes avec de vieux instruments aratoires et d'autres antiquités originales. Tenu par un Français, cet établissement est un lieu de repos idéal, propice à la détente et situé sur la route passant à travers la cordillère des Andes. Derrière l'hôtel, un jardin de cactus géants permet aux clients de se balader à leur guise après une journée de route ou d'escalade. On y loue même des chevaux pour aller explorer les environs. Une piscine et des courts de tennis complètent les installations de l'hôtel. Le personnel est sympathique et attentionné.

Zumbahua

Ceux qui ont la folie des hauteurs et qui veulent s'offrir un séjour pittoresque à prix économique ont rendez-vous à 3 854 m d'altitude aux **Cabañas Quilotoa** *(8 $; ℜ; ☎ 03-812-044)*. Le personnel courtois peut vous organiser des excursions dans la région. La cuisine se compose des plats traditionnels, et le foyer du salon réchauffe les nuits froides des hauts plateaux andins. Pour y accéder, rendez-vous d'abord à Latacunga. De là, des autocars partent pratiquement aux heures pour Zumbahua.

Chugchilán

The Black Sheep Inn *(8 $; ℜ)* est le lieu tout indiqué pour les voyageurs qui veulent s'aventurer hors des sentiers battus dans les Andes équatoriennes. L'atmosphère familiale et sympathique est sans doute créée par l'accueil chaleureux des hôtes, qui vous aideront dans vos démarches si vous souhaitez vous rendre à la Laguna de Quilotoa ou tout simplement explorer la région à votre propre rythme. On y prépare de nombreux plats végétariens selon l'inspiration du jour.

Ambato

La plupart des hôtels d'Ambato sont un peu à l'image de leur ville, c'est-à-dire d'allure moderne et exempt de charme colonial.

L'**Hostal America** *(8 $; Calle Vela 737 et Juan León Mera, à côté du Parque 12 de Noviembre)* met à la disposition de ses clients de petites chambres relativement propres et au confort spartiate, lesquelles conviendront parfaitement aux voyageurs au budget limité.

L'**Hotel Vivero** *(14 $; ec, bp; Calle Juan León Mera et Cevallos, ☎ 03-821-100)* propose des chambres convenables, sans charme, relativement propres et au confort moyen, mais sa situation, en plein centre-ville, est un avantage à considérer.

En face du restaurant El Alamo Chalet, l'**Hotel Cevallos** *(15 $; ec, bp; Calle Cevallos et Juan Montalvo, ☎ 03-847-457, 824-860 ou 824-877)* offre en location des chambres sommairement décorées, mais qui sauront satisfaire les voyageurs qui souhaitent y séjourner une nuitée ou deux.

Situé à l'est de la ville, dans le tranquille quartier résidentiel de Miraflores, l'**Hotel Florida** *(30 $; bp, ec, tv; Avenida Miraflores 1131, ☎ 03-843-040 ou 843-074)* loue des chambres très propres, sans plus.

Pour le même prix, rendez-vous à l'**Hotel Villa Hilda** *(30 $; bp, ec, ℜ;*

Avenida Miraflores 12 et Las Lilas, ☎ 03-840-700 ou 845-571), qui propose des chambres propres alliant confort et installations modernes. Essayez d'en obtenir une avec un balcon qui offre une jolie vue sur le Río Ambato, idéal pour s'asseoir et se reposer après une journée en ville.

L'**Hotel Miraflores** *(30 $; bp, ec, ℜ; Avenida Miraflores 227, ☎ 03-843-224 ou 03-844-395; réservations de Quito, Rumipamba 705 et Amazonas, ☎ 452-233 ou 435-291)* loue des chambres propres, de bonnes dimensions et pourvues d'un mobilier fonctionnel, mais privées de tout ornement surperflu.

Juste à côté des bureaux de CETUR, à quelques minutes de marche des principaux attraits touristiques, l'**Hotel Ambato** *(48 $; tv, bp, ec, ℜ; Calle Guayaquil et Rocafuerte, ☎ 827-598 ou 827-599)* est sans doute le meilleur hôtel en ville. Ses chambres se révèlent modernes, propres et lumineuses, et certaines offrent une jolie vue sur le Río Ambato.

Baños

Baños est pourvue d'innombrables petits hôtels peu chers qui sauront satisfaire les voyageurs au budget limité. Cependant, les personnes en quête de confort et de tranquillité seront heureuses d'apprendre que, depuis quelques années, l'infrastructure hôtelière s'est développée et que cela s'est traduit par l'apparition de quelques hôtels de luxe.

Situé à proximité de la Calle Santa Clara, l'**Hostal El Castillo** *(6 $; bp; Calle Luis Martínez, ☎ 03-740-285)* offre en location de petites chambres tranquilles qui conviendront parfaitement aux voyageurs au budget restreint.

La **Pensión Patty** *(6 $; bc; Calle Eloy Alfaro 554, entre Calle Oriente et Ambato)* est devenue, au cours des années, une véritable institution à Baños. Lieu de rencontre par excellence des voyageurs épris d'aventure mais disposant d'un budget limité, ce petit hôtel propose de chambres simples, assez propres, modestement décorées et ordonnées autour d'une cour intérieure. Le propriétaire est un guide de haute montagne; il organise lui-même des excursions en montagne et loue de l'équipement.

L'**Hostal Las Orquideas** *(6 $; Calle Rocafuerte et Tomás Alfianti, ☎ 03-740-911)* est une autre adresse qui saura satisfaire les voyageurs au budget limité. Les chambres sont petites et on ne peut plus simples, mais le personnel est sympathique.

L'**Hospedaje Santa Cruz** *(8 $; bp, ec; Calle 16 de Diciembre et Montalvo, ☎ 03-740-648)* propose des chambres simples, exiguës et un peu bruyantes qui conviendront parfaitement à ceux qui disposent de peu d'argent.

À deux pas de la Basílica de la Virgen, le sympathique **Banana Bar Bed & Breakfast** *(9 $ pdj; bc, ec; Calle 12 de Noviembre, ☎ 03-740-126)* appartient à la sœur de Carmen, la copropriétaire du Luna Runtún Resort. Ici, on dénombre une chambre à trois lits, deux chambres à occupation double ainsi qu'une chambre pouvant accommoder une famille de quatre personnes. L'établissement propose un service de lessive, et son personnel souriant ne demande pas mieux que de vous servir. Décidément, l'un des meilleurs rapports qualité/prix en ville.

Situé à côté de l'agence Rainforest Tours, en face du Parque Central, l'**Hostal Flor de Oriente** *(15 $; ec, bp, ℜ; Calle Ambato et Maldonado, ☎ 03-740-058 ou 740-717)* offre en location des chambres propres, bien équipées et sécuritaires, mais sans véritable charme. Certaines chambres ont des balcons. Un stationnement privé et sécuritaire est à la disposition de la clientèle.

Sans doute l'un des endroits économiques les plus prisés en ville, l'**Hostal Plantas y Blancos** *(15 $ ec, bp, ℜ; Calle Luis Martínez et 12 de Noviembre, ☎ 03-740-044)* est, comme son nom l'indique en espagnol, un établissement décoré de plantes qui agrémentent les murs blancs de ses chambres. Tenu avec rigueur par un sympathique Français, cet établissement possède aussi une terrasse agréable sur son toit, où l'on peut flâner à sa guise tout en observant le paysage. On peut y louer des vélos de montagne, des motocyclettes et même des véhicules tout-terrains.

Le charmant **Café Cultura** *(15 $; bc, ℜ; Avenida Montalvo et Santa Clara, ☎ 03-740-419)* appartient aux mêmes propriétaires que celui de Quito. Cette vieille maison coloniale offre à ses hôtes une ambiance informelle et sécuritaire. Bien qu'elles soient exiguës, les chambres se révèlent propres et sont ordonnées autour d'une cour intérieure enjolivée d'un jardin fleuri qui permet aux clients de s'affranchir de l'excitation des rues de Baños.

Situé à moins de 5 min de marche du centre-ville, le chaleureux **Isla de Baños** *(20 $; bp, ec, ℜ; Calle Tomás Haflants 131 et Juan Montalvo, ☎ 03-740-315)* est tenu par un sympathique couple d'Allemands qui ne demande qu'à vous aider dans vos démarches. Réparties sur deux étages, les 17 chambres sont propres et bien tenues, et certaines offrent une belle vue sur la vallée du Tungurahua. Une salle de repos qui s'ouvre sur une cour extérieure verdoyante abrite une table de billard et permet aux voyageurs de se soustraire au brouhaha ambiant. Ceux qui possèdent la carte ISIC ou la carte d'Auberge de Jeunesse se voient offrir gratuitement le petit déjeuner.

Situées en face de la Piscina de la Virgen, les chambres de l'**Hotel Sangay** *(20 $ ou 40 $ pdj; bp, ℜ, ec, ⌂, ≈, tvc; Calle Plazoleta Isidorio Ayora 101, ☎ 03-740-917, ⇄ 740-056; de Quito, à l'agence Sangay Touring, ☎ 02-542-476, ⇄ 230-738)* sont distribuées dans deux sections et comptent parmi les meilleures en ville. D'un côté, on trouve des chambres à l'aspect moderne, tandis que, de l'autre, on découvre des chambres plus chaleureuses et un peu plus petites. Cet établissement dispose d'une piscine chauffée, d'un sauna, d'une salle de billard et d'une table de ping-pong, ainsi que de courts de tennis et de squash. De plus, le personnel organise des excursions de toutes sortes dans les alentours.

Se dressant à l'entrée de la ville, à l'écart de l'activité grouillante de Baños, les **Cabañas Bascun** *(35 $; ℜ, ⌂, ≈, bp, ec, tv; ☎ 03-740-334)* constituent un autre endroit fort agréable pour passer ses vacances. Les chambres se révèlent propres, sans surprise et bien tenues. Cet établissement hôtelier bénéficie d'excellentes installations qui plairont aux voyageurs, entre autres une piscine, un sauna et un stationnement privé.

Très bien situé et tenu par un couple âgé et sympathique, l'**Hotel Villa Ger-**

trudis *(35 $; ℜ; Avenida Montalvo 2075, tout près de la Calle Ibarra, ☎ 03-740-441, ⇄ 740-442)* occupe une vieille maison transformée en établissement hôtelier qui propose aux voyageurs des chambres un tant soit peu austères, propres et sécuritaires.

Tout près de l'Isla de Baños, l'**Hostería Monte Selva** *(50 $; ec, bp, ≈, ℜ; Calle Tomás Halflants et Montalvo, ☎ 03-740-566 ou 820-068, ⇄ 854-685)* compte 12 *cabañas* dispersées sur les flancs de la montagne et situées de part et d'autre d'un ruisseau et d'un escalier qui lui est parallèle. Toutes les *cabañas*, aux murs de brique rouge, sont entourées d'une végétation abondante et sont surtout conçues pour accueillir des familles ou des groupes, offrant beaucoup d'espace de rangement tout en étant lumineuses. Une piscine creusée, un bar et un restaurant font partie des installations de luxe qu'offre cet établissement.

Le **Luna Runtún Resort** *(70 $, 110 $ avec une vue splendide sur la vallée; ℜ, ec, bp; ☎ 03-740-882 ou 740-883, ⇄ 740-376 ou 740-309, runtun@ecua.net.ec)* se trouve à environ 10 min en taxi du centre-ville, sur une route cahoteuse à souhait qui, malgré les panneaux indicateurs placées çà et là, ne semble aboutir nulle part. N'ayez crainte, il ne s'agit pas d'un canular, et vos efforts seront récompensés à 2 100 m d'altitude. Sur les lieux, il vous sera difficile d'adresser un reproche à cet établissement qui constitue un endroit de choix pour un séjour romantique et paisible dans les Andes équatoriennes. L'hôtel est niché dans un cadre spectaculaire, et son architecture coloniale s'harmonise merveilleusement avec la nature environnante. Selon un des propriétaires, Olivier, un Suisse romand, l'hôtel n'a pas la vocation d'être écologique, mais ces exploitants demeurent conscients de la nécessité de préserver la nature telle qu'elle est. Toutefois, on constate que tout ce qui est déchet organique est réduit en compost et que tout contenant en verre ou en plastique est immédiatement recyclé. De plus, les propriétaires cultivent leurs propres fruits et légumes, et n'utilisent pas de pecticides. En outre, Olivier et son épouse, Carmen, s'impliquent auprès de la population de Baños afin d'enseigner les méthodes de compostage. Bref, comme l'indique son slogan publicitaire, «*Un paraíso en las montañas*», l'Hostería est vraiment un paradis dans les montagnes. Toutes les chambres sont impeccables, spacieuses et chaleureusement décorées de vieux meubles. Vous ne risquez pas d'être dérangé par le bruit irritant du téléphone et de la télévision, car les chambres n'en disposent tout simplement pas. En outre, le personnel parle l'espagnol, le français, l'allemand et l'anglais, et peut facilement vous organiser des excursions de toutes sortes dans la région. Finalement, la vue magnifique sur Baños et ses environs qu'on découvre de certaines chambres de l'hôtel vous enchantera!

Riobamba

Les meilleurs hôtels de Riobamba se trouvent un peu à l'écart de la ville.

Les chambres à la propreté parfois douteuse de l'**Hotel Puruhúa** *(6 $; Calle Daniel León Borja 4360, entre Calle El Valle et Juan Montalvo)* sont dépourvues de tout charme, mais conviendront aux voyageurs qui désirent n'y passer qu'une nuit à peu de frais. L'endroit se trouve tout près du *terminal terrestre*.

L'**Hotel Internacional Segovia** *(8 $; bp; Calle Primera Constituyente 2228 et Espejo, ☎ 03-961-259)* dispose de chambres austères et bruyantes, mais néanmoins économiques, qui conviendront parfaitement aux aventuriers.

L'**Hotel Humbolt** *(15 $; bp, ec; Avenida León Borja 3548 et Uruguay, ☎ 03-961-788 ou 940-814)* offre en location des chambres économiques, propres et garnies de moquette. Un stationnement est à la disposition des clients, et son personnel sympathique organise des excursions au Chimborazo.

Pour le même prix, l'**Hotel Whymper** *(15 $; bp, ec, ℜ; Avenida Miguel Ángel León 2310 et Primera Constituyente, ☎ 964-572 ou 963-137, ⇄ 03-968-137)*, situé à deux coins de rue de l'Hotel Humbolt, loue des chambres spacieuses au confort moyen. Ceux qui disposent d'une voiture peuvent la garer sans problème dans le stationnement sécuritaire de l'hôtel.

Situé tout près du Parque Sucre et à moins de 10 min de marche de la gare, l'**Hostal Montecarlo** *(25 $; bp, tv, ℜ; Calle 10 de Agosto 2541, entre García Moreno et España, ☎ 03-960-557)* propose des chambres propres et bien équipées.

Se dressant derrière l'Hotel El Galpón, l'**Hotel Chimborazo Internacional** *(25 $; ≈, ℜ, bp, ec, △; Calle Argentinos et Nogales, ☎ 03-963-474, 963-475 ou 963-473)* dispose d'installations modernes telles que piscine et discothèque, ainsi que de chambres bien équipées.

Pour ceux qui désirent s'éloigner quelque peu du bruit de la ville, l'**Hostería El Troje** *(25 $; bp, ec, ℜ, ≈; ☎ 03-960-826 ou 964-572)*, situé à 4 km au sud-est de Riobamba, jouit d'un cadre propice à la détente; il est entouré d'eucalyptus et offre des installations qui plairont à sa clientèle. En effet, piscine chauffée, court de tennis et bar sont à la disposition des voyageurs. Quant aux chambres, elles se révèlent toutes propres, spacieuses, peintes de tons pastels et garnies de lits confortables. Certaines disposent même d'une jolie vue sur la région et sont dotées d'un foyer. Le personnel est sympathique, le service est attentionné, et des spectacles folkloriques animent les fins de semaine.

L'**Hotel El Galpón** *(28 $; ≈, ℜ, bp, ec, △; Calle Argentinos et Zambrano, ☎ 03-960-981, 960-982 ou 960-983)* compte une cinquantaine de chambres propres, modernes, décorées sans aucun apprêt et qui ont certainement vu de meilleurs jours.

Également sise un peu à l'écart de la ville, à 3 km au nord de Riobamba, sur la route qui mène au petit village de Guano, l'**Hostería Abraspungu** *(30 $; ℜ, bp, ec; ☎ 03-940-820)* propose une vingtaine de chambres assez vastes, propres et lumineuses qui entourent un jardin fleuri à l'aspect bucolique. Le personnel est sympathique et attentionné.

Les voyageurs qui souhaitent séjourner dans une vieille hacienda reconvertie en établissement hôtelier de marque opteront sans doute pour la charmante **Hostería Andaluza** *(30 $; ℜ, bp, ec; ☎ 03-904-223)*, dont la construction remonte au milieu du XVIe siècle. Blotti au pied du «seigneur incontesté» des Andes équatoriennes, le Chimborazo, cet établissement hôtelier se trouve à environ 16 km de Riobamba, loin du brouhaha de la ville. De nombreuses antiquités disposées çà et là lui confèrent un parfum suranné évoquant l'ère coloniale.

Guaranda

Même si l'hôtel **Cochabamba** *(15 $; bp, ℜ; Calle García Moreno, ☎ 03-981-958)* mise plutôt sur le confort à prix économique que sur la décoration, le personnel y est sympathique et serviable.

Sans l'ombre d'un doute le meilleur hôtel en ville, **La Colina** *(30 $; bp, ℜ, ≈, ec; Avenida Guayaquil, ☎ 03-980-666)* propose des chambres propres et sans surprise ayant surtout l'avantage d'offrir de jolies vues sur les environs.

Alausí

Ceux qui font halte à Alausí en descendant du train peuvent se rendre au petit hôtel sans prétention l'**Americano** *(10 $; Calle García Moreno, ☎ 03-930-159)*. Personnel sympathique.

RESTAURANTS

Lasso

Le cuisinier du restaurant de l'**Hostería la Ciénega** *($$; à environ 10 km au nord de Latacunga, ☎ 03-719-052; Calle Cordero 1442 et Avenida Amazonas, ☎ 02-541-337)* apprête à votre goût le poisson de votre choix parmi une grande variété d'espèces qui frétillent dans la petite piscine située derrière l'Hostería. Le canard maison est aussi une spécialité recommandée. Ces repas sont généralement servis par un personnel attentionné et discret dans la chaleureuse pièce principale du restaurant, décorée avec élégance et où le bois domine.

Latacunga

Outre son choix de pizzas intéressant, le restaurant de l'hôtel **Rodelu** *($; Calle Quito, entre Calle Salcedo et Guayaquil, centre-ville)* constitue un lieu de rencontre sans prétention très populaire auprès des voyageurs. Viandes et volailles figurent aussi au menu.

Le restaurant **Chifa Yut Wah** *($; Calle Tomás Ordónez 6973 et Quinchero)* propose un menu varié de mets chinois à être mangés rapidement dans un décor on ne peut plus simple.

Ceux qui veulent se réchauffer avant de se rendre au marché peuvent faire une halte chez **Pinguino** *($; Calle Quito)* afin de siroter tranquillement un café.

Pollo Gus *($$; route panaméricaine)* est un restaurant moderne aux couleurs clinquantes, mais est néanmoins une bonne adresse pour ceux qui désirent manger du poulet servi rapidement juste avant d'aller prendre l'autocar.

Miguel de Salcedo

Le restaurant de l'**Hostería Rumipamba de las Rosas** *($$; route panaméricaine Sud, Salcedo, à 10 km au sud de Latacunga, ☎ 03-726-128 ou 726-306)*; est une bonne adresse pour déguster quelques-unes des spécialités du pays avant de poursuivre votre route sur l'«Avenue des Volcans».

Ambato

Le restaurant **El Alamo Chalet** *($$; Calle Cevallos et Juan Montalvo)* signale sa présence grâce à sa façade en bois et à ses fenêtres qui s'ouvrent vers l'extérieur, évoquant ainsi un vieux chalet suisse. À l'intérieur, la cuisine propose, outre la traditionnelle fondue au fromage, une bonne sélection de viandes, de volailles et de poissons.

Le sympathique **Café Alemán** *($$; Calle Bolívar et Quito)* est une bonne adresse pour déguster des plats variés tout en discutant tranquillement et en sirotant un café tardif dans la soirée.

Le restaurant de l'**Hotel Ambato** *($$; Calle Guayaquil et Rocafuerte, ☎ 03-827-598 ou 827-599)* invite non seulement les clients de l'hôtel, mais également tous les voyageurs de passage à s'attabler devant un grand choix de plats de bœuf, de poulet, de porc et de fruits de mer. En prime, vous aurez une jolie vue sur le Río Ambato.

Tout près du *terminal terrestre*, le restaurant moderne **Pollo Gus** *($$; Calle Estados Unidos et Paraguay)* sert différents plats de poulet.

Baños

Le **Café Cultura** *($; Calle Santa Clara et Montalvo)*jouit d'une excellente réputation. Les plats végétariens, les desserts, les petits déjeuners et l'ambiance détendue qui caractérisent ce restaurant en font un lieu de rencontre populaire auprès des voyageurs de toute provenance.

Le **Café Hood** *($; Calle 16 de Diciembre et Luis Martínez)* est aussi une bonne adresse pour ses nombreux plats végétariens. Le personnel est jeune et sympathique. Bon choix de jus frais, de cafés et de tisanes. Ambiance informelle et agréable.

Ceux qui préfèrent une cuisine aux parfums d'Italie ont rendez-vous juste à côté du Café Hood, chez **Paolo's Pizzería** *($; Calle 16 de Diciembre et Luis Martínez)*, où le menu affiche un bon choix de pizzas.

À deux pas de l'EMETEL, le petit restaurant sans prétention de style familial **Marianne** *($; Calle Luis Martínez, entre Calle Halflants et Eloy Alfaro)* est tenu par un médecin français, Michel. Le menu propose un assortiment de viandes et de poissons.

Malgré son cadre modeste et une salle à manger sans éclat particulier, **Le Petit** *($; Calle Alfaro 246 et Juan Montalvo)* est reconnu comme l'un des bons restaurants en ville. Un grand choix de spécialités françaises et locales compose le menu.

Le **Regines Café Alemán** *($; Calle Juan Montalvo et 12 de Noviembre)* est un casse-croûte chaleureux proposant des sandwichs ainsi que de bons petits déjeuners.

Le sympathique restaurant **El Marques** *($; Calle Juan Montalvo et Ibarra)* sert non seulement des viandes variées et préparées à votre convenance, mais quelques plats végétariens de choix. À titre d'exemple digne de mention, du tofu dans une sauce aux champignons, accompagné de brocoli et de pommes de terre gratinées, le tout à être dégusté sous les airs folkloriques des musiciens qui animent la soirée.

Si vous n'avez pas les moyens de séjourner au **Luna Runtún Resort**, rendez-vous tout de même à son restaurant *($$; à environ 10 min en taxi du centre-ville, ☎ 03-740-882 ou 740-883)* (voir p 167) pour savourer de délicieuses truites apprêtées selon votre convenance et accompagnées de légumes fraîchement cueillis du jardin. Le menu affiche aussi de délicieux plats de steak et de poulet. Idéal pour un déjeuner ou un dîner après une marche dans les montagnes. Personnel sympathique et service attentionné. Une terrasse permet aux clients de manger à l'extérieur en toute quiétude tout en admirant les paysages des Andes.

Riobamba

De nombreux voyageurs aiment se rencontrer au petit restaurant **Gran Pan** *($; Calle García Moreno et Primera Constituyente)*, près du parc Sucre, pour le petit déjeuner afin de déguster son pain fraîchement sorti du four.

À ne pas confondre avec la Cabaña Montecarlo, le **Café Montecarlo** *($; Avenida 10 de Agosto et García Moreno)* est également situé à deux pas du Parque Sucre et est une bonne adresse pour siroter un café ou manger une bouchée rapide entre deux visites.

La **Cabaña Montecarlo** *($; Calle García Moreno 2140)* est une adresse appréciée des voyageurs qui souhaitent prendre un bon repas sans trop dépenser. Il s'agit d'un établissement fort simple, à la décoration sommaire, où le menu mise sur les viandes grillées.

Les clients qui franchissent le seuil du restaurant **El Delirio** *($$; Calle Primera Constituyente 2816, entre Calle Rocafuerte et Carabobo)* ne peuvent s'empêcher d'avoir une pensée nostalgique pour le fantôme de Simón Bolívar. En effet, c'est en séjournant ici même qu'il composa le poème dont le titre donna son nom au restaurant et dont le texte s'inscrit avec emphase sur les murs de l'établissement. Le menu comprend une bonne sélection de viandes, volailles et poissons.

Le restaurant de l'hôtel **El Troje** *($$; à 4 km, sur la route qui mène à Chambo, ☎ 03-960-826)* reçoit des groupes de musiciens folkloriques qui égaient votre repas durant les soirs de fin de semaine. Le menu est simple et propose des plats convenables tels que bœuf sauté à l'ail et filets de poulet grillés.

SORTIES

Baños

Si vous voulez vous détendre dans une ambiance musicale rétro des années soixante et soixante-dix, le **Hard Rock Café** *(jeu-sam, 20 h à 2 h; Calle Eloy Alfaro et Ambato)* est l'adresse à retenir.

Tout près du Hard Rock Café, la discothèque **La Burbuja** *(jeu-sam, 20 h à 2 h; Calle Eloy Alfaro et Ambato)* est surtout fréquentée par une clientèle de jeunes touristes et de résidants. Musique variée et entraînante.

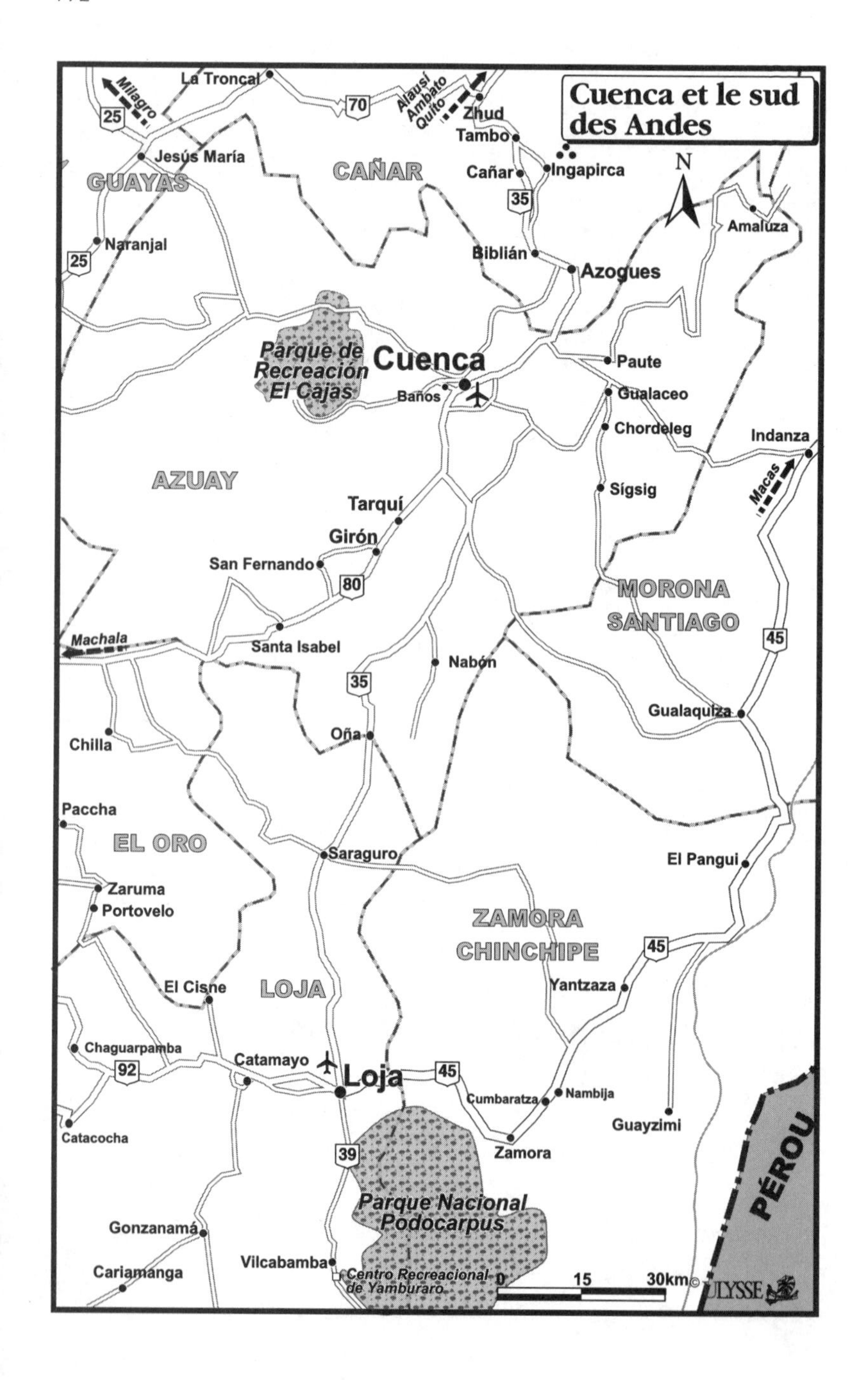
Cuenca et le sud des Andes
La Troncal
Milagro
Alausí
Ambato
Quito
Zhud
Tambo
Jesús María
GUAYAS
CAÑAR
Cañar
Ingapirca
Naranjal
Amaluza
Biblián
Azogues
Parque de Recreación El Cajas
Cuenca
Baños
Paute
Gualaceo
Chordeleg
Indanza
AZUAY
Macas
Sígsig
Tarquí
Girón
San Fernando
MORONA SANTIAGO
Machala
Santa Isabel
Nabón
Gualaquiza
Oña
Chilla
Paccha
EL ORO
Saraguro
El Pangui
Zaruma
Portovelo
ZAMORA CHINCHIPE
Yantzaza
El Cisne
LOJA
Chaguarpamba
Catamayo
Loja
Cumbaratza
Nambija
Catacocha
Guayzimi
Zamora
PÉROU
Parque Nacional Podocarpus
Gonzanamá
Vilcabamba
Cariamanga
Centro Recreacional de Yamburaro
0
15
30km
ULYSSE

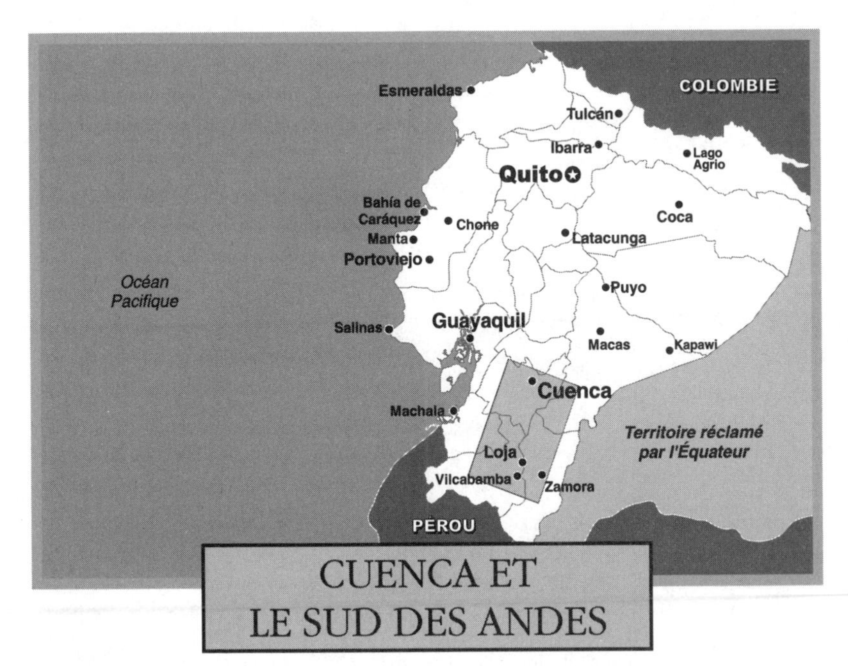

CUENCA ET LE SUD DES ANDES

Le sud de l'Équateur est caractérisé par des volcans moins hauts et moins larges que le centre ou le nord du pays, mais qui n'en demeurent pas moins charmants et attrayants. Dans cette nature étrange se déployant dans des paysages de montagne très variés, les cours d'eau galopent dans une symphonie de tons harmonieux sous des nuages percés derrière lesquels un œil de ciel bleu jette sur la région un regard perplexe semblant surveiller le panorama qui se fragmente à l'infini. Parfois, quelques maisons d'apparence chétive apparaissent sur les flancs des volcans, ne serait-ce que pour témoigner de la présence humaine.

Outre la beauté des paysages qui distingue cette région, on l'associe surtout, et avec raison, à la magnifique ville coloniale de Cuenca, qui en est le cœur. La visite du sud des Andes passe obligatoirement par Cuenca. Toutefois, ses alentours sont peuplés de pittoresques petits villages amérindiens qui intéresseront sûrement les voyageurs. Gualaceo, Girón et Sígsig n'en sont que quelques exemples. Ces villages s'animent tour à tour le jour du marché hebdomadaire, quand les artisans des environs viennent y exposer leurs créations dans l'espoir de trouver à qui les vendre. Par ailleurs, les amateurs d'espaces verts ne manqueront sans doute pas de visiter le magnifique **Parque de recreación El Cajas** (voir p 189).

Lors de votre passage dans le sud des Andes, il est de plus possible d'observer l'architecture des toits des nombreuses petites maisons anciennes, particularité qui reflète l'histoire des peuples qui occupent depuis toujours ces terres ancestrales. En outre, vous remarquerez sur le pignon de la plupart des maisons une colombe signifiant la paix, une croix qui sert de protection ou un œuf qui symbolise la fertilité, et parfois même une croix sur un croissant de lune qui représente le dieu des Cañaris, peuple amérindien qui habitait jadis ce territoire avant l'arrivée des Incas et des Espagnols. Par ailleurs, le complexe archéologique d'Ingapirca, témoin muet mais évocateur de l'occupation inca, mérite qu'on s'y attarde. Plus au sud de Cuenca, la route panaméricaine passe par la vallée de Tarquí, lieu chargé d'histoire et riche en paysages grandioses, puis poursuit son sinueux mais superbe tracé en longeant de nombreux volcans andins pour aboutir à Oña. Ce tronçon de route mérite le déplacement pour les splendides panoramas qui se déploient devant les yeux ébahis des privilégiés venus les admirer. Peu après, passé Oña, on traverse la petite bourgade de Saraguro qui porte le nom des Amérindiens qui l'habitent. On parvient finalement à Loja, ville peu fréquentée par les touristes, sans doute en raison de son éloignement, mais qui a réussi à garder son cachet d'antan. Autour de Loja gravitent aussi de pittoresques petites bourgades telles qu'El Cisne ou Vilcabamba, qui ont un charme certain.

Cuenca

En avion

Les compagnies aériennes TAME et SAN assurent des liaisons régulières tous les jours, sauf le dimanche, entre Cuenca et Quito. TAME dessert aussi Cuenca depuis Guayaquil tous les jours de la semaine. Le transporteur Aerogal vole sur Cuenca depuis Quito tous les jours sauf le samedi. Les tarifs pour un aller simple sont d'environ 30 $, et le vol dure près de 30 min. L'**aéroport Mariscal Lamar** se trouve tout près du *terminal terrestre*. Si vous comptez visiter Cuenca entre les mois de juin et de septembre, veuillez réserver vos billets à l'avance, car les vols sont souvent bondés. Un taxi depuis l'aéroport jusqu'au centre-ville vous coûtera environ 2 $.

En autocar

Bon nombre d'autocars se rendent à Cuenca en provenance de Guayaquil, de Quito et de multiples villages situés le long de la route panaméricaine (Latacunga, Ambato, Riobamba, Loja, etc.). Le trajet depuis Quito coûte environ 8 $ et dure entre 9 et 12 heures. De Guayaquil, le voyage s'effectue en plus ou moins 5 heures et se chiffre autour de 5 $. Depuis le village de Macas, prenez place sur un des sièges situés du côté gauche de l'autocar, et comptez entre 12 et 13 heures de voyage à travers des paysages remarquables pour la somme d'environ 7 $.

Gare routière *(terminal terrestre)*

Avenida España (à environ 1 km au nord-ouest du centre-ville)

Gualaceo, Chordeleg, Sígsig et Paute

En autocar

De nombreux autocars quittent le *terminal terrestre* de Cuenca pratiquement toutes les heures en direction de ces quatre petits villages. Le voyage en autocar dure environ 2 heures et coûte autour de 2 $.

Baños

En autocar

Des autocars partent de Cuenca presque toutes les heures en direction du petit village de Baños pour environ 1 $. Le trajet s'effectue en moins d'une demi-heure.

Azogues, Biblían et Cañar

En autocar

Azogues se trouve à environ 1 heure d'autocar de Cuenca, au coût d'environ 1 $. Les autocars quittent le *terminal terrestre* toutes les 2 ou 3 heures, ou lorsque les autocars sont pleins. Mêmes paramètres pour Biblían et Cañar.

Tarqui et Girón

En autocar

Ces deux petits villages peuvent être atteints en 1 heure 30 min d'autocar, pour la somme d'environ 2 $. Il y a environ un départ environ toutes les 2 ou 3 heures, ou lorsque l'autocar est plein.

Loja

En autocar

Des autocars partent du *terminal terrestre* de Cuenca toutes les 2 ou 3 heures en direction de Loja en passant par Oña et Saraguro. Le trajet depuis Cuenca dure environ 5 heures et coûte autour de 5 $.

En avion

L'aéroport attenant à la région de Loja se trouve à Catamayo, à presque 30 km de la ville. Des vols sont assurés par la compagnie aérienne TAME à partir de Quito les lundis, les mercredis et les vendredis, et de Guayaquil les mardis, les jeudis et les samedis. Le prix des billets d'avion depuis Quito est d'un peu plus de 30 $, tandis que le prix du billet depuis Guayaquil est d'environ 25 $. Un taxi depuis l'aéroport jusqu'au centre-ville de Loja vous coûtera autour de 3 $.

Catamayo, El Cisne et Vilcabamba

En autocar

Bon nombre d'autocars vont régulièrement dans ces trois bourgs à partir de Loja. Pour vous rendre à Vilcabamba, comptez débourser autour de 2 $ pour environ 1 heure 30 min de trajet.

RENSEIGNEMENTS PRATIQUES

Cuenca

Bureau de tourisme (CETUR)

Calle Hermano Miguel 686 et Córdova

Poste de télécommunication (EMETEL)

Calle Benigno Malo, entre Calle Sucre et Calle Córdova

Banques

Citybank
Calle Gran Colombia 749

Banco del Pacifico
Calle Cordero et Gran Colombia

Cambistral
Calle Sucre et Cordero

Cambidex
Calle Luis Cordero 977

Bureau de poste

Calle Gran Colombia et Borreo

Bureau de TAME

Calle Gran Colombia et Hermano Miguel
Au fond du couloir à votre droite
☎ 07-827-609

Bureau de SAETA

Calle Sucre et Luis Cordero
☎ 07-831-548

Agences de location de voitures

Budget Rent-a-Car
À l'aéroport
☎ 07-804-063

Agences d'excursions

Metropolitan Touring
Calle Mariscal Sucre 662 et Borrero
☎ 07-831-185
⇄ 842-496
Voir p 57.

Ecotrek
Calle Larga 7108 et Luis Cordero
☎ 07-842-531
⇄ 835-387

Expediciones Apullacta
Calle Gran Colombia 1102 et Calle General Torres
Casilla 597
☎ 07-837-815
⇄ 837-681

L'Alliance française

Calle General Torres 192 et Avenida Solano
☎ 07-825-298

École de langues

Centro de Estudios Interamericanos
Calle Gran Colombia et Calle General Torres
☎ 07-839-003

Magasin de photos

Foto Ortiz
Calle Gran Colombia et Calle Padre Aguirre

Laverie

La Quimica
Calle Borrero 734 et Córdova

Loja

Bureau de tourisme (CETUR)

Calle Bernardo Valdivieso 822 et 10 de Agosto

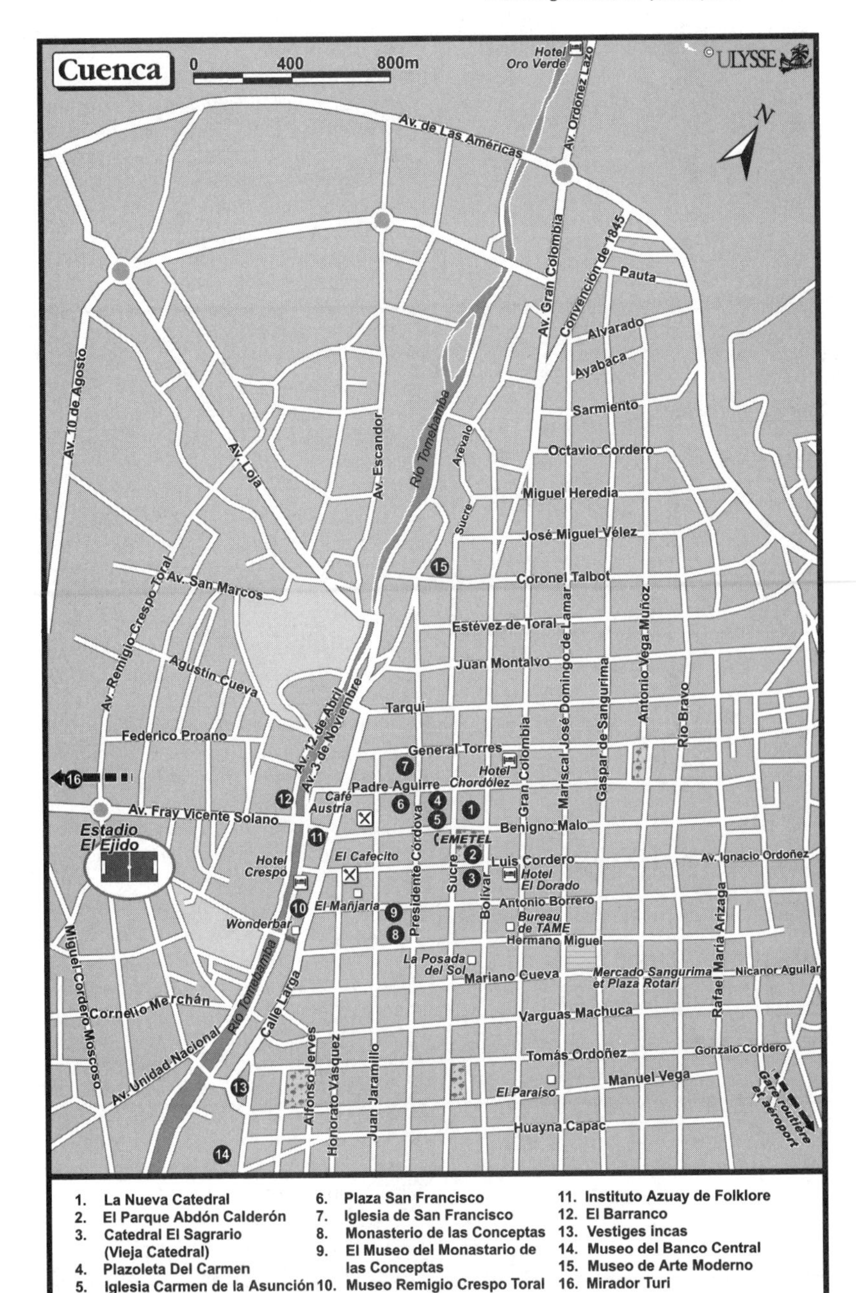
Cuenca
0 400 800m
© ULYSSE
N
Hotel Oro Verde
Av. Ordoñez Lazo
Av. de Las Américas
Av. Gran Colombia
Convención de 1845
Pauta
Alvarado
Ayabaca
Sarmiento
Octavio Cordero
Miguel Heredia
José Miguel Vélez
Coronel Talbot
Estévez de Toral
Juan Montalvo
Tarqui
General Torres
Padre Aguirre
Benigno Malo
Luis Cordero
Antonio Borrero
Hermano Miguel
Mariano Cueva
Vargas Machuca
Tomás Ordoñez
Manuel Vega
Huayna Capac
Av. 10 de Agosto
Av. Loja
Av. Escandor
Río Tomebamba
Arevalo
Sucre
Av. San Marcos
Av. Remigio Crespo Toral
Agustín Cueva
Federico Proano
Av. 12 de Abril
Av. 3 de Noviembre
Av. Fray Vicente Solano
Estadio El Ejido
Hotel Chordólez
Café Austria
EMETEL
El Cafecito
Hotel Crespo
Hotel El Dorado
El Mañjaria
Bureau de TAME
Wonderbar
La Posada del Sol
Mercado Sangurima et Plaza Rotari
Presidente Córdova
Bolívar
Gran Colombia
Mariscal José Domingo de Lamar
Gaspar de Sangurima
Antonio Vega Muñoz
Río Bravo
Av. Ignacio Ordoñez
Rafael María Arizaga
Nicanor Aguilar
Gonzalo Cordero
Gare routière et aéroport
El Paraíso
Miguel Cordero Moscoso
Cornelio Merchán
Av. Unidad Nacional
Río Tomebamba
Calle Larga
Alfonso Jerves
Honorato Vásquez
Juan Jaramillo
1. La Nueva Catedral
2. El Parque Abdón Calderón
3. Catedral El Sagrario (Vieja Catedral)
4. Plazoleta Del Carmen
5. Iglesia Carmen de la Asunción
6. Plaza San Francisco
7. Iglesia de San Francisco
8. Monasterio de las Conceptas
9. El Museo del Monastario de las Conceptas
10. Museo Remigio Crespo Toral
11. Instituto Azuay de Folklore
12. El Barranco
13. Vestiges incas
14. Museo del Banco Central
15. Museo de Arte Moderno
16. Mirador Turi

Poste de télécommunication (EMETEL)

Calle Olmedo et José Antonio Eguiguren

Banque

Filambanco
Face au Parque Central, sur la Calle Bernardo Valdivieso entre Calle J.A. Eguiguren et 10 de Agosto

Bureau de poste

Calle Colón et Sucre

Bureau de TAME

Calle Zamora et 24 de Mayo

Vilcabamba

Bureau de tourisme (CETUR)

Calle Diego Vaca de la Vega

Poste de télécommunication (EMETEL)

Calle Bolívar et Diego Vaca de la Vega

ATTRAITS TOURISTIQUES

Cuenca ★★★

La numérotation des attraits réfère au plan de Cuenca.

La visite de la région du sud des Andes, qui englobe la magnifique ville de Cuenca, devient presque indispensable pour les visiteurs qui souhaitent comprendre davantage l'histoire de l'Équateur. On raconte qu'une des raisons principales qui incita les Incas à étendre leur empire jusqu'en Équateur fut la fertilité des terres équatoriennes. Lorsque le monarque Túpac Yupanqui et ses troupes franchissent la frontière nord du Pérou, ils n'ont aucune difficulté, une fois arrivés dans la région de Loja, à conquérir ces riches terres volcaniques et asservir les Amérindiens pacifiques qui occupaient ce territoire. Les Incas se dirigent ensuite plus au nord, vers l'actuelle province de l'Azuay, qui englobe aujourd'hui Cuenca, et rencontrent d'autre Amérindiens, les farouches Cañaris, qui, contrairement aux populations du Sud, offrent une vive résistance et infligent aux Incas un échec cinglant. Se rendant compte de l'opposition féroce qu'il lui faut affronter ici, Túpac Yupanqui retourne vers Loja, d'où il mande qu'un messager se rende à Cuzco pour y quérir du renfort. Le cacique des Cañaris est mis au courant du nombre impressionnant de soldats qui se dirigent vers lui depuis Cuzco et préfère se joindre aux Incas plutôt que de perdre une bataille qui risque d'être longue et sanglante. Peu après, Túpac Yupanqui décide de fonder une cité inca à l'emplacement de l'actuelle Cuenca, qui jadis se nommait «Tomebamba», signifiant, «une plaine aussi vaste que le ciel». L'histoire raconte qu'à l'époque elle fut glorifiée au même titre que Cuzco, mais, pour une raison aujourd'hui inconnue, la ville était en ruine lorsque les Espagnols arrivèrent. Toutefois, on s'entend pour dire qu'elle fut le lieu de naissance d'un autre monarque inca très important : Huayna Cápac. Huayna Cápac eut deux fils, Atahualpa et Huáscar. À la mort de Cápac, une guerre de succession fratricide éclate entre les héritiers qui aspirent tous deux à occuper le trône de leur père. Atahualpa réussit à vaincre Huáscar, et, se rendant compte que les Cañaris avaient combattu aux côtés des partisans de Huáscar, il éclate de rage et massacre tous les hommes cañaris qu'il trouve sur son passage.

Lorsque les Espagnols débarquent à leur tour dans les parages, ils convainquent facilement les Cañaris de combattre à leurs côtés. Contents d'avoir la chance de se venger d'Atahualpa, ils acceptent volontiers et aident les Espagnols pendant la colonisation. La ville de Cuenca fut alors officiellement fondée en 1557 et baptisée «Santa Ana de los Cuatro Ríos» par l'Espagnol Gil Ramírez Dávalos sur les fondations de l'ancienne ville inca connue jusqu'alors sous le nom de «Tomebamba». Arrosée par quatre fleuves, (le Río Machangara, le Río Tomebamba, le Río Yanuncay et le Río Tarquí), d'où son nom d'origine, Cuenca, capitale de la province de l'Azuay, est la troisième plus importante ville de l'Équateur avec ses 355 000 habitants. Aujourd'hui, les nombreuses constructions coloniales qui bordent ses vieilles rues pavées lui confèrent un charme certain. Une atmosphère sereine, propice à la rêverie et au recueillement, se dégage de cette ville avec ses nombreux musées et églises baroques. De plus, le magasinage et la flânerie dans les innombrables boutiques d'artisanat qui animent ses rues peuvent facilement meubler des journées entières. Cuenca se situe au cœur de la vallée de Guapondelig, à 2 500 m d'altitude, et jouit toute l'année d'un climat printanier, mais les nuits et les matins sont relativement frais.

Les Équatoriens parlent avec un accent différent selon la ville ou la région qu'ils habitent. Lors de votre passage dans cette ville, vous constaterez que la différence est encore plus frappante ici. Les Cuencanos sont en effet reconnus un peu à l'image des Marseillais, comme des gens qui ne parlent pas mais qui plutôt chantent.

La ville de Cuenca accrut sa notoriété aux yeux de bien des gens en raison de deux personnages qui y sont nés et qui ont défrayé l'actualité en Équateur au cours de l'année 1996. D'une part, le coureur à pied Jefferson Pérez Quezada, âgé de 22 ans et né à Cuenca, donna au pays sa première médaille d'or aux Jeux olympiques d'Atlanta, alors qu'il franchit la distance de 20 kilomètres en un temps d'une heure, 20 minutes et sept secondes. D'autre part, pour la première fois dans l'histoire du pays, une femme assume la vice-présidence de la République. Il s'agit de Rosalía Artega Serrano, née à Cuenca il y a 40 ans.

Si vous êtes de passage à Cuenca la veille de Noël, vous aurez la chance d'assister à l'une des plus intéressantes manifestations religieuses du pays : El Pase del Niño. Durant cette fête, la ville explose littéralement en couleurs, danses et musiques. Des chars allégoriques défilent sous les exclamations de joie des habitants de la ville et de ses environs.

La **Nueva Catedral ★★★ (1)** *(Parque Abdón Calderón)* constitue l'emblème même de la ville. Cet édifice religieux fait de marbre rose domine en grande partie le parc qui l'entoure par ses proportions gigantesques. La construction de ce bâtiment de style néo-gothique et de taille cyclopéenne commença vers 1880 et ne fut jamais achevée. Selon les annales de l'histoire, une erreur de calcul dans les plans initiaux aurait donné un résultat étonnant : en effet, les cloches qui étaient

Avertissement

Depuis quelques années, différentes sources d'information bien documentées s'adressant aux voyageurs signalent la présence d'un homme louche qui fréquente assidûment le quartier touristique du centre-ville de Cuenca. L'homme d'environ 40 ans, de petite taille et de bonne apparence, s'exprimant quelque peu en anglais, prétend être un homme d'affaires homosexuel; pour mettre en confiance son interlocuteur étranger, il demandera à des femmes seules d'écrire pour lui une lettre à un ami imaginaire, et, en guise de remerciement, il invite celles-ci, et même leur conjoint ou ami, à prendre un verre à l'occasion de son «anniversaire». Méfiez-vous, cet homme est dangereux! C'est en réalité un violeur bien connu qui semble jouir de relations privilégiées avec la police locale. L'auteur de ce guide a eu l'occasion au cours de son séjour à Cuenca de constater par lui-même que cet individu continuait toujours d'opérer impunément dans la ville (en août 1996) et servait son boniment à toute victime potentielle. S'il vous aborde, soyez donc sur vos gardes.

destinées à être installées à l'intérieur des tours reposaient autrefois à l'entrée de la cathédrale, car ces tours n'auraient pas été suffisamment solides pour supporter leur poids.

Le soir venu, il arrive que ses gigantesques coupoles bleues s'illuminent, offrant ainsi à vos yeux un spectacle d'une beauté irréelle. L'intérieur est composé de trois nefs et est orné d'une série d'arcatures soutenues par des colonnes. Le sol est recouvert de marbre de la région de Cuenca, sauf l'allée centrale, qui est dallée avec du marbre importé d'Italie. L'attrait principal de la cathédrale est sans l'ombre d'un doute le superbe dais à quatre colonnes qui se dresse au-dessus du maître-autel et qui semble protéger un Christ crucifié, le tout étant magnifiquement sculpté sur bois et couvert de feuilles d'or. Les murs sont percés de fenêtres garnies de très jolis vitraux, certains importés d'Europe et d'autres assemblés à Cuenca, qui diffusent chaleureusement la lumière du jour.

Devant la Nueva Catedral se trouve **El Parque Abdón Calderón (2)**, du nom d'un homme originaire de Cuenca et en mémoire de sa conduite exemplaire lors de la bataille du Pichincha. Une statue, en plein centre du parc, qui le montre mortellement blessé mais tenant fièrement de sa main droite le drapeau de la Grande-Colombie, perpétue son souvenir. C'est dans cette posture, paraît-il, qu'il est mort... Le parc constitue un endroit très prisé où les gens, autant les voyageurs que les habitants de la localité, viennent flâner à leur guise tout en admirant la Nueva Catedral.

Située juste à l'est de la Nueva Catedral, la **Catedral El Sagrario (Vieja Catedral) (3)** a été construite à l'époque où la ville fut fondée. Outre sa vocation religieuse, elle joua un rôle non négligeable dans l'histoire du pays. En effet, lors du passage de la mission scientifique géodésique française, le sommet de l'église servit de point de repère afin de pouvoir calculer l'aplanissement de la Terre. Malheureusement, on ne peut en visiter l'intérieur.

Au sud du parc, les voyageurs et les habitants de la ville s'indignent, et avec raison, de la construction pauvre et maladroite du Municipio, qui dresse sa silhouette froide et moderne.

Tout près de la Nueva Catedral, si d'aventure vous vous sentez l'âme romantique, allez donc vous balader jusqu'au coin de la Calle Sucre et de Padre Aguirre. Vous aboutirez à la **Plazoleta del Carmen ★★ (4)** *(Calle Sucre)*, qui jouxte l'**Iglesia Carmen de la Asunción**, connue grâce au pittoresque **marché aux fleurs** qui s'y tient tous les jours et qui explose en mille couleurs et odeurs. On y voit des femmes coiffées de panamas; communément appelées *cholas*, elles sont assises sous des parasols, occupées à vendre une infinie variété de fleurs en tous genres. On peut aussi apercevoir des gens qui viennent acheter une boisson singulière préparée avec des herbes médicinales par les religieuses de l'église, car ils croient que le breuvage est béni par les puissances célestes et possède des propriétés curatives...

Les *cholas*

Les femmes coiffées de panamas sont désignées sous le nom de *cholas*. Durant l'époque coloniale, afin de pouvoir distinguer une Espagnole de race «pure» d'une métisse, les Espagnols ont obligé ces dernières à coiffer un panama.

L'**Iglesia Carmen de la Asunción ★ (5)** abrite effectivement un nombre indéterminé de religieuses, mais ce dont on est sûr c'est que les premières religieuses arrivèrent à Cuenca vers la fin des années 1600. Ces religieuses à la foi débordante vivent à huis clos, complètement retranchées du monde moderne dans le silence du cloître de l'église. La porte qui donne accès au cloître se pare de cierges et de chandelles que les gens viennent allumer ou déposer en guise d'offrandes, ainsi que de fleurs récemment achetées au marché voisin; on ne peut visiter le reste de l'église et du cloître. À gauche des cierges se trouve une porte fermée, munie d'un petit tourniquet où de pieuses personnes déposent un don en argent au profit des religieuses, qui, en échange, prieront pour leurs donateurs. L'église ouvre exceptionnellement ses portes le jour de Noël. Avis aux intéressés. L'architecture baroque des lieux mérite aussi une visite.

À deux pas de là, en vous dirigeant vers le sud sur la Calle Aguirre, vous aboutirez à la **Plaza San Francisco (6)** *(Calle Aguirre et Cordóva)*, où de nombreux Otavaleños exposent leurs produits en tous genres. Face à la Plaza, des vendeurs proposent des articles beaucoup plus modernes tels que jeans et dentifrice. De l'autre côté se dresse l'**Iglesia de San Francisco ★ (7)**, dont les travaux de construction remontent au XIXe siècle, mais dont les dernières modifications datent de 1920. À l'intérieur, son retable, richement travaillé et couvert de feuilles d'or, vaut le détour.

Pour visiter l'un des meilleurs musées en ville, descendez la Calle Juan Jaramillo jusqu'à l'intersection avec la Calle Hermano Miguel. À l'instar de l'Iglesia Carmen de la Asunción, on ne peut visiter le **Monasterio de las Conceptas ★ (8)**. En effet, ce monastère sert de gîte à des religieuses qui ont choisi de vivre dans le monde du silence à l'écart de la société d'aujourd'hui et de consacrer leur vie à Dieu. Toutefois, dans une partie du cloître du monastère, on peut visiter le **Museo del Mo-**

nasterio de las Conceptas ★★★ (9) *(2 $; lun-ven 10 h à 16 h; Calle Hermano Miguel 633, ☎ 07-830-625)*. Admirablement bien restauré et disposé sur deux niveaux, il fut inauguré en 1986 et présente une remarquable collection de tableaux, de sculptures ainsi que de nombreuses pièces d'artisanales à caractère religieux datant des XVIIe, XVIIIe et XIXe siècles. Entre autres, il vous est possible d'observer une rare série de photos montrant l'intérieur du monastère ainsi que les religieuses qui y ont élu domicile. Toutefois, à notre avis, l'attrait principal du musée se trouve à l'étage et s'intitule *Pesebre Navideño*. Il s'agit d'une immense crèche magnifiquement travaillée et recouverte de feuilles d'or et d'argent.

Aménagé dans une vieille maison, le **Museo Remigio Crespo Toral (10)** *(horaire variable; Calle Larga 707)* raconte l'histoire de la ville à l'aide de tableaux, de sculptures et de nombreuses pièces d'artisanat amérindien.

Après une visite au musée Remigio Crespo Toral, rendez-vous donc à l'escalier qui descend jusqu'au Río Tomebamba pour jeter un coup d'œil à l'**Instituto Azuay de Folklore (11)** *(lun-ven 8 h à 18 h; Escalinita et Calle Larga)*. On y trouve de l'art de tous les types provenant de différents pays latino-américains.

En sortant du musée, continuez à descendre l'escalier, traversez le pont, et dirigez-vous vers la droite tout en prêtant un regard attentif à **El Barranco ★★ (12)**. En espagnol, le mot *barranco* signifie un précipice ou un ravin. Ici, il désigne plutôt les nombreuses maisons anciennes de l'époque coloniale qui se dressent magnifiquement sur les flancs d'une colline surplombant le fleuve. Il arrive que des lavandières viennent laver leurs vêtements dans les eaux du Río.

Si vous revenez sur vos pas sur l'Avenida 12 de Abril, quelques modestes **vestiges (13)** de l'époque inca peuvent être vus au sud-est du centre-ville, le long du Río Tomebamba. Ces ruines, mélange d'influences incas et cañaris, témoignent de l'occupation inca qui eut lieu à l'époque dans la vallée.

Si la visite de ces ruines vous a un peu déçu et que vous souhaitez en connaître davantage sur la civilisation inca, sur les Cañaris ainsi que sur les autres cultures de l'Équateur, continuez votre balade jusqu'au **Museo del Banco Central ★ (14)** *(2 $; lun-ven 9 h à 18 h; Calle Larga et Avenida Huaynac Cápac)*. Il possède quelques collections archéologiques et ethnologiques particulièrement intéressantes, renferme aussi des pièces d'art religieux et comporte même un petit site archéologique où des fouilles sont effectuées périodiquement.

Beaucoup plus à l'ouest, les amateurs d'art moderne pourront se divertir au **Museo de Arte Moderno (15)** *(horaire variable; Calle Sucre et Coronel Talbot, à côté de l'Iglesia de San Sebastián)*.

Face à l'église qui porte son nom, le **Mirador Turi ★★ (16)** surplombe Cuenca et permet de contempler le magnifique panorama qui laisse voir non seulement la ville, mais aussi ses alentours, y compris les majestueuses montagnes qui, immobiles, majestueuses et fières, semblent la protéger. Un taxi vous coûtera de 2 $ à 3 $, selon vos talents de négociateur. Si vous tenez à vous y rendre à pied, marchez jusqu'à l'Avenida Fray Vincente Solano, et dirigez-vous vers le sud.

Les jeudis et samedis se tiennent les **marchés** de la ville. Ils ont lieu à l'angle de la Calle Cordova et de Torres, sur les Calles Sucre et Padre Aguirre ainsi que sur l'Avenida Lamar et la Calle Miguel.

Gualaceo ★

Gualaceo se trouve blottie dans une magnifique vallée située à environ deux heures d'autocar à l'est de Cuenca. Dans cette petite bourgade très pittoresque se tient un **marché** dominical qui propose un éventail varié de produits alimentaires et d'artisanat. Gualaceo, une petite ville coloniale édifiée dès le début du XVIe siècle, a magnifiquement survécu à l'usure du temps. La Casa Municipal mérite une attention particulière.

Chordeleg ★

Cet autre petit bourg, situé à quelques kilomètres de Gualaceo, était autrefois habité par les Cañaris. On y va surtout pour l'abondance des petites boutiques qui, alignées sur la rue principale, vendent de nombreux objets en or et en argent. Ces boutiques ne sont pas tellement pittoresques, mais leurs produits se révèlent beaucoup moins chers qu'ailleurs, et l'on peut parfois payer avec sa carte Visa.

Sígsig

Outre son pittoresque **marché** dominical, le petit village de Sígsig ne présente guère d'intérêt, mais il a néanmoins un certain attrait commercial. Remarquez en particulier les panamas. Contrairement à ce que son nom indique, le fameux panama est manufacturé en Équateur, et non au Panamá. Il doit son nom et sa popularité aux nombreux travailleurs, pour la plupart européens, qui participèrent au siècle dernier au creusement du Canal de Panamá et qui adoptèrent ce chapeau. Il s'agit d'un chapeau à larges bords, souple et léger, qui protège à la fois du soleil et de la pluie, et qui est tressé à partir de plusieurs variétés de pailles communes en Amérique centrale et en Équateur. Ce chapeau est toujours aussi populaire et très en demande, surtout en Amérique et en Europe. En Équateur, il est fabriqué principalement dans la région de Montecristi, et c'est un produit qui se vend couramment dans les marchés de Cuenca et d'Otavalo. Dans la province d'Azuay, environ 60 % de la population tisse des panamas, mais ceux de Sísig sont tellement connus que certains commerçants de Cuenca préfèrent venir les acheter ici.

Paute

À environ 20 km au nord de Gualaceo s'étend Paute, une bourgade qui porte le même nom que la vallée où elle s'est installée et qui regorge d'arbres fruitiers; cette vallée est également le site du plus grand barrage hydroélectrique au pays, et on le désigne aussi sous le nom de «Paute». Paute génère 75 % de l'électricité du pays. Toutefois, entre la fin de l'année 1995 et mars 1996, la production d'électricité de la centrale fut pratiquement réduite à zéro en raison d'une sécheresse prolongée, ce qui eut des conséquences désastreuses pour l'Équateur, car les Équatoriens durent se rationner en électricité. Cette fâcheuse pénurie eut lieu en même temps que le conflit frontalier répétitif qui oppose la République au Pérou. De mauvaises langues dirent alors que, si les Péruviens décidaient un jour d'envahir l'Équateur, ils n'auraient qu'à bombarder la centrale hydroélectrique de Paute, et le pays serait à leur merci...

Azogues

Azogues est un gros bourg d'environ 25 000 habitants. Capitale de la province de Cañar, il se trouve à 35 km au nord de Cuenca. Il doit son nom aux gisements de «mercure» qui se trouvaient sur ce territoire à l'époque coloniale et qui furent utilisés pour purifier l'or exploité par les Amérindiens au profit des Espagnols. Azogues se distingue par son **marché** du samedi et par son **église** ★ fièrement juchée sur une colline, et placée sous le vocable de San Francisco. S'y dégage une atmosphère religieuse qui séduit facilement les fidèles.

Biblián

À 10 min d'Azogues, la mignonne petite bourgade de Biblián signale sa présence au loin grâce au magnifique **sanctuaire** ★★ dédié à la Virgen del Rocío. Perchée sur une colline, l'église domine la ville et ses environs. Biblián s'enorgueillit de posséder et d'avoir su conserver des rues coloniales et pittoresques au charme indéniable qui se prêtent admirablement bien à la promenade. Tranquille durant la semaine, elle s'anime le samedi à cause de son **marché** hebdomadaire qui draine les populations des alentours.

Cañar

Le pauvre mais pittoresque village de Cañar se trouve à une trentaine de kilomètres au nord d'Azogues, près du complexe archéologique d'Ingapirca. Son petit **marché** du dimanche parvient à animer quelque peu la bourgade, mais elle s'endort le reste de la semaine du haut de ses 3 100 m d'altitude, souvent fouettée par les vents et arrosée par les pluies.

Ingapirca ★★★

Se trouvant à 85 km de Cuenca et datant de plus de 500 ans, **Ingapirca** *(4 $; tlj)* s'élève à 3 200 m au-dessus du niveau de la mer sur les flancs d'une montagne qui surplombe quelques maisons et de vastes terrains consacrés à l'agriculture et à l'élevage. L'histoire raconte que c'est à Huayna Cápac que revient l'honneur d'avoir construit Ingapirca. Le site archéologique d'Ingapirca fut jadis un lieu remarquable où s'exercèrent à la fois l'influence des Cañaris, des Amérindines qui vivaient autrefois sur ces terres, et celles des Incas, qui s'y installèrent un peu plus tard. De nombreuses preuves attestent que les Cañaris furent effectivement les premiers habitants de cette région, comme, par exemple, la présence de symboles tels que la Lune, vénérée par les Cañaris, ou la découverte de squelettes féminins dont un vêtu d'habits et de bijoux en position fœtale, car la mort selon les Cañaris signifiait le passage dans une autre vie. Toutefois, après l'arrivée des Incas, ces lieux furent fortement marqués par leur présence. Bien que ce site archéologique inca ne soit accessible aux touristes que depuis 1966, il fut décrit pour la première fois en 1739 par Charles Marie de La Condamine. De dimensions modestes, Ingapirca n'en constitue pas moins le témoin muet le plus important de la présence inca en Équateur. Les ruines s'articulent autour d'une plate-forme centrale qui servait probablement de lieu de culte et qui, pour cette raison, est désignée sous le nom de «Temple du Soleil». Tout autour se dressent les ruines de nombreux édifices, entre lesquels on peut apercevoir des escaliers et des portes de forme trapézoïdale, typiques de l'architecture inca. En effet, ces portes résistent mieux aux séismes que les formes rectangulaires. Toutes les pierres du site sont si minutieusement agencées l'une contre l'autre que les visiteurs croient qu'elles se soutiennent sans aucun liant entre elles. Cependant, en y regardant de près, vous constaterez qu'une substance excessivement mince est placée entre les pierres pour les assembler. Seul le Temple du Soleil a survécu au poids des années, et l'on peut apprécier l'exceptionnelle solidité de cette construction en remarquant qu'une bonne couche de mortier existe entre les pierres des autres vestiges qui composent ce site aujourd'hui restauré. Tout autour, on a découvert depuis peu les vestiges de sépultures datant de cette époque, et les fouilles qui se poursuivent épisodiquement permettront sans doute d'en découvrir d'autres. Ces ruines font penser à une forteresse militaire ou à un site religieux, mais leur signification réelle échappe encore aux historiens et archéologues qui demeurent perplexes et confus à leur sujet. Celles-ci ne se comparent nullement aux célèbres ruines de Machu Picchu, au Pérou, mais elles enchanteront les amateurs d'histoire et de vieilles pierres. Pour ceux qui ne se contentent pas de jeter un coup d'œil rapide et veulent comprendre davantage l'architecture et le symbolisme des lieux, il est préférable de s'y rendre accompagné d'un guide. N'oubliez pas qu'Ingapirca se situe à 3 200 m d'altitude. Il y fait froid, et les vents et les pluies n'y sont pas rares; habillez-vous en conséquence.

L'afflux des touristes et l'intérêt porté au site archéologique d'Ingapirca ont permis, en 1987, l'ouverture d'un petit **musée**. Ce dernier relate l'histoire des ruines et expose des objets trouvés lors des nombreuses fouilles et excavations qui furent menées dans les environs.

Baños

Situé à moins de 5 km au sud-ouest de la ville de Cuenca, le simple petit village de Baños est entouré de verdure, dispose de bains thermaux, et son atmosphère incite au repos et à la détente. Ne confondez pas cette localité avec la ville du même nom située au pied du volcan Tungurahua (voir p 160). Son église colorée de bleu pâle et de blanc mérite qu'on la salue.

Tarquí

Le village de Tarquí est niché dans une splendide vallée au sud de Cuenca, tout juste avant Girón. Sur une des collines latérales se dresse un **obélisque**, érigé à l'endroit même où les Péruviens furent pris par surprise et assiégés par les Équatoriens lors de la bataille de Tarquí en 1829. Peu après la déroute des Espagnols le 24 mai 1822 sur les flancs du volcan Pichincha, Quito et Guayaquil sont annexés à la Grande-Colombie. Cependant, quelques années plus tard, en février 1829, les Péruviens marchent sur le sud de l'Équateur afin de s'en approprier. Arrivées dans la région de Tarquí, les troupes péruviennes subissent un échec cinglant et sans appel aux mains des Équatoriens, puis signent un traité de paix dans le petit village de Girón.

Girón

La minuscule bourgade de Girón réussit à attirer quelques curieux à cause de son **musée** ★ *(1 $; lun-ven 10 h à 17 h)* ériger à la mémoire de ceux qui ont participé à la bataille de Tarquí opposant la république du Pérou à la Grande-Colombie. Le musée fut inauguré le 27 février 1978 à l'occasion du bicentenaire de la naissance du général Sucre. Disposé sur deux niveaux, il renferme des armes, des vêtements, des drapeaux, des tableaux et des documents ayant appartenu à ceux qui ont livré combat. On y voit même la table sur laquelle fut signé le traité qui mit fin à ce conflit.

Oña

Autre petit bourg situé le long de la sinueuse route panaméricaine avant Loja, Oña n'offre rien de bien touristique, mais propose aux voyageurs des paysages grandioses tout à fait extraordinaires. En effet, le trajet qui conduit de Cuenca à Loja, en passant par Oña, permet de contempler les panoramas réputés pour être les plus spectaculaires de tous ceux que l'Équateur réserve à ses visiteurs.

Loja ★

La ville de Loja fut fondée par le capitaine Alonso de Mercadillo au cours de l'année 1548 entre le Río Malacatos et le Río Zamora. Loja, capitale de la province qui porte son nom, compte parmi les plus vieilles villes du pays. Son emplacement original se situait là où se trouve aujourd'hui la petite ville de Catamayo, mais elle fut déplacée quelques années plus tard sur son site actuel, qui, situé à une altitude de 2 200 m au-dessus du niveau de la mer et entouré de majestueuses montagnes, jouit toute l'année d'un climat printanier. Détruite à quelques reprises par des séismes, elle regroupe aujourd'hui environ 95 000 habitants. Son école de droit fut créée en 1897 et demeure encore aujourd'hui l'une des meilleures de la République. La ville abrite aussi deux universités. Grâce à sa situation, près de l'Oriente, cette ville est une porte d'entrée de choix pour visiter le sud de cette région et la forêt tropicale environnante. En raison de son éloignement, elle attire peu de touristes, mais ceux qui prennent le temps de la saluer seront récompensés, cette ville ayant un cachet certain et une ambiance particulièrement chaleureuse. De plus, quelques petits villages peuvent être visités depuis Loja, notamment Vilcabamba, El Cisne, Saraguro et Catamayo. Une excursion au parc national Podocarpus comblera les amateurs de plein air.

Entre le 20 août et le 1er novembre, la **Catedral** ★★ abrite la fameuse petite statue de la **Virgen del Cisne**, sculptée par l'artisan espagnol Diego de Robles vers la fin du XVIe siècle. Le reste de l'année, elle est gardée au petit village d'El Cisne; on la déplace une fois l'an, le 20 août; on la transporte alors à Loja, à 70 km de là, et on la ramène à son village d'origine le 1er novembre. Chaque année, cette vierge, également appelée «La Churona», mobilise des milliers de pèlerins venus de tout le

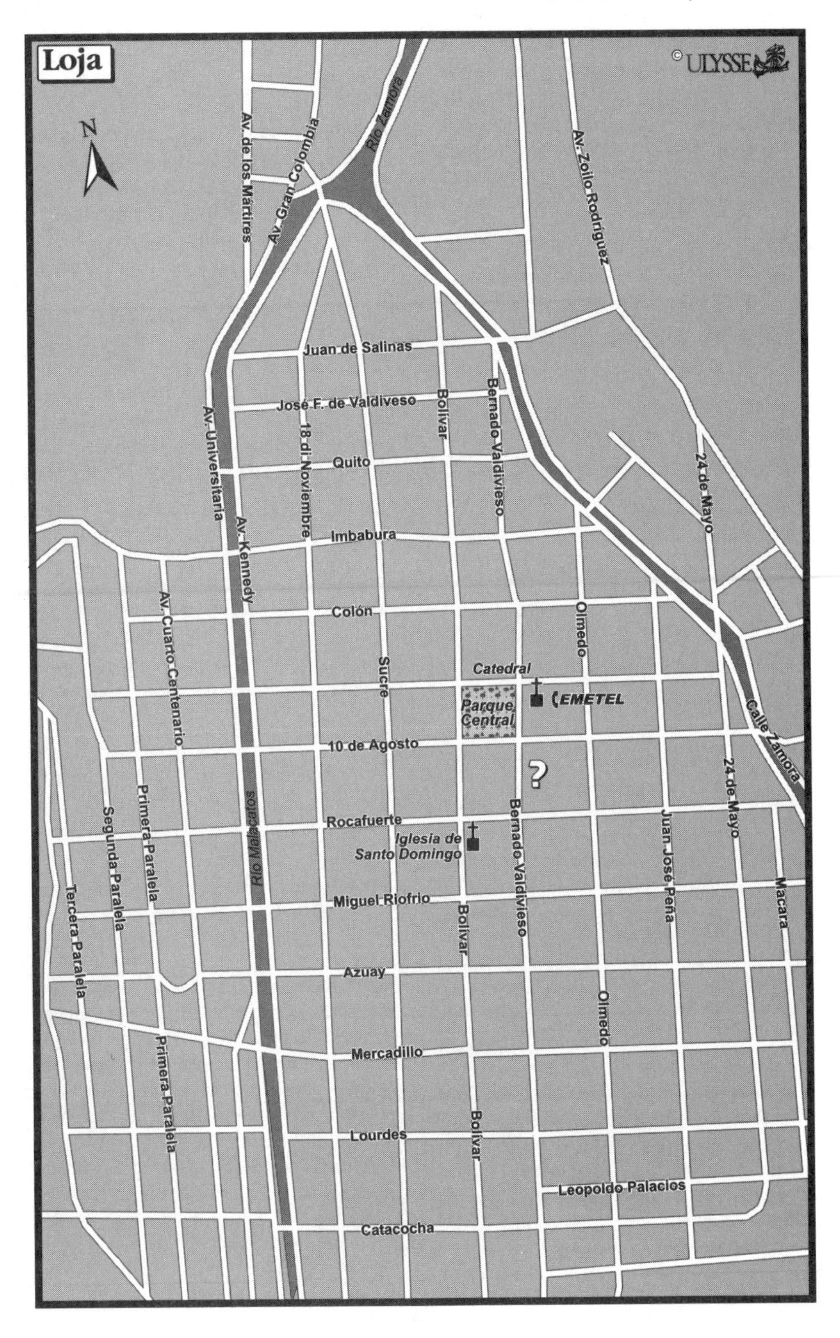
Loja
© ULYSSE
N
Río Zamora
Av. de los Mártires
Av. Gran Colombia
Av. Zoilo Rodríguez
Juan de Salinas
José F. de Valdiveso
Bolívar
Bernado Valdivieso
Av. Universitaria
18 di Noviembre
Quito
24 de Mayo
Imbabura
Av. Kennedy
Colón
Av. Cuarto Centenario
Olmedo
Sucre
Catedral
Parque Central
EMETEL
Calle Zamora
10 de Agosto
Primera Paralela
Río Malacatos
Segunda Paralela
Rocafuerte
Iglesia de Santo Domingo
Juan José Peña
Macara
Tercera Paralela
Miguel Riofrio
Azuay
Mercadillo
Lourdes
Leopoldo Palacios
Catacocha

pays et même du nord du Pérou afin de purifier leur conscience et de raviver leur vie spirituelle. La dévotion des croyants est tout à fait remarquable. Ces innombrables fidèles forment une longue procession pour aller chercher la vierge et l'amener à Loja. Plus la procession avance, plus les fidèles se disputent l'honneur de porter la vierge avant d'arriver à destination. À cette période, il est inutile d'essayer de vous rendre à El Cisne, car les routes sont bondées de fidèles.

L'**Iglesia de Santo Domingo ★** et l'**Iglesia San Martín ★** valent toutes deux un détour.

Trois **marchés** animent les rues de la ville. Le plus important se tient le dimanche, tandis que les deux autres ont lieu le lundi et le samedi.

En face du Parque Central, le **Museo del Banco Central** *(lun-ven 9 h à 16 h 30; Avenida 10 de Agosto)* raconte l'histoire de la ville.

Saraguro

Le petit village de Saraguro compte environ 20 000 habitants et se singularise surtout par son **marché** dominical. Il doit son nom aux Saraguros, ces amérindiens qui furent les malheureuses victimes de l'Empire inca. Les Saraguros sont originaires de la région des hauts plateaux andins entourant le lac Titicaca, aux confins du Pérou et de la Bolivie. Les hommes se distinguent par leur tenue vestimentaire sobre : ils sont coiffés d'un feutre et habillés d'un pantalon court de couleur noire, et leurs cheveux sont retenus en queue de cheval. Les femmes, pour leur part, sont vêtues de jupes noires.

El Cisne

L'attrait principal de la ville est sans l'ombre d'un doute le magnifique **sanctuaire gothique d'El Cisne ★★**, qui conserve avec dévotion la célèbre Virgen del Cisne, sculptée par l'artiste espagnol Diego de Robles, sauf entre le 20 août et le 1er novembre, période durant laquelle elle se trouve à la Catedral de Loja. Jouxtant l'église, un **musée** expose quelques tableaux de l'École de Quito. Cet établissement religieux aux allures imprenables semble protéger les rêves et les croyances des habitants de la région.

Catamayo

Catamayo est un petit village qui compte un peu plus de 10 000 habitants et qui est réputé pour les nombreuses plantations de canne à sucre et pour son aéroport attenant à la région de Loja. En outre, Catamayo peut prétendre posséder une certaine valeur historique. En effet, la ville fut édifiée à l'endroit même où la ville de Loja fut fondée.

Vilcabamba ★★★

Vilcabamba veut dire «vallée sacrée» en quichua. Ce sympathique petit village s'élève à quelque 1 600 m d'altitude et est blotti dans une magnifique vallée à 40 km au sud de Loja, à quelques heures d'autocar. Même si ce bourg a été fondé vers la fin du XVIe siècle, sa renommée remonte toutefois à 1950, alors que de nombreuses recherches et publications ont tenté de démontrer qu'un grand nombre d'habitants de la région y vivaient près de 120 ans, un

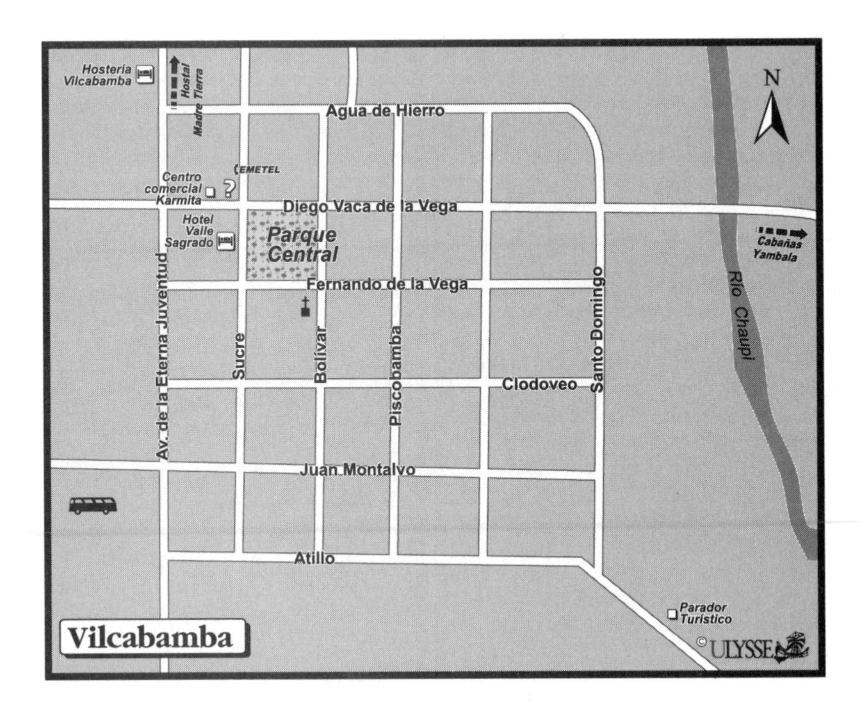

phénomène s'expliquant en grande partie par le climat, le rythme de vie et le régime végétarien dont ces personnes bénéficiaient. Depuis, de nombreuses personnes à la santé fragile ont visité cette vallée de longévité pour y faire une cure de longue vie et cultiver l'espoir de connaître un regain de santé. Beaucoup d'entre elles, paraît-il, y sont parvenues.... Par ailleurs, situés tout près du village, le **Parque nacional Podocarpus** (voir ci-dessous) et le **Centro Recreacional de Yamburaro** (voir ci-dessous) méritent un détour.

PARCS

Parque de recreación El Cajas ★★★

Fondé en 1977, ce parc de récréation, qui s'étend sur une superficie de 28 808 ha, se trouve à une altitude moyenne de plus de 3 000 m au-dessus du niveau de la mer et culmine à 4 200 m. Il compte plus de 200 lacs magnifiques formés par le passage d'anciens glaciers ainsi que d'innombrables petits bassins. El Cajas possède également de curieuses formations géologiques et constitue un lieu de prédilection pour les amateurs d'ornithologie. De nombreuses truites grouillent dans les eaux de ces lacs poissonneux, tandis que de nombreuses couvées de canards y batifolent allégrement. Le toucan et le condor ne sont que quelques-unes des espèces de volatiles qu'on y trouve habituellement. Quant à la faune terrestre, elle se compose de renards, de gazelles et d'ours à lunettes. Dans le domaine du *páramo*, de nombreuses variétés d'orchidées enrichissent la flore. De plus, à l'intérieur du parc, les amateurs d'histoire et de civilisations disparues pourront découvrir des ruines incas qui attestent la présence de ce peuple il y a fort longtemps. À l'intérieur du parc s'offre au regard des visiteurs une autre surprise agréable : **Manzón**. Il s'agit d'une aire protégée d'environ 300 ha abritant 125 espèces d'oiseaux. Avis aux ornithologues. Au moment de mettre sous presse, Manzón, qui fait l'objet de recherches et d'études sur l'avifaune, était temporairement fermée aux visiteurs.

En raison de l'altitude assez élevée du parc El Cajas, certaines personnes peuvent ressentir les effets du *soroche* (mal des montagnes). En outre, les températures y sont fraîches, les pluies fréquentes et les vents parfois violents. Prévoyez porter des vêtements chauds. Les mois d'août à janvier constituent l'époque de l'année où les températures sont les plus «clémentes». Durant cette période, on peut s'attendre à des journées avec ciel dégagé et pluie occasionnelle. Un permis est nécessaire pour accéder au parc; on peut se le procurer à Cuenca au bureau du MAG (Ministerio de Agricultura y Ganadería), situé au coin de la Calle Simón Bolívar et de la Calle Hermano Miguel. Par souci de sécurité, il est fortement suggéré, et même recommandé, de s'y rendre accompagné d'un bon guide, car il est facile de s'y perdre; effectivement au cours des dernières années, de nombreuses personnes se s'y sont perdues. On déplore même quelques cas d'accidents mortels...

Parque nacional Podocarpus ★★

Ce parc national couvre une superficie de 361 340 ha et chevauche les territoires des provinces de Loja et de Zamora. À l'époque de sa création, ce parc fut institué afin de préserver deux espèces d'angiospermes (famille de plantes à organes de reproduction apparentes dont les graines, par opposition aux gymnospermes ou conifères, sont enfermées dans un fruit) : le *Podocarpus oleifolius* et le *Podocarpus rospigliosi*. Le parc doit son nom à la présence de ces deux espèces végétales particulières. Plus de 100 lacs ont vu le jour à l'intérieur du parc, à la suite du passage des glaciers au cours des récentes glaciations du quaternaire. Le puma, le renard, le toucan et le perroquet ne sont que quelques exemples des nombreuses espèces d'animaux rares qui cohabitent dans cet immense parc couvert d'une luxuriante forêt tropicale humide. Véritable joyau dans un écrin de verdure, le parc abrite une grande variété de plantes aussi curieuses que fascinantes, telles les orchidées sauvages. Pour avoir accès au parc, on doit se procurer un permis au bureau du MAG (Ministerio de Agricultura y Ganadería), à Loja, sur la Calle Riofrío, à l'angle de la Calle Bolívar. Le coût du permis s'élève autour de 20 $.

Centro Recreacional de Yamburaro

Ce petit centre de loisirs dispose d'une piscine entourée d'une végétation abondante où cohabitent lamas et orchidées sauvages.

HÉBERGEMENT

Cuenca

La ville de Cuenca recèle d'innombrables lieux d'hébergement de toute catégorie qui sauront satisfaire autant les voyageurs peu argentés que ceux qui ne connaissent aucune restriction budgétaire. De nombreux hôtels à l'architecture coloniale dressent leur silhouette en plein centre-ville, facilitant ainsi les déplacements à pied. D'autres sont installés près du Río Tomebamba, mais demeurent toutefois à moins de 15 min de marche du centre-ville. Si vous préférez rester un peu à l'écart de la ville, quelques établissements de qualité sauront d'emblée vous satisfaire.

Les chambres de l'**Hotel La Ramada** *(6 $; bc; Calle Sangurima 551)* sont austères, moches et dépourvues de charme, mais comptent néanmoins parmi les plus économiques en ville. En dernier recours seulement.

Appartenant aux mêmes propriétaires que l'hôtel qui porte le même nom à Quito, **El Cafecito** *(10 $ bc et 14 $ bp; Calle Honorato Vásquez 736 et Luis Cordero, ☎ 07-827-341)* loue, comme dans la capitale, des chambres à l'aspect frugal, mais dans un atmosphère détendue, informelle et sécuritaire. L'endroit est populaire auprès des touristes voyageant sac au dos.

À côté de l'hotel Crespo, le **Residencial Siberia** *(10 $; bp; Calle Luis Cordero 422, ☎ 07-840-672)* compte une vingtaine de chambres modestement décorées, plutôt élémentaires et au confort moyen. Il conviendra parfaitement aux voyageurs ayant un budget limité.

L'hôtel **Milan** *(12 $ bp, 7 $ bc; ec, ℜ; Calle Presidente Córdova 989 et Padre Aguirre, ☎ 07-831-110 ou 835-351)* se trouve à deux pas du Mercado San Francisco et propose des chambres propres au plancher de bois franc avec petit balcon. Les chambres sans salle de bain privée sont généralement aussi propres que les autres et conviendront parfaitement aux voyageurs disposant d'un budget limité. Au rez-de chaussée, un simple petit restaurant sert des repas rapides aux voyageurs pressés.

Les petites chambres du **Gran Hotel** *(15 $; ℜ, ec, bc; Calle General Torres 970, entre Calle Bolívar et Gran Colombia, ☎ 07-831-934 ou 835-154)* plairont également aux voyageurs ne possédant pas un portefeuille bien garni. Cet hôtel propose un service de lessive et se dresse près des banques et des attraits principaux de la ville.

Pour quelques dollars de plus, rendez-vous en face du Colegio Nacional. L'**Hostal Colonial** *(18 $; tv, ec, bp, ℜ; Calle Gran Colombia 1013 et Padre Aguirre, ☎ 07-841-644 ou 825-419)* est, comme son nom l'indique, aménagé dans une ancienne demeure coloniale. Ses chambres, propres et spacieuses, disposent de grandes portes et de hauts plafonds peints dans une gamme de couleurs chaudes où se mélangent allégrement le bourgogne, l'or et le gris. Six d'entre elles possèdent un balcon. Excellent rapport qualité/prix.

Si l'Hostal Colonial (voir ci-dessus) affiche complet, rendez-vous à l'**Hostal Caribe Inn** *(18 $; bp, ec, ℜ, tv; Calle Gran Colombia 1051, entre Calle Padre Aguirre et General Torres, ☎ 07-822-710)*, son voisin, qui n'a rien de très tropical, mais qui offre le choix entre des chambres au plancher de bois franc et des chambres avec moquette. Quelques-unes disposent d'un balcon donnant sur la rue, et elles s'avèrent toutes relativement propres.

L'hôtel **Alli-Tiana** *(20 $ pdj; tv, ec, bp; Calle Presidente Córdova et Padre Aguirre, ☎ 07-831-844 ou 821-950, ⇄ 821-788)* propose des chambres propres, bien équipées et sans aucun superflu. Certaines disposent d'un petit balcon offrant une belle vue sur l'Iglesia de San Francisco, mais peuvent néanmoins s'avérer un peu bruyantes si vous avez le sommeil léger.

Très bien située, près de tout, une vieille maison coloniale de plus de 100 ans, l'**Hotel Chordeleg** *(20 $ pdj; tv, ec, bp, ℜ; Calle General Torres et Gran Colombia, ☎ 07-824-611, ⇄ 822-536)*, loue des chambres disposées autour d'une cour intérieure dont quelques-unes à plafond haut sont très spacieuses. Certaines chambres possèdent de petits mais jolis balcons.

Les chambres de l'**Hotel Catedral** *(22 $; bp, ec, ℜ; Calle Padre Aguirre 817, ☎ 07-823-204, ⇄ 834-631)* ont assurément connues de meilleurs jours et auraient besoin d'être retapées, mais elles s'avèrent toutefois pratiques, et certaines disposent d'une vue sur la Catedral. Son personnel est sympathique.

Ancienne maison coloniale entièrement rénovée, l'**Hotel Príncipe** *(22 $; ℜ, ec, tv; Calle Juan Jaramillo 782 et Luis Cordero, ☎ 07-821-235, ⇄ 834-369)* se trouve tout près du Museo del Monastario de la Concepción et propose une trentaine de chambres très propres, rigoureusement entretenues par un personnel dynamique et souriant.

Beaucoup moins charmantes que celles de l'Hotel Príncipe (voir ci-dessus), les chambres de l'**Hotel Paris Internacional** *(22 $; ℜ, bp, ec; Calle Sucre 678 et Borrero, ☎ 07-827-181 ou 827-978, ⇄831-525)* sont situées à deux pas de ce dernier et ont considérablement perdu de leur éclat à travers les âges. Elles n'en demeurent pas moins sécuritaires et bien équipées.

L'**Hostal La Orquidea** *(22 $ à 60 $; ℜ, ec, tv; Calle Borrero 931 et Bolívar, ☎ 07-824-511, ⇄ 835-844)* est située à quelques rues de la Nueva Catedral. Elle compte 14 petites chambres propres mais un peu sombres, disposées sur trois niveaux. Ceux qui désirent se payer un peu de luxe pourront opter pour être hébergés dans sa suite aux portes de cathédrale qui s'ouvrent sur un sympathique balcon; elle est munie d'un frigo et d'un poêle.

La **Posada de Sol** *(24 $; ec, bp, ℜ; Calle Bolívar 503 et Mariano Cueva, ☎ 07-838-695, ⇄ 838-995)* propose probablement les chambres qui offrent un des meilleurs rapports qualité/prix en ville. Ici, tout sent le neuf...ou plutôt devrait-on dire le vieux? Ses 12 chambres sont réparties sur deux niveaux d'une vieille maison coloniale qui a été récemment rénovée, mais qui s'accroche à son passé grâce à ses murs lambrissés et à ses planchers de bois franc. Les visiteurs peuvent se reposer tout en lisant un livre ou en discutant tranquillement devant le foyer, ce qu'ils apprécieront sans doute particulièrement après une longue journée passée en ville.

Maison bicentenaire rénovée, l'**Hotel Inca Real** *(28 $; ec, tv, bp, ℜ; Calle General Torres 840, entre Calle Sucre et Tarquí, ☎ 07-823-636 ou 825-571, ⇄ 840-699)* a gardé quelques traces de son passé colonial, comme l'atteste la présence de ses grandes cours intérieures décorées de fleurs et de plantes autour desquelles s'articulent la plupart de ses 30 chambres. Certaines donnent sur la rue, mais elles sont évidemment un peu plus bruyantes que les autres. Les clients ont accès à un stationnement privé où ils peuvent garer leur voiture en toute sécurité.

Autre demeure coloniale transformée en un chaleureux établissement hôtelier, l'**Hotel Internacional** *(28 $; ec, bp, ℜ; Calle Benigno Malo 1015 et Gran Colombia, ☎ 07-831-348 ou 823-731)* propose 29 chambres réparties sur trois niveaux, toutes bien meublées, très éclairées et enjolivées de tons chauds et de hauts plafonds. Le personnel est courtois et attentionné. L'hôtel est situé à quelques minutes de marche des principaux attraits en ville.

L'**Hotel Presidente** *(28 $; tv, bp, ec, ℜ; Calle Gran Colombia 659 et Presidente Borrero, ☎ 07-831-979 ou 831-066, ⇄ 824-704)* compte 70 chambres propres et bien équipées, sobrement décorées avec moquette. Certaines offrent une vue intéressante sur les toits de la ville. Outre sa situation près des attraits principaux de la ville, cet établissement a l'avantage de posséder, au- dessus de son restaurant, une terrasse, au 9e étage, qui permet à la clientèle de jouir d'une vue panoramique sur pres-que toute la ville.

Tout près de l'Hotel El Dorado, **El Conquistador** *(35 $; ec, ℜ, bp, tv; Calle Gran Colombia 643, ☎ 07-831-788, ⇄831-291)* compte une quarantaine de chambres propres et modernes, équipées d'un minibar et d'un sèche-cheveux, mais sans aucun véritable charme. L'hôtel a toutefois l'avantage d'être situé tout près des attraits principaux, d'avoir un stationnement privé ainsi qu'une discothèque, et d'offrir gratuitement le service de navette depuis l'aéroport.

Si vous roulez sur la route panaméricaine Nord en direction de Cuenca, à moins de 10 km de la ville, votre attention sera sans doute éveillée par la présence d'un moulin à vent qui évoque le temps révolu de Don Quichotte. L'endroit se nomme, sûrement à cause du moulin, **El Molino** *(50 $; ec, ≈, ℜ, bp ; route panaméricaine Nord, km 7, ☎ 07-875-359 ou 875-367, ⇄ 875-358).* Nichée à l'écart de la ville et en pleine nature, cette vieille hacienda à l'aspect renouvelé, comme en témoignent ses chambres garnies d'un assortiment de meubles anciens et de lits confortables, plaira aux âmes romantiques en quête de repos et de tranquillité. Les visiteurs ont de plus accès à une jolie piscine entourée de plantes et de fleurs.

Vous avez aimé le site de l'hôtel Oro Verde, mais vous ne voulez pas payer autant? Cet hôtel affiche complet? Mais voici, juste à côté de l'Oro Verde se dresse depuis 1996 le sympathique hôtel **La Laguna Pinar del Lago** *(60 $; ec, tv, ℜ; Avenida Ordoñez Lasso, ☎ 07-837-339, ⇄ 842-833).* De style plus modeste, il est toutefois construit aux abords d'une lagune de dimension plus petite que celle de son voisin, mais dispose de chambres neuves à l'aspect immaculé pour une trentaine de dollars de moins que l'autre.

Érigé au bord du Río Tomebamba, l'hôtel **Crespo** *(80 $; tvc, ec, bp, ℜ; Calle Larga 793, ☎ 07-831-837 ou 842-571, ⇄ 839-473)* regorge de lambris, de hauts plafonds, de vieux meubles et de couloirs voûtés qui évoquent un parfum suranné hérité de l'époque coloniale, mais au charme irrésistible. Il est sans conteste l'un des établissements hôteliers les plus invitants à Cuenca. Ses 41 chambres, aux dimensions variées et réparties sur quatre niveaux, sont toutes coquettes et lumineuses, mais les meilleures offrent une vue reposante sur le cours d'eau. On y trouve aussi un excellent restaurant, un café-terrasse et un bar où il fait bon s'arrêter après une visite de la ville. Le personnel est serviable et accueillant, et peut facilement vous organiser des excursions intéressantes dans la région. Une navette transporte les clients entre l'aéroport et l'hôtel.

Quoique moins charmant que l'hôtel Crespo (voir ci-dessus), l'hôtel **El Dorado** *(80 $; tvc, ec, bp, ℜ; Calle Gran Colombia 787 et Luis Cordero, ☎ 07-831-390, ⇄ 831-663)* se dresse au cœur de la ville et compte tout de même parmi les meilleurs hôtels de Cuenca. Cet établissement possède un restaurant, un café, deux bars ainsi qu'une discothèque. Son piano-bar du sixième étage constitue un excellent endroit où admirer les jolis toits de cette merveilleuse cité coloniale. Quant aux chambres, elles sont toutes spacieuses, immaculées et décorées avec soin. Essayez d'obtenir une des chambres avec balcon; celles-ci sont insonorisées grâce aux fenêtres spéciales qui y ont été installées afin que vous puissiez dormir en paix. Par ailleurs, une navette viendra vous chercher à l'aéroport, ce qui vous évitera de payer un taxi. Le personnel est sympathique et attentionné.

Situé un peu à l'extérieur de la ville, l'**Oro Verde** *(90 $; tvc, ec, ⌂, bp, ℜ, ≈, ♿; ☎ 07-831-200, ⇄ 832-849)* est sans l'ombre d'un doute l'hôtel haut de gamme par excellence de Cuenca. Autrefois appelé «La Laguna» en raison de son emplacement au bord d'une lagune artificielle, cet établissement fait désormais partie d'une chaîne suisse-allemande qui exploite notamment des hôtels à Quito, Guayaquil, Manta et Machalla, et qui répond aux besoins des clients les plus exigeants. Pratiquement toutes ses chambres ainsi que son restaurant jouissent d'une jolie vue sur une lagune artificielle située juste derrière l'hôtel et qui est alimentée par un affluent du Río Tomebamba au milieu d'un parc verdoyant où se promènent en toute liberté quelques lamas et quelques cygnes. Les chambres sont propres et soigneusement décorées. Une chambre aux portes plus larges, pour les personnes en fauteuil roulant, et une section non-fumeurs font partie des services spécialisés de l'hôtel. En outre, un petit parc récréatif a été aménagé pour les enfants. Piscine extérieure chauffée, salle d'exercices, bain turc et sauna sont à la disposition de la clientèle. Finalement, quatre appartements tous meublés et équipés d'une cuisine avec lave-vaisselle, sécheuse et laveuse sont loués aux personnes voulant y séjourner pour des périodes prolongées.

Gualaceo

Les voyageurs au budget limité, que ne rebute pas l'idée d'être hébergés dans un gîte frugal mais économique, peuvent aller au **Residencial Gualaceo** *(6 $;*

Calle Gran Colombia). Le personnel est sympathique, et vous êtes près du marché.

L'**Hostería La Rivera** *(15 $; bp, ec, ℜ; ☎ 07-255-052)* intéressera sûrement les personnes qui souhaitent se rendre rapidement au marché dominical du village sans être obligées de dormir à Cuenca. Les chambres sont propres et décorées sans aucune prétention.

Ceux qui veulent s'offrir un peu plus de luxe opteront sans doute pour le **Parador Turístico Gualaceo** *(35 $; bp, ec, ≈ ℜ; ⇄ et ☎ 07-830-485).* Situé au sein d'une végétation luxuriante et un peu à l'écart du village de Gualaceo, le Parador dispose d'une vingtaine de chambres distribuées dans de petites *cabañas* coquettement aménagées. Parmi les autres installations et services de l'hôtel figurent une piscine, un stationnement privé et des courts de tennis.

Baños

Le petit village de Baños est tellement près de Cuenca qu'il peut s'avérer plus intéressant pour certains d'être logés à l'**Hostería Duran** *(30 $; tv, ec, bp, ℜ, ≈; Avenida Ricardo Durán, ☎ 07-892-485, ⇄ 892-488)* plutôt qu'en plein centre de Cuenca. Au début du siècle, l'hôtel était de taille modeste, mais aujourd'hui l'établissement s'est progressivement transformé en un grand complexe touristique doté d'installations qui plairont sans doute à beaucoup de visiteurs. Outre ses 17 chambres coquettes et équpées on y trouve une piscine «eau chaude» garantie, car elle est alimentée constamment par une source d'eaux thermales qu'il faut refroidir avant qu'elle ne se déverse dans la piscine. Une salle d'exercices, des courts de tennis, un stationnement privé et un restaurant jouissant d'une excellente réputation dans la région sont les installations et services complémentaires de cet établissement.

Paute

Un peu en retrait de la petite bourgade de Paute, l'**Hostería Uzhupud** *(30 $; ℜ, ≈, ec, bp; de Paute ☎ et ⇄ 07-250-329 ou 250-339, de Cuenca ☎ et ⇄ 07-806-521 ou 807-784)* a l'avantage de combler les désirs des voyageurs qui aiment s'éloigner de la ville tout en ayant les services à portée de la main. Les visiteurs peuvent soit profiter de la piscine ou des courts de tennis ou encore louer des chevaux pour explorer la région environnante. Vous avez des enfants? Un terrain de jeu a été spécialement aménagé pour votre tranquillité et leur grand bonheur.

Loja

Les voyageurs en quête de confort et de tranquillité seront déçus d'apprendre que la ville de Loja est surtout pourvue de nombreux petits établissements hôteliers à même de satisfaire les personnes ayant un budget limité ainsi qu'un esprit d'aventure. Néanmoins, ceux qui sont à la recherche d'un peu de luxe y trouveront quelques hôtels qui leur conviendront, mais qui ne bénéficient pas des installations et services qu'on retrouve généralement dans un hôtel de catégorie supérieure.

L'hôtel **Mexico** *(5 $; ℜ, bc; 18 de Noviembre et Antonio Eguiguren, ☎ 07-570-581)* propose des chambres au confort spartiate et à la propreté parfois douteuse, mais qui conviendront aux aventuriers ayant un budget limité.

Un restaurant du même nom jouxte l'hôtel.

L'**Hostal Londres** *(5 $; bc, ec; Calle Sucre 741, entre 10 de Agosto et J.A. Eguigurén, ☎ 07-561-936)* dispose de petites chambres cadenassées et sécuritaires avec petit balcon. Les chambres n'ont pas de salle de bain privé, et l'on peut prendre sa douche à l'eau chaude à l'étage seulement. Somme toute, cet hôtel des plus ordinaires affiche des tarifs difficiles à battre. Le personnel est sympathique.

Les chambres spartiates de l'**Hostal Pasaje** *(5 $ bp, 4 $ bc; Calle Antonio Eguigurén et Bolívar)* se révèlent simplement décorées et disposent d'un petit balcon qui donne sur la cour arrière. La salle de bain commune est parfois plus propre que le bain privé. Comme son nom l'indique, cet hôtel de «passage» conviendra aux voyageurs peu argentés.

L'**Hotel Paris** *(6 $ bp, 4 $ bc; Avenida 10 de Agosto 1637, ☎ 07-961-639)* est pourvu de chambres sans charme, à la propreté passable et au décor des plus ordinaires. L'eau des douches est chauffée à l'électricité. Cet hôtel conviendra aux aventuriers. Il a l'avantage, en plus d'être économique, d'être situé tout près du marché et du Parque Central.

L'**Hostal Inca** *(6 $; bp; Avenida Universitaria et 10 de Agosto, ☎ 07-961-308 ou 962-478)* dispose de chambres fort simples et modestement décorées. Une salle de télévision commune a été aménagée pour la clientèle.

Toujours sur le même angle de rues, l'**Hostal Quinara** *(10 $; tv, bp; Avenida Universitaria et 10 de Agosto, ☎ 07-570-785)* propose des chambres confortables et bien équipées. Les salles de bain privées sont charmantes et dotées de sols de marbre.

Les chambres de l'**Hotel Acapulco** *(10 $; ℜ, tv, ec, bp; Calle Sucre 0749 et 10 de Agosto, ☎ 07-570-651)* s'avèrent confortables, propres, sécuritaires et bon marché. À l'étage se trouve le bar Acapulco. Demandez une chambre qui donne sur la rue, sinon les fenêtres ouvrent sur un corridor. Les soirées peuvent être un peu bruyantes, car les chambres sont situées sur une mezzanine, et, au rez-de-chaussée, se trouve un *parqueadero* (stationnement). L'hôtel dispose également d'un restaurant-caféteria. Pour les voyageurs qui font attention à leur budget, il s'agit d'une bonne adresse.

Si l'hôtel Acapulco (voir ci-dessus) affiche complet, l'**Hostal La Riviera** *(10 $; tvc, ec, bp; Avenida Universitaria et 10 de Agosto, ☎ 07-572-863)* loue, pour le même prix, des chambres propres, bien équipées et avec moquette. En prime, vous serez un peu plus près du marché.

Pour quelques dollars de plus, rendez-vous tout près de la rivière, à l'hôtel **Vilcabamba Internacional** *(12 $; bp, ec, ℜ; Calle Kennedy et Miguel Riofrio, ☎ 07-961-538, 962-362 ou 963-393)*. On y trouve des chambres coquettement décorées, spacieuses, tranquilles et très propres. Le personnel est accueillant et peut vous aider dans vos démarches si vous voulez participer à une excursion dans les environs. Un restaurant se situe au rez-de-chaussée, mais les repas y sont assez coûteux.

El Gran Hotel Loja *(20 $; ec, bp, ℜ; Avenida Iberoamérica et Rocafuerte, ☎ 07-562-447 ou 575-200, ⇉ 575-202)* est sans doute l'un des hôtels les plus invitants de Loja grâce à ses chambres modernes, spacieuses, bien éclairées, bien entretenues et propres. Les propriétaires travaillent aussi en étroite collaboration avec le groupe écologique Arco Iris et peuvent facilement vous aider à prendre part à des excursions dans les environs. Un bar-caféteria, Zamorano, y est ouvert 24 heures par jour.

Les chambres de l'**Hotel Libertador** *(20 $; tv, ec, bp, ℜ; Calle Colón 1431 et Bolívar, ☎ 07-962-119)* sont situées tout près de la Catedral et comptent aussi parmi les meilleures en ville. Elles conviendront parfaitement aux voyageurs qui sont en quête d'un peu de confort. En effet, elles sont simplement décorées, mais on n'a rien à redire quant à la propreté des lieux. Son personnel est sympathique et attentionné.

En face de l'Hotel Libertador, l'**Hotel Ramses** *(20 $; tv, ec, bp, ℜ; Calle Colón 1432 et Bolívar, ☎ 07-560-868 ou 561-402, ⇄ 578-157 ou 575-827)* dispose de chambres propres, mais un peu sombres. Si le bruit ne vous dérange pas trop, essayez d'en obtenir une parmi celles qui donnent sur la rue, car elles s'avèrent plus spacieuses et plus éclairées.

Vilcabamba

En face du Parque Central, l'hôtel **Valle Sagrado** *(5 $; bc; Calle Sucre)* propose de nombreuses petites chambres au confort spartiate disposées autour d'une jolie cour intérieure. Le personnel est plus que chaleureux et sera on ne peut plus que content de vous aider dans vos démarches.

À 2 km au nord de Vilcabamba se dresse la très sympathique et charmante auberge **Madre Tierra.** *(Le prix des chambres dans le bâtiment principal et dans les cabanes-dortoirs est de 9 $ par personne, tandis que les cabanes à occupation double coûtent 12 $ par personne et disposent de douches froides et d'une toilette extérieure. Des douches chaudes se trouvent également à l'intérieur et à l'extérieur de la maison principale. Durant la basse saison, les prix peuvent diminuer légèrement. Il est possible de payer en dollars ou en chèques de voyage américains, ou encore par carte de crédit Visa. À midi, des jus de fruits frais sont servis. Pour réservations : P.O. Box 354, Loja, Ecuador, ☎07-673-123)*. Si vous aimez le calme et la vie communautaire, cette auberge est un lieu de prédilection pour un séjour d'au moins quelques jours. Ses propriétaires, une Québécoise et un Équatorien, ont construit ce refuge à partir de rien il y a un peu plus de 10 ans. Il est composé d'un logis principal, qui abrite quelques chambres, de la salle à manger de l'auberge, d'une salle de bain commune et de plusieurs cabanes à quelques minutes de marche. Cet ensemble est aménagé sur le flanc d'une montagne offrant aux visiteurs une vue splendide sur les sommets avoisinants, surtout au crépuscule. Tous les prix incluent le petit déjeuner à 9 h et le dîner à 17 h, qu'on prend en commun dans la salle à manger. Il est toujours possible de faire des demandes spéciales pour les repas. La plupart des fruits et légumes servis aux repas, ainsi que les herbes et le café, sont cultivés biologiquement sur les terres de l'auberge, et le pain est fait sur place tous les jours. Si vous voulez faire laver votre linge, il y a un service de lessive au coût de 1 $ par kilogramme. Une massothérapeute est sur place trois fois par semaine, et il n'en coûte que 8 $ environ pour un massage d'une heure.

Il y a plusieurs façons de visiter les environs; vous pouvez le faire soit à pied, soit avec un guide expérimenté, ou encore à cheval. À midi et demi, le bar situé à côté de la piscine ouvre ses portes pour vous vendre des rafraîchissements, des sandwichs, des cigarettes et des jus de fruits. En fin de journée, à 18 h 30, on installe devant le bar un téléviseur qui permet à la clientèle de visionner un film sur bande magnétoscopique.

Cabañas Río Yambala *(5 $ à 15 $; ec, bp, ℜ; pour faire vos réservations, rendez-vous au centre commercial Karmita, à Vilcabamba, face au Parque Central, juste à côté du magasin d'électronique. De là, Mme Karmita communiquera avec Charlie par bande publique. Elle vous aidera à trouver un moyen de transport pour vous y rendre, ou Charlie lui-même viendra tout simplement vous chercher)*. Les *cabañas* sont également connues sous le nom de leur propriétaire : «Charlie's Cabañas». Elles sont perchées dans les montagnes de la cordillère des Andes, traversant le sud du pays. Différents types de *cabañas* ont été construites afin de satisfaire les besoins de chacun. Ainsi, selon le genre de vacances que vous comptez y passer, vous avez le choix entre des *cabañas* plus ou moins rudimentaires et des *cabañas* de luxe. Toutes les *cabañas* offrent une vue saisissante sur les paysages de montagnes qui les enveloppent. Cet endroit se révèle excellent pour les gens qui veulent échapper pour quelque temps aux grands hôtels et à la civilisation. De plus, des excursions dans le parc Podocarpus et dans les environs de Vilcabamba peuvent être organisées sur place. Un service de lessive, un sauna et un système d'échange de livres comptent parmi les services et installations destinés aux clients.

Situé à plus ou moins 1 km au sud de Vilcabamba, le **Parador Turístico de Vilcabamba** *(16 $; bp, ec, ℜ; ☎ 07-673-122, ⇄ 673-167)* offre en location des chambres simples, propres et bien équipées qui disposent d'un petit balcon. Le personnel de cet établissement hôtelier organise des excursions dans le parc Podacarpus et dans les environs de Vilcabamba.

L'agréable **Hostería Vilcabamba** *(22 $; ⊛, ℜ, ≈, ec, bp; à environ 1 km au nord de Vilcabamba, ☎ 07-673-131 ou 673-133, ⇄ 673-167)* se trouve juste avant l'entrée du village de Vilcabamba, dans un cadre reposant qui incite à la détente. Parmi une végétation luxuriante, ses chambres s'avèrent très propres, coquettes et soigneusement décorées. Cet établissement dispose d'une piscine, d'un bar, d'un restaurant et de baignoires à remous.

RESTAURANTS

Cuenca

Bon nombre de restaurants de Cuenca ferment leurs portes les dimanches et les lundis.

El Paraíso *($; Calle Gran Colombia et Tomás Ordoñez)* est l'un des meilleurs restaurants végétariens en ville. Malgré son décor modeste, il propose un délicieux menu du jour qui change quotidiennement. L'endroit est populaire pour ses petits déjeuners.

Après avoir visité le Museo del Monastario de la Concepción, les amateurs de cuisine végétarienne peuvent se rendre, non loin de là, au restaurant **El Mañjaris** *($; Calle Borrero 533 et Jaramillo)*. Il s'agit d'une autre bonne adresse pour ceux qui aiment déguster les plats sans viande dans une jolie cour intérieure d'une ancienne demeure coloniale.

La petite boulangerie **Mi Pan** *($; Calle Presidente Córdova 824)* jouit d'une excellente réputation pour la préparation de ses pains frais du jour. Idéal pour prendre une bouchée rapide en commençant sa journée.

À deux pas de la Nueva Catedral flotte un drapeau équatorien, juste à côté d'un deuxième qui désigne celui des Pays-Bas et qui signale l'**Heladeria Holanda** *($; Calle Benigno Malo 951, ☎ 831-1445)*. On y sert probablement les meilleures crèmes glacées en ville. Gâteaux, cafés et thés peuvent aussi être savourés dans un sympathique local dont les murs sont ornés de photos laminées représentant des paysages des Pays-Bas.

Le non moins sympathique petit **Café Austria** *($$; Calle Juan Jaramillo et Malo)* niche dans un chaleureux local lumineux où le bois domine, et il reflète également la présence européenne dans la ville. Il est facile de se laisser tenter par l'excellent choix de gâteaux du comptoir. C'est l'endroit idéal pour discuter tout en savourant un gâteau, une glace ou un sandwich.

Le **Wunderbar** *($$; Calle Honorato Miguel et Larga)* se cache discrètement à côté de l'escalier qui descend jusqu'au Río Tomebamba. Il s'agit d'un petit café-bar où l'on peut prendre un verre ou manger une bouchée rapide dans un local dont les murs sont décorés d'affiches de films classiques.

Bien que la décoration moderne du restaurant **Chifa Pack How** *($$; Calle Presidente Córdova 772 et Luis Cordero)* soit un peu déprimante, le cuisinier parvient toutefois à relever le moral des clients en leur faisant une délicieuse cuisine chinoise.

En face de l'hôtel El Dorado, le restaurant **La Tuna** *($$; Calle Gran Colombia)* est aménagé dans un local où les murs sont faits de rondins, ce qui confère à l'endroit une touche pittoresque. Le cuisinier prépare un vaste choix de pizzas et de mets variés.

Le restaurant **Claro de Luna** *($$; Calle Benigno Malo 596, entre Larga et Juan Jaramillo, ☎ 07-821-067)* est un lieu tout choisi pour un tête-à-tête intime après une journée en ville. Le menu affiche de nombreuses spécialités du pays.

Décoré avec de la céramique de Chordoleg, des tissus de Gualaceo ainsi que d'autres produits d'artisanat de la région, le sympathique restaurant **Los Capulies***($$; Calle Córdova et Borrero)* permet de déguster les spécialités équatoriennes dans une atmosphère agréable.

Le restaurant de l'hôtel Crespo *($$$; Calle Gran Colombia et Unidad Nacional)* est doté d'une très chaleureuse salle à manger au charme surannée et d'une jolie vue sur le Río Tomebamba. L'endroit est également réputé pour la qualité de ses mets locaux et internationaux.

Tous les dimanches, le brunch de l'hôtel Oro Verde attire autant les voyageurs que les habitants locaux, chacun venant y savourer tour à tour les différents plats de viande ou de fruits de mer, pour ensuite aller en pédalo ou en bateau sur la lagune artificielle de l'établissement ou se promener dans son mini-parc. Les autres jours, son restaurant **La Cabaña Suiza** *($$$; Avenida Ordoñez Lazo, ☎ 07-832-849)*, dont le décor en bois évoque évidemment les vieilles maisons suisses avec fenêtres ouvrant vers l'extérieur, propose une délicieuse cuisine locale et internationale.

Le menu du restaurant **El Jardín** *($$$; Calle Presidente Córdova 723)* affiche une large sélection de plats de viande et de poisson que l'on déguste tranquillement dans une des deux petites pièces chaleureusement éclairées de lampes de style Tiffany.

Installé dans une magnifique maison de l'époque coloniale dont le plancher dallé réfléchit une douce composition romantique du décor, l'élégant restaurant **Villa Rosa** *($$$; Calle Gran Colombia 1222, ☎ 07-837-944)* est une bonne adresse à retenir pour ceux qui possèdent un portefeuille bien garni et qui souhaitent déguster une variété de mets nationaux et internationaux. Le service attentionné et la qualité de sa nourriture en font l'une des meilleures tables de Cuenca.

Baños

Les murs du restaurant de l'**Hostería Durán** *($$; Avenida Ricardo Durán, ☎ 07-892-485, ⇄ 892-488)* arborent fièrement le marbre de la région, et le menu affiche de nombreuses spécialitées du pays aux parfums de l'Hexagone.

Loja

Vous l'auriez deviné, la cafétéria **La Tacoteca** *($; à côté de l'hôtel Ramses, Calle Colón et Bolívar)* prépare des mets mexicains simples, mais qui conviendront à ceux qui désirent prendre une bouchée rapidement avant de continuer leur chemin.

La **Pescadería Las Redes** *($$; Calle 18 de Noviembre 1041 et Azuay)* propose un choix varié de poissons et de fruits de mer d'une fraîcheur remarquable. Le personnel est sympathique.

L'ambiance et le personnel du restaurant-cafétéria **Chalet Frances** *($$; Calle Bolívar 753, entre 10 de Agosto et J.A. Eguigurén, en face du Parque Principal)* sont chaleureux. Au menu figurent des plats de poulet, de spaghetti et de viande.

Dans un petit local décoré sans aucune prétention, le restaurant **José Antonio** *($$; Calle Sucre et Colón)* sert probablement les meilleurs plats de poisson et de fruits de mer en ville. Crevettes et poissons sont apprêtés selon vos désirs.

Vilcabamba

Le petit restaurant des **Cabañas Rio Yambala** *($)* peut préparer une variété de repas végétariens et équatoriens si vous le prévenez à l'avance.

Le chic restaurant de l'**Hostería Vilcabamba** *($$; à environ 1 km au nord de Vilcabamba, ☎ 07-673-131 ou 673-133)* est une bonne adresse à retenir pour les personnes désireuses de s'offrir un peu de luxe.

SORTIES

Cuenca

Le bar **Años 60** *(Calle Bolívar 569)* est, comme vous l'aurez sans doute deviné, un endroit où les gens viennent boire et danser sur les airs rétro mais non démodés des années soixante.

Au **Picadilly Pub** *(Calle Borrero 746 et Presidente Córdova)*, on s'attable aux côtés des touristes et des habitants à l'accent chantant, puis on savoure une bière fraîche à petites gorgées sur le fond sonore d'une musique variée.

Le **Bla-bla** *(Avenida 10 de Agosto)* est un bar animé un peu enfumé et l'un des endroits les plus fréquentés par la jeunesse de Cuenca.

Les hôtels El Dorado et Conquistador renferment des discothèques qui ouvrent leurs portes les soirs de fin de semaine. Ces établissements sont surtout fréquentés par la clientèle respective des hôtels en question, mais on y trouve parfois des habitants et des touristes de passage.

MAGASINAGE

Cuenca

Cuenca et ses alentours sont réputés pour l'excellente qualité des *sombreros de paja de toquilla*, mieux connus sous l'appellation de «panamas», qui y sont fabriqués. La fabrique de **Homero Ortega P. e Hijos Co. Ltda** *(Gil Ramírez Dávalos 386, ☎ 07-823-429 ou 830-560, ⇄ 843-045 ou 808-926)*, à l'est du *terminal terrestre*, est une véritable institution et fait honneur à sa réputation. On peut visiter l'usine en utilisant les services d'un guide qui vous explique le processus de fabrication. À la fin de la visite, il vous est loisible d'acheter un souvenir parmi le grand choix de panamas qui y sont exposés. Les panamas qui se vendent ici sont beaucoup plus chers que ceux que vous pouvez acheter ailleurs en ville; cependant, vous pouvez payer avec la Carte Bleue, et la qualité y est nettement supérieure.

Au **Mercado Sangurima** *(Plaza Rotarí)*, on trouve surtout différentes pièces artisanales de céramique provenant des villages des alentours, notamment celles de Saraguro et de Chordoleg. Pour différencier les deux? C'est simple. La céramique de Saraguro est plus travaillée que celle de Chordoleg : on y aperçoit davantage de motifs et de détails.

Les personnes dont la féerie des fleurs fait palpiter le cœur ne doivent pas oublier de se rendre à la **Plazota del Carmen**, où a lieu tous les jours un merveilleux marché aux fleurs, afin de choisir parmi l'infinie variété de couleurs et d'odeurs.

À deux pas de la Nueva Catedral, le magasin **Kinara** *(Calle Sucre 770 et Luis Cordero, ☎ 07-833-189)* propose probablement les meilleurs produits d'artisanat de la région. On y trouve une qualité remarquable de céramiques, de tableaux, de vêtements et d'accessoires.

Vous ne croyez pas avoir assez de temps pour vous rendre au célèbre marché d'Otavalo? Soyez sans crainte, Otavalo se rendra vers vous. Hé oui, infatigables commerçants et voyageurs, les Otavaleños parcourent le pays afin de vendre leur marchandise. À Cuenca, bien que les lieux en soient plus petits que ceux de leur village natal, ils occupent le **Mercado San Francisco** *(juste à côté de l'Iglesia San Francisco, Calle General Torres et Presidente Córdova).*

LE SUD ET LE CENTRE DE LA COSTA

Souvent délaissée par les touristes qui visitent l'Équateur, la région de la Costa fait figure de parent pauvre à côté des autres régions du pays. En effet, avant de descendre les pentes des Andes jusqu'à la Costa, beaucoup de voyageurs préfèrent sillonner les hauts sommets andins, s'enfoncer dans la mystérieuse Amazonie ou encore explorer le monde fascinant des îles Galápagos. Les habitants de la Costa sont même brocardés par les gens de la Sierra, qui les désignent du terme peu flatteur de *monos* (singes). À l'inverse, les habitants de la Sierra sont considérés comme des gens falots manquant de vie. Sur le plan économique, l'Oriente et la Costa ont plus de poids que la Sierra, car la première dispose d'importantes réserves de pétrole, tandis que la seconde bénéficie de nombreuses plantations de bananes et de vastes élevages de crevettes en bordure du littoral. L'Équateur a entrepris, vers le milieu des années soixante-dix, l'élevage de ces petits crustacés, mais cette industrie n'a pris son essor que dans les années quatre-vingt. Aujourd'hui, plus de 300 000 ha de bande côtière sont consacrés à l'élevage de la crevette en Équateur. Toutefois, la concurrence mondiale est vive dans ce domaine et, malgré ce spectaculaire développement, l'Équateur est passé de la 1re à la 3e place, tandis que l'Indonésie et la Thaïlande ont pris les deux premières places du marché de la crevette.

La Costa fait de gros efforts pour s'ouvrir à l'industrie touristique, mais, en dehors de Guayaquil, les infrastructures sont encore relativement sommaires. L'attrait principal de la Costa est sans l'ombre d'un doute le magnifique Parque Nacional Machalilla; pourtant, d'autres sites intéressants sont injustement boudés par les voyageurs. Par exemple, un peu plus au nord, la tranquille et charmante ville de Bahía de

Caráquez et l'Isla Fragatas méritent qu'on s'y arrête. Un peu au nord de Bahía se trouvent d'immenses plages souvent désertes et pour la plupart dépourvues d'hôtels et de restaurants modernes. De plus, sur l'une de celles-ci, les fervents d'histoire auront le privilège de découvrir La Mitad del Mundo de la Costa : Punta Palmar. Par ailleurs, les amateurs de pêche se rendent volontiers à Salinas pour y jeter leurs lignes dans l'espoir d'attraper la prise du jour. À quelques heures seulement de Guayaquil, il est possible d'aller observer de sympathiques mammifères marins, les dauphins, qui font irrésistiblement sourire petits et grands.

POUR S'Y RETROUVER SANS MAL

Huaquillas

En autocar

Depuis Guayaquil, le trajet s'étire sur environ 5 heures et coûte un peu moins de 4 $. Depuis Machala, comptez 1 heure d'autocar pour environ 1,50 $. Départs toutes les deux ou trois heures.

Machala

En avion

La compagnie aérienne TAME assure des vols depuis Guayaquil pour environ 15 $. Départ pratiquement tous les jours.

En autocar

Des autocars quittent Guayaquil pour Machala, effectuant un trajet de 4 heures pour un peu moins de 4 $.

Guayaquil

En avion

Les compagnies aériennes TAME, SAN et SAETA proposent plusieurs vols quotidiens à partir de Quito pour environ 30 $. Une liaison est assurée tous les jours entre Cuenca et Guayaquil pour la somme de 27 $. De Machala, des avions desservent Guayaquil pratiquement tous les jours pour la somme d'environ 15 $. Pour environ 25 $, un avion vous mènera à Loja. L'**Aeropuerto Simón Bolívar** *(☎ 04-282-100)* se trouve à quelques kilomètres au nord de la ville, sur l'Avenida de las Américas. Un taxi depuis l'aéroport vous coûtera de 4 $ à 5 $.

En autocar

Bon nombre d'autocars se rendent à Guayaquil en provenance de Quito. Le trajet s'étire sur environ 7 heures et coûte autour de 7 $. Pratiquement toutes les heures, des autocars quittent Cuenca pour Guayaquil. Comptez 4 heures 30 min pour un peu moins de 5 $. Le *terminal terrestre* est situé à quelques kilomètres de l'aéroport.

En train

Le train quitte la gare du petit village andin d'Alausí pour aboutir sur la côte du Pacifique, dans le petit bourg de Durán, situé tout près de Guayaquil. De là, vous aurez le choix entre l'autocar,

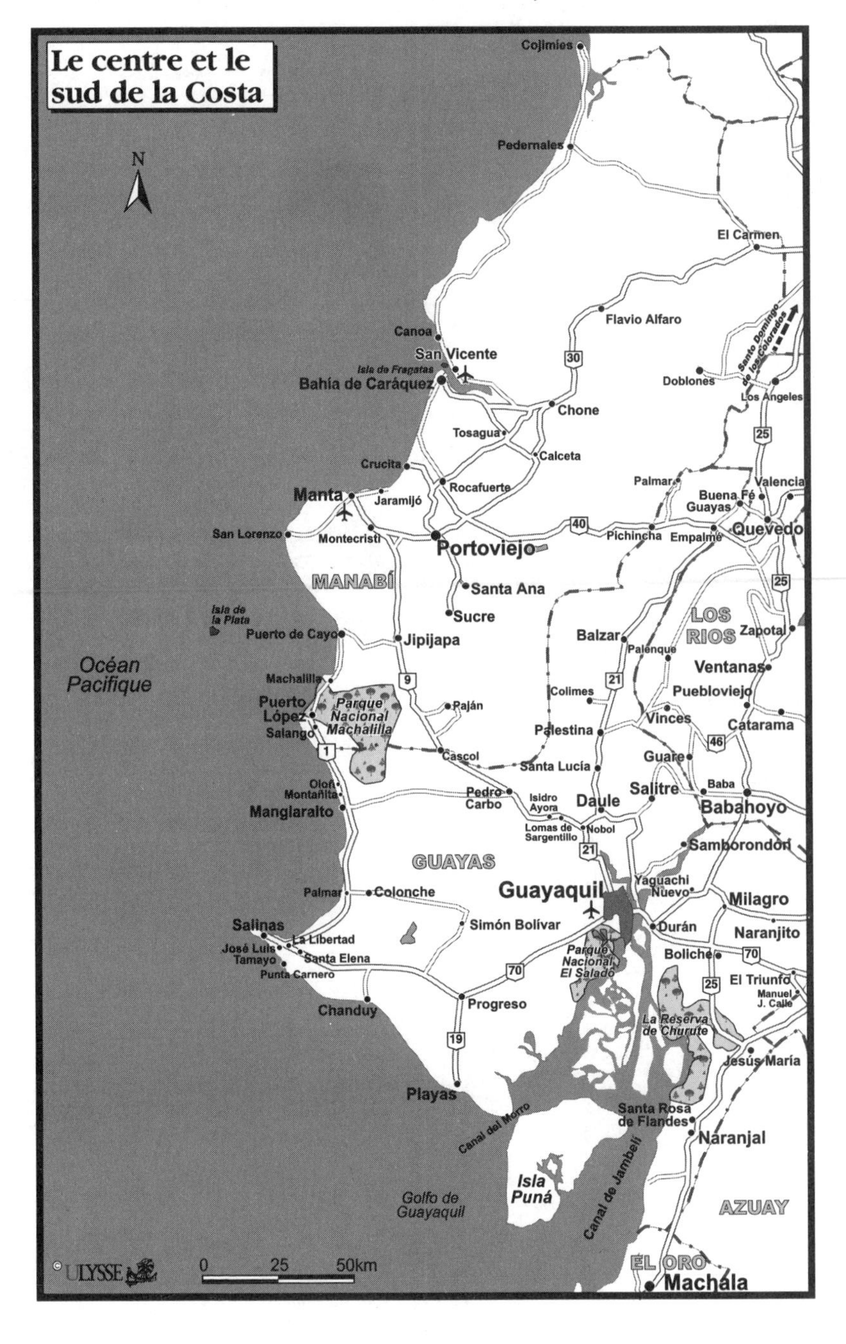

Le centre et le sud de la Costa
N
Cojimíes
Pedernales
El Carmen
Flavio Alfaro
Santo Domingo de los Colorados
Canoa
San Vicente
Isla de Fragatas
Bahía de Caráquez
Doblones
Los Angeles
Chone
Tosagua
Calceta
Crucita
Rocafuerte
Palmar
Valencia
Buena Fé
Guayas
Manta
Jaramijó
San Lorenzo
Montecristi
Portoviejo
Pichincha
Empalme
Quevedo
MANABÍ
Santa Ana
Sucre
Isla de la Plata
Puerto de Cayo
Jipijapa
Balzar
Palenque
LOS RIOS
Zapotal
Océan Pacifique
Ventanas
Machalilla
Puerto López
Salango
Parque Nacional Machalilla
Paján
Colimes
Puebloviejo
Vinces
Catarama
Palestina
Cascol
Santa Lucía
Guare
Olón
Montañita
Manglaralto
Pedro Carbo
Isidro Ayora
Daule
Salitre
Baba
Babahoyo
Lomas de Sargentillo
Nobol
Samborondón
GUAYAS
Palmar
Colonche
Guayaquil
Yaguachi Nuevo
Milagro
Salinas
Simón Bolívar
Durán
Naranjito
La Libertad
José Luis Tamayo
Santa Elena
Punta Carnero
Parque Nacional El Salado
Boliche
El Triunfo
Manuel J. Calle
Chanduy
Progreso
La Reserva de Churute
Jesús María
Playas
Santa Rosa de Flandes
Naranjal
Canal del Morro
Isla Puná
Canal de Jambelí
Golfo de Guayaquil
AZUAY
EL ORO
Machala
© ULYSSE
0 25 50km
30
25
40
9
21
46
1
70
19

le taxi ou le traversier pour parvenir à Guayaquil. Le traversier se rend jusqu'à Guayaquil pratiquement toutes les heures à partir de 8 h, et ce, jusqu'à environ 18 h 30. Si le train en provenance d'Alausí est en retard, vous serez peut-être contraint de passer la nuit à Durán.

Agences de location de voitures

À l'aéroport Simón Bolívar
Budget rent-a-car
☎ (04) 284-559

Avis
☎ (04) 285-498

Hertz
☎ (04) 511-316

Playas

En autocar

De nombreux autocars quittent le *terminal terrestre* de Guayaquil pour Playas. Comptez 2 heures de route pour un peu plus d'un dollar.

Salinas

En autocar

Il faut d'abord se rendre à La Libertad. De là, plusieurs autocars assurent une liaison avec Salinas pour la modique somme de 0,25 $; comptez environ 15 min de route. Depuis Guayaquil, les autocars font le trajet jusqu'à La Libertad pour environ 2,50 $; comptez environ 2 heures 30 min de route.

Puerto López

En autocar

Depuis Salinas ou Manta, le trajet dure environ 2 heures et coûte autour de 1,50 $.

Parque Nacional Machalilla et Isla de la Plata

Si vous voulez organiser par vous-même un petit groupe, vous devez acheter votre billet au bureau du parc national, à Puerto López (tout près de l'église). Comptez environ 13 $ par personne. L'agence Mantaraya *(à Puerto López, sur le Malecón, face aux trois palmiers, ☎ 05-604-233)* propose des excursions de plongée et de pêche en yacht jusqu'à l'Isla de la Plata ainsi que dans le parc national. Par ailleurs, les embarcations les moins chères vous feront débourser entre 20 $ et 25 $ par personne pour l'aller-retour sans nourriture ni boisson. Les yachts coûtent un peu plus cher, soit environ 35 $ par personne pour l'aller-retour sans nourriture ni boisson, mais la traversée est plus agréable et confortable, et les guides sont généralement plus compétents.

Jipijapa

En autocar

De Puerto López ou de Manta, le trajet dure environ 1 heure 15 min; comptez environ 1 $. Départs pratiquement toutes les heures.

Portoviejo

En avion

Deux ou trois fois par semaine, des vols sont assurés depuis Quito pour environ 25 $.

En autocar

De Manta, le trajet dure 1 heure et coûte 0,50 $. Départs pratiquement toutes les heures. De Guayaquil, le trajet dure 3 heures 30 minutes et coûte environ 3 $. De Bahía de Caráquez, le trajet dure 2 heures pour la somme de 1 $. Départs pratiquement toutes les heures.

Manta

En autocar

Bon nombre d'autocars partent du *terminal terrestre* de Guayaquil pour se rendre à Manta. Le trajet dure environ 4 heures et coûte autour de 4 $. Depuis Quito, le trajet s'étire sur 9 heures pour un peu moins de 7 $.

Le *terminal terrestre* de Manta se trouve à l'angle de l'Avenida 24 de Mayo et de l'Avenida 8.

En avion

Des vols réguliers se font à partir de Quito pour Manta; comptez environ 25 $. L'aéroport est situé à quelques kilomètres à l'est de la ville.

Bahía de Caráquez

En avion

L'aéroport est situé dans le petit village de San Vicente. Deux ou trois fois par semaine, des vols sont assurés depuis Quito pour la somme d'environ 30 $.

En autocar

De Quito, le voyage dure environ 8 heures et coûte autour de 6,50 $. De Manta ou Puerto López, vous devez obligatoirement passer par Portoviejo. De Guayaquil, comptez 6 heures de voyage pour eznviron 5,50 $.

Le *terminal terrestre* de Bahía se trouve sur le Malecón à l'angle de la Calle Vinueza.

Isla Fragatas

On ne peut visiter l'île qu'en utilisant les services d'une agence de tourisme : **Bahía Dolphin Tours** *(Calle Salinas, Edificio Dos Hemisferios, ☎ 05-692-084 ou 692-086, ⇄ 692-088, archtour@srv1.telconet.et)* ou **Guacamayo Adventures** *(Avenida Bolívar et Arenas, Apartado 70, ☎ 05-690-597 ⇄ 691-412)*.

San Vicente

En avion

Deux ou trois fois par semaine, des vols sont assurés depuis Quito pour la somme d'environ 30 $.

En autocar

De Manta, le trajet en autocar dure environ 3 heures et coûte autour de 2,25 $. De Canoa, des autocars se rendent à San Vicente toutes les demi-heures pour la modique somme de 0,30 $.

En bateau

Le traversier quitte la jetée de Bahía de Caráquez toutes les demi-heures ou lorsqu'il est plein. Le trajet dure environ 10 min et coûte quelque 3 $ par voiture (gratuit pour le conducteur et les passagaers). Si vous êtes à pied, des embarcations vous demanderont la modique somme de 0,25 $ pour vous y conduire. Départs fréquents.

Canoa

En autocar

De San Vicente, des autocars vont à Canoa toutes les demi-heures pour la modique somme de 0,30 $. Le trajet dure environ 20 min.

En vélo

De San Vicente, la route panoramique qui mène à Canoa s'étire sur seulement 17 km. Pour cette raison, nous vous suggérons de marcher ou de louer un vélo dans la ville de Bahía afin de partir à la découverte de ces longues plages désertes. En prime, vous aurez une vue magnifique sur Bahía et sur la mer.

Pedernales

En autocar

De San Vicente, 3 $ pour 3 heures de route. De Guayaquil, comptez 9 heures et un peu plus de 8 $.

Cojimíes

En autocar

De Pedernales, le trajet en autocar dure 1 heure 30 min et coûte environ 2 $.

En bateau

De Muisné, les embarcations qui vous mèneront à Pedernales coûtent environ 5 $ pour 1 heure 30 min de trajet. La mer est parfois agitée, et il arrive qu'il se mette à pleuvoir.

RENSEIGNEMENTS PRATIQUES

Huaquillas

Poste de télécommunication (EMETEL)

Sur la rue principale

Bureau d'immigration (*Oficina de Migraciones*)

Sur la rue principale
Tlj, généralement ouvert de 8 h à 12 h et de 14 h à 18 h

Machala

Bureau de tourisme (CETUR)

Avenida 9 de Mayo et Pichincha

Poste de télécommunication (EMETEL)

Avenida 9 de Octubre et Calle Vélez

Bureau de poste

Calle Bolívar et Juan Montalvo

Banques

Banco Continental
Avenida 9 de Octubre et
Juan Montalvo

Banco del Pacífico
Calle Rocafuerte et Tarquí

Consulat

Consulat péruvien
Calle Bolívar et Colón
☎ (07) 930-680

Guayaquil

Bureau de tourisme (CETUR)

Calle Aguirre 104 et Malecón
☎ (04) 328-312

Poste de télécommunication (EMETEL)

Calle Pedro Carbo et Clemente Ballén

Bureau de poste

Calle Pedro Carbo et Aguirre

Banques

Banco Filanbanco
Avenida 9 de Octubre et Pichincha
On peut retirer de l'argent avec sa carte Visa.

Banco de Guayaquil
Calle P. Ycaza et Pichincha
On peut retirer de l'argent avec sa carte Visa.

Cambiosa
Avenida 9 de Octubre 113

Cambitur
Avenida 9 de Octubre 129

Casa de Cambios Salcedo SA
Avenida Nueve de Octubre 427 et Chimborazo

American Express
Avenida 9 de Octubre 1900 et Esmeraldas

Bureaux de SAN et de SAETA

Calle Vélez et Chile
☎ (04) 200-600

Agences d'excursions

Metropolitan Touring
Calle Antepara 915 et Avenida 9 de Octubre
☎ (04) 320-300
⇄ 323-050

Canodros
Calle Luis Urdaneta 1418 et Avenida del Ejército
☎ (04) 285-711
⇄ 287-651

Ecoventura
Avenida Arosemena
☎ 04-206-748
⇄ 202-990

Consulats

France
Calle Aguirre 503 et Chimborazo
☎ (04) 328-159

Canada
Calle Córdova 810 et Rendón,
21e étage, bureau 4
☎ (04) 563-560
⇄ 314-562

États-Unis
Avenida 9 de Octubre et García Moreno
☎ (04) 323-570
⇄ 325-286

Hôpital

Clinica Kennedy
Avenida del Periodista
☎ (04) 286-963

Librairies

Librería Científica
Urdesa, Calle Luque 223 et Chile

Librería Cervantes
Calle Aguirre 606 et Escobedo

Pharmacies

Fybeca (cette pharmacie demeure ouverte 24 heures par jour)

Urdesa
Avenida Victor Emilio Estrada 609 et Las Monjas
☎ (04) 881-444 ou 381-468

Puerto López

Poste de télécommunication (EMETEL)

Sur la Calle principal, à côté du Centro de visitantes del Parque Nacional Machalilla. Uniquement pour des appels à l'intérieur du pays.

Bureau du Centro de visitantes del Parque Nacional Machalilla

Derrière le poste de l'EMETEL
7 h à 12 et 14 h à 17 h

Agences d'excursions

Mantaraya
Sur le Malecón (devant les trois palmiers)
☎ (05) 604-233

Machalilla Tour
Sur le Malecón
☎ (05) 604-206

Salinas

Bureau de tourisme (CETUR)

Sur le Malecón

Poste de télécommunication (EMETEL)

Calle 20 et Avenida 3

Bureau de poste

Calle Enríquez Gallo, juste en face du Filanbanco

Banque

Filanbanco
Calle Enrique Gallo et Las Palmas

Agence d'excursions

Pescatour
Malecón 577 et Rumiñahui
☎ (04) 772-391
⇄ 443-142

Pharmacie

Farmacía Central
Malecón et Calle 23

Manta

Bureau de tourisme (CETUR)

Sur la rue piétonne Avenida 3, entre les Calles 10 et 11

Poste de télécommunication (EMETEL)

Sur le Malecón, à l'angle de l'Avenida 1 et de la Calle 11

Bureau de poste

Avenida 4 et Calle 8

Banques

Cambicruz, la Casa de Cambio AZ et la Casa de Cambio Delgado se trouvent sur l'Avenida 2.

Agences d'excursions

Metropolitan Touring
Avenida 4 et Calle 13
☎ (05) 623-090

Delgado Travel
Avenida 2 et Calle 13
☎ (05) 620-046

Portoviejo

Bureau de tourisme (CETUR)

Calle Pedro Gual et Juan Montalvo

Poste de télécommunication (EMETEL)

Avenida 10 de Agosto et Pacheco

Bureau de poste

Calle Ricuarte et Sucre

Bahía de Caráquez

Bureau de tourisme (CETUR)

Malecón et Calle Arenas

Poste de télécommunication (EMETEL)

Malecón et Calle Arenas (juste à côté de CETUR)

Banques

Filanbanco
Calle Aguilera et Malecón

Banco Comercial de Manabí
Malecón et Calle Ante

Bureau de poste

Calle Aguilera 108 et Malecón

Agences d'excursions

Bahía Dolphin Tours
Calle Salinas, Edificio Dos Hemisferios
☎ (05) 692-084 ou 692-086
⇄ 692-088
archtour@srv1.telconet.et
http//www.qni.com/~mi/bahia/bahia/bahia.html

Cette agence propose une variété d'excursions aux voyageurs plus exigeants disposant d'un budget un peu plus élévé. Elle organise des excursions à l'Isla Fragatas, à la forêt tropicale sèche, aux grottes, à des plages privées, à Montecristi et aux sites d'élevage des crevettes. L'un des plus intéressants programmes organisés par l'agence est celui de Chirije, un *lodge* en front de mer qui combine le tourisme en nature, la visite d'un site archéologique et un environnement reposant.

Ce site fut découvert en 1957 par Emilio Estrada, qui trouva dans les archives françaises des données sur la localisation de la ligne équinoxiale par la mission française de La Condamine, laquelle mesura pour la première fois la latitude 0 et contribua à établir le système métrique. L'unité de mesure du système, le mètre, a en effet été définie par les mesures de l'arc terrestre et constitue une fraction fixe de ce dernier.

Installé sur une bande de plage déserte, à seulement 25 min de Bahía de Caráquez, Chirije est un site vieux de plus de 2 500 ans. La fouille du sous-sol à cet endroit fut rendue possible grâce aux contributions d'institutions comme le musée national d'histoire naturelle de l'institut Smithsonian de Washington et l'agence Bahía Dolphin Tours. Les recherches sont toujours en cours, et l'administration accepte les volontaires pour travailler côte à côte avec les archéologues et découvrir davantage de tombes anciennes et de vestiges archéologiques.

Au musée de Chirije, vous pourrez examiner le travail qui a été fait à ce jour. De plus, l'environnement naturel du site, à couper le souffle, permet d'observer des douzaines d'espèces d'oiseaux dans la forêt tropicale sèche environnante.

Le logement proposé est de niveau élevé, avec maisonnettes privées pour trois à sept personnes comprenant une cuisine et une salle bain avec eau chaude. On peut loger jusqu'à 25 personnes dans quatre maisonnettes.

Guacamayo Adventures
Avenida Bolívar et Arenas, Apartado 70
☎ (05) 690-597
⇄ 691-412

Cette agence propose aux voyageurs une grande variété d'excursions pour tous les budgets. La philosophie de l'agence est basée sur des principes de protection de la nature et d'écotourisme. L'agence a mis en œuvre plusieurs projets originaux pour solutionner l'exploitation des gens, des animaux et des terres en zones menacées (les mangliers et les zones de forêt sèche). Cette agence compte aussi parmi les fondateurs de l'école environnementale du Río Muchacho, laquelle offre des études environnementales dans le cadre d'un programme éducatif national. Pour plus d'information ou pour envoyer des dons, écrivez à l'Escuela Río Muchacho, c/o Nicola Mears, Darío Proaño-Leroux, Casilla 11, Bahía de Caráquez, Ecuador. L'agence organise des excursions à l'Isla Fragatas, au Río Muchacho et dans les environs. Elle loue aussi des vélos, des kayaks, des embarcations et de l'équipement de pêche.

École de langues

Pour de l'information, communiquez avec Guacamayo Adventures ou avec l'Academía de Español, Bahía de Caráquez
☎ (05) 633-272
P.O. Box 13-02-74
Bahía de Caráquez
Manabí, Ecuador

ou

☎ (02) 448-893
P.O. Box 17-21-521
Quito, Ecuador

Huaquillas

La ville de Huaquillas aurait peu d'intérêt pour le voyageur si elle n'occupait une position géographique stratégique. En effet, c'est une ville frontalière poussiéreuse et sans charme par où transitent les voyageurs se rendant au Pérou et vice versa. Tâchez d'éviter de franchir la frontière au début du mois de janvier, car il s'agit de la période à laquelle le traité qui a dépouillé l'Équateur d'une partie de son territoire a été signé. Parfois, la tension monte à cette époque de l'année, et des frictions surgissent. Pour ces raisons historiques, il est préférable de ne pas franchir la frontière par voie terrestre et d'opter pour la voie des airs.

Machala

Capitale de la province de l'Oro, Machala est la porte de sortie conduisant à la frontière péruvienne, située à 50 km de là à peine. Fondée en 1758, cette ville compte aujourd'hui près de 200 000 habitants et doit son essor à la culture florissante du bananier, entreprise dès le début du siècle. Machala présente peu d'attraits touristiques, mais peut être utilisée comme tremplin pour aller explorer la fascinante forêt pétrifiée de Puyango : **Bosque Petrificado de Puyango** (voir p 227).

Durán

La petite bourgade de Durán est reconnue comme le point de départ ou d'arrivée du magnifique parcours qu'emprunte le train transandin depuis Alausí jusqu'à la Costa. Peu de voyageurs s'y attardent, et ils passent rapidement leur chemin à moins qu'ils ne décident d'y loger pour une nuit en attendant le train. Durán possède des infrastructures très sommaires.

Persiennes des vieilles maisons de Guayaquil

Guayaquil

La légende veut que le nom de Guayaquil tire ses origines d'un monarque amérindien du nom de «Guaya», conjugué à celui de son épouse, Quil. En 1535, un an après avoir fondé la ville de Quito, l'Espagnol Sebastián de Benalcázar, tente d'occuper la ville de Guayaquil, mais sans succès, car les Amérindiens s'y opposent farouchement. C'est à Francisco de Orellana, mieux connu comme celui qui a réalisé la première traversée continentale de la côte du Pacifique à la côte atlantique, que revient l'honneur d'avoir fondé Guayaquil en 1538. Édifiée sur les rives du Río Guayas, Guayaquil était jadis une jolie ville portuaire coloniale qui assurait le transit des marchandises de la Sierra avant que celles-ci ne soient acheminées vers l'Espagne. Malheureusement, au cours des attaques répétées des Amérindiens, des pirates et des brigands, elle fut incendiée, chambardée, puis pillée.

Depuis qu'est née cette cité tropicale, et pour tenter d'échapper aux bouffées d'air chaud qui s'abattent régulièrement sur toute la région côtière, les Guayaquileños ont construit des demeures en bois qui offrent une meilleure ventilation, car, entre le mois de décembre et le début de mai, la chaleur ambiante, combinée à une forte humidité, rend le climat suffocant et tout à fait désagréable. Au cours des siècles, la plupart de ces maisons furent malheureusement ravagées par de violents incendies et par les attaques répétées des pirates qui maraudaient le long des côtes du Pacifique. Entre mai et décembre, le

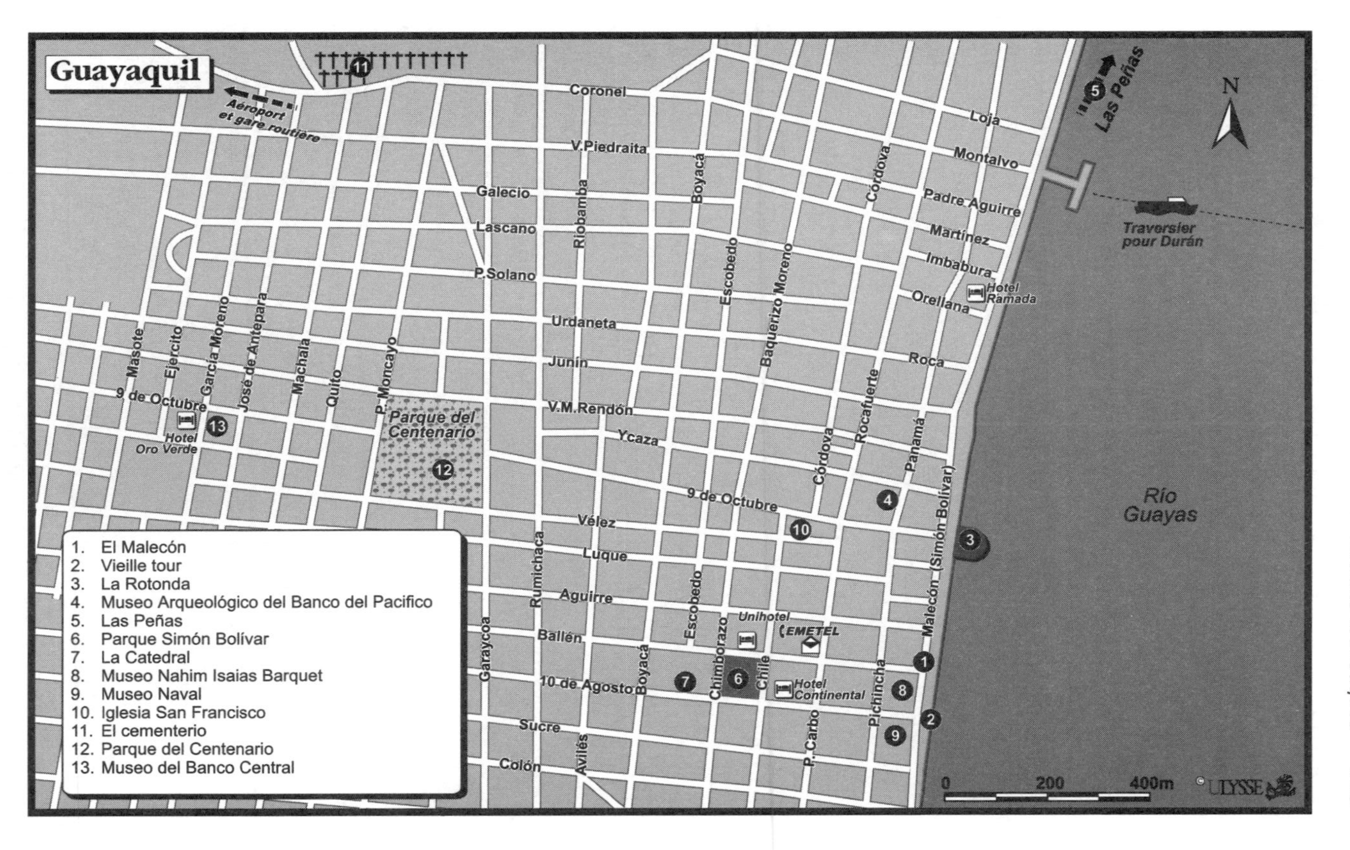
Guayaquil
Aéroport et gare routière
Las Peñas
N
Traversier pour Durán
Río Guayas
Coronel
V.Piedraita
Galecio
Lascano
P.Solano
Urdaneta
Junín
V.M.Rendón
Ycaza
9 de Octubre
Vélez
Luque
Aguirre
Ballén
10 de Agosto
Sucre
Colón
Loja
Montalvo
Padre Aguirre
Martínez
Imbabura
Orellana
Roca
Masote
Ejercito
García Moreno
José de Antepara
Machala
Quito
P. Moncayo
Riobamba
Boyacá
Escobedo
Baquerizo Moreno
Córdova
Rocafuerte
Panamá
Malecón (Simón Bolívar)
Rumichaca
Garaycoa
Avilés
Chimborazo
Chile
P. Carbo
Pichincha
Parque del Centenario
Hotel Oro Verde
Hotel Ramada
Unihotel
EMETEL
Hotel Continental
1. El Malecón
2. Vieille tour
3. La Rotonda
4. Museo Arqueológico del Banco del Pacifico
5. Las Peñas
6. Parque Simón Bolívar
7. La Catedral
8. Museo Nahim Isaias Barquet
9. Museo Naval
10. Iglesia San Francisco
11. El cementerio
12. Parque del Centenario
13. Museo del Banco Central
0
200
400m
© ULYSSE

climat est simplement très chaud et humide... C'est pourquoi ces maisons anciennes, construites en bois, sont remplacées petit à petit par des bâtiments modernes en dur.

Moteur économique du pays, capitale de la province de Guayas et l'un des ports de mer les plus importants de l'Amérique latine, cette ville tropicale, la plus grande de l'Équateur, compte près de deux millions d'habitants. L'un des phénomènes frappants de la ville de Guayaquil est le mélange de nombreuses cultures : amérindienne, espagnole, africaine et asiatique. Il s'agit d'une ville bruyante, chaude, voire dangereuse. En effet, depuis quelques années, les crimes violents et les agressions de toutes sortes y sont malheureusement de plus en plus nombreux. En règle générale, la majorité des voyageurs qui transitent par Guayaquil se dirigent rapidement vers Durán afin de prendre le célèbre train qui mène à Alausí, ou encore se hâtent de prendre l'avion qui les déposera au milieu de l'archipel des Galápagos. Malgré tous les désagréments qu'on lui prête, Guayaquil possède néanmoins quelques attraits.

Une balade sous les arbres du **Malecón ★ (1)** permet d'échapper temporairement à l'activité grouillante et au tumulte de la ville, et d'observer les bateaux qui voguent sur le Río Guayas. Une **vieille tour ★ (2)** de style mauresque se dresse fièrement à l'horizon et capte l'attention des passants grâce à sa silhouette massive et à ses couleurs pastel. Malheureusement, le soir venu, le Malecón est parfois le théâtre d'agressions envers les passants.

À l'intersection du Malecón et de l'Avenida 9 de Octubre se trouve **La Rotonda ★ (3)**, laquelle intéressera sûrement les fervents d'histoire. Il s'agit d'un espace circulaire où s'élève une statue qui commémore la rencontre historique entre Simón Bolívar et le général argentin José de San Martín, deux personnages ayant joué un rôle important dans l'indépendance des nations latino-américaines.

À deux coins de rue vers le nord, le **Museo arqueológico del Banco del Pacífico ★ (4)** *(entrée libre; mar-ven 10 h à 18 h, sam-dim 11 h à 13 h; Calle P. Ycaza 113 et Pichincha, ☎ 04-566-010, ext : 5390)* présente une exposition d'environ 650 pièces de céramique provenant des diverses cultures préhispaniques du littoral équatorien et suscitant auprès des Équatoriens une certaine fierté collective et nationale. L'exposition est conçue dans un but pédagogique et fait connaître des pièces archéologiques de toutes les périodes, par exemple la période formative, comme dans le cas des cultures de Valdivia, de Machalilla, etc.

En poursuivant votre chemin sur le Malecón, vous aboutirez au quartier populaire **Las Peñas ★ (5)**, qui abrite les dernières maisons coloniales construites en bois. Quelques vieux canons pointant vers le large sont les témoins muets des défenses dressées pour repousser les attaques des pirates qui naguère écumaient la côte. Aujourd'hui, l'endroit est surtout habité par de nombreux artistes. Malgré cfela, faites bien attention, car nombre de voyageurs se sont fait attaquer en visitant le quartier. De plus, il est fortement déconseillé de s'aventurer sur le Cerro Santa Ana (juste à côté de Las Peñas), car les agressions contre les touristes y sont malheureusement fort nombreuses.

On peut apercevoir bon nombre d'iguanes terrestres s'agiter sous le feuillage des arbres centenaires du **Parque Simón Bolívar ★ (6)** *(Calle Chile et Chimborazo)*. N'ayez crainte; malgré leur allure de monstres préhistoriques et leur regard un tant soit peu inquiétant, ce sont de sympathiques créatures au régime végétarien.

Les fondations de la **Catedral ★ (7)** *(en face du Parque Simón Bolívar)* furent posées au XVIe siècle, mais, en raison de nombreuses destructions, l'ouvrage religieux ne fut terminé qu'à une époque bien plus tardive. Toutefois, son style néo-gothique mérite un détour, et les âmes romantiques en profiteront sans doute pour allumer un cierge et faire un souhait.

Trois musées se trouvent à quelques minutes à pied du Parque Bolívar : le Museo Municipal, le Museo Nahim Isaias Barquet et le Museo Naval. Au **Museo Municipal** *(1 $; lun-ven 8 h 30 à 12 h 30 et 13 h à 16 h 30; Calle Sucre et Pedro Carbo)*, le public peut admirer, dans des locaux climatisés et modernes, non seulement une variété d'œuvres d'art contemporaines, mais aussi une grande colonne en bois de goyavier ornée de figurines masculines et féminines dans des positions et attitudes évoquant la fécondité. On peut également observer une tombe avec de vrais os extraits de la zone de Huancavilca, de même que des objets destinés à accompagner les âmes défuntes au cours de leur voyage sans retour.

Situé à l'étage de l'établissement bancaire Filanbanco, le **Museo Nahim Isaias Barquet ★ (8)** *(entrée libre; lun-sam 10 h à 17 h; Calle Pichincha et Ballén)* a été érigé en l'honneur de l'ex-banquier et amateur d'art Nahim Isaias Barquet. Il y a plusieurs années, ce dernier fut enlevé et tué par ses ravisseurs avant qu'une rançon ne soit payée. Le musée présente une exposition d'œuvres d'art colonial composée de sculptures en bois polychrome et de peintures à l'huile produites à partir du XVIe siècle, époque à laquelle les Amérindiens, les métis et les gens nés au pays destinaient fondamentalement leurs œuvres à la propagation de la doctrine religieuse. Quatre siècles plus tard, la facture parfaite, l'élévation de la pensée et le sens dramatique qu'on trouve dans ces œuvres impressionnent et éblouissent le spectateur, quelles que soient ses croyances.

Le **Museo Naval ★ (9)** *(0,25 $; horaire variable; Malecón et Sucre)* est divisé en quatre salles d'exposition et raconte l'histoire de la navigation en Équateur depuis la période coloniale jusqu'à l'Indépendance, à l'aide de nombreuses maquettes et reproductions d'anciens vaisseaux, notamment le premier sous-marin construit en Amérique du Sud, l'*Hipopotamo*, conçu par l'Équatorien José Rodríguez en 1838, ou encore au moyen de peintures représentant des navires et de journaux de bord ayant une valeur historique.

L'**Iglesia San Francisco ★ (10)** *(Calle Chile et Avenida 9 de Octubre)* a été rénovée à quelques reprises depuis sa construction au XVIIIe siècle; elle vaut néanmoins un détour. Ceux qui ne pensent pas avoir le temps de visiter le marché d'Otavalo peuvent se rendre à côté de l'église, où quelques Otavaleños vendent leurs produits.

***El cementerio* ★★★ (11)** regroupe d'innombrables monuments funéraires en tout genre, toutes plus beaux les uns que les autres. On y trouve même celui de l'ancien président du pays,

Vicente Rocafuerte. Néanmoins, il faut être vigilant dans ce cimetière, et il est préférable de s'y rendre en groupe, car les allées désertes sont parfois hantées d'ombres mystérieuses qui s'arrêtent, puis disparaissent pour réapparaître soudainement à l'angle d'une autre allée...

Le **Parque del Centenario (12)** *(Avenida 9 de Octubre et Lorenzo de Garailloa)* coupe l'Avenida 9 de Octubre en deux et constitue l'un des plus grands parcs de la ville. Il s'agit d'un excellent endroit où s'asseoir et se reposer avant de poursuivre son chemin.

Situé à quelques coins de rue du Parque del Centenario, le **Museo del Banco Central ★★ (13)** *(entrée libre; lun-ven 9 h à 16 h; Calle Antepara 900 et Avenida 9 de Octubre, ☎ 04-327-402)* présente une intéressante collection d'œuvres de peintres équatoriens contemporains. Gardien d'un riche patrimoine culturel de quelque 1 000 pièces archéologiques issues du territoire côtier, le musée anthropologique de la Banque Centrale nous fait remonter dans le temps au moyen d'une technologie multimédia, laquelle nous présente l'information par le biais d'animations en deux dimensions, de textes, de récits, de musique d'ambiance, de vidéos et de bandes dessinées sur le thème de l'environnement et sur les aspects socioéconomiques des sociétés indigènes.

Si vous avez une journée de libre tout en souhaitant faire une excursion tranquille, rendez-vous au jardin botanique de Guayaquil, le **Jardín Botánico de Guayaquil ★** *(situé à environ 15 km au nord de la ville, ☎ 04-416-975)*, qui renferme plus de 3 000 espèces de plantes, dont environ 150 espèces d'orchidées.

À quelques kilomètres à l'ouest de Guayaquil, on peut visiter le **Bosque Protector Cerro Blanco** (voir p 227).

Playas

Également connue sous le nom de «General Vilamil», Playas est un important centre de villégiature et de pêche situé à quelque 100 km au sud-est de Guayaquil. Beaucoup de Guayaquileños ont acquis des résidences saisonnières à Playas afin d'y passer leurs vacances. Durant la basse saison (mai et juin), la ville est très tranquille, et les hôtels proposent souvent des chambres à prix réduit. D'ailleurs, à cette période, il est toujours possible de négocier les prix à la baisse. Certains hôtels sont même fermés en basse saison. Toutefois, de janvier à avril ainsi que les fins de semaine festives, la ville s'anime et les hôtels sont souvent bondés.

Playas signifie «plages» en espagnol. Ce gros bourg doit son nom aux nombreuses plages qu'on trouve à proximité, le long de la côte du Pacifique. Ceux qui rêvent de longues plages de sable blanc bordées d'une superbe mer aux eaux bleu turquoise et peu agitées seront malheureusement déçus. Cependant, les voyageurs pourront observer à loisir les nombreuses embarcations construites en bois de balsa semblables à celles utilisées par les Amérindiens avant l'arrivée des colonisateurs espagnols. Il est dangereux de fréquenter les plages durant la nuit.

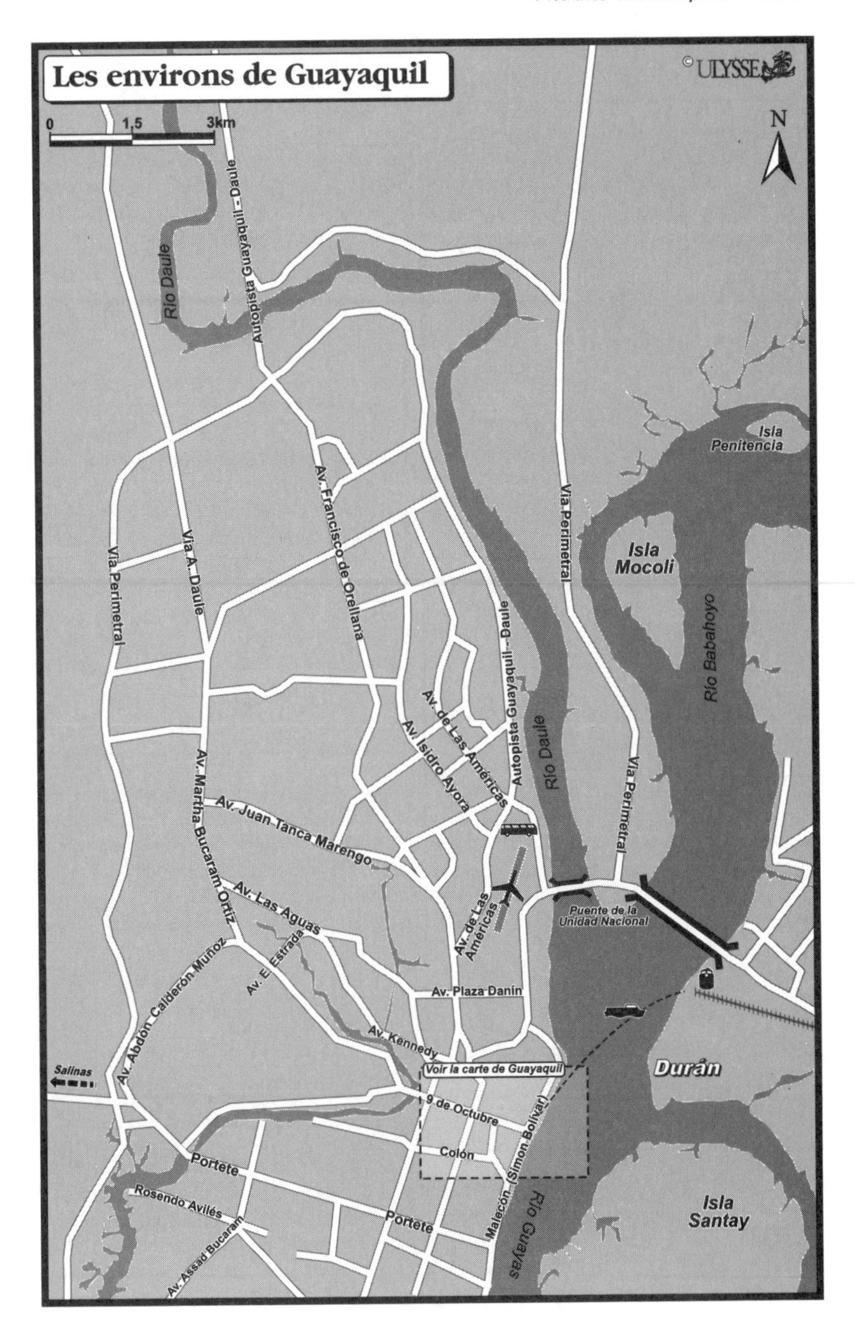
Les environs de Guayaquil
©ULYSSE
0
1,5
3km
N
Río Daule
Autopista Guayaquil - Daule
Vía Perimetral
Vía A. Daule
Av. Francisco de Orellana
Isla Penitencia
Isla Mocolí
Río Babahoyo
Autopista Guayaquil - Daule
Río Daule
Vía Perimetral
Av. de Las Américas
Av. Isidro Ayora
Av. Martha Bucaram Ortiz
Av. Juan Tanca Marengo
Av. Las Aguas
Av. de Las Américas
Puente de la Unidad Nacional
Av. Abdón Calderón Muñoz
Av. E. Estrada
Av. Plaza Danín
Av. Kennedy
Salinas
Voir la carte de Guayaquil
Durán
9 de Octubre
Colón
Portete
Rosendo Avilés
Portete
Malecón (Simón Bolívar)
Río Guayas
Isla Santay
Av. Assad Bucaram

Península de Santa Elena

Selon les annales de l'histoire, Pizarro naviguait vers le sud en quête de l'Eldorado lorsqu'il aperçut cette pointe saillante s'avançant dans le Pacifique. Pour se procurer de l'eau, il ordonna à son équipage de débarquer à l'endroit appelé aujourd'hui La libertad, mais la forte houle et la présence de rochers firent échouer la tentative, et l'équipage dut se rendre à une anse plus paisible.

Après avoir débarqué, Pizarro s'agenouilla, et, portant l'épée à la main droite et l'étendard de la Castille à la main gauche, il baptisa cette terre du nom de «Santa Elena», en l'honneur de l'impératrice Hélène, mère de Constantin le Grand, honorée par l'Église catholique du titre de sainte parce qu'elle consacra sa vie à l'expansion du christianisme.

Santa Elena fut jusqu'en 1937 un seul canton; aujourd'hui, ce vaste territoire comprend Salinas, La Libertad et Santa Elena proprement dite. Ce territoire possède de vastes ressources naturelles ainsi que des terres propices à l'agriculture et à l'élevage, un sous-sol qui contient du pétrole, du gypse (minerai servant à faire du plâtre) et du calcaire, et borde une mer qui fournit du travail aux pêcheurs industriels et aux artisans. La Libertad est le moteur économique et commercial de la péninsule et n'offre aucun attrait intéressant.

Punta Carnero ★

Si vous êtes à la recherche d'un endroit tranquille et isolé en bordure de mer, rendez-vous à Punta Carnero. Ce petit bourg signale sa présence par la silhouette de deux hôtels de qualité, surplombant l'océan à proximité de longues plages où la mer est particulièrement dangereuse. Inutile de vous aventurer en mer, car vous risqueriez fort d'être entraîné par de puissants courants. Néanmoins, le paysage côtier vaut sans conteste le déplacement.

Durant l'année 1996, Salinas a défrayé la chronique lorsqu'on apprit que le Japonais Kenichi Horie, âgé de 57 ans, avait parcouru en solitaire les 16 000 km séparant l'Équateur du Japon à bord d'un petit bateau écologique, propulsé à l'énergie solaire et d'un poids de 379 kg, puisque construit avec environ 22 000 canettes de bière recyclées. Cette épopée débuta en effet le 20 mars 1996 dans le port de Salinas pour se terminer au début d'août au Japon.

Valdivia

Ce petit village est situé à une cinquantaine de kilomètres au nord de La Libertad et doit sa renommée à des fouilles archéologiques. Les traces les plus anciennes de l'origine du pays, ainsi que de tous les pays d'Amérique du Sud, ont été trouvées ici. Malheureusement, la plupart des vestiges recueillis sont conservés dans les musées de la ville de Guayaquil.

Salinas ★

Sise à environ 150 km à l'ouest de Guayaquil et à quelques heures au sud de Puerto López, Salinas est un important lieu de villégiature pour les riches

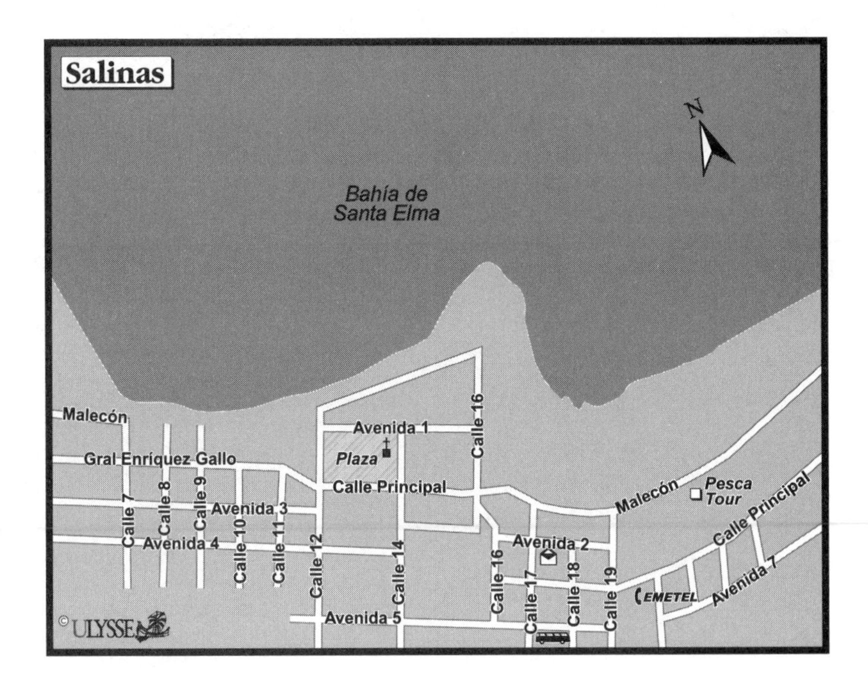

Équatoriens et doit son nom aux salines qui parsèment son territoire. Contrairement aux pittoresques villages de pêcheurs dispersés le long de la Costa, cette localité prend des allures de ville moderne avec ses quelque 20 000 habitants, et le charme colonial d'antan y est remplacé par les nombreuses silhouettes bétonnées des hôtels et immeubles résidentiels sans attrait particulier qui jalonnent le Malecón. La plage est propre et propice à la baignade, mais n'est pas particulièrement spectaculaire; même si la mer est peu agitée, on peut facilement se croire ailleurs qu'en Équateur. Par ailleurs, il est possible de louer des pédalos à la plage. Située sur le Malecón, l'agence Pesca Tour *(☎ 04-772-391, ⇄ 443-142, Guayaquil ☎ 04-443-365)*, organise des excursions de pêche hauturière.

Montañita ★

Cette minuscule bourgade de villégiature est parsemée de petits hôtels économiques, éparpillés le long de ses plages, qui, pour la plupart, ferment leurs portes durant la basse saison. Montañita attire également de nombreux amateurs de surf qui considèrent ce point de la côte comme le meilleur endroit. Elle est populaire auprès des touristes voyageant sac au dos.

Salango ★

La plupart des voyageurs s'arrêtent brièvement à Salango pour visiter son **musée** *(horaire variable)*, qui expose une petite collection de vestiges, et pour aller ensuite se rassasier à son réputé restaurant El Delfín Magico, presque plus populaire que le musée lui-même. La route côtière qui relie Puerto López à Salango se franchit en autocar en quelque 20 min et offre de très jolies vues sur l'océan ainsi que sur des collines couvertes de forêts.

Puerto López ★

Petit village dont l'activité économique repose essentiellement sur la pêche et le tourisme, Puerto López n'offre pas en soi grand-chose à voir ou à faire, mais sa popularité croît chaque année grâce à sa position, tout près de l'entrée du magnifique Parque Nacional Machalilla (voir p 228) et de l'Isla de la Plata (voir p 228). En effet, nombreux sont les voyageurs qui, en raison de leur budget limité, ne peuvent aller visiter le merveilleux monde insulaire des îles Galápagos et qui, de ce fait, s'arrangent pour tracer leur itinéraire de voyage en fonction du parc national côtier Machalilla, lequel abrite de nombreuses espèces animales qu'on ne trouve presque nulle part ailleurs que dans l'archipel des Galápagos.

Montecristi ★

Fondé en 1741, Montecristi retient l'attention des voyageurs par ses nombreux artisans qui font preuve à la fois d'habileté et de versatilité. Ce petit village dispute avec quelques villes de la province de l'Azuay l'honneur d'être l'endroit où les tisserands fabriquent, outre des hamacs et des objets de poterie, des panamas qui seraient les meilleurs du monde. Un groupe d'artisans locaux, les Sombreros Finos Montecristi *(Calle Rocafuerte 500, ☎ 04-606-282)*, possède une petite fabrique toute proche de l'église, près de laquelle ils vendent leurs produits. Selon la qualité, les prix varient de 10 $ à plus de 75 $, car il faut près de trois à quatre mois pour fabriquer un panama de qualité supérieure. Même si ces prix peuvent paraître élevés, sachez qu'en Europe et en Amérique du Nord ces mêmes chapeaux se vendent au moins 50 $ et jusqu'à 2 000 $...

Par ailleurs, ce bourg est aussi le village natal d'Eloy Alfaro, ancien chef libéral de l'Équateur. Le buste du général Alfaro s'élève fièrement sur la grande place, en face de l'église. Celui-ci fut le premier président libéral de l'Équateur, et on lui doit la séparation de l'Église d'avec les institutions scolaires ainsi que l'achèvement des travaux de construction du chemin de fer qui relie la Costa à la Sierra. Un petit **musée** *(horaire variable; près de l'église)* consacré à la vie et à l'œuvre de ce héros national renferme des portraits, ses uniformes et tout un ensemble de livres lui ayant appartenu.

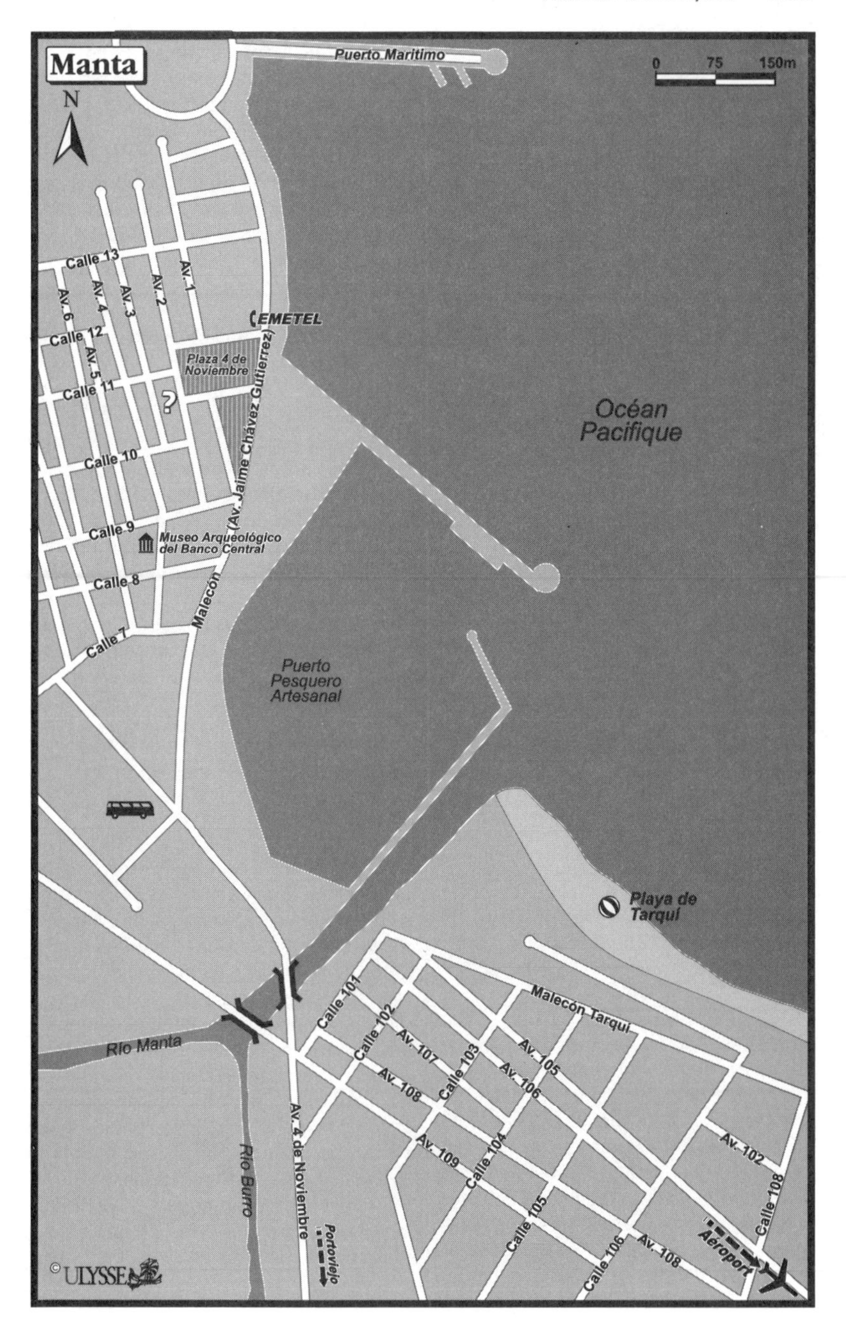
Manta
N
Puerto Maritimo
0 75 150m
Calle 13
Av. 1
Av. 2
Av. 3
Av. 4
Av. 6
Calle 12
Av. 5
EMETEL
Plaza 4 de Noviembre
Calle 11
Calle 10
Calle 9
Museo Arqueológico del Banco Central
Calle 8
Calle 7
Malecón (Av. Jaime Chávez Gutierrez)
Océan Pacifique
Puerto Pesquero Artesanal
Playa de Tarquí
Malecón Tarqui
Río Manta
Río Burro
Av. 4 de Noviembre
Calle 101
Calle 102
Calle 103
Calle 104
Calle 105
Calle 106
Calle 108
Av. 102
Av. 105
Av. 106
Av. 107
Av. 108
Av. 109
Portoviejo
Aéroport
© ULYSSE

La Pila

La Pila se signale par l'habileté de ses habitants à fabriquer des reproductions fidèles de céramiques précolombiennes et en propose un large éventail le long de la rue principale. Les usines de céramiques se situent sur les collines avoisinantes. Jadis, les Amérindiens qui habitaient cette région étaient déjà reconnus pour leur talent de céramistes et façonnaient des poteries utilitaires et décoratives tout en faisant preuve de créativité dans la forme et la couleur.

Jipijapa

Surnommée *La Sultana del Café*, car son activité est centrée sur l'exportation des grains de café, Jipijapa, une grosse ville de plus de 30 000 habitants, ne retiendra pas nécessairement l'attention du voyageur. En effet, en dehors de la production de café, rien d'autre ne mérite qu'on s'y attarde.

Manta

Autrefois connue sous le nom de «Jocay», Manta fut longtemps considérée comme la capitale de la culture manteña. Depuis environ 500 ap. J.-C., les Amérindiens de cette région ont été de grands marins, naviguant le long de la côte du Pacifique à bord d'embarcations en bois de balsa et dominant la côte équatorienne, jusqu'au jour où ils furent placée, en 1535, sous la domination de l'Espagne par le conquistador Francisco Pacheco. Importante ville portuaire de la Costa, Manta est aujourd'hui une cité agitée et bruyante, divisée en deux par une anse : Manta et son port de mer se trouvent à l'ouest, tandis que Tarquí et ses plages se situent du côté est. Cependant, les plages de Tarquí n'incitent pas à la baignade. Par ailleurs, il est fort recommandé de ne pas se promener la nuit dans des coins inconnus ou éloignés. Comme à Guayaquil, on entend souvent des histoires de vol ou d'assaut. Soyez prudent!

Le **Museo Arqueológico del Banco Central** ★★ *(0,50 $; lun-ven 9 h à 16 h 30; Calle 9 et Avenida 4, ☎ 04-622-878)* raconte l'histoire de la culture manteña au cours des âges. Les figurines qui s'y trouvent sont très représentatives de l'anatomie des Manteños de l'époque, avec leur crâne déformé et leur gros nez arrondi et crochu. Paraît-il que, tout jeunes, ils se faisaient poser un ruban autour de la tête, juste au-dessus des yeux, afin que leur crâne grossisse pour devenir boursouflé, critère de beauté et symbole d'intelligence.

Bahía de Caráquez ★★★

Un peu plus au nord, Bahía de Caráquez offre un visage nettement plus accueillant que Manta. Gros bourg tranquille et charmant érigé aux abords de la Costa, Bahía de Caráquez attire l'attention depuis quelques années, car l'ex-président du pays, Sixto Balén, vient lui-même y passer régulièrement ses vacances. La ville a joué autrefois un rôle important dans l'économie de l'Équateur en permettant l'exportation d'une grande variété de produits vers l'étranger. Aujourd'hui, elle est devenue une ville à vocation touristique pour les Équatoriens et les étrangers à cause de la présence de ses jolies plages et de l'**Isla Fragatas** (voir p 229). En effet,

Passerelle bringuebalante près de Baños.

Catedral de Cuenca, symbole d'élégance et de fierté.

Amérindiens dans une pirogue, témoins d'un monde englouti par le temp

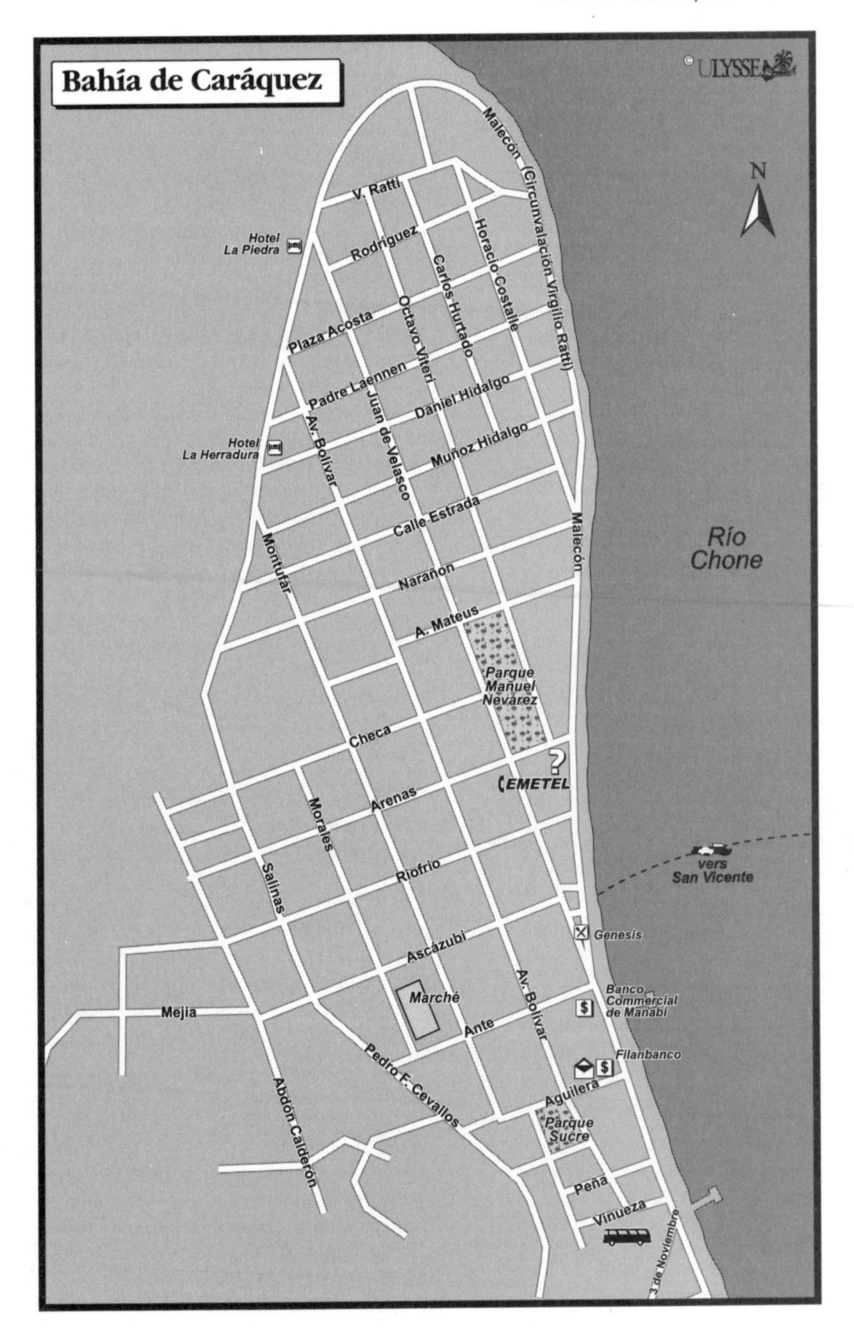
Bahía de Caráquez
© ULYSSE
N
Malecón (Circunvalación Virgilio Ratti)
V. Ratti
Rodríguez
Hotel La Piedra
Horacio Costalle
Carlos Hurtado
Octavo Viteri
Plaza Acosta
Padre Laennen
Daniel Hidalgo
Juan de Velasco
Hotel La Herradura
Av. Bolívar
Muñoz Hidalgo
Calle Estrada
Montúfar
Malecón
Río Chone
Narañon
A. Mateus
Parque Mañuel Nevárez
Checa
EMETEL
Morales
Arenas
Salinas
Riofrio
vers San Vicente
Genesis
Ascázubi
Marché
Mejia
Av. Bolivar
Banco Commercial de Manabí
Ante
Pedro F. Cevallos
Filanbanco
Abdón Calderón
Aguilera
Parque Sucre
Peña
Vinueza
3 de Noviembre

tout près de la ville, les amateurs d'ornithologie et de mangliers ne manqueront pas de visiter cet endroit particulier. Bahía de Caráquez peut être utilisée comme base pour explorer la région.

San Vicente

Le petit village de pêcheurs de San Vicente est situé à une quinzaine de minutes en bateau, de l'autre côté de Bahía de Caráquez. Son économie dépend des mêmes activités que Bahía Caráquez, mais San Vincente compte parmi sa population beaucoup de résidants pauvres.

Canoa

Canoa, un petit village de pêcheurs fondé il y a 180 ans, fut partiellement détruit en 1982 lorsque le courant marin El Niño causa d'importants ravages le long de la côte équatorienne. Canoa ne possède que très peu d'infrastructure hôtelière de qualité. Par contre, ses plages sont souvent désertes et dénuées d'hôtels et de restaurants, et plairont sans doute à ceux qui recherchent avant tout le calme et la tranquillité. Le village est situé près de cavernes devant lesquelles on peut souvent apercevoir des fous à pattes bleues. Méfiez-vous des roches glissantes et de la marée montante. Il est conseillé de s'y rendre par le truchement d'une agence ayant pignon sur rue à Bahía de Caráquez.

Punta Palmar ★★★

En général, la région de la Costa est pauvre en monuments historiques. Punta Palmar (à 2 heures de Bahía) est une exception qui mérite incontestablement une visite de la part des fervents d'histoire. En raison de son isolement, Punta Palmar n'est accessible que par une visite guidée proposée par Bahía Dolphin Tours ou Guacamayo Adventures. Même s'il est généralement admis que La Mitad del Mundo est située au nord de Quito, le journal de voyage de Charles-Marie de La Condamine renferme la preuve que la première mesure de longueur terrestre fut calculée sur la côte équatorienne. L'information fournie par le journal et la découverte de l'inscription fourniraient la preuve que le système métrique fut inventé sur la Costa et non dans les Andes. Le monument actuel fut construit en 1986 avec la coopération du consulat de France en Équateur. L'inscription dit : *En homenaje a los sabios que determinaron la figura de la tierra en Ecuador en el siglo XVIII de 1736-1744 Luis Godin, Charles-Marie de La Condamine, Jorge Juan, Pierre Borguer, T.V. Madondaldo, Julio 1986.*

De plus, pour les âmes romantiques, La Mitad del Mundo de la Costa a beaucoup plus d'attraits que celle au nord de Quito du fait de la végétation environnante, de son emplacement en bordure de mer et de l'image qu'on peut se faire d'étrangers et d'autochtones en train de calculer l'endroit précis où la Terre se divise elle-même en deux hémisphères, tournés vers un horizon inconnu et sans limite.

Pedernales

À moins de 10 km au nord de Punta Palmar, Pedernales est un autre village de pêcheurs qui se développe rapidement en raison de ses nombreux élevages de crevettes le long du littoral.

El Niño

El Niño est un puissant courant marin très chaud qui prend naissance dans le Pacifique au large du Panamá, pour descendre vers le sud afin de baigner la côte équatorienne. Ce courant se manifeste périodiquement avec plus ou moins d'intensité à la période des fêtes de Noël et apporte avec lui des pluies qui, par leur intensité, peuvent être bienfaitrices dans une région plutôt sèche ou au contraire dévastatrices lorsqu'elles se transforment en tempête ou en déluge tropical selon les années. Ce courant doit son existence à des phénomènes complexes qu'on commence à peine à découvrir grâce, en particulier, à l'observation par satellites, et son influence est mondiale. En Équateur, certaines années, comme en 1982, il se manifeste très violemment et perturbe grandement l'écosystème marin, terrestre, côtier, insulaire et atmosphérique du fait que les eaux sont anormalement chaudes et séjournent plus longuement dans la région. Ce phénomène est toutefois encore mal compris.

Pedernales possède des infrastructures on ne peut plus sommaires, et rien de particulier ne retient l'attention des voyageurs qui, pour la plupart, poursuivent leur chemin vers le nord ou vers le sud.

Cojimíes

Cojimíes est un petit village de pêcheurs où les infrastructures touristiques sont pratiquement inexistantes. On n'en ferait sans doute aucune mention si ce n'était du fait qu'il sert de charnière aux personnes venues prendre une embarcation pour la petite île de Muisné (voir p 254) ou vice versa.

PARCS

Bosque Petrificado de Puyango ★★

La petite forêt pétrifiée de Puyango s'étend sur à peine 2 650 ha, mais abrite l'une des plus grandes collections d'arbres, de plantes et d'animaux fossilisés au monde. De plus, environ 130 espèces d'oiseaux y ont été recensées. De nombreuses agences, dont celle du propriétaire du Tangara Guest House, à Guayaquil (voir p 232), peuvent vous organiser des excursions dans la forêt pétrifiée de Puyango.

Bosque Protector Cerro Blanco ★

Situé à environ 15 min de Guayaquil, le **Bosque Protector Cerro Blanco** *(1 $, 3 $ pour passer la nuit; ☎ 04-871-900, ⇄ 873-528)* offre 2 000 ha de forêt tropicale sèche et un havre à plus de 200 espèces d'oiseaux. Les singes hurleurs et les ocelots sont d'autres espèces présentes dans cette zone protégée. Deux sentiers ont été aménagés pour permettre aux visiteurs d'observer à leur guise la faune et la flore du Cerro Blanco.

La Reserva de Churute ★

S'étendant à environ 50 km au sud-est de Guayaquil, cette réserve couvre un territoire de plus de 30 500 ha et abrite une faune et une flore composées, entre autres, de singes, de tortues, de mangliers et d'orchidées dans la région tropicale du pays.

Parque Nacional Machalilla ★★★

L'impressionnant **Parque Nacional Machalilla** *(entrée 13 $; pour de l'information, communiquez avec le Centro de visitantes del Parque Nacional Machalilla, à Puerto López, lequel se trouve juste à côté de l'EMETEL)* s'étend sur un territoire de 46 700 ha, en incluant l'Isla de la Plata, et se caractérise par un environnement tropical particulier où coexistent trois zones de végétation fort distinctes. En effet, la flore de ce parc est tributaire de trois climats successifs très contrastés : climats de saison humide, sèche et très sèche. En raison de cet environnement unique, de nombreuses espèces animales qu'on retrouve également dans l'archipel des Galápagos cohabitent dans ce merveilleux parc côtier. Parmi les espèces singulières que l'on peut observer dans le parc national de Machalilla figurent les tortues terrestres, les iguanes terrestres ainsi que d'innombrables espèces d'oiseaux telles que hérons, frégates et aigles. Le parc dispose par ailleurs d'un petit musée archéologique faisant état de l'histoire et de la richesse de la culture manteña, de même que plusieurs plages spectaculaires, entre autres La Playita, La Tortugita et Los Frailes. Le sable de La Tortugita est de couleur noire en raison de sa teneur en fer. Le meilleur endroit où se baigner est sans doute la plage de Los Frailes, car elle donne sur une superbe baie et les courants marins y sont moins puissants qu'ailleurs. Un circuit pédestre sillonne le parc sur une distance de 3,7 km. Par ailleurs, quelques chambres au confort spartiate et un petit camping sont à la disposition des visiteurs qui désirent y passer la nuit.

Isla de la Plata ★★★

Cette île magnifique appartient au Parque Nacional Machalilla et flotte à environ 30 km au large de la côte. Les voyageurs qui n'ont pas les moyens d'aller visiter les célèbres îles Galápagos peuvent se rendre à l'Isla de la Plata pour y observer une riche faune comprenant notamment des fous à pattes bleues, des fous masqués, des fous à pattes rouges et des albatros (pour ces derniers, uniquement entre les mois d'avril et novembre), ce qui rend cette île fascinante à visiter en toute saison. Cependant, contrairement aux Galápagos, l'Isla de la Plata n'est pas une île volcanique. On suppose qu'elle fut rattachée au continent il y a des millions d'années. Il existe toujours une plate-forme reliant l'île au continent, mais le pont s'est écroulé et ce lien terrestre est désormais sous le niveau de la mer.

L'île est sillonnée de deux sentiers, respectivement de 3,5 km (*punta machete*) et de 5 km (*punta escalera*) de long. Il est malaisé de les parcourir tous les deux à moins de partir très tôt dans la matinée. Si vous comptez les emprunter tous deux, prévenez l'agence à l'avance et obtenez l'accord des gens de votre groupe. De plus, étant donné que les départs pour l'Isla de la Plata depuis Puerto López débutent aux alentours de 7 h, il est fortement recommandé de dormir dans cette ville si vous comptez vous y rendre entre les mois de juin et septembre et de faire vos réservations à l'avance, car, à cette époque, les hôtels affichent souvent complet.

Des biologistes ont constaté au cours de l'année 1996 que des fous à pattes bleues nichaient sur les branches d'arbres. Habituellement, les fous à pattes bleues nichent à même le sol. On ne peut affirmer aujourd'hui qu'il s'agisse d'une sous-espèce endémique à l'île ou si, au contraire, les fous à pattes bleues vivant ici se protègent contre d'éventuels prédateurs au sol.

Entre les mois de juillet et d'octobre, on peut observer des baleines en effectuant le trajet jusqu'à l'île. Durant cette période, la mer est plus agitée et les vents sont plus violents. En conséquence, habillez-vous chaudement. Le bateau effectue la traversée du continent jusqu'à l'île en 2 heures 30 min environ. N'oubliez pas d'apporter avec vous une bouteille d'eau et des sandwichs, car il n'y a aucun établissement dans l'île : ni restaurants, ni hôtels.

Le bateau accoste à la Bahía Drake, ainsi nommée en l'honneur du célèbre pirate et navigateur anglais qui, au XVIe siècle, écumait les galions espagnols pour ensuite chercher refuge à l'Isla de la Plata. Un jour, il fut lui-même attaqué par d'autres pirates qui voulaient s'emparer de son or. En arrivant à la baie de l'Isla de la Plata, Drake jeta son trésor par-dessus bord en espérant pouvoir le récupérer plus tard. Cependant, il sous-estima les profondeurs de la baie et perdit son trésor à tout jamais. La tradition orale raconte que personne n'a jamais revu le trésor en question. On nomma donc la baie en souvenir de ce navigateur, et la désignation de l'île évoque tout l'argent qui dort dans les profondeurs de la mer.

Né aux alentours de 1540, Sir Francis Drake fut un corsaire au yeux des Anglais et un pirate aux yeux des Espagnols. Malgré cela, il fut avant tout le premier navigateur anglais à faire le tour du monde. Drake perdit la vie en 1596 en luttant contre les Espagnols.

Si vous voulez organiser vous-même un petit groupe, vous devez acheter votre billet au bureau du parc national, tout près de l'église. Comptez environ 13 $ par personne. Les embarcations les moins chères font débourser entre 20 $ et 25 $ par personne pour l'aller-retour, sans nourriture ni boisson. Les yachts coûtent un peu plus cher, soit environ 35 $ par personne pour l'aller-retour, sans nourriture ni boisson, mais la traversée est plus agréable et confortable, et les guides sont généralement plus compétents. L'agence **Mantaraya** *(à Puerto López, sur le Malecón, face aux trois palmiers, ☎ 04-604-233)* organise des excursions de plongée et de pêche en yacht jusqu'à l'Isla de la Plata.

Isla Fragatas ★★★

Sise à une quinzaine de minutes en bateau de la ville de Bahía de Caráquez, cette petite île doit bien sûr son nom aux innombrables frégates qui hantent ses côtes. Cette espèce d'oiseau de mer se retrouve également dans les îles Galápagos. D'ailleurs, certains vont jusqu'à dire que la concentration de frégates y est plus élevée qu'aux îles

Frégate

Galápagos. Les amateurs d'ornithologie pourront à leur guise observer ces magnifiques oiseaux qui se nourrissent essentiellement de poissons et possèdent un dimorphisme sexuel particulier. En effet, pendant la saison des amours, les mâles gonflent leur gigantesque poche rouge, située sous la mandibule inférieure, afin d'attirer l'attention des femelles et de les séduire. Les femelles ont, quant à elles, la gorge et le haut de l'abdomen de couleur blanche. Par ailleurs, la caractéristique naturelle première de l'Isla Fragatas est une concentration exceptionnelle de mangliers. Toutefois, la prolifération des élevages de crevettes le long du rivage a amené la destruction de près de 95 % de la forêt de mangliers rouges, laissant ainsi un espace extrêmement réduit aux frégates pour y nicher.

On ne peut visiter l'île qu'en utilisant les services d'une agence de tourisme : **Bahía Dolphin Tours** *(Calle Salinas, Edificio Dos Hemisferios, ☎ 05-692-084 ou 692-086, ⇄ 692-088, archtour@srv1.telconet.et)* ou **Guacamayo Adventures** *(Avenida Bolívar et Arenas, Apartado 70, ☎ 05-690-597, ⇄ 691-412)*.

HÉBERGEMENT

Détail important à retenir sur les hôtels de la Costa : avant de choisir votre chambre, assurez-vous qu'une moustiquaire recouvre le lit. La concentration d'insectes dans la région est en effet particulièrement importante, et les maladies qu'ils transmettent peuvent être graves. Par ailleurs, vivre constamment couvert d'insectifuge peut éventuellement être néfaste pour la peau.

Machala

L'**Hostal la Bahía** *(10 $; Calle Olmedo et Junín)* est décoré sans grande originalité, mais il conviendra parfaitement aux voyageurs dont le budget est restreint.

À ne pas confondre avec le luxueux Oro Verde, l'**Hotel Oro** *(30 $; bp, ec, ℜ; Calle Sucre et Juan Montalvo, ☎ 07-930-783, ⇄ 937-569)* est situé en plein centre-ville de Machala et propose des chambres propres et décorées sans fantaisie.

Les chambres de l'hôtel **Rizzo** *(45 $; bp, ec, ≈, ℜ; Calle Guayas et Bolívar; ☎ 07-921-511)* ont décidément vu de meilleurs jours, mais sont toutefois propres et pratiques. Les clients ont accès à une piscine, à un sauna et à un casino.

Regroupant une piscine, des chambres spacieuses dotées d'un minibar, un gymnase, deux restaurants et un service de location de voitures, l'**Oro Verde** *(100 $; tv, ec, bp, ≈, ℜ; Circunvalación Norte et Vehicular, ☎ 07-933-140, ⇄ 933-150)* est sans conteste l'hôtel de luxe en ville. Le personnel est souriant et efficace.

Durán

Tout près de la gare, le petit hôtel **La Paz** *(9 $; Calle Esmeraldas et Cuenca)* est un endroit populaire auprès des voyageurs qui souhaitent prendre le train le lendemain. Gîte frugal qui conviendra pour une seule nuit.

Guayaquil

Sachez que ce n'est pas en logeant à Guayaquil que vous réaliserez des économies. En général, les prix des hôtels de Guayaquil sont de beaucoup supérieurs à ceux de Quito et de Cuenca, et ce, même si la qualité de leur infrastructure est semblable. Les hôtels les plus sûrs de Guayaquil se trouvent au centre-ville.

Situé près du *terminal terrestre* et de l'aéroport, l'**Ecuahogar** *(12 $; bp; Avenida Isidro Ayora ☎ 04-248-357, ⇄ 248-341)* compte parmi les gîtes les moins chers en ville. Ses chambres partagées et son ambiance informelle en font un lieu populaire auprès des visiteurs voyageant sac au dos et désireux d'échanger leurs histoires de voyage. Les détenteurs de la carte d'Auberge de Jeunesse Internationale bénéficient d'une légère réduction. On y propose un service de lessive.

Les 55 chambres de l'**Hotel Alexander** *(20 $; bp, ℜ, Calle Luque 1107, entre Pedro Moncayo et Avenida Quito, ☎04-532-000, ⇄ 328-474)* sont austères, rappellent les années soixante et ne semblent pas avoir été rénovées depuis un bon bout de temps. Distribuées sur cinq étages, elles misent sur le confort à prix modique plutôt que sur la décoration.

L'**Hotel Rizzo** *(30 $ pdj; tv, bp, ec, ℜ; Calle Clemente Ballén 319 et Chile, ☎ 04-325-210, ⇄ 326-209)*, qui occupe les lieux de l'ancien Hotel Continental, dispose de chambres claires et modernes, mais sans grand charme. Le personnel de l'hôtel est sympathique et ne manque jamais l'occasion de raconter aux clients que le célèbre joueur de *fútbol* brésilien Pélé a autrefois logé ici même.

Autre établissement situé en plein centre-ville de Guayaquil, l'**Hotel Doral** *(30 $ pdj; bp, ec, ℜ; Calle Chile 402 et Aguirre, ☎ 04-327-175 ou 327-133, ⇄ 327-088)* se dresse de biais avec l'EMETEL. Ses 59 chambres ont certainement vu de meilleurs jours et auraient besoin d'un bon coup de pinceau. Si vous décidez de loger ici, demandez à voir la chambre avant de la louer, car certaines n'ont même pas de fenêtres.

Juste à côté du Doral (voir ci-dessus), l'**Hotel Plaza** *(30 $ pdj; tv, bp, ec, ℜ; Calle Chile 414 et Clemente Ballén, ☎ 04-327-140 ou 327-545, ⇄ 324-195)* compte 56 chambres décorées sans aucun charme, mais équipées de minibars. Certaines jouissent d'une vue sur le «parc des iguanes».

Les bonnes affaires sont excessivement difficiles à trouver à Guayaquil. Sans doute le meilleur rapport qualité/prix en ville se trouve-t-il dans le quartier situé entre l'aéroport et le centre-ville, tout près du Colegio La Dolorosa et de l'Iglesia Santa Gema : la **Tangara Guest House***(40 $- 48 $; Ciudadela Bolivariana, Calle Manuela Sáenz et O'Leary, P.O. Box 09-01-10275, ☎ 04-284-445 ou 282-828, ⇄ 284-039)*. Les chambres sont de dimensions inégales, mais se révèlent toutes sûres, bien entretenues et d'une propreté impeccable. On vous sert un bon petit déjeuner pour 4 $, mais ceux qui préfèrent préparer leur propre nourriture peuvent la garder dans le frigo de la cuisine, où une cuisinière est à la disposition des hôtes. Le service est agréable et sympathique, et le propriétaire organise des excursions dans la région.

L'**Hotel Sol de Oriente** *(50 $; bp, ec, ℜ; Calle Aguirre 603 et Escobedo, ☎ 04-328-049, ⇄ 329-352)*, rare établissement hôtelier en ville tenu par des Asiatiques, propose 56 chambres propres, pratiques et, bien sûr, décorées à l'orientale. Un gymnase avec poids et haltères pour tous et une salle d'aérobie pour femmes complètent les installations.

Situé près des institutions bancaires et des principaux attraits, l'**Hotel Palace** *(60 $; ec, bp, ℜ; Calle Chile 214 et Luque, ☎ 04-321-080, ⇄ 04-322-887)* est une adresse très fréquentée des voyageurs d'affaires. Il dispose de chambres propres, spacieuses et confortables à des prix abordables, selon les normes de Guayaquil.

Se dressant près des principaux attraits touristiques, l'**Hotel Boulevard** *(80 $; tv, bp, ec, ℜ; Avenida 9 de Octubre 432, ☎ 04-562-888 ou 566-700, ⇄ 560-076)* dispose de très grandes chambres propres et garnies de minibars. Le service aux chambres s'effectue jour et nuit.

Si vous êtes prêt à délier les cordons de votre bourse, l'**Hotel Continental** *(115 $; ec, tv, ℜ; Calle Chile et 10 de Agosto, ☎ 04-329-270, ⇄ 325-454)* est un autre établissement situé en plein centre-ville qui offre en location des chambres propres, modernes et sécuritaires.

L'**Hotel Ramada** *(125 $; bp, tv, ec, ≈, ⌂, ℜ; Malecón et Orellana, ☎ 04-312-200 ou 311-888, ⇄ 322-036)* se dresse fièrement sur le Malecón et compte 110 chambres soigneusement décorées, réparties sur quatre étages. Piscine, sauna, casino et stationnement sont à la disposition des clients.

Situé derrière la Catedral, le **Gran Hotel** *(125 $; Calle Boyaca et Avenida 10 de Agosto; bp, ec, ⌂, ≈, ℜ; ☎ 04-329-690, ⇄ 327-251)* regroupe environ 200 chambres douillettes et spacieuses, distribuées sur quatre étages. Cet établissement propose une foule d'installations qui feront le bonheur des voyageurs n'ayant pas de contraintes budgétaires. Outre un gymnase, un solarium, un sauna et des salles de squash, de jolies cascades se déversent tranquillement dans sa piscine, où les voyageurs peuvent se prélasser tout en admirant le spectacle.

Faisant face au Parque Simón Bolívar, l'**Unihotel** *(180 $; Calle Clemente Ballén 406; bp, ec, ⌂, ℜ; ☎ 04-327-100, ⇄ 328-352, unihotel@srv1.telconet.net)* se trouve à l'intérieur du centre commercial UniCentro, en plein cœur de la ville, tout près des institutions bancaires et des principaux attraits touristiques. Une fois à l'intérieur de l'UniCentro, prenez l'ascenseur jusqu'au deuxième étage; la réception se trouve au bout du couloir à gauche. L'hôtel compte 134 chambres disposées sur 11 étages, et la plupart d'entre elles ont été récemment rénovées. Si vous avez le choix, optez pour ces dernières, car elles sont plus gaies et offertes au même prix. Les clients ont aussi accès à un gymnase, à un sauna et à un solarium.

Si l'argent ne vous pose aucun problème et que vous souhaitez loger dans un établissement qui respire le grand luxe, rendez-vous à l'**Hotel Oro Verde** *(240 $; tv, bp, ec, ℜ, ≈; Avenida 9 de Octubre et García Moreno, ☎ 04-327-999, ⇄ 329-350)*, sans contredit le meilleur établissement à Guayaquil. Les chambres, d'une propreté impeccable, se révèlent spacieuses et agréablement décorées de draperies aux tons pastel. Par ailleurs, deux étages non-fumeurs, une discothèque, trois restaurants, une piscine et un sauna sont accessibles à la clientèle. Le personnel est sympathique et attentionné, et fait des pieds et des mains afin de rendre votre séjour le plus agréable possible.

Lors de notre passage, l'hotel de luxe **Colón Internacional Hilton**, situé sur l'Avenida Orellana, était en construction. Informez-vous auprès de celui de Quito pour de l'information *(☎ 02-560-666, ⇄ 563-903)*.

Playas

L'**Hotel Acapulco** *(8 $; bc; Avenida 2, ☎ 04-760-343)* offre en location des chambres au confort spartiate et à la propreté un peu douteuse. Il compte parmi les établissements les moins coûteux en ville, mais aussi parmi les moins charmants.

L'**Hotel Playas** *(10 $; bp; Malecón, ☎ 04-760-121 ou 760-611)* est une bonne adresse économique. Ici, on a décidé de miser surtout sur les prix, car le décor des chambres n'a absolument rien d'extraordinaire.

Pour quelques dollars de plus, l'**Hostería El Delfín** *(12 $; bp, ec, ℜ, ≡; ☎ 04-760-125)* propose des chambres chaleureuses et spacieuses, dotées de planchers de bois franc. Demandez-en une avec vue sur la mer. Les clients peuvent garer leur voiture en toute sécurité.

Si vous êtes à la recherche d'un peu plus de confort, rendez-vous à l'**Hostería Bellavista** *(35 $; bp, ec, ≈, ℜ; à environ 2 km à l'est du Malecón, ☎ 04-760-600)*. L'établissement dispose de chambres modernes, spacieuses, sûres et propres. Un stationnement privé est accessible à la clientèle.

Punta Carnero

À l'**Hostería del Mar** *(45 $; ≡, bp, ℜ, tv, ec; ☎ 04-775-370, ⇄ 324-195)*, si vous voulez économiser un peu d'argent, prenez donc une chambre sans air conditionné à l'étage, avec un balcon donnant sur la mer. Vous bénéficierez en prime d'une vue tout à fait spectaculaire. Une piscine, un court de tennis et un stationnement privé sont accessibles aux voyageurs.

L'**Hotel Punta Carnero** *(55 $; bp, ec, tv, ℜ; ☎ 04-775-450, ⇄ 775-377)* dispose d'environ 40 grandes chambres propres dont la plupart donnent sur la mer. L'hôtel dispose aussi d'une piscine et d'un stationnement privé. De plus, un terrain de jeu a été aménagé pour la joie des enfants et la tranquillité des parents...

Montañita

El Rincón del Amigo *(8 $; bc, ℜ; réservations de Quito, ☎ et ⇄ 02-444-926)* offre en location des chambres au confort spartiate, mais, en revanche, à prix très économiques, difficiles à battre. Assurez-vous que votre moustiquaire ne soit pas trouée, sinon vous risquez de trouver la nuit bien longue... L'endroit est populaire auprès des touristes voyageant sac au dos. On y loue des planches de surf et de l'équipement pour s'adonner aux plaisirs de la plongée-tuba. Personnel sympathique et ambiance détendue.

À environ 20 min de Puerto López sur la route entre Puerto Rico et Ayangue, au nord de Montañita, se trouve le centre touristique et écologique **Alandaluz** *(5 $-25 $; les détenteurs de la carte d'Auberge de Jeunesse Internationale bénéficient d'un léger rabais; bc, ec, ℜ; ☎ 05-604-103, de Quito, ☎ 02-542-043, ⇄ 505-084, admin@amingay.ecx.ec)*. Il y a environ huit ans, cet établissement était prétexte à faire une halte rapide et impromptue dans une simple petite cabane avant de poursuivre son chemin. Aujourd'hui, le centre Alandaluz dispose d'environ 15 *cabañas* rustiques et d'autres plus modernes, propres et agréablement décorées, ainsi que d'une vingtaine de chambres pouvant accueillir des voyageurs disposant de budgets différents. Des *cabañas* dotées de cheminées et qui s'ouvrent sur un balcon avec vue sur la mer conviennent aux personnes cherchant un confort raisonnable, tandis que ceux qui souhaitent tout simplement planter leur tente ou encore dormir au grand air dans un hamac avec moustiquaire, trouveront ici le lieu pouvant facilement les satisfaire. Si vous avez envie d'un petit séjour paisible au bord de la mer, voici l'endroit idéal où vous reposer quelques jours, surtout si vous êtes amateur d'écotourisme. L'eau est chauffée à l'énergie solaire, les toilettes produisent du compost, tout rebut est recyclé ou réduit en compost et même les cartes postales sont faites de papier recyclé. Ceux qui souhaitent faire une excursion dans le superbe parc national Machalilla ou dans la région peuvent aisément organiser un petit groupe à partir de là, car le centre possède sa propre agence. De plus, un service de lessuve est offert, et des vélos sont à louer. Bref, pour toutes ces raisons, il est nettement plus sympathique de séjourner à Alandaluz qu'à Puerto López.

Les personnes voyageant en petit groupe et à la recherche d'un séjour plus confortable au bord de la mer peuvent se rendre tout près d'El Rincón del Amigo (voir ci-dessus), soit à l'**Hotel Baja Montañita** *(40 $; bp, ec, ⌂, ⊛, ℜ; ☎ 04-901-218, ⇄ 901-219)*. Toutes les *cabañas* sont conçues pour accommoder quatre personnes et jouissent d'une vue agréable sur la mer. Les installations comprennent une piscine, un bassin à remous, un restaurant et une salle de billard.

Tenue par des Autrichiens, l'**Hostería Atamari** *(60 $-110 $; ec, bp, ℜ; Baron von Humbolt 279, Appartado 17-12-91, Quito, ☎ 02-228-470 ou 227-896, ⇄ 508-369)* se trouve à environ 25 min d'autocar au sud de Puerto López, le long de la route panoramique de la Costa. L'établissement n'est pas visible depuis la route, mais deux panneaux signalent la présence d'une route non revêtue menant à l'hôtel. À pied, le trajet ne prendra pas plus de 20 min mais vous pouvez toujours communiquer avec la réception afin de prendre les arrangements nécessaires pour qu'on vienne vous chercher. L'Hostería Atamari est perchée sur un promontoire qui s'avance dans la mer, offrant un vue spectaculaire vers le nord autant que vers le sud. Sa situation à l'écart des petits villages animés des alentours conviendra parfaitement aux voyageurs qui recherchent le calme et la tranquillité. Les cabanes peuvent avoir jusqu'à trois chambres, sont dotées de meubles en bois et décorées de bibelots, imitations de céramiques pré-incas, tandis que la vue qu'elles offrent sur l'océan est vraiment spectaculaire. Certaines donnent sur un balcon. Une piscine au centre d'une terrasse permet aux clients de profiter du soleil après la baignade, alors qu'une autre terrasse couverte, où se trouvent quelques hamacs, invitent les estivants à s'allonger nonchalamment pour admirer l'horizon. Les clients peuvent se rendre à une petite plage isolée, un tant soit peu rocailleuse, et non privée, mais peu fréquentée. Le personnel de l'hôtel organise des excursions à l'Isla de la Plata et au Parque Nacional Machalilla.

Puerto López

Situé tout près de l'EMETEL, l'**Hostal Tuzco** *(10 $; bc)* constitue une option économique pour les touristes voyageant sac au dos. Les chambres n'ont pas beaucoup d'éclat, mais conviendront parfaitement aux voyageurs au budget limité.

Sans aucun doute le meilleur hôtel en ville, l'**Hotel y Cabañas Pacífico** *(20 $-50 $; bp, ec; Calle Suárez et Malecón, ☎ 05-604-133 ou 604-147, réservations de Manta, ☎ 614-064)* est un hôtel familial situé à deux pas de la plage qui conviendra tant aux voyageurs au budget limité qu'à ceux qui peuvent débourser davantage. En effet, juste derrière l'hôtel, on découvre 10 petites *cabañas* rudimentaires équipées d'un ventilateur pour les voyageurs peu exigeants, tandis qu'on trouve 24 chambres distribuées sur trois étages dans le bâtiment principal. Les chambres sont propres et spacieuses, mais sans grand charme. Un stationnement privé est disponible, et des hamacs sont tendus entre les arbres d'un jardin attenant à l'établissement.

Salinas

Les chambres du **Residencial Familiar Rachel** *(10 $; bp, ≡; Calle 17 et Avenida 5, ☎ (05) 772-501)* sont relativement propres et de grandeur moyenne. À côté du Residencial se trouvent plusieurs *comedores* et *cevicherías*.

Les chambres de l'**Hotel Albita** *(10 $; Avenida 7 et Calle 23, ☎ 05-773-211 ou 773-042)* se révèlent modestement décorées. En effet, les murs sont plutôt dénudés; cependant, les douches sont relativement propres, mais avec eau froide seulement.

L'**Hotel Contabrico** *(16 $ pc; bp, ec; Calle Principal, entre Calle 9 et 10, ☎ 05-772-026)* se trouve un peu éloigné du centre, mais il est malgré tout une bonne adresse si l'on est à la recherche d'un peu de tranquillité. Il offre un bon rapport qualité/prix, puisque le prix de la chambre comprend tous les repas. Les chambres sont petites, mais propres et bien éclairées, et proposent deux lits simples de même qu'une salle de bain privée avec eau chaude. Par contre, il n'y a pas d'air conditionné ni de ventilateur dans les chambres. La façade de l'hôtel s'ouvre sur une grande cour où sont suspendus quelques hamacs.

Les chambres de l'**Hotel Yulee** *(25 $; ec, ℜ, tv; Malecón et Calle 16, ☎ 05-772-028)* peuvent être équipées, sur demande, d'un téléviseur et d'un ventilateur. On peut régler sa note avec Visa ou MasterCard, mais un supplément de 10 % vous sera alors facturé. Les chambres s'avèrent généralement propres et pratiques.

À ne pas confondre avec l'Hotel Salinas Costa Azul, qui est plus près de la mer, l'**Hotel Salinas** *(25 $; ec, bp, ℜ; Calle Gral. Enríquez Gallo et Calle 27, ☎ 05-772-179 ou 772-993)* lui fait face. Les chambres se révèlent ici plus propres que celles de l'hôtel d'en face.

L'**Hotel Calypso** *(50 $; bp, ec, tv, ≈, ℜ; malecón, junto a la Capitania del Puerto, ☎ 04-772-425, 773-583 ou 773-736; Guayaquil, Antepara 802 et 9 de Octubre, ☎ 04-281-056, 282-902 ou 286-079, ⇌ 285-452)* est un établissement de qualité qui fait la location de chambres à occupation simple, double ou triple ainsi que des suites. Une terrasse offrant une splendide vue sur l'océan permet aux voyageurs de se détendre et d'admirer tout simplement le panorama. Un restaurant, une piscine et un stationnement privé sont les autre services proposés par l'hôtel.

L'**Hotel Casino Miramar** *(50 $; bp, ec, ℜ; sur le Malecón, ☎ 05-712-115 ou 772-596)* constitue le plus grand et le plus connu des hôtels de Salinas. Ses 100 chambres réparties sur trois étages sont toutes propres et pratiques. Le téléviseur couleur est optionnel. Les chambres à occupation simple, double, triple ou quadruple donnent soit sur la mer en face de l'hôtel, soit sur la grande piscine à l'arrière. L'hôtel dispose aussi d'un restaurant, El Velero, servant des mets nationaux et internationaux, d'une cafétéria, Los Helechos, et d'un bar, Bucarnero. Des divertissements sont proposés par cet établissement hôtelier haut de gamme, comme le casino et le bingo, mais seulement pendant la haute saison, soit de janvier à avril ainsi que les fins de semaine festives. Cependant, des machines à sous sont accessibles durant toute l'année. Le décor et l'ambiance n'ont rien de particulier, l'architecture des lieux évoquant les années soixante.

Manta

L'**Hostal Miami** *(10 $; bc; Avenida 102 et Calle 107, ☎ 05-611-743)* mise sans aucun doute plus sur le confort moyen aux prix difficiles à battre que sur l'élégance et le grand chic.

L'**Hotel El Inca** *(14 $; bp; Avenida 113 et Calle 104, Tarquí, ☎ 05-610-986 ou 620-440, ⇄ 622-447)* offre en location une vingtaine de petites chambres d'une propreté passable, mais le service y est sympathique. Demandez-en une avec vue sur la mer.

L'**Hotel Manta Imperial** *(25 $ ⊗, 30 $ ≡; bp, tv, ≈, ℜ; Malecón, près de la plage, ☎ 05-621-955 ou 622-016, ⇄ 623-016)* propose des chambres convenables et simplement décorées autour d'une piscine. Certaines d'entre elles jouissent d'une vue agréable sur l'océan. L'hôtel s'avère sécuritaire et dispose d'une discothèque ainsi que d'un stationnement privé.

Le décor de l'**Hotel Las Gaviotas** *(26 $; bp, tv; Malecón 1109, entre Calle 105 et 106, Tarquí, ☎ 05-620-140 ou 620-840, ⇄ 611-940)* est peu reluisant, mais les chambres se révèlent pratiques et sécuritaires. Certaines offrent une vue sur la mer. À l'image assez quelconque de ses chambres, le service est relativement lent et laisse un tant soit peu à désirer.

Les chambres des **Cabañas Balandra** *(50 $; bp, ec, ≈, ℜ, tvc, ≡; Avenida 8 et Calle 20, ☎ 05-620-316 ou 620-545, ⇄ 620-545)* sont sans l'ombre d'un doute les meilleures en ville. Elles sont propres, spacieuses, égayées de murs de briques et réparties sur deux étages. Elles s'avèrent idéales pour héberger une famille ou un petit groupe et sont pourvues d'un minibar et d'un balcon garni de hamacs. En tout, on compte neuf *cabañas* et huit suites. L'hôtel est très sécuritaire; un garde contrôle même les entrées. Enfin, une piscine, un stationnement privé et un chaleureux petit restaurant sont à la disposition des clients.

Un hôtel de la chaîne germano-suisse **Oro Verde** est en construction depuis la fin de l'année 1996. Si vous prévoyez visiter Manta vers la fin 1997 et si cet hôtel de luxe vous intéresse, communiquez avec l'un des autres établissements de la chaîne à Quito, Guayaquil, Cuenca ou Machala pour faire vos réservations.

Bahía de Caráquez

Les voyageurs au budget limité peuvent se rendre à l'hôtel **Palma** *(10 $; bc; Calle Bolívar 914 et Arenas)*, un gîte simple qui conviendra aux aventuriers voyageant sac au dos.

Pour quelques dollars de plus, le **Bahía Bed & Breakfast** *(14 $ pdj; bc; Calle Ascázubi 314 et Morales, ☎ 05-690-146)* propose 30 chambres aux dimensions inégales, propres, modestement décorées et dotées de plancher de bois franc. Certaines disposent de lits superposés. Service sympathique.

Situé face à la jetée, le **Bahía Hotel** *(20 $-23 $; tv, bp, ec, ℜ; Avenida Malecón et Vinueza, ☎ 05-690-509 ou 690-823)* compte 27 chambres propres et modernes, distribuées sur quatre étages. Si vous voulez économiser quelques dollars, optez pour une chambre sans frigo. Idéal pour ceux qui veulent se lever tôt afin de prendre le bateau jusqu'à San Vicente.

À deux pas du Malecón et en plein centre-ville de Bahía de Caráquez, l'**Hotel Italia** *(30 $; bp, ec, ℜ; Avenida Bolívar et Checa, ☎ 05-691-137, ⇄ 691-092)* dispose de petites chambres, propres, lumineuses, tranquilles, sécuritaires et bien tenues. Un petit restaurant jouxte la réception.

L'**Hotel La Herradura** *(10 $-45 $; ec, tv, ℜ; Avenida Hidalgo et Bolívar, ☎ 05-690-446, ⇄ 690-265)* est situé au nord de la ville et propose aux voyageurs une trentaine de chambres propres et convenables, distribuées sur quatre étages. Certaines jouissent d'une vue sur la mer et sont décorées de plantes et de vieux meubles. Ceux qui disposent d'un budget plus restreint peuvent quand même y loger, car des chambres on ne peut plus simples sont aussi à louer.

La **Casa Grande** *(50 $ pdj; bp, bc, tv, ec; ☎ 05-692-084 ou 692-086, ⇄ 692-088)* est un *Bed & Breakfast* qui appartient aux propriétaires de l'agence Bahía Dolphin Tours (voir p 230) et qui procure aux voyageurs tout le confort domestique. Ses six chambres sont toutes immaculées et lumineuses, et peuvent accommoder jusqu'à 18 personnes en tout. Certaines s'ouvrent sur un balcon où sont tendus quelques hamacs qui attendent que vous succombiez à la tentation de vous y étendre. En prime, vous aurez droit à une superbe vue sur la mer, et, qui sait, peut-être aurez-vous la chance d'observer de joyeux dauphins s'offrant en spectacle sous vos yeux. L'établissement possède aussi un jolie piscine et une terrasse où il fait bon se prélasser après avoir passé une journée en ville. Bref, la proximité de la mer et du centre-ville ainsi que son atmosphère tranquille font de cet établissement l'un des meilleurs endroits où se loger à Bahía de Caráquez.

L'**Hotel La Piedra** *(80 $-150 $; bp, tv, ec, ℜ, ≈; Avenida Virgilio Ratti et Bolívar, ☎ 05-690-780, ⇄ 690-154)* est l'établissement de luxe de la ville. Ses chambres sont immaculées, décorées de tons pastels et réparties sur trois étages, mais celles qui jouissent d'une vue sur la mer sont un peu plus chères. On y loue des kayaks et des vélos.

San Vicente

La plupart des hôtels du petit village de San Vicente se trouvent sur le Malecón et sont accessibles à pied. En général, plus on se dirige vers le nord, plus les prix montent.

À deux pas de la jetée, l'**Hostal San Vicente** *(10 $; Malecón)* compte environ 25 chambres spartiates qui sont généralement occupées par des touristes voyageant sac au dos.

Ceux qui souhaitent un peu plus de confort peuvent se rendre à l'hôtel **El Velero** *(25 $; bp, ≈, ℜ; Malecón, ☎ 05-674-134, ⇄ 674-301)*. Il dispose de 18 chambres dont certaines s'articulent autour d'une cour intérieure, tandis que d'autres ont une vue sur la mer. Quelques chambres pouvant accommoder quatre ou cinq personnes sont aussi disponibles pour les touristes voyageant en groupe. Une piscine et un restaurant font partie des autres installations de l'hôtel.

À quelques minutes de marche de la jetée, l'**Hotel Vacaciones** *(30 $; bp, ec, ≈, ℜ; Malecón, ☎ 05-674-116 ou 674-118, ⇄ 674-117)* renferme 26 chambres propres distribuées sur deux étages. Celles qui sont situées près de la piscine peuvent devenir un peu bruyantes. Vous y trouverez une salle de ping-pong ainsi qu'un mirador derrière l'hôtel qui permet aux voyageurs de flâner à leur guise tout en observant l'horizon.

Si l'Hotel Vacaciones (ci-dessus) affiche complet, poursuivez votre chemin sur le Malecón jusqu'à l'**Hotel Alcatraz**

(30 $-60 $; ≈, ℜ, tv, bp; ☎ et ⇄ 05-674-179). Il propose 14 *cabañas* pouvant abriter quatre personnes. Si vous n'êtes que deux, le personnel s'offrira à cloisonner l'accès à l'autre chambre tout en vous laissant libre accès à la salle de bain.

Un peu plus loin que l'Alcatraz (ci-dessus), toujours sur le Malecón, l'**Hotel Monte Mar** *(30 $-60 $; ≈, ℜ, tv, bp; ☎05-674-197)* affiche sensiblement les mêmes prix que cet hôtel, mais a l'avantage d'être construit sur une colline. Une partie de ses chambres jouissent d'une vue sur la mer. L'autre partie donne sur le flanc de la colline et coûte un peu moins cher.

Canoa

Le bâtiment principal de l'**Hostal La Posada de Daniel** *(14 $ bc, 22 $ bp; Calle Principal, à 5 rues de la plage, ☎ 05-691-201)* fut autrefois une hacienda et renferme quelques chambres partagées. L'établissement dispose aussi de cabanes en bois couvertes de feuilles de palmier et sont simples et propres. Certaines s'ouvrent sur un balcon et offrent une vue spectaculaire sur l'océan. Une chambre pouvant loger quatre personnes et dotée d'un téléviseur, de l'air conditionné, d'une salle de bain privée et de l'eau chaude se loue pour un peu moins de 30 $. Son bar permet aux voyageurs de discuter tranquillement ou de se détendre dans un des hamacs. Finalement, les propriétaires louent des chevaux aux clients qui souhaitent se promener le long de la plage.

Pedernales

Cocosolo *(12 $-30 $; Bahía ☎ 05-690-531, Pedernales ☎ 05-681-156, ou en passant par Guacamayo Adventures à Bahía ☎ (05) 691-412)* est un sympathique hôtel près de Pedernales qui propose aux voyageurs des chambres aménagées dans un environnement de rêve face à la mer. Avec des matinées chaleureuses, des soirées fraîches et des couchers de soleil spectaculaires, qui pourrait résister? L'établissement offre diverses formules d'hébergement comprenant des cabanes familiales ou individuelles, de même qu'un terrain de camping pour les aventuriers. On y organise une variété d'excursions au cours desquelles on peut observer des singes dans leur habitat naturel, descendre le Río Cojimíes, se balader à cheval ou s'asseoir tranquillement devant un feu de camp. De plus, les longues plages désertes sont un attrait en soi. Le personnel de l'hôtel fournit des services en français, en anglais et, bien sûr, en espagnol.

RESTAURANTS

Comme partout sur la Costa, nombre de restaurants ferment leurs portes durant la basse saison, d'octobre à décembre et de mai à juin. Toutefois, les restaurants des hôtels demeurent ouverts toute l'année.

Guayaquil

Le centre commercial Unicentro *($; Calle Clemente Ballén 406 et Chile)* abrite quelques petits comptoirs de restauration rapide à prix abordables.

Si vous êtes en manque de nourriture nord-américaine, rendez-vous en face de l'Iglesia San Francisco, où le restaurant **Pizza Hut** *($; Avenida 9 de Octubre et Chile)* apprête une grande variété de pizzas.

Les végétariens peuvent se rendre au restaurant **Paxilandia** *($; Urdesa, Calle Guayacanes et Calle Primera, à l'intérieur du centre commercial Valmor).*

Comme son nom l'indique en espagnol, **Pique y Pase** *($; Calle Lascano 1617 et Carchí),* qui signifie prendre une bouchée rapide, est un petit restaurant sans prétention où les gens viennent prendre une bouchée rapide avant de poursuivre leur chemin. Plats de poisson et viande figurent au menu.

Bien que la décoration du petit restaurant chinois **Chifa Himalata** *($; Calle Sucre 308)* soit pratiquement inexistante, il sert des plats simples et économiques. Idéal pour une bouchée rapide.

Le restaurant **Muelle 5** *($$; Malecón et Calle Roca, ☎ 04-561-128)* est un petit restaurant sans prétention qui permet aux clients de déguster une bonne variété de produits de la mer tout en observant les bateaux voguer sur le Río Guayas.

À deux pas du luxueux hôtel Oro Verde, **El Caracol Azul** *($$$; Avenida 9 de Octubre 1918 et Calle Los Ríos, ☎ 04-280-461)* est une bonne adresse à retenir pour son large choix de viandes et de fruits de mer. Excellente qualité de produits et prix assortis.

La façade du restaurant mexicain **El Cielito Lindo** *($$; Urdesa, Circunvalación Sur 23, entre Calle Ficus et Las Monjas, ☎ 04-388-426)* évoque bien les traditionnelles maisons coloniales chaleureusement peintes de couleurs mauve et crème. Aussitôt que vous aurez franchi le seuil, une véritable explosion de couleurs s'offrira à votre vue : les tables sont couvertes de nappes colorées de jaune, bleu, vert et rose, sur lesquelles on vous servira des mets à l'image du cadre du restaurant, épicée et délicieuse. De plus, les soirées de fin de semaine sont animées de spectacles folkloriques.

El Mesón de la Pradera *($$$; Calle Bálsamos 108 et Victor Emilio Estrada, Urdesa, ☎ 04-382-396 ou 382-404)* est un chic restaurant espagnol où la cuisine élabore des plats à partir d'aliments d'une fraîcheur indéniable. Le décor est composé de vieux tableaux et de jolis vitraux qui distribuent chaleureusement la lumière du jour. Service courtois et attentionné.

De l'extérieur, on remarque le restaurant **La Parrillada La Selvita** *($$; Avenida Olmos et Calle Brisas, Urdesa, ☎ 04-881-000)* à ses deux cheminées longilignes qui saillent du toit. En prenant place à l'intérieur, on constate que ces cheminées communiquent avec deux grands fours ouverts où le chef cuisine pour le plaisir de votre palais de délicieuses pièces de viande en tout genre. De grandes verrières permettent aux clients d'avoir un beau panorama de la ville tout en mangeant.

La Parillada Del Ñato *($$; Avenida Emilio Estrella 1219 et Laureles, Urdesa, ☎ 04-387-098 ou 888-599)* est un restaurant où les portions sont presque aussi grandes que le restaurant lui-même. Dès l'entrée votre regard est immanquablement capté par l'immense cuisine ouverte et le comptoir vitré qui expose la viande prête à être grillée sur place. Attablez-vous sous les nombreux ventilateurs qui brassent paresseusement l'air au-dessus de vos têtes, et sirotez une bière fraîche en attendant d'être servi. À l'étage, on sert des pizzas.

Le restaurant **La Nuestro** *($$; Avenida Emilio Estrada 903, Urdesa, ☎ 04-386-398 ou 882-168)* est facilement reconnaissable de l'extérieur grâce à sa façade qui rappelle les vieilles maisons en bois de la ville. À l'intérieur, on s'attable entre les murs décorés de vieilles peintures qui évoquent le vieux Guayaquil pour déguster des plats de cuisine équatorienne simples.

L'ambiance feutrée du romantique restaurant italien **Casanova** *($$$; Calle Primera 604 et Avenida Las Monjas, Urdesa, ☎ 04-882-475)* se prête admirablement bien à un souper intime en tête-à-tête. Outre les nombreux mets italiens, le menu affiche une variété de plats de poisson et de viande. Le service est attentif et courtois. Prix en conséquence.

La cuisine du restaurant **La Trattoria da Enrico** *($$$; Calle Bálsamos 504)* est indéniablement dominée par des spécialités aux parfums d'Italie, servies dans une ambiance des plus agréables.

À la recherche d'un restaurant japonais? L'argent ne vous pose pas de problème? Rendez-vous chez **Tsuji** *($$$; Avenida Emilio Estrada 815, Urdesa)*, où un bon choix de sushis composent le menu. Le saké est excellent et le personnel sympathique.

Le Gourmet *($$$; Avenida 9 de Octubre et García Moreno, ☎ 04-327-999)*, le chic restaurant de l'Hotel Oro Verde, attire de nombreux clients qui ne sont pas intimidés par les prix du menu et qui préfèrent une cuisine imaginative locale et internationale. Viandes, pâtes et poissons sont servis à la carte et sont apprêtés de toutes les façons.

Montañita

Le cuisinier du petit restaurant de l'hôtel **El Rincón del Amigo** *($; près de la plage)* peut vous préparer une variété de mets typiques de la Costa.

Le **restaurant du centre écologique Alandaluz** *($)* abrite une grande salle à manger où les tables sont disposées face à un foyer qu'on allume lorsque la nuit s'installe et apporte une certaine fraîcheur. La nourriture est «semi-végétarienne», c'est-à-dire qu'il n'y a pas de viande rouge au menu. Outre les plats à la carte, on y sert du riz aux légumes, du poulet et, bien sûr, du poisson et des fruits de mer. Le plat qu'on vous recommande est préparé comme suit : on insère la nourriture (poisson, poulet, etc.) à l'intérieur d'un petit morceau de bambou, qu'on referme pour ensuite le mettre au four. La nourriture va non seulement cuire, mais, de plus, elle sera imprégnée de la sève du bambou qui va lui donner un goût particulier.

Au restaurant de l'**Hostería Atamari** *($$; à environ 25 min d'autocar au sud de Puerto López, le long de la route panoramique de la Costa)*, il y a deux salles à manger adjacentes avec vue sur la mer : l'une se trouve à l'intérieur, tandis que l'autre est à l'extérieur, mais couverte d'un toit de feuilles de palmier. Le cuisinier mitonne de nombreux plats comme le *lomo a la plancha*, la *paella valenciana*, le *pollo a la naranja* ou différents types de *ceviches*. Même si le menu n'affiche pas de plats végétariens, le cuisinier peut en préparer; faites-en la demande à votre serveur.

Salango

Après une visite du petit musée de Salango, ne manquez surtout pas d'aller vous délecter les papilles au sympathique restaurant **El Delfín Magico** *($$)*. Ne vous attendez pas à ce qu'on vous serve du dauphin, mais la nourriture est tout simplement magique. L'établissement est reconnu pour ses délicieux plats de *spondylus* que la cuisine prépare de façon particulière. Nous vous recommandons personnellement le *spondylus con ajo* ou le *spondylus en salsa de mani*. D'autres plats de poisson et de fruits de mer figurent également au menu.

Puerto López

Même si, au premier coup d'œil, le décor du petit restaurant **Picantería Rey Hoja** *($; Calle Principal, sur le Malecón)* n'est pas le plus chic de cette région, on y sert de bons repas à des prix fort économiques. On les dégustera sur un patio couvert dont les murs sont décorés de bibelots hétéroclytes. Le service y est rapide, les jus sont frais, et le menu affiche les mêmes plats que dans la plupart des autres restaurants de la province de Manabí, c'est-à-dire riz et crevettes, riz et poissons, riz et palourdes, etc., le tout, bien sûr, accompagné de bananes.

Le petit restaurant **Carmita** *($; sur le Malecón)* présente un décor sans prétention, mais jouit d'un site particulièrement choisi, car il permet aux clients d'observer à la fois l'activité de la rue et celle de la baie. La nourriture est toujours fraîche et délicieuse, et le service efficace. Les spécialités de la maison comprennent une grande variété de poissons et de fruits de mer qui, hier encore, nageaient dans l'océan Pacifique et qui sont apprêtés de différentes façons : *ceviche*, *pescado a la plancha y panada*, etc.

Le **Spondylus** *($; sur le Malecón)* est à la fois un restaurant et un bar qui attire une clientèle voyageant sac au dos. Ambiance informelle et service sympathique.

Le restaurant de l'**Hotel y Cabañas Pacífico** *($$; Calle Suárez et Malecón, ☎ (05) 604-133 ou 604-147)* mitonne pratiquement les mêmes plats que les autres restaurants de la ville, mais ils sont servis dans un local plus moderne et coûtent un peu plus cher. Toutefois, on peut payer avec sa carte de crédit.

Salinas

Si vous êtes à la recherche d'un petit restaurant au décor désuet, mais qui prépare des plats typiques de la Costa à des prix très économiques, rendez-vous chez **Herminia** *($; Malecón et Calle 28)*.

Le cuisinier du restaurant **El Velero** *($$; sur le Malecón, ☎ 05-712-115 ou 772-596)*, de l'Hotel Casino Miramar (voir p 236), apprête une variété de plats de poisson, de fruits de mer et de viande.

Le restaurant **Mar y Tierra** *($$; sur le Malecón, tout près de l'Hotel Casino Miramar)* est sûrement l'un des meilleurs endroits en ville pour savourer les produits de la mer. Il propose, selon la pêche du jour, de délicieux plats de fruits de mer et de poisson. Une terrasse permet aux clients de manger au grand air.

Manta

Si vous êtes amateur de fruits de mer, les restaurants le long du Malecón en servent à profusion.

Dans un décor sans prétention, le restaurant **Paraná** *($; Calle 17 et Malecón)* propose une délectable cuisine locale. Plats de poisson, de fruits de mer et de viande figurent au menu.

Ceux qui souhaitent manger autre chose que du poisson ou des fruits de mer peuvent se rendre au restaurant **Topi, tu Pizza** *($$; Malecón et Avenida 15, ☎ 05-621-180)*. Réparti sur deux étages, il constitue un endroit agréable pour manger une bonne pizza tout en observant la mer.

Bahía de Caráquez

Le **Genesis** *($; sur le Malecón)* est reconnu pour ses excellents plats de *ceviche* à prix concurrentiels. Attablez-vous sur sa terrasse extérieure où vous pourrez observer les bateaux de pêche tout en savourant votre repas. Les jus sont frais, et le service est sympathique.

Donatello's *($; passé le* terminal terrestre*, sur le Malecón)*. Qui aurait cru qu'on pourrait trouver un parfum d'Italie dans une petite ville comme Bahía? L'endroit est un peu éloigné du centre-ville, mais la nourriture est délicieuse et vaut résolument le déplacement. D'ailleurs, une petite promenade après votre repas ne vous fera sans doute pas de tort. Service sympathique.

Ceux qui veulent s'offrir un peu plus de luxe peuvent se rendre aux restaurants de l'hôtel **La Piedra** *($$; Circunvalación et Bolívar, ☎ 05-690-780)* ou de l'hôtel **La Herradura** *($$; Avenida Hidalgo et Bolívar, ☎ 05-690-265)*.

Canoa

Le restaurant **Torbellino** *($; à 3 rues de la plage)* est un endroit simple, rustique et sans prétention. Les plats de *ceviches* sont tout simplement délectables et considérés parmi les meilleurs de la région. Les prix sont comparables à ceux des autres établissements, mais la qualité de la nourriture est nettement supérieure.

Le bar-restaurant **Arena** *($; sur la plage)* se résume à un simple toit de chaume supporté par quelques poteaux. On y sert une variété de jus, de cocktails et de sandwichs. Bref, il s'agit de l'endroit idéal pour siroter un breuvage et se relaxer dans un des hamacs tout en admirant le paysage qui se déploie sous ses yeux. Le propriétaire vend aussi des t-shirts sur lesquels on retrouve ses propres dessins. Ambiance informelle et sympathique.

SORTIES

Guayaquil

Si vous prévoyez sortir à Guayaquil une fois la nuit tombée, il est fortement conseillé de partager les coûts d'un taxi pour atteindre l'endroit de votre choix, car, malheureusement, depuis quelques années, les agressions et les crimes se font de plus en plus nombreux.

La **Peña Rincón Folklórica** *(Malecón 208)* est l'endroit tout choisi pour une soirée dansante empreinte de pittoresque.

Si vous voulez danser à perdre haleine, rendez-vous à la discothèque **Amen** *(Avenida Francisco de Orellana 796)*. Clientèle jeune et musique variée.

L'**Hotel Oro Verde** *(Avenida 9 de Octubre et García Moreno, ☎ 04-327-999)* compte un bar, une discothèque et un casino qui sauront satisfaire les personnes en quête de divertissement.

L'**Hotel Boulevard** *(Avenida 9 de Octubre 432, ☎ 04-562-888)* abrite à la fois une discothèque et un bar.

Le **Metropolis** *(Avenida Victor Emilio Estrada 302, Urdesa)* est sans doute l'un des endroits les plus huppés de Guayaquil. La musique est variée et la clientèle jeune, riche et belle. Si vous en avez les moyens, c'est l'endroit où aller pour voir et être vu.

MAGASINAGE

Guayaquil

Ocepa *(Calle Rendón 405 et Córdova)* vend de nombreux produits artisanaux de la Costa tels que des panamas.

La galerie d'art **Man Ging** *(Cedros III et E. Estrada, Urdesa, ☎ 04-884-517)* expose et vend de nombreux tableaux d'artistes équatoriens.

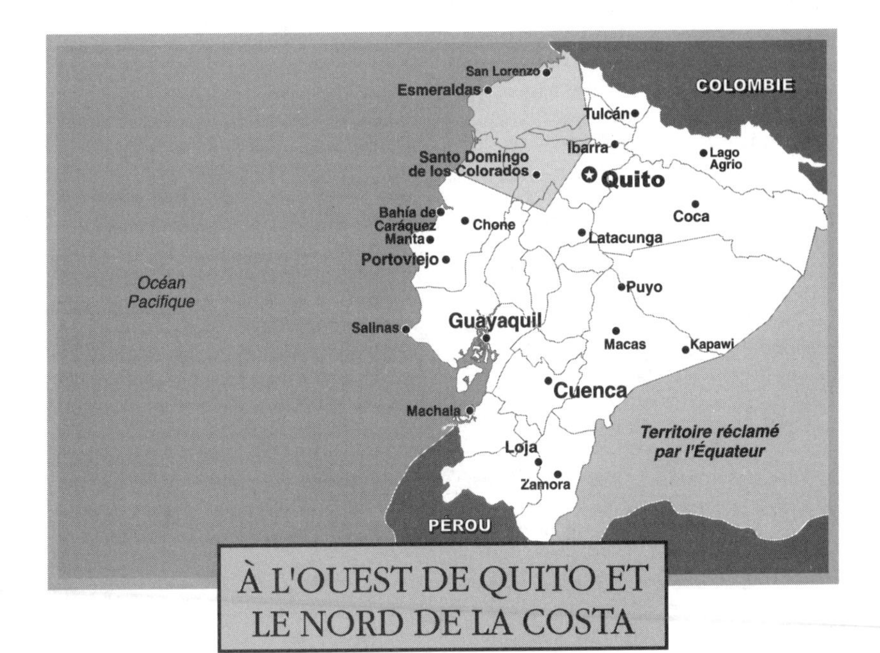

À L'OUEST DE QUITO ET LE NORD DE LA COSTA

Depuis Quito, deux routes pittoresques permettent aux voyageurs d'aboutir au nord de la Costa. Ces deux routes se révèlent sinueuses, longent une série de précipices et vous réservent un spectacle vraiment grandiose, voire époustouflant, que seules les majestueuses montagnes qui forment la cordillère des Andes et les chutes d'eau qui en descendent peuvent offrir. Plus on descend en altitude, plus le degré d'humidité augmente, et plus la végétation devient tropicale. Toutefois, durant l'après-midi, la beauté du paysage est malheureusement gâchée par l'apparition soudaine d'un épais brouillard. De plus, la visibilité diminue, la circulation devient dense, et les risques d'accident augmentent. Par ailleurs, si vous comptez effectuer ce trajet une fois que le soleil sera couché, il est important que vous sachiez que, la nuit, il n'y a pas d'éclairage le long de ces routes sinueuses, et même dangereuses. De plus, le soir venu, de nombreux camions se dirigent soit vers la Costa, soit vers la Sierra, afin d'y livrer leurs marchandises, ce qui a pour effet de ralentir considérablement la circulation, à tel point qu'il se forme des bouchons derrière lesquels s'allongent de longues files de véhicules. Les conducteurs impatients tentent immanquablement de se faufiler entre les véhicules qui les précèdent, sans savoir si un autre véhicule ne tentera pas au même moment une manœuvre tout aussi soudaine et risquée en sens inverse... Il vous est facile d'imaginer les dangers auxquels s'exposent tous les usagers de la route lorsqu'ils sont soumis à de telles conditions de circulation.

La route qui part de Quito vers le nord franchit l'équateur, passe par le petit village de Calacali, puis continue son tracé vers le nord-ouest pour traverser tour à tour la Reserva Biológica Macipucuna et le Bosque Protector de Mindo avant de se prolonger jusqu'à la ville d'Esmeraldas. Cette route évite la ville de Santo Domingo de los Colorados et est un peu moins fréquentée que celle qui passe par le sud de Quito.

La route traversant le sud de Quito longe l'«Avenue des Volcans», puis bifurque vers l'est à Alóa pour atteindre la deuxième ville en importance du nord de la Costa, Santo Domingo de los Colorados, d'où vous aurez le choix de poursuivre votre chemin jusqu'à Esmeraldas ou de vous diriger vers Guayaquil via la ville de Quevedo.

À bien des égards, la région de la Costa est tout à fait différente de celle de la Sierra ou de l'Oriente. En effet, ici, les pittoresques villages amérindiens ont été remplacés par les non moins sympathiques petits villages de pêcheurs, et la végétation herbeuse des montagnes fait place à une végétation luxuriante de type tropical. La population est constituée de descendants d'hommes de type négroïde arrachés de leurs terres ancestrales d'Afrique et transplantés ici comme esclaves il y a longtemps, ainsi que de populations amérindiennes peu métissées.

Le nord de la Costa est effectivement parsemé de petits villages de pêcheurs éparpillés en bordure de l'océan Pacifique. Cependant, à l'instar de la Sierra, la région de la Costa n'est pas à l'abri des caprices de Dame Nature. En 1981 par exemple, un tremblement de terre très dévastateur, combiné à un puissant raz-de-marée secoua pendant quelques instants cette région en engloutissant à tout jamais un certain nombre de victimes fauchées au hasard dans un effroyable sauve-qui-peut : hommes, femmes, enfants, flore et faune. Ce terrible soubresaut de la nature fait désormais partie des tristes événements qu'on range dans les annales de l'histoire, et la vie a repris son cours normal jusqu'au prochain séisme d'envergure à survenir dans cette région.

La plupart des visiteurs se rendent à Atacames, une petite bourgade très populaire qui attire les voyageurs et les résidants à la recherche d'une atmosphère informelle et enjouée. Ceux et celles qui souhaitent éviter l'activité trop bruyante d'Atacames peuvent aller soit plus au nord, à Tonsúpa, un petit village de pêcheurs, soit plus au sud, où viennent s'ancrer le long du littoral du Pacifique les mignonnes bourgades côtières de Same, Tonchigüe et Muisné.

Dans chacune de ces bourgades en effet, il peut s'avérer agréable d'observer tout simplement les pêcheurs qui étalent leurs filets au retour d'une longue journée de travail, ce qui attire d'innombrables oiseaux, avec pour toile de fond le mouvement perpétuel des vagues venant mourir sur le sable de la plage.

Par ailleurs, Borbón, nom d'une simple bourgade, est l'endroit où le voyageur embarque sur un petit bateau qui le mènera en excursion vers la mystérieuse Reserva Ecológica Cotacachi-Cayapas sur les eaux sauvages du Río San Miguel. Difficile d'accès, cette réserve demeure un des secrets les mieux gardés des amateurs d'écotourisme. La région possède malheureusement le plus haut taux de malaria de l'Équateur. Par conséquent, si vous comptez vous y aventurer, prenez soin d'apporter des cachets contre la malaria.

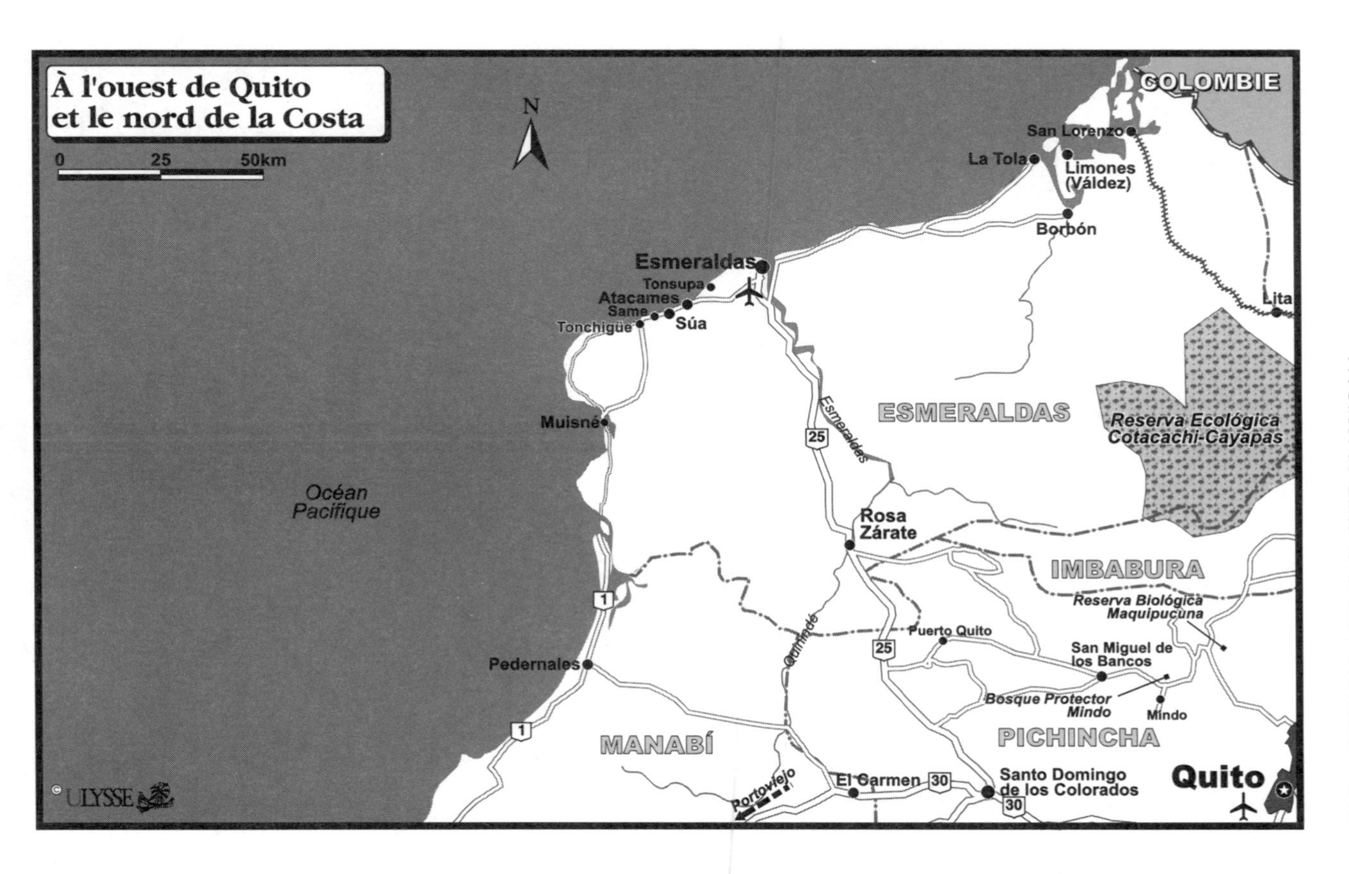
À l'ouest de Quito et le nord de la Costa
0 25 50km
N
Océan Pacifique
COLOMBIE
ESMERALDAS
IMBABURA
PICHINCHA
MANABÍ
Reserva Ecológica Cotacachi-Cayapas
Reserva Biológica Maquipucuna
Bosque Protector Mindo
San Lorenzo
La Tola
Limones (Váldez)
Borbón
Lita
Esmeraldas
Tonsupa
Atacames
Same
Tonchigüe
Súa
Muisné
Esmeraldas
Rosa Zárate
Quinindé
Puerto Quito
San Miguel de los Bancos
Mindo
Pedernales
Portoviejo
El Carmen
Santo Domingo de los Colorados
Quito
25
30
1
© ULYSSE

POUR S'Y RETROUVER SANS MAL

La Reserva Biológica Maquipucuna

En autocar

Les autocars ne se rendent pas jusqu'à la réserve. Ils vous laisseront au petit village de Nanegal, d'où vous serez obligé de prendre un taxi ou de marchander un voyage auprès des gens travaillant dans les petits commerces de la rue principale. Les autocars partent de Quito près du Parque Alameda les mercredis, à 13 h, les jeudis, à 14 h, les samedis, à 10 h et 14 h, et les dimanches à 9 h et 14 h. Le tarif est d'un peu moins de 2 $ pour un voyage d'environ 2 heures 30 min. De Nanegal, le taxi vous coûtera entre 7 $ et 15 $ selon vos talents de négociateur.

Mindo

En autocar

Des autocars quittent la capitale deux fois par jour, le matin et l'après-midi, pour Mindo. Le trajet dure environ 2 heures 30 min et coûte un peu moins de 2 $.

Santo Domingo de los Colorados

En autocar

De nombreux autocars assurent une liaison régulière en provenance de Quito. Le voyage dure environ 3 heures et coûte un peu plus de 2 $. Pour pouvoir apprécier le panorama, tentez d'effectuer le trajet tôt dans la matinée.

La gare routière se trouve au nord de la ville, sur l'Avenida de Las Tsachilas.

Esmeraldas, Atacames, Súa, Same, Tonchigüie et Muisné

En avion

La compagnie aérienne TAME dessert la ville d'Esmeraldas à partir de Quito. Le vol coûte autour de 30 $ pour une durée d'environ 30 min. Un taxi jusqu'au centre-ville vous coûtera environ 5 $. De là, nombre d'autocars s'arrêtant aux petits villages situés au sud d'Esmeraldas : Tonsupa, Atacames, Súa, Same, Tonchigüie et Muisné.

En autocar

De Quito, plusieurs autocars se rendent à Esmeraldas. De là, un autre autocar vous conduira vers les villes de Tonsupa, Atacames, Súa, Same et Tonchigüie. Certains autocars sont plus coûteux mais plus confortables et disposent de toilettes et d'un téléviseur qui diffuse des films américains. Quito-Esmeraldas : les prix varient de 5 $ à 7 $ pour une durée d'environ 6 heures. Esmeraldas-Atacames : départ aux heures (45 min de voyage pour 0,50 $). Esmeraldas Súa : départ aux heures (une heure de voyage pour 0,75 $). Esmerladas-Same : départ toutes les heures (un peu moins de 2 heures de voyage pour 1 $).

À Esmeraldas, la gare routière se trouve environ à 2 km à l'ouest du centre-ville.

Muisné

Les nombreux autocars partant de Quito pour à Muisné ne desservent pas directement cette petite île, mais passent obligatoirement par Esmeraldas. De là, un autre autocar vous conduira au débarcadère, d'où une petite embarcation vous emmènera dans la presqu'île. En arrivant à Muisné, vous aurez la surprise de découvrir de nombreux tricycles conduits par des enfants et des adolescents qui s'offrent à transporter les visiteurs à l'hôtel, en échange d'une somme se situant entre 0,50 $ et 1 $. Toutefois, la plage n'est qu'à une quinzaine de minutes de marche de la jetée en ligne droite, et rien ne vous oblige à prendre les tricycles.

Borbón

En autocar

Depuis Esmeraldas, les autocars prennent 4 heures pour se rendre à Borbón; comptez environ 3 $.

San Lorenzo

Pour aboutir à San Lorenzo, on doit d'abord se rendre à Esmeraldas et prendre un des nombreux autocars en direction de la petite bourgade de La Tola. De là, on se rend à San Lorenzo par bateau. À votre arrivée, de nombreux enfants et adolescents vous proposeront de vous conduire à votre hôtel, mais ne vous croyez pas obligé d'accepter cette offre intéressée. Toutefois, si vous souhaitez vous laisser guider par ceux-ci, prévoyez débourser autour de 0,50 $. De plus, pour vous éviter de passer la nuit à La Tola (ville sans intérêt) en attente du bateau, il vous serait préférable de prendre l'autocar de bonne heure à partir d'Esmeraldas. Par ailleurs, on peut également arriver à San Lorenzo en prenant l'autocar depuis Ibarra. Le trajet dure environ 6 heures et coûte autour de 6 $.

En *autoferro*

Le service de l'*autoferro* à partir d'Ibarra (voir p 253) est actuellement interrompu, mais l'agence Ecuagal assure parfois des liaisons entre Otavalo et San Lorenzo. Pour de l'information, à Quito, Avenida Amazonas 1113 et Pinto, ☎ 02-229-579 ou 229-580, ⇄ 550-988. Demandez à parler à Hébert.

La ville de San Lorenzo est depuis peu reliée à Ibarra par une route qui part de la Sierra et qui aboutit à la Costa.

RENSEIGNEMENTS PRATIQUES

Santo Domingo de los Colorados

Poste de télécommunication (EMETEL)

Avenida Quito et Tena

Banque

Filanbanco, Calle Las Tsachilas et Avenida Quito

Esmeraldas

Poste de télécommunication (EMETEL)

Calle Juan Montalvo et Malecón, 1er étage

Banque

Banco Popular : Calle Bolívar et Piedrahita

Bureau de poste

Calle Juan Montalvo et Malecón, à l'étage

ATTRAITS TOURISTIQUES

Mindo

La **Reserva Biológica Maquipucuna**, cette petite réserve biologique, se trouve à quelques heures seulement de Quito, juste avant d'arriver dans le village de Mindo. Pour de plus amples renseignements, consultez la section «Parcs» p 255.

Accroché aux flancs des Andes à 120 km au nord-ouest de Quito, le simple petit village de Mindo est arrosé par le Ríos Mindo et le Río Nambillo, et retient l'intérêt des voyageurs par son **Bosque Protector Mindo ★★★**, qui couvre environ 19 000 ha de territoire au milieu duquel pépient plus de 400 espèces de la gent ailée. Ce petit bourg aux infrastructures sommaires compte environ 3 000 habitants, qui, pour la plupart, vivent de l'exploitation du bois, ce qui crée un conflit d'intérêt entre les gens qui veulent protéger la forêt et ceux qui l'exploitent.

Santo Domingo de los Colorados

Ce gros bourg se situe à 140 km à l'ouest de Quito et constitue un point d'arrêt stratégique sur le trajet entre la Costa et la Sierra. Il s'agit d'un nœud routier important au croisement de deux grands axes qui relient ces régions. De Quito, le trajet est tout à fait spectaculaire. Santo Domingo de los Colorados porte le nom des Amérindiens qui autrefois ont dominé la région. Aujourd'hui, les les Colorados ne sont plus qu'une centaine. À l'époque, ils se distinguaient par leurs cheveux courts teints en rouge au moyen d'un colorant naturel appelé *achiote*, et, pour le reste, leur tenue vestimentaire se réduisait au minimum. Chaque année, de nombreux touristes se rendent à Santo Domingo de los Colorados dans l'espoir d'y rencontrer les descendants de ces célèbres Amérindiens. Malheureusement, l'envahissement progressif de cette contrée par le monde moderne a fait qu'aujourd'hui la plupart des Colorados qui y vivent encore portent des jeans et des chemises «comme tout le monde», et se teignent rarement les cheveux.

Sa principale attraction est son **marché** dominical. Si vous êtes chanceux, vous apercevrez les fameux Colorados. Ces fiers Amérindiens ont été réduits au triste rôle de bêtes de cirque faisant suite à l'empiétement du monde moderne sur leur territoire et ont perdu leur mode de vie ancestral. Les petits villages des alentours, là où vivent les Colorados, sont les meilleurs endroits à visiter pour les voir vraiment. Toutefois, si vous comptez absolument prendre des photos, demandez-leur d'abord, par respect, la permission de le faire. Il se peut qu'en retour ils vous demandent un peu d'argent. Acquiescez de bonne grâce à leur requête sans vous en offenser et sans esprit mercantile. N'oubliez pas cependant que ce ne sont pas des attractions touristiques, mais des hommes et des femmes qui, à ce titre, sont dignes de recevoir, comme

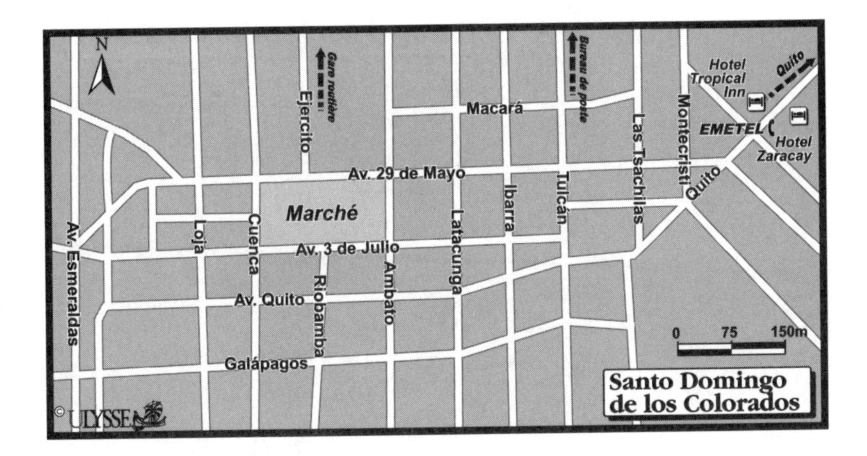

vous et moi, les marques du plus grand respect...

Río Palenque Science Center ★

Depuis Santo Domingo, la route se divise en deux et se dirige soit vers Esmeraldas, soit vers Guayaquil. Sur la route de Guayaquil, à moins d'une heure de Santo Domingo, vous aboutirez au **Río Palenque Science Center** *(Santo Domingo, ☎ 02-561-646)*. Ce centre de recherche vise à protéger les derniers vestiges de forêts tropicales humides existant sur le flanc ouest des Andes. Les férus d'ornithologie sont avides d'y observer les 350 espèces d'oiseaux qui grouillent sur une surface d'environ 100 ha. Les amants des papillons ne sont pas en reste puisqu'on a recensé environ le même nombre d'espèces de lépidoptères. Pouvu d'une infrastructure hôtelière sommaire, le centre peut loger les voyageurs : comptez environ 30 $ par personne.

Quevedo

Située après le Río Palenque Science Center, Quevedo est une grosse ville animée d'environ 90 000 habitants, dont une forte proportion est d'origine asiatique. L'économie de la ville est surtout centrée sur l'industrie de la banane. Peu de touristes y font halte, la plupart poursuivant rapidement leur route sans même se rendre compte qu'ils ont traversé la ville.

Esmeraldas

Contrairement à la population des autres villes équatoriennes, celle d'Esmeraldas est majoritairement composée de descendants d'esclaves noirs importés du continent africain pour travailler dans les plantations de canne à sucre. On ne trouve donc que peu d'Amérindiens. Ville portuaire qui compte plus de 140 000 habitants et capitale de la province qui porte son

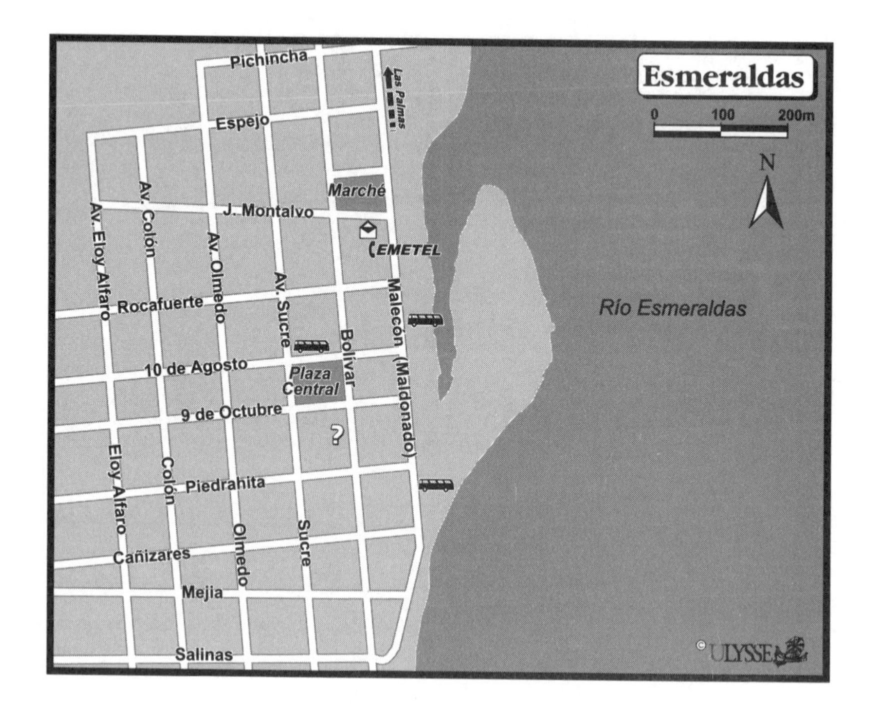

nom, Esmeraldas est une cité tropicale peu attrayante qui suscite une atmosphère trouble et empreinte de suspicion. La plupart des voyageurs ne s'y attardent guère et se hâtent de poursuivre leur chemin en direction d'Atacames et de ses environs. Esmeraldas présente néanmoins une certaine importance économique pour le pays. En effet, c'est ici, au sud de la ville, qu'aboutit le terminal de l'oléoduc transandin qui provient tout droit de l'Oriente. Sa présence a des conséquences désastreuses pour la nature, car les nombreuses raffineries de pétrole qui s'y abreuvent polluent l'air de la ville et ternissent la verdure de ses parcs, dont le vert est loin d'avoir la pureté qu'évoque son nom emprunté à celui de l'émeraude, ainsi que l'éclat de ses plages, qui jadis resplendissaient de vives couleurs.

Borbón

À partir d'Esmeraldas, un crochet vers le nord permet au voyageur d'arriver à Borbón. Ancrée sur le Río Cayapas, cette modeste bourgade est un mini-port de mer où la population est à majorité noire et dont on ne ferait nullement mention s'il ne s'agissait de l'endroit où le voyageur embarque sur un petit bateau qui le mènera en excursion vers la Reserva Ecológica Cotacachi-Cayapas (voir p 129, 255) sur les eaux tumultueuses du Río San Miguel.

La Tola

La Tola est une petite bourgade relais qui compte un peu plus de 5 000 habitants et qui assure aux voyageurs des liaisons vers Esmeraldas et San Lorenzo par terre et par mer. De là en effet, les voyageurs ont le choix de prendre le bateau pour San Lorenzo ou de prendre la route pour Esmeraldas.

La Tolita

Au premier coup d'œil, rien n'attire le voyageur ici. Cependant, si l'on gratte un peu, on s'aperçoit que cette minuscule île cache sans doute des origines qui remontent à un passé lointain, mais qui ont laissé des traces perceptibles jusqu'au XXe siècle. D'ailleurs, un masque ouvragé en or fut découvert un beau jour dans les méandres d'un des cours d'eau qui drainent l'île. Aujourd'hui, ce masque aux origines mystérieuses est devenu l'emblème de la banque centrale de l'Équateur.

San Lorenzo

Cette petite bourgade côtière chaude, humide et infestée de moustiques n'a guère d'intérêt, excepté qu'elle est le terminus de l'***autoferro*** ★★, le célèbre train transandin qui permet d'atteindre Ibarra, à plus de 2 200 m d'altitude. La plupart des visiteurs qui se rendent à San Lorenzo ne font qu'y passer pour prendre l'*autoferro* pour Ibarra. En ce moment, le service est cependant interrompu pour une durée indéterminé, mais l'agence Ecuagal assure parfois des liaisons entre Otavalo et San Lorenzo, (voir p 113). La route reliant San Lorenzo à Ibarra est désormais ouverte, et des autocars y circulent.

Atacames ★★

Située à une trentaine de kilomètres au sud-ouest d'Esmeraldas, Atacames est une petite bourgade ancrée sur la côte du Pacifique. Elle est devenue depuis quelques années le lieu de séjour par excellence des voyageurs au budget limité et à la recherche d'une atmosphère détendue et enjouée. L'infrastructure hôtelière y est encore sommaire, mais elle se développe rapidement, de sorte que le tourisme façonne le visage de la ville sur son front de mer ainsi que le long de sa rue principale, où s'alignent désormais de nombreux hôtels et restaurants, ainsi que des bars avec terrasse recouverts de toit de paille.

Si la plage a été domestiquée pour servir le tourisme, la mer, quant à elle, refuse de se laisser apprivoiser. Chaque année en effet, un certain nombre de nageurs téméraires y perdent malheureusement la vie, ayant sous-estimé la force des puissants courants marins qui balayent constamment les côtes de cette région. Malgré tout, la plage se prête tout de même bien à la baignade, mais ne se compare nullement aux magnifiques plages de sable blanc qui bordent la mer des Caraïbes.

Par mesure de sécurité, les personnes seules (surtout les femmes) ne devraient pas s'aventurer sur la plage une fois la nuit tombée. Évitez de porter sur vous des objets de valeur; il est préférable de les laisser à l'hôtel, si vous croyez être en mesure de faire confiance à l'établissement hôtelier où vous logez.

Súa ★

Cette petite bourgade côtière est située au sud d'Atacames, et la pêche est sa principale activité économique. Súa n'a rien de bien extraordinaire à offrir à part sa petite baie que survolent de nombreux oiseaux qui attendent que les pêcheurs rentrent au port après leur journée de travail. Si vous comptez prendre une bouchée tout en admirant ce spectacle, rien ne vous en empêche, mais, vous l'aurez deviné, le menu change d'un jour à l'autre et selon les caprices de la mer.

Same ★

Ce paisible petit bourg, situé à environ 10 km au sud d'Atacames, voit depuis quelques années ériger en bordure de mer ses tout premiers immeubles résidentiels, dont les nouveaux propriétaires sont séduits par les jolies plages tranquilles qui bordent le Pacifique à cet endroit.

Tonchigüie ★

Dans cet autre petit village côtier encore peu développé, la plupart des habitants vivent de la pêche. Allez-y de préférence entre 17 h 30 et 18 h afin d'assister à un spectacle tout à fait pittoresque et, par moments, féerique. C'est l'heure à laquelle les pêcheurs rentrent de leur longue journée de travail, tandis que le crépuscule s'étend rapidement sur la mer et que leurs embarcations, éclairées par la lueur vacillante d'une simple lampe au kérosène, se dirigent lentement vers la côte, formant ainsi une longue traînée de lumières s'ajoutant au scintillement des étoiles qui, au même moment, s'allument une à une dans le ciel...

Muisné ★

Baignée par les eaux du Pacifique à environ 80 km au sud d'Esmeraldas, Muisné est une petite île tranquille, débarrassée de la présence de voitures, mais encombrée de tricycles; elle possède des plages souvent désertes et au charme indéniable. C'est là que se trouve l'une des rares forêts de mangliers qui subsiste aujourd'hui en région côtière. Malgré tout, cette île est généralement boudée par les voyageurs qui lui préfèrent les plages animées et les discothèques bruyantes d'Atacames. Mais méfiez-vous! Ces longues plages désertes peuvent se révéler dangereuses. Il n'est surtout pas recommandé de s'y aventurer seul, plus particulièrement lorsqu'on est une femme. Contrairement aux apparences, plusieurs attaques y ont été malheureusement signalées ces derniers temps. De plus, il n'y a pas de d'institutions bancaires sur l'île; munissez-vous donc du nombre de sucres suffisant avant de partir.

Les attraits de cette île se découvrent facilement au cours de promenades à pied, mais, si vous le voulez, il vous est loisible d'en faire le tour en bateau. Pour plus de renseignements, adressez-vous au sympathique couple suisse, Daniel et Barbara, propriétaires du restaurant Italiano (voir p 262).

PARCS

Reserva Biológica Maquipucuna ★★★

Fondée en 1988, la **Reserva Biológica Maquipucuna** *(5 $; Calle Baquerizo 238 et Tamayo, Quito, ☎ 02-507-200 ou 507-202, ⇄ 507-201, root@maqui.ecx.ec)* couvre discrètement 14 000 ha de territoire sur les flancs des Andes à environ deux heures de Quito, tout juste au nord de Mindo. Cette réserve, qui est en fait un véritable refuge faunique et floral, est gérée par une organisation à but non lucratif cherchant à protéger les derniers vestiges des forêts ennuagées. Il s'agit d'une forêt qui s'étend de 1 200 à 2 800 m d'altitude et qui abrite quatre écosystèmes différents rassemblant une faune et une flore extrêmement diversifiées. La caractéristique particulière de cette forêt est qu'elle baigne constamment dans des nuages, favorisant ainsi des conditions idéales pour la croissance d'une riche végétation. Ces conditions particulières font en sorte qu'elle est l'égale d'une forêt tropicale à cause du nombre exceptionnel d'espèces qu'on y trouve. Ici, on a recensé en effet près de 1 200 espèces de plantes, comprenant entre autres pas moins de 90 espèces de fougères. De plus, on y a dénombré 45 espèces de mammifères, 370 espèces d'oiseaux et même plus de 250 espèces de papillons. La plupart de ces espèces de plantes et d'animaux sont propres à la région.

Différents sentiers de randonnée sont tracés pour que chacun puisse explorer la réserve à son propre rythme. En tout, 10 km de randonnée sur cinq sentiers s'enfoncent dans cette splendide forêt unique au monde.

Bosque Protector Mindo ★★★

Administré par le groupe écologique Los Amigos de la Naturaleza et situé à environ 80 km au nord-ouest de Quito, le **Bosque Protector Mindo** *(7 $)* s'étend sur les flancs du volcan Pichincha à partir de 1 500 m d'altitude et jusqu'à un peu plus de 4 700 m. Il couvre un territoire de 19 000 ha au relief très accidenté. Il s'agit d'un lieu de prédilection pour les ornithologues et les amants de la nature. On peut y observer à loisir d'innombrables espèces d'oiseaux : plus de 400 espèces y ont été dénombrées! Des papillons et des orchidées complètent les richesses écologiques de cette réserve. Toutefois, les infrastructures touristiques sont plutôt sommaires, mais il existe tout de même quelques petits hôtels offrant aux visiteurs un confort rudimentaire.

Reserva Ecológica Cotacachi-Cayapas ★★

La **Reserva Ecológica Cotacachi-Cayapas** *(10 $)* (voir aussi p 129) tire en partie son nom de celui des Cayapas, ces Amérindiens qui habitent la réserve et ses environs. Aujourd'hui, ils sont au nombre de plus ou moins 4 000 habitants. Les Cayapas vivent de pêche et de chasse, et sont réputés pour leur grande dextérité à sculpter des pirogues d'une seule pièce de bois. Cette réserve forme une grande étendue de verdure qui s'étire sur 300 140 ha depuis les basses terres de la Costa à une altitude de 200 m environ jusqu'aux hauts plateaux andins de la Sierra situés à plus de 4 500 m d'altitude, et qui englobe une partie de la Laguna Cuicocha, située tout près de la petite bourgade de Cotacachi. Instituée en 1968, cette réserve écologique demeure peu fréquentée des voyageurs en raison de ses difficultés d'accès. En effet, on ne peut y pénétrer qu'à partir de deux points : soit à partir du modeste village de Borbón, d'où l'on embarque sur un bateau qui suit le Río San Miguel, soit depuis la Sierra, près de Cotacachi. La région est toutefois infestée de moustiques et connaît pour cette raison l'un des plus hauts taux de paludisme de tout l'Équateur. Les moustiques et insectes de tout acabit y pullulent, car, sur la majeure partie de son territoire, la réserve baigne dans un environnement chaud, voire très chaud et humide. La flore change bien sûr en fonction de l'altitude. C'est ainsi que vous aurez peut-être la chance d'observer les effets des contrastes saisissants qui existent entre la forêt tropicale et la steppe des hauts plateaux andins. Vous y découvrirez de nombreux cours d'eau et des chutes, sans oublier les lacs qui parsèment ce vaste territoire sauvage où cohabitent plusieurs espèces de mammifères telles que le loup, le paresseux, le renard, l'ocelot, le raton laveur et le daim. Les amateurs d'ornithologie ne seront pas en reste, car près de 300 espèces de la gent ailée y prolifèrent. L'une des meilleures façons de visiter la réserve est de séjourner à un endroit accessible uniquement par bateau, comme celui situé sur le Río Cayapas connu sous le nom de **Steve'Lodge** *(environ 80 $ par jour, pc; pour réservations, prenez contact avec Antonio et Judy Nagy, Casilla 5148, CCI, Quito, ☎ 02-431-555, ⇄ 431-556, nagy@pi.pro.ec).*

Tinalandia

Ancienne hacienda reconvertie en lieu d'hébergement et en terrain de golf, Tinalandia est installée sur un territoire qui couvre un peu plus de 100 ha de forêt. La propriétaire, une dame d'origine russe connue sous le nom de Tina Garzón, et son fils Sergio sont de fervents amoureux de la nature qui reçoivent année après année de nombreux amateurs d'ornithologie venus de partout à travers le monde. Il s'agit sans doute de l'un des meilleurs endroits pour l'observation des oiseaux en Équateur. Plus de 300 espèces y ont été dénombrées : avis aux amateurs.

ACTIVITÉS DE PLEIN AIR

La baignade

En général, les plages de la Costa ne sont pas surveillées. Avis aux baigneurs : soyez prudent et ne prenez pas le risque de vous aventurer trop loin.

La **plage d'Atacames** n'est pas des plus spectaculaires, mais conviendra à ceux qui souhaitent se rafraîchir.

Beaucoup moins exploitées et beaucoup plus calmes, les **plages de Same** et de **Muisné**, quant à elles, sauront satisfaire les personnes qui désirent échapper à la cohue de la plage d'Atacames.

HÉBERGEMENT

Santo Domingo de los Colorados

Situé en plein centre-ville, l'**Hotel Unicornio** *(10 $; bp; Avenida 29 de Mayo et Ambato)* n'est qu'une bonne affaire pour les touristes peu exigeants et disposant d'un budget limité.

Si vous circulez depuis la Sierra, l'**Hotel Tropical Inn** *(30 $; bp, tv, ℜ; Avenida Quito, ☎ 02-761-771 ou 761-772, ⇄ 761-775)* est l'un des premiers établissements hôteliers que vous trouverez tout juste en entrant dans Santo Domingo, à votre droite, à l'est de la ville. On y compte 60 petites chambres garnies de moquette et propres, mais décorées sans aucun superflu. Un stationnement privé offre à votre véhicule un abri sûr. L'administrateur de l'hôtel s'occupe également d'une école de parachutisme. Avis aux amateurs de sensations fortes.

Tout près du Tropical Inn, toujours sur l'Avenida Quito, sur votre gauche, est situé l'hôtel **Zaracay** *(50 $; Avenida Quito, bp, ℜ, ≈; ☎ 02-751-023 ou 754-535, ⇄ 754-535)*. Derrière le stationnement surveillé par un garde armé, vous découvrirez des chambres propres aux allures discrètes et dotées d'un petit balcon s'ouvrant sur une végétation luxuriante où voltigent une multitude d'oiseaux. Choisissez une chambre à l'écart de la discothèque si vous avez le sommeil léger. Une accueillante piscine permet aux clients de se rafraîchir à toute heure de la journée.

L'hôtel le plus fameux de la région est perché sur une colline surplombant le Río Toachi sur votre gauche, à une dizaine de kilomètres avant Santo Domingo de los Colorados; il s'agit de l'**Hotel Tinalandia** *(90 $; ec, bp, ℜ; réservations de Quito : ☎ 02-449-028, ⇄ 442-638)*. Contrairement à ce qu'on croit généralement, ce ne sont pas ses chambres propres, lumineuses et spacieusement décorées qui en font sa renommée, mais un terrain de golf de neuf trous sillonné de sentiers pédestres qui se prêtent merveilleusement à l'observation des oiseaux en toute quiétude. En effet, plus de 300 espèces d'oiseaux y ont été recensées.

Macipucuna

On arrive au **Macipucuna Lodge** *(50 $ pc; bc, ℜ; réservations de Quito, Calle Baquerizo 238 et Tamayo, ☎ 02-507-200 ou 507-202, ⇄ 507-201, root@maqui.ecx.ec)* en franchissant un pont, puis on découvre des fleurs et des plantes disposées afin d'enjoliver le paysage et d'attirer les oiseaux; enfin, on aperçoit une salle à manger à l'air libre adjacente à une cuisine. Derrière la cuisine, quelques marches vous mèneront à un bar faisant face à quatre hamacs et à des fauteuils en cuir et en bois où l'on peut se détendre tout en lisant tranquillement les différents livres provenant de la bibliothèque. De plus, après avoir commandé une consommation rafraîchissante de votre choix, vous aurez le privilège de vous laisser bercer par le murmure du Río entremêlé à celui des oiseaux. Quelques chambres se trouvent sur ce même étage, le reste à l'étage supérieur. Les lits sont confortables, et certaines chambres disposent de grands lits ou de lits superposés. Le soir venu, on coupe l'électricité vers 21 h. Entre-temps, vous pourrez toujours vous divertir en jouant au scrabble ou aux échecs.

Mindo

Tout juste avant d'arriver au village de Mindo, vous apercevrez sur votre gauche le simple et petit établissement hôtelier **Bijac** *(12 $; bc, ℜ)*, aux chambres relativement propres et au personnel sympathique. Le propriétaire officie lui-même dans la cuisine et prépare des plats selon l'inspiration du jour.

Le meilleur endroit où passer la nuit à Mindo est situé à moins de 1 km du village et se nomme **Hostería El Carmelo de Mindo** *(40 $; bp, ec, ℜ; ☎ 02-538-756)*. On y trouve des *cabañas* de dimensions inégales, mais qui se révèlent toutes propres, bien tenues et pouvant même accueillir une petite famille. Le personnel est serviable et peut vous aider à trouver des guides pour explorer la région.

Esmeraldas

Même si les meilleurs hôtels de la ville se trouvent dans le quartier nord de Las Palmas, en général les établissements sont un reflet assez juste de l'image que projette Esmeraldas : bruyants, douteux et sans aucun charme.

Situé au nord de la ville, l'**Hotel Del Mar** *(15 $; bp, ℜ; Avenida Kennedy, Las Palmas, ☎ 06-713-910 ou 711-916)* propose des chambres modernes dénuées de tout charme dont certaines ont vue sur la mer.

Situé au centre-ville, l'**Apart-Hotel Esmeraldas** *(35 $; Avenida Libertad et Ramón Tello, ☎ 06-712-712, 728-702 ou 714-714, ⇄ 728-704)* est sûrement l'un des établissements hôteliers parmi les plus sécuritaires d'Esmeraldas. Ses chambres se révèlent relativement propres et modernes, mais sans aucun superflu.

L'**Hotel Cayapas** *(35 $; ec, bp, ℜ; Avenida Kennedy et Váldez, Las Palmas, ☎ 06-711-022 ou 711-077)* se trouve au nord de la ville, et dispose de chambres bien équipées mais dénuées de tout charme particulier. Certaines disposent d'un balcon.

Dressé au nord de la ville, l'hôtel **Costa Verde Suites** *(50 $; ec, bp, ℜ, ≈, ⊗; Calle Luis Tello 804 et Hilda Padilla, ☎ 06-728-717, ⇄ 728-716)* compte une vingtaine de chambres très propres et dotées d'une cuisinette. L'établissement dispose aussi d'un restaurant et d'une miniscule piscine.

Atacames

La grande majorité des établissements hôteliers d'Atacames n'offrent qu'un confort sommaire et sans le moindre superflu. Bon nombre d'hôtels n'ont pas toujours l'eau courante et encore moins l'eau chaude. Il est important de savoir que les hôtels de la Costa ajustent leurs prix selon les saisons. Ainsi, durant la haute saison, du mois de janvier au début du mois d'avril ainsi que les fins de semaine de festivités, les prix sont majorés de 10 % à 20 %.

L'**Hotel Galería Atacames** *(10 $; bp, ℜ; face à la plage, ☎ 06-731-149)* propose de petites chambres humblement décorées, à la propreté un peu douteuse, mais qui conviendront parfaitement aux voyageurs peu exigeants ayant un budget limité. Certaines offrent une vue sur la plage.

Pour le même prix, l'**Hotel Caracol** *(10 $; bp, tv; sur l'allée principale, vers* *la plage,* ☎ *06-731-068)* dispose de chambres on ne peut plus simples et à la propreté parfois douteuse. Au rez-de-chaussée, son magasin vend une foule d'articles de plage et d'autres produits de consommation courants tels que crème solaire, jus et dentifrice.

Les chambres de l'**Hotel Tahiti** *(10 $; bp;* ☎ *06-731-078)* sont dépourvues de charme, mais conviendront bien aux voyageurs à petit budget qui souhaitent loger en bordure de la plage.

L'**Hotel y Cabañas Rodelu** *(14 $; tv, bp;* ☎ *06-731-033; réservations d'Esmeraldas :* ☎ *06-731-033 ou 714-714)* est une adresse économique pour loger des petits groupes. Ses chambres s'avèrent relativement propres et bien équipées; de plus, la note diminuera en fonction du nombre de personnes.

L'établissement hôtelier **Las Cabañas Caida del Sol** *(25 $; bp; à 150 m de la plage,* ☎ *06-731-479 ou 731-479)* est tenu par des Suisses germanophones et compte 10 chambres modernes et très propres où s'harmonisent les tons pastels et où deux lits sont superposés. Toutefois, le bruit provenant de la discothèque peut, à l'occasion, venir troubler votre sommeil.

Lé Castell *(30 $; bp, ℜ, ≈;* ☎ *06-731-350, 731-542 ou 731-442, réservations de Quito :* ☎ *06-432-413)* loue de jolies chambres coiffées d'un toit d'aluminium au ton pastel, très sécuritaires et très propres, certaines s'articulant autour de sa jolie piscine. Le reste des chambres se trouve dans son bâtiment principal, faisant face à la plage; celles-ci sont par conséquent un peu plus bruyantes.

Les **Villas Arco Iris** *(40 $; bp, ℜ; sur la plage, vers le nord,* ☎ *06-731-069 ou 731-069)* disposent de nombreuses petites *cabañas* propres, au toit de chaume, élevées sur pilotis et dotées d'un petit balcon avec hamac. Les *cabañas* proposent chacune deux lits et sont équipées d'un minibar et d'un réfrigérateur. Un petit terrain de jeu, avec balançoires, a été aménagé pour les enfants. Voilà l'endroit idéal pour une famille ou un petit groupe qui apprécie un cadre agréable et douillet au bord de la plage.

L'**Hotel Castelnuevo** *(40 $; bp, ℜ, ≈;* ☎ *06-731-046 ou 731-188; réservations de Quito : Calle La Niña 412 et Reina Victoria,* ☎ *02-232-262, 223-452 ou 223-462)* est situé à quelques kilomètres au nord d'Atacames. Il propose des chambres propres, modernes et bien équipées dont la plupart disposent d'une vue agréable sur la mer. Deux piscines et un stationnement privé sont à la disposition des clients.

L'hôtel **Yacare** *(40 $; tv, ec, bp, ℜ)* est situé au sud d'Atacames en bordure de mer. Toutes les chambres sont réparties sur deux étages, devant une piscine au bord de laquelle se trouve un bar qui s'ouvre sur une plage spacieuse et peu fréquentée. Parfait pour les gens qui cherchent le confort et le repos en même temps que les plaisirs de la mer. L'hôtel dispose aussi de quelques petits appartements de 55 m^2 comprenant deux chambres, l'idéal pour loger une famille.

Súa

L'**Hotel Las Buganvillas** *(10 $; bp;* ☎ *06-731-008)* propose des chambres toutes simples et sans artifice qui conviendront aux voyageurs au budget limité. L'endroit possède un stationnement privé pour ceux qui disposent d'une voiture.

L'**Hotel Súa** *(10 $; bc, ℜ; sur la plage, ☎ 06-731-004)* est tenu par un sympathique couple de Français, Robert et Hélène. On y loue quelques chambres propres, bien entretenues et sécuritaires dont certaines offrent une vue intéressante sur la mer. Service agréable et ambiance informelle.

L'**Hotel Chagro Ramos** *(10 $; ℜ, bp; face à la plage, à droite, ☎ 06-731-070)* loue des chambres un peu austères offrant une vue sur la mer. Sa terrasse et son restaurant sont plus intéressants que ses chambres (voir p 262).

À l'entrée de la ville, l'**Hotel El Peñón de Súa** *(15 $; bp, ℜ; ☎ 06-731-013)* compte une vingtaine de chambres propres et modernes, mais dénuées de tout charme particulier.

Same

Situé sur la plage, l'**Hotel La Terraza** *(12 $, ou 20 $ pour quatre personnes; réservations de Quito : Avenida 6 de Diciembre et Juan Rodríguez, ☎ 02-544-507)* est une adresse économique qui conviendra aux voyageurs peu exigeants dont le budget est restreint.

Les **Cabañas del Sol** *(20 $; ≈, bp, ℜ; ☎ 07-731-151)* sont au nombre de 40 et peuvent héberger chacune un groupe de quatre personnes. Cette formule représente un excellent choix pour les petits groupes, qui pourront jouir de l'ambiance informelle et tropicale que s'efforce de créer cet établissement touristique situé en bordure du Pacifique.

Juste à côté des Cabañas del Sol (voir ci-dessus), un peu plus au nord, l'**Hostería El Rampiral** *(25 $; bp; réservations de Quito : Avenida El Inca et Amazonas, ☎ 02-246-341, 435-003 ou 450-879)* compte 14 *cabañas* équipées de frigo. Celles qui donnent sur la mer coûtent un peu moins cher, sont construites en bois, sont dotées d'un petit balcon et jouissent d'une jolie vue sur l'horizon. Celles qui sont disséminées sous l'ombrage des palmiers sont plus modernes et plus coûteuses.

Juché sur une falaise entre Same et Tonchigüe, l'hôtel **El Acantilado** *(30$; bp, ℜ, ≈; réservations de Quito : ☎ 02-235-034)* loue des chambres propres et sans superflu, mais qui offrent en revanche une vue splendide sur la mer et les environs. La réception comporte une lumineuse salle à manger qui renferme une table de billard et qui s'ouvre sur une jolie terrasse entourant une piscine autour de laquelle se trouvent quelques hamacs étendus sous un mirador. Un escalier descend jusqu'à la plage, et un stationnement privé est accessible aux clients qui veulent garer leur voiture en toute sécurité. C'est l'endroit idéal pour les voyageurs fuyant l'animation des plages grouillantes.

L'**Hotel Casa Blanca** *(60 $; tv, bp, ec, ≈, ℜ; ☎ 06-731-031 ou 731-389, ⇄ 731-096; réservations de Quito : ☎ 02-529-317)* est sans conteste l'établissement de luxe de la région. Son architecture rappelle, comme l'évoque son nom, l'Afrique du Nord et présente une foule d'avantages qui plairont sans doute aux personnes à la recherche d'un séjour à la plage bénéficiant de services de choix. Outre sa plage privée, quatre courts de tennis, dont deux en terre battue et deux en béton, permettent aux clients d'y aller d'une séance d'exercice à toute heure du jour. Ceux qui trouvent le tennis trop astreignant peuvent aller jouer dans le minigolf sous le feuillage des palmiers, après un trempette dans la piscine ou à la plage privée. Les chambres, quant à elles, sont très propres, quoique décorées simplement. Disséminées parmi la végétation environnante, elles donnent soit sur la mer, soit vers l'intérieur des terres. Une salle de billard, une salle de ping-pong, un terrain de volley-ball et un stationnement privé complètent les installations.

Muisné

Le nom de l'hôtel **Paraíso** *(6 $; bc; sur la plage, à gauche)* peut suggérer un paradis, mais ici il s'agit seulement d'un paradis pour les voyageurs peu exigeants au niveau du confort qui recherchent un logement à bon prix, mais qui souhaitent toutefois déguster un verre de *piña colada* allongés dans un hamac tout en contemplant un flamboyant coucher de soleil.

Les **Cabañas Ipanema** *(6 $; bc; près de la plage)* n'ont absolument rien à voir avec la romantique et jolie chanson de Joâo Gilberto, mais proposent 16 petites chambres rustiques, économiques et sécuritaires. Pour quelques dollars de plus, choisissez les *cabañas* au plancher de béton, car elles sont un peu plus propres que celles au plancher de bois. Le service est sympathique, et l'endroit conviendra aux aventuriers dont le budget comporte des restrictions. Pour vous y rendre depuis la jetée, prenez la route qui mène à la plage, et tournez à votre droite juste avant d'atteindre le restaurant Italiano.

Ceux qui veulent s'offrir un peu plus de confort se rendront tout près de là, à l'hôtel **Galápagos** *(14 $; bp, ℜ; près de la plage)*, qui possède sûrement les meilleures chambres dans sur la presqu'île. Ses 40 chambres sont distribuées sur deux étages, et, à défaut d'être luxueuses, elles se révèlent propres, lumineuses, confortables et sécuritaires.

RESTAURANTS

Santo Domingo de los Colorados

Le cuisinier du restaurant de l'**Hotel Tinalandia** *($$; à une dizaine de kilomètres à l'est de Santo Domingo de los Colorados)* apprête une grande variété de plats de viande et de fruits de mer.

Note : La plupart des restaurants d'Esmeraldas, Atacames, Súa, Same, Tonchigüie et Muisné, situés le long de la côte du Pacifique, ont tendance à offrir un menu du jour composé d'une variété de poissons qui, hier encore, nageaient dans la mer.

Esmeraldas

Le restaurant **La Marimba** *($; Calle Libertad et Lavallén)* est une bonne adresse à retenir pour sa cuisine traditionnelle équatorienne. Le menu affiche bien sûr de nombreux plats de poisson et de fruits de mer.

Ceux qui veulent se payer un bon repas peuvent opter pour les restaurants des hôtels **Costa Verde Suites** *($$; Calle Luis Tello 804)* et **Hotel del Mar** *($$; Avenida Kennedy)*.

Atacames

Les nombreux restaurants de la ville d'Atacames sont regroupés pour la plupart le long de la plage ou à proximité, laquelle constitue l'attrait principal de cette petite localité. Par ailleurs, tous les soirs après le dîner, plusieurs commerçants ambulants envahissent la rue principale, en face de la plage, pour y vendre un dessert typique de la région appelé *cocada*. Il s'agit d'un petit gâteau préparé avec, entre autres, des noix, de la noix de coco et du sucre brun.

L'**Hotel Galería Atacames** *($; en face de la plage)* possède un restaurant réputé pour son emplacement. Différents plats de poisson et de fruits de mer figurent au menu. En prime, vous aurez droit à une vue formidable sur la mer.

El Tiburón et **El Comedor Pelicano** *($; en face de la plage)* sont deux autres petits restaurants sans prétention qui intéresseront les amateurs de fruits de mer.

Au premier coup d'œil, la façade extérieure du restaurant **Paco Faco** *($$; juste avant à la plage, à gauche)* n'incite pas le client à s'y aventurer. Toutefois, la foule qui se presse dans les lieux témoigne de l'engouement des résidants. Ici, selon la pêche du jour, il vous sera possible de déguster un assortiment d'excellents plats de poisson ou de fruits de mer apprêtés selon vos désirs.

Ceux qui ont reçu leur ration de poisson et de fruits de mer peuvent se rendre au chaleureux restaurant **Pane y Vino** *($$; sur la plage)*, où l'on prépare une variété de pizzas cuites dans un four à bois.

Súa

Il vous sera loisible de vous restaurer parmi les quelques restaurants situés en bordure de la plage.

Le restaurant de l'**Hotel Chagro Ramos** *($$; en face de la plage)* offre une jolie vue sur la plage et jouit d'une bonne réputation dans la région. On y propose une cuisine variée dans une atmosphère détendue. Outre les traditionnels plats de poisson, on y trouve aussi du poulet et du bœuf.

Administré par un couple de Français, le sympathique restaurant **La bonne Bouff** *($$; sur la plage)* sert bien sûr de délicieux mets de poisson et des fruits de mer, mais aussi divers plats de viande aux parfums de l'Hexagone.

Muisné

En plus de préparer d'excellentes crêpes aux bananes, le chef du petit restaurant **El Tiburón** *($; près de la plage)* apprête admirablement bien le poisson frais du jour.

Ceux qui sont fatigués de manger du poisson peuvent se rendre au chaleureux restaurant **Italiano** *($$; près de la plage)*. Outre des spécialités italiennes, on y sert de délicieuses crêpes maison. L'endroit est tenu par un sympathique couple suisse, Daniel et Barbara.

SORTIES

Atacames

Selon les saisons, divers bars et boîtes de nuit ouvrent leurs portes aux touristes. La plupart de ces établissements se trouvent le long de la plage. Outre le **Paradisco** et le **Sanbayen** *(tous les deux sur la plage)*, qui vous promettent une soirée dansante endiablée, de nombreuses boîtes de nuit de même style offrent un service et un cadre estival semblables, mais l'ambiance varie en fonction de la clientèle qui les fréquente. Vous n'avez qu'à déambuler le long de la plage et choisir l'établissement qui vous convient le mieux.

Muisné

Le **Bar Havana Club** *(tlj à partir de 19 h 30; sur la plage)* anime les soirées de Muisné et fait jouer de la musique variée et entraînante. Ambiance décontractée; clientèle jeune et bigarrée.

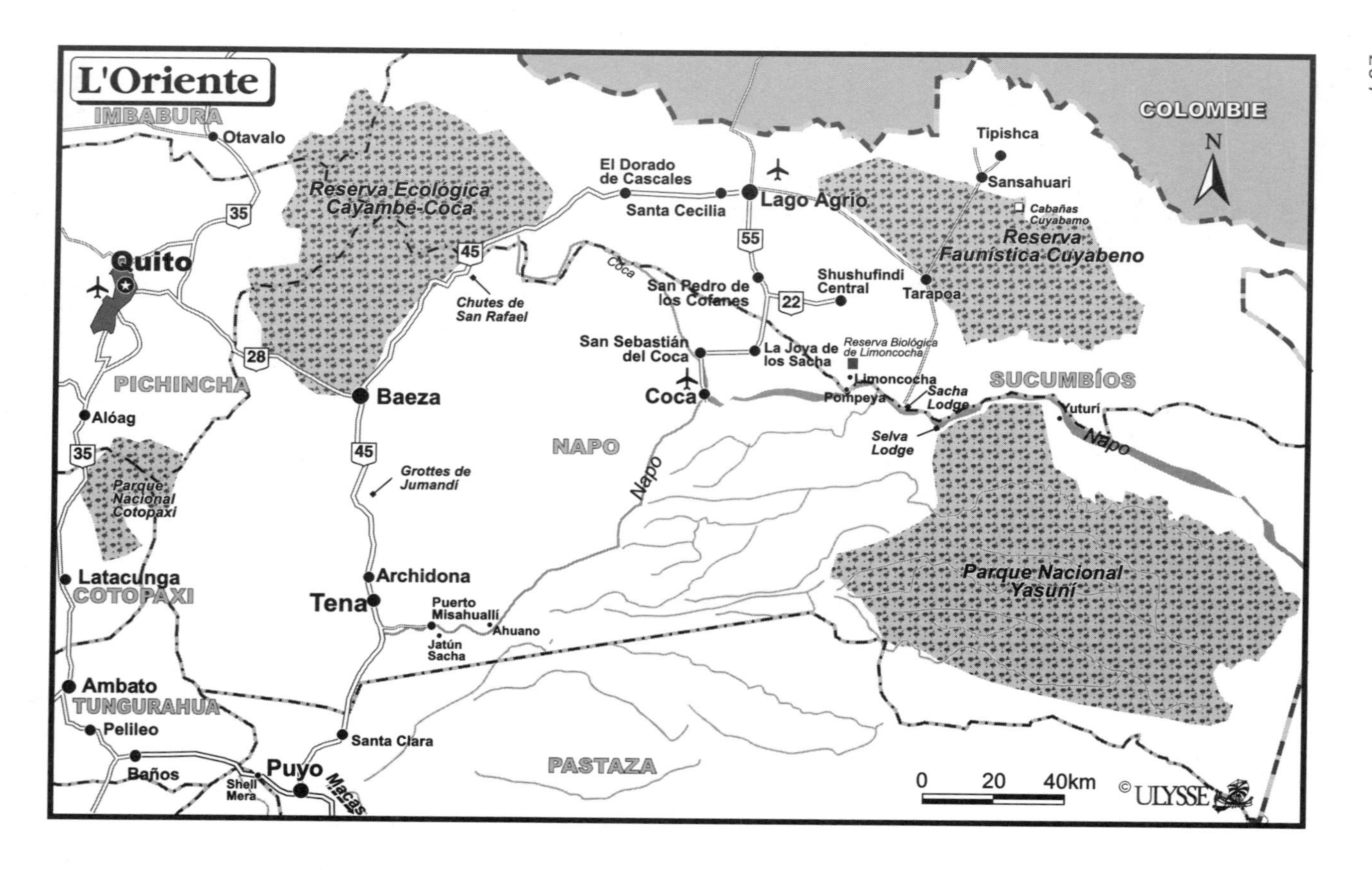
L'Oriente
IMBABURA
Otavalo
Reserva Ecológica Cayambe-Coca
35
Quito
45
Chutes de San Rafael
28
PICHINCHA
Alóag
35
Parque Nacional Cotopaxi
Baeza
45
Grottes de Jumandí
NAPO
Napo
Latacunga
COTOPAXI
Archidona
Tena
Puerto Misahuallí
Ahuano
Jatún Sacha
Ambato
TUNGURAHUA
Pelileo
Baños
Shell Mera
Puyo
Macas
Santa Clara
PASTAZA
El Dorado de Cascales
Santa Cecilia
Lago Agrio
55
Coca
San Pedro de los Cofanes
22
Shushufindi Central
Tarapoa
San Sebastián del Coca
La Joya de los Sacha
Reserva Biológica de Limoncocha
Limoncocha
Coca
Pompeya
Sacha Lodge
Selva Lodge
SUCUMBÍOS
Yuturí
Napo
COLOMBIE
Tipishca
N
Sansahuari
Cabañas Cuyabamo
Reserva Faunística Cuyabeno
Parque Nacional Yasuní
0 20 40km
© ULYSSE

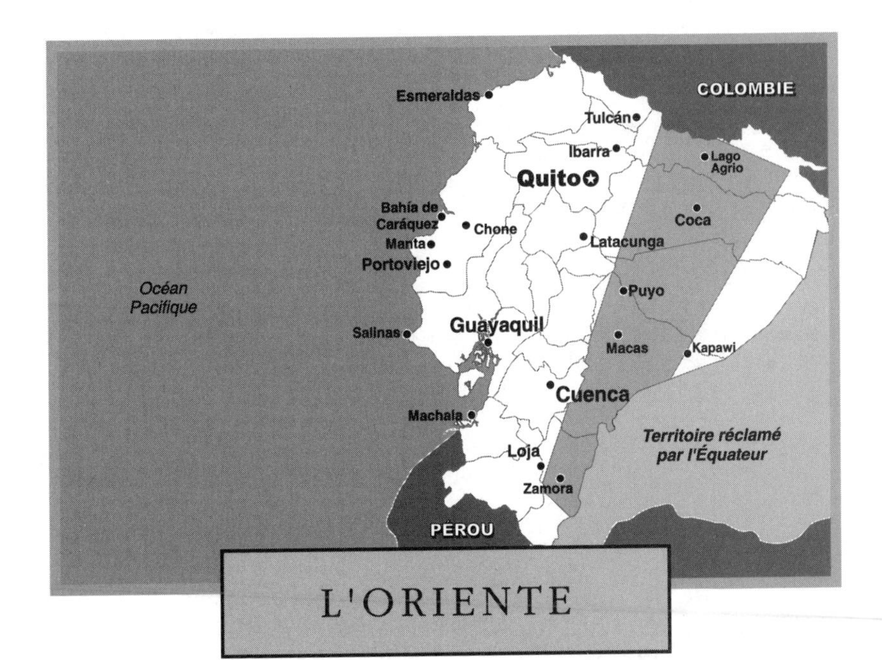

L'ORIENTE

C'est le botaniste et géographe allemand Franz Wilhem Schimper qui, le premier, utilise le terme «forêt tropicale» (*tropische Regenwald*). En 1898, il publie un livre qui sera traduit en 1903 et qui s'intitule *Plant geography upon ecologist basis*. Plus souvent qu'autrement, on a tendance à confondre le terme «forêt tropicale humide» avec celui de «jungle». La jungle se définit comme une formation végétale arborée qui prospère sous un climat chaud et humide, alors que les forêts tropicales croissent dans un milieu humide qui se caractérise par plusieurs niveaux de végétation et par par la présence de nombreuses espèces, et s'étendent entre les tropiques du Cancer et du Capricorne. Les forêts tropicales occupent 14 % de la superficie terrestre, et l'Oriente n'en est qu'une infime partie.

Les personnes n'ayant jamais mis pied en Amazonie y voient des images fantasmagoriques d'innombrables serpents enlacés aux branches d'arbres démesurés, alors que des pumas et des jaguars gambadent au milieu d'un enchevêtrement inextricable de lianes noyées dans la verdure... Désolé d'être obligé de briser vos images d'Épinal et vos illusions, mais tout cela ne correspond guère à l'univers des forêts tropicales. Cette distorsion de la réalité est fabriquée de toutes pièces par l'imagination des auteurs, puis véhiculée par le septième art et la télévision. Dans cette prolifération exubérante de verdure, les arbres sont effectivement entremêlés de lianes et leurs hautes branches sont garnies d'épiphytes, mais la présence d'animaux de grande taille demeure relativement rare. Contrairement aux îles Galápagos, où les guides peuvent vous assurer la présence de telle ou telle espèce, l'Amazonie constitue un lieu méconnu, chargé de mystère et d'insolite....

Sauvons les forêts tropicales!

Sauvons les forêts tropicales! Cette phrase tant de fois répétée avec obstination n'est pourtant pas vide de sens. Les forêts tropicales jouent en effet un rôle primordial dans la protection des sols, le maintien de l'oxygénation de l'atmosphère, la régulation des pluies, la modération des vents et l'équilibre psychique de l'être humain. Elles renferment à elles seules d'innombrables variétés de plantes, y compris de nombreuses plantes médicinales dont les dérivés sont désormais utilisés pour soigner des maladies qui affligent hommes et femmes. Faute d'argent et de main-d'œuvre spécialisée, on n'a tout simplement pas répertorié la grande majorité de ces plantes. Il est donc possible, et même fort probable, que les remèdes pouvant contrer les fléaux qui s'abattent sur nous se trouvent enfouis quelque part dans les forêts tropicales. Toutefois, livrée aux nombreuses compagnies pétrolières, la forêt de l'Oriente fut horriblement mutilée et lacérée par des routes aboutissant à des puits de pétrole avec pour seul objectif de bonifier le capital des investisseurs. L'ouverture de ces routes est également synonyme de «colonisation». Cela provoque des dommages irrémédiables et donne naissance à des scènes disgracieuses devant lesquelles les lèvres des personnes les plus conciliantes ne peuvent réprimer des blasphèmes. En plus de tout le savoir qui semble voué à disparaître à tout jamais à cause des ravages de la déforestation, les colons capturent clandestinement des animaux exotiques pour les vendre au plus offrant. La dynamite est un autre héritage empoisonné des Blancs légué aux Amérindiens. Traditionnellement, les Amérindiens chassent à l'arc, mais quelques-uns d'entre eux utilisent désormais des bâtons de dynamite pour extraire les poissons des rivières. L'exploitation du pétrole révèle des phénomènes assez préoccupants, et l'on imagine non sans angoisse le funeste destin qui plane sur les eaux dormantes de l'Oriente, où les reflets des tempêtes d'aujourd'hui viennent éclabousser les digues de la tradition....

Ici, en effet, les prédateurs sont nombreux, les animaux se cachent, et, malgré l'impressionnante faune qui s'y trouve, personne n'est en mesure de vous garantir leur présence, car ils fuient à la moindre alerte. Pour parvenir à apprécier pleinement votre visite en Amazonie équatorienne, il vous faut tendre l'oreille au moindre craquement de branches et froissement de feuilles, et demeurer constamment attentif aux ombres et aux silhouettes dissimulées parmi la végétation. La brise porte parfois le bruit des oiseaux, et leur sarabande ailée découpe l'espace comme des ombres chinoises sur fond de verdure.

L'Oriente évoque pour bien des gens les mystérieuses amazones et l'éternelle quête de l'Eldorado. En Amazonie, mythes et réalités se confondent dans le regard curieux des nombreux voyageurs qui s'y sont aventurés. En 1541, en tentant de découvrir l'Eldorado (nom d'un pays mythique d'Amérique du Sud signifiant «pays de l'or») et ses plaines parsemées de cannelle, le conquistador espagnol Francisco de Orellana devint le premier Blanc à avoir traversé l'Amazonie et à en être revenu vivant. Durant cette épopée, Orellana et ses hommes racontèrent qu'ils furent assaillis par de farouches femmes guerrières d'où cette région tire son nom : Amazonie, pays des amazones. Les affirmations d'Orellana et de ses hommes furent tournées en ridicule et considérés comme un tissu d'exagérations tendancieuses par les Espagnols. Orellana y retourna une seconde fois en 1546, mais, malheureusement, il n'en revint jamais.

Vers le milieu du XVIIIe siècle, le scientifique français Charles Marie de La Condamine voyage en Amazonie et écrit plus tard dans son journal : «*Tout concourait à penser qu'après une migration du sud au nord les femmes guerrières se seraient installées au centre de la Guyane*.»

Au début du XIXe siècle, l'illustre voyageur allemand Alexander von Humboldt explore lui aussi l'enfer vert et rédige : «*Des femmes lasses de l'état d'esclavage dans lequel elles furent retenues par les hommes*...»

Ces témoignages prudents de la part d'esprits aussi crédibles contribuent aujourd'hui encore à maintenir les voyageurs et les historiens dans l'ambiguïté au sujet des mystérieuses amazones, et semblent être un reflet assez juste des interrogations initiales.

De nos jours, bien que l'Oriente occupe plus de la moitié de la superficie totale du territoire équatorien, cette région compte moins de 10 % de la population du pays, entre autres Shuars, Aschuars, Huaoranis, Cofans, Secoyas, Sionas et Quichuas. La découverte récente de pétrole en Amazonie et l'empiétement du monde moderne sur ces vastes territoires, encore vierges il y a quelques décennies à peine, menacent désormais le mode d'existence des peuplades amérindiennes qui y vivent.

La découverte des premiers gisements pétrolifères de cette région de l'Équateur remonte à 1967. Depuis lors, l'exploitation de ces gisements a connu un essor phénoménal, puisque la production nationale annuelle est passée de 1,5 million de barils en 1971 à près de 75 millions en 1973. Aujourd'hui, l'Équateur produit près de 400 000 barils de pétrole par jour, dont la moitié est destinée à l'exportation. Ici, en effet, le pétrole est exploité par plusieurs sociétés nationales et étrangères, mais son transport et sa commercialisation sont assurés par l'entreprise d'État Petroecuador, laquelle en a le monopole. Aujourd'hui, un oléoduc transandin de 513 km de long et de 300 000 barils/jour de capacité relie la région productrice (Lago Agrío) à Esmeraldas, sur la côte. En 1987, à la suite d'un tremblement de terre qui a sévèrement endommagé l'oléoduc, celui-ci est resté improductif pendant près de six mois. Il va sans dire qu'un tel développement, en 25 ans à peine, ne s'est pas fait sans provoquer de grands bouleversements dont sont victimes en premier lieu les populations indigènes de l'Amazonie. En effet, le mode de vie primitif de ces peuplades, basé sur une économie de subsistance en harmonie avec la nature, est difficilement compatible avec cette invasion progressive du monde industriel aux dépens de leur territoire.

L'Oriente est sillonnée de nombreux ruisseaux qui coulent en cascades le long des flancs des cordillères pour se transformer, en bas des pentes, en cours d'eau plus paisibles qui se déversent immanquablement dans l'Amazone. L'Amazone est considérée, et à juste titre, comme le plus puissant des

Les Amérindiens, une espèce en voie de disparition...

Lors de la conquête espagnole, les Amérindiens de l'Amazonie repoussèrent avec succès les intrusions des conquistadors et des missionnaires sur leurs territoires. Malheureusement pour les Amérindiens, l'histoire récente démontre que cela n'était que le prélude d'une offensive encore plus dévastatrice. En effet, la découverte de l'or noir en 1967 marque profondément l'histoire des peuples amérindiens qui furent contraints de baisser les bras face à l'invasion des compagnies pétrolières. Pour les Amérindiens qui tentent désespérément de conserver leur culture, leurs rites et leur dignité, l'arrivée du monde moderne sur leurs terres ancestrales correspond à l'arrivée de l'ouvrier du malheur sonnant le glas et soufflant la petite flamme de l'espoir; ils subissent ainsi la catastrophe. Triste réalité, ces Amérindiens, tout comme la forêt qui les abrite, sont éventuellement voués à disparaître. Peu d'options s'offrent à eux : soit qu'ils s'intègrent à la culture occidentale, ce qui implique la perte de leur identité culturelle, soit qu'ils s'enfoncent encore plus profondément dans la forêt pour s'y engloutir à tout jamais...

fleuves de la planète. Grâce à son embouchure de 350 km de large, ce fleuve parvient à déverser environ 300 milliards de litres d'eau dans l'Atlantique. En Oriente, les précipitations sont abondantes, et l'humidité est constante. Géographiquement, l'Oriente se divise en deux régions, le nord et le sud, lesquelles couvrent cinq provinces. Le nord englobe les provinces de Napo, Pastaza et Sucumbíos, tandis que le sud regroupe Zamora-Morona et Chinchipe.

POUR S'Y RETROUVER SANS MAL

Papallacta

En autocar

De nombreux autocars quittent la capitale, Quito, pour Baeza en passant obligatoirement par Papallacta. Le voyage vous coûtera environ 1 $. En prime, vous aurez droit à de jolis paysages.

Baeza

En autocar

Pour la modique somme de 1,50 $, vous pourrez prendre l'un des nombreux autocars à partir de Quito pour un trajet de 2 heures jusqu'à Baeza.

Misahuallí

En autocar

Plusieurs autocars en provenance de Quito ou de Baños se rendent jusqu'à Misahuallí. De Quito en passant par la ville de Baños, le trajet dure environ 8 heures et coûte autour de 4 $. Pour sauver quelques heures et plus ou moins 1 $, optez pour les autocars

Des frontières fragiles

Depuis 1822, les pays avoisinants ont tenté, et même réussi, à s'accaparer, lentement mais sûrement, de larges portions de l'Amazonie équatorienne situées à l'est de ses cordillères. Au début du siècle, le Brésil amputait l'Équateur d'une superficie d'environ 100 000 km². Puis, en 1916, la Colombie arrachait un autre morceau de territoire à l'Équateur. En 1941, le Pérou place ses troupes au sud de la frontière équatorienne, dans les provinces d'El Oro et de Loja. Faisant suite aux pressions extérieures exercées par certains pays, un traité fut signé à Rio de Janeiro, au Brésil, sous l'égide des États-Unis, de l'Argentine, du Chili et du Brésil. L'Équateur fut encore une fois dépouillé d'une partie de son territoire en Amazonie. L'Équateur a toujours contesté la validité du protocole dit «de Rio», mais sans succès. Depuis une dizaine d'années, chaque mois de janvier, date de signature du fameux protocole, la pression monte aux frontières des deux pays. Une guerre éclair survenue pas plus tard qu'en janvier 1996 atteste que les tensions sont toujours vives à cette frontière.

partant de Quito et s'arrêtant à Baeza et à Tena avant d'arriver à Misahuallí.

Lago Agrío

En avion

Les avions de la compagnie aérienne TAME s'envolent de Quito une fois par jour, vers la fin de la matinée, pour atterrir une trentaine de minutes plus tard à Lago Agrío. Le coût du billet s'élève à environ 30 $. Départs tous les jours, sauf le dimanche. Retour le même jour avec le même avion en début d'après-midi.

En autocar

On peut atteindre la région amazonienne par transport terrestre en 10 longues heures environ. Utiliser l'autocar pour s'y rendre est cependant plus éreintant que le transport par avion, mais beaucoup plus économique malgré la durée du trajet : comptez environ 8 $

Coca (Francisco de Orellana)

En avion

Des avions s'envolent de Quito à destination de Coca. La durée du vol est d'environ 40 min pour un montant autour de 30 $. Départs tous les jours, sauf le dimanche. Un seul vol par jour. Retour le même jour avec le même avion en début d'après-midi.

En autocar

Des autocars partent régulièrement du *terminal terrestre* de Quito pour Coca. Le voyage s'effectue en plus ou moins 10 heures et coûte environ 10 $.

Pompeya et Limoncocha

En autocar

Nombre d'autocars se rendent jusqu'à Coca, d'où il faut prendre une embarcation jusqu'à Pompeya et Limoncocha.

Puerto Misahuallí

En autocar

L'autocar depuis Quito vous coûtera autour de 9 $ pour un voyage d'environ 8 heures.

Jatún Sacha

En autocar

Prenez d'abord un autocar jusqu'à Tena. De là, de nombreux autocars à destination du petit village d'Ahuano peuvent vous laisser à Jatún Sacha. De Tena : 1 heure 15 min de voyage pour la somme de 1 $.

Tena

En autocar

Bon nombre d'autocars en provenance de Quito, Baños, Riobamba, Ambato ou Puyo se rendent à Tena. De Baños, le trajet spectaculaire dure environ 5 heures et coûte autour de 3 $. De Quito, le trajet dure entre 7 et 9 heures, et se chiffre autour de 4 $ à 5 $. Depuis Riobamba, comptez autour de 3 $ pour environ 6 heures de voyage.

Puyo

En autocar

Des autocars quittent à intervalles réguliers les villes de Quito, Riobamba et Baños à destination de Puyo. De Baños, le trajet spectaculaire dure environ 4 heures et coûte autour de 2 $. De Quito, le trajet dure entre 7 heures et 9 heures, et se chiffre autour de 3 $ à 4 $. Depuis Riobamba, comptez autour de 2 $ pour environ 4 heures de voyage.

Macas

En avion

La compagnie aérienne TAME assure des liaisons depuis Quito. Départs les lundi, mercredis et vendredis, mais un seul vol par jour. Comptez environ 24 $ pour un voyage d'environ 35 min. Retour les mêmes jours avec le même avion en toute fin d'après-midi.

En autocar

La ville de Macas peut être rejointe depuis plusieurs villes, notamment Cuenca, Sucúa et Quito.

Kapawi

En avion

Pour vous rendre au complexe Kapawi, vous devez d'abord prendre un avion depuis Quito jusqu'à Macas, d'où vous prendrez un deuxième avion plus ou moins petit selon le nombre de passagers. Le trajet du deuxième avion vous coûtera environ 100 $ pour l'aller-retour. Vous survolerez la cordillère du Cutoukou, et vous apercevrez au sud les chaînons de montagnes dont les croupes s'alignent jusqu'à l'infini. Devant vous, une débauche de verdure défilera à toute allure. Cinquante minutes plus tard, vous atterrirez à environ 30 km de la frontière avec le Pérou, d'où une embarcation vous emmènera au complexe.

RENSEIGNEMENTS PRATIQUES

Comment organiser une excursion dans l'Oriente?

La visite de la luxuriante forêt amazonienne peut devenir une expérience inoubliable. Avant de vous embarquer dans une telle aventure, les visiteurs doivent comprendre que le climat humide et pluvieux de cette région, les innombrables insectes qui y pullulent, les moyens de transport limités, l'hébergement rudimentaire et la nourriture exotique peuvent rendre le séjour assez éprouvant. Ceux qui sauront composer avec cette situation difficile en sortiront gagnants.

En effet, la région est pourvue d'innombrables espèces animales qui évoluent sous l'épaisse frondaison des arbres ou dans les cours d'eau. L'Oriente est réputée également pour sa végétation luxuriante et suscite pour cette raison l'intérêt de ceux qu'attire la nature dans son état primitif.

La meilleure façon pour les voyageurs de visiter l'Oriente afin de pouvoir observer sa faune et sa flore uniques est d'être hébergé dans des *lodges*, loin dans la forêt. Ces *lodges* se trouvent généralement sur des propriétés privées dans la forêt et situées le plus souvent en bordure des cours d'eau; elles se composent de bungalows individuels ou à occupation double qu'on appelle *cabañas*, lesquelles sont dispersées en pleine nature. À l'instar des hôtels, il y a différentes catégories de *lodges* selon la qualité des services et des installations qu'on y trouve. Ces *lodges* sont situées à l'écart des villages amazoniens, à des distances variables par bateau. En général, on ne peut pas se rendre à ces *lodges* par ses propres moyens, car les agences qui les gèrent depuis les principales villes du pays attendent qu'il n'y ait plus de places disponibles avant d'entreprendre le voyage. Si vous vous risquez d'y aller par vos propres moyens, il y a de fortes chances qu'on vous en refuse l'accès. En effet, on accède à ces *lodges* en achetant un forfait auprès des agences évoquées ci-dessus. Le forfait inclut généralement l'hébergement, la visite du parc et la pension complète.

Néanmoins, avant de signer quoi que ce soit, il est toujours très important de poser certaines questions afin d'éviter des surprises désagréables, à savoir :

- la durée totale du séjour;
- le lieu du séjour (tentes, *lodges*, ec, bp) et les installations et services disponibles;
- si la nourriture est incluse (pension complète ou non);
- si l'entrée au parc est incluse (il est parfois plus avantageux de payer en sucres qu'en dollars américains);
- les moyens de transport utilisés (autocar, avion, bateau);
- si les moustiquaires sont fournies;
- les documents attestant la compétence du guide.

Si vous êtes limité par le temps et dans vos déplacements, vous pouvez effectuer une visite rapide de l'Oriente depuis Quito en vous rendant, par les moyens de transport de votre choix, au village de Baeza. De là, continuez votre périple vers Tena, puis Puyo, d'où vous poursuivrez vers Baños pour revenir à Quito. Sachez toutefois que les possibilités d'observation de la faune animale seront rares. En revanche, vous découvrirez des paysages fabuleux.

Le nord de l'Oriente

Les voyageurs qui partent à la découverte du nord de l'Amazonie équatorienne seront surtout attirés par les deux principales zones protégées qui occupent le nord du territoire amazonien : le Parque Nacional Yasuní et la Reserva Faunística Cuyabeno. Si vous souhaitez observer des animaux, planifiez plutôt une expédition dans le territoire du Parque Nacional Cuyabeno. En effet, ce magnifique parc naturel saura vous séduire par la richesse et la variété de sa faune et de sa flore. Le Parque Yasuní n'en demeure pas moins intéressant, mais les probabilités d'y observer des animaux sont plus faibles, car l'exploitation pétrolière y est malheureusement permise, bien qu'il figure sur la liste des sites protégés de l'UNESCO...

Ces deux sites touristiques ne sont accessibles qu'avec l'aide de guides. Si vous envisagez d'y faire une excursion, soyez prudent, car beaucoup de personnes non qualifiées s'improvisent guides ou représentants d'agences spécialisées. Assurez-vous que le guide possède un certificat valide attestant sa compétence. Le guide doit être associé à une agence, laquelle doit posséder un permis lui donnant accès au parc.

Au cours des dernières années, beaucoup de touristes mal informés se sont fait arnaquer. En effet, chaque année, de nombreux voyageurs, victimes d'escrocs ou tout simplement de l'incompétence de leur guide, reviennent de leur séjour amers et frustrés. Nombre d'agences, par exemple, ne possèdent pas de permis pour entrer dans le parc national Yasuní. Par conséquent, celles-ci proposent aux touristes des excursions à prix réduits et emmènent leurs clients au sud du parc en voguant sur le Río Cononaco. Les touristes, ne se doutant de rien, s'imaginent alors avoir visité le parc. De plus, pour économiser sur les frais de nourriture, de nombreux pseudo-guides alimentent les membres de leur groupe avec des drogues hallucinogènes appelées *yahe* ou *ayahuasca*. Enfin, il arrive malheureusement que les victimes de ces escroqueries se fassent voler ou même violenter (surtout les femmes).

De nombreuses agences peuvent vous organiser des excursions en Amazonie depuis Quito. Cependant, si vous comptez visiter la région de l'Oriente sans passer par l'intermédiaire d'une agence de Quito, rendez-vous par vos propres moyens à Baños, Coca, Lago Agrío ou Puerto Misahuallí, et, de là, essayez de former un petit groupe de personnes pour partager à plusieurs les coûts du voyage et du guide.

Voici quelques adresses d'agences que nous vous recommandons et qui font faire dans le nord, à l'intérieur du Parque Nacional Cuyabeno.

Metropolitan Touring
Quito (voir p 57).

Nuevo Mundo
Avenida Coruña 1349 et Orellana, P.O. Box 402-A, Quito
☎ (02) 552-617, 553-826 ou (02) 553-818, ⇄ 565-261
nmundo@uio.telconet.net

Neotropics Tours
Calle Robles 653 et Avenida Amazonas, 10 piso, of. 1006, Quito
☎ (02) 521-212 ou 527-862
⇄ 554-902

Tropic Ecological Adventures
Avenida 12 de Octubre 1805 et Luis Cordero
Ed. Pallares, local 5, Quito
☎ (02) 222-389 ou 508-575
⇄ 222-390

ZigZag
Calle Reina Victoria 907 et Wilson, Quito
☎ et ⇄ (02) 544-217 ou 561-881
(certains de leurs guides parlent français)

Native Life
Calle Joaquín Pinto 446 et Avenida Amazonas, Quito
☎ (02) 550-836
natlife1@natlife.com.ec

Rainforestur
Calle Ambato et Maldonado, Baños
☎ (03) 740-423
Cette petite mais dynamique agence peut aussi vous organiser des excursions dans le sud de l'Oriente.

Le sud de l'Oriente

Le sud de l'Amazonie demeure à ce jour beaucoup moins visité par les voyageurs, sans doute en raison de l'éternel conflit frontalier opposant l'Équateur au Pérou. En effet, au début de l'année 1995, les habitants de certaines villes furent contraints d'évacuer la ville par mesure de sécurité. Toutefois, ce conflit ne donnant pas lieu à une crise permanente, on peut tout de même visiter cette région qui ne manque pas d'attraits touristiques et a en outre l'avantage d'être située hors des sentiers battus. L'un des attraits principaux du sud de l'Oriente est sans l'ombre d'un doute la petite réserve privée portant le nom de «Kapawi». Ceux qui désirent visiter des communautés amérindiennes shuars peuvent se rendre à la mission de Miazal.

Avant de partir pour l'Oriente, assurez-vous d'avoir reçu le vaccin contre la fièvre jaune, et n'oubliez pas vos cachets préventifs contre la malaria.

Voici une liste des agences qui travaillent à l'intérieur du Parque Nacional Yasuní et dans ses environs.

Emerald Forest Expedition
Avenida Amazonas 1023 et Joaquín Pinto, Quito
☎ (02) 526-403

Yuturi
Avenida Amazonas et President Wilson, Quito
☎ (02) 233-685

Ceux qui veulent se rendre à Kapawi peuvent communiquer avec l'agence **Canodros S.A.** *(Calle Luis Urdaneta 1418 et Avenida del Ejército, ☎ 04-285-711 ou 280-173, ⇄ 287-651, eco-tourism1@canodros.com.ec, Guayaquil)*.

Les voyageurs désirant visiter quelques communautés amérindiennes shuars près de Miazal peuvent communiquer avec **Ecotrek**, à Cuenca.

Calle Larga 7108 et Luis Cordero
☎ (07) 834-677 ou 842-531
⇄ 835-387

Le climat

La température est chaude et humide en toute saison, tandis que les averses se font fréquentes.

Faire ses valises pour une excursion dans la jungle

- Pantalon pour l'arrivée et le départ
- Deux vieux pantalons pour les excursions (il est déconseillé de porter des jeans, car ceux-ci sont trop serrés et trop lourds, et sèchent très lentement; il est préférable de porter des pantalons de coton)
- Trois chemises à manches longues
- Deux t-shirts
- Deux shorts
- Sous-vêtements et chaussettes pour chaque jour
- Lampe de poche
- Chapeau
- Maillot de bain
- Flacon de produit insectifuge
- Paire de lunettes de soleil
- Tube de crème solaire
- Argent liquide (petites coupures en monnaie locale)
- Couteau suisse
- Appareil photo
- Pellicules de haute sensibilité (par exemple, 400 ASA)
- Jumelles
- Shampooing et savon biodégradables

Baeza

Poste de télécommunication (EMETEL)
Avenida de los Quijos et Avenida 17 de Enero

Coca

Poste de télécommunication (EMETEL)
Calle Eloy Alfaro

Puyo

Banque : Agencia de Cambios Puyo, Avenida 9 de Octubre et Atahualpa

Le nord de l'Oriente

Papallacta

Pour un séjour tonifiant, rendez-vous au petit village de Papallacta, situé à 80 km à l'est de Quito, tout juste avant Baeza. Tranquille durant la semaine, il s'anime durant les fin de semaine, lorsque les Équatoriens et les touristes viennent se baigner dans les nombreux bains thermaux qui parsèment son territoire. La route depuis Quito offre des paysages tout simplement fabuleux.

Baeza

Après avoir quitté Papallacta, en poursuivant votre route vers l'est, vous arriveres au tranquille petit village de Baeza. Fondé au milieu du XVIe siècle, il fut autrefois habité par des missionnaires espagnols qui, plus tard, l'abandonnèrent. Tout près de Baeza, le volcan actif **Reventador**, haut de 3 485 m, dresse sa silhouette caractéristique à l'horizon, et l'on peut parfois l'observer si le ciel est dégagé. Mis à part la beauté tranquille des paysages, il n'y a pas grand-chose à voir.

De Baeza, la route se divise en deux. Vers le sud, l'une des voies se rend jusqu'à Tena, alors qu'à l'est l'autre voie se dirige vers la chute la plus élevée de l'Équateur, la **Cascada de San Rafael ★★★**, haute de plus de 140 m, pour éventuellement aboutir à Lago Agrío.

Lago Agrío

La ville de Lago Agrío fut ainsi nommée par les ouvriers américains qui sont venus exploiter l'or noir au début des années soixante-dix et qui trouvaient qu'elle ressemblait à une bourgade américaine du nom de «Sour Lake». Également appelée «Nueva Loja», en raison des premiers habitants, qui provenaient de Loja, Lago Agrío est la capitale de la province de Sucumbíos. C'est dans ce gros bourg amazonien que l'**or noir** fut découvert en 1967. À l'époque, Lago Agrío n'était qu'un regroupement de maisons qui formait un hameau de population ignoré du reste du monde et qui n'était rattaché à Quito que par avion ou par des pirogues qui sillonnaient le Río Aguarico. Depuis lors, un oléoduc transandin, long de 513 km, part de Lago Agrío, passe par Quito et aboutit sur la côte du Pacifique, à Esmeraldas, et une route cahoteuse et poussiéreuse relie aujourd'hui la ville à Quito. Le trajet, bien que pittoresque, s'effectue en une bonne dizaine d'heures... L'activité commerciale de la ville s'articule le long de son avenue principale qui porte le nom de «Avenida Quito», mais le bruit qui y règne, sans oublier le trafic d'animaux exotiques et la prostitution qui s'y déploient, font en sorte que peu de gens s'y éternisent : ils se hâtent plutôt, et avec raison, d'aller visiter la magnifique Reserva Faunística Cuyabeno.

Coca (Francisco de Orellana)

Au sud de Lago Agrío, le petit mais grouillant village pétrolier de Coca, d'environ 15 000 habitants, doit effectivement son essor à la découverte de l'or noir. Ville champignon qui porte aussi le nom de celui qui a effectué la première traversée de l'Amazonie d'un bout à l'autre du continent, Coca est un endroit sale, aux allures suspectes et plutôt délabré qui n'a pas vraiment d'attrait en soi, mais qui pave néanmoins la voie vers le parc Yasuní, qu'on visite pour sa flore et sa faune très réputées.

Pompeya

Pompeya est un petit bourg situé en pleine jungle amazonienne, à quelques heures de bateau à l'est de Coca. Pompeya attire l'attention grâce à une île située tout près du village et envahie par de nombreux singes.

Limoncocha

Tout près de Pompeya, la petite bourgade de Limoncocha doit sa popularité à son joli lac, où cohabitent une multitude d'oiseaux tels que perroquets, faucons et toucans. La partie sud du village fait partie de la **Reserva Biológica de Limoncocha** (voir p 282).

Puerto Misahuallí

Au sud-ouest de Coca, Puerto Misahuallí est un petit bourg et un port de navigation fluviale. Situé au confluent du Río Napo et du Río Misahuallí, à environ 25 km à l'est de Tena, l'endroit est très populaire auprès des voyageurs qui s'y rendent en espérant s'épargner les frais d'une excursion dans la jungle amazonienne. Mais attention, il y a beaucoup de personnes qui n'ont aucun scrupule à s'improviser guides, et les escroqueries sont monnaie courante. Soyez patient, et n'hésitez pas à poser beaucoup de questions au guide sur ses compétences. Demandez-lui l'itinéraire qu'il compte suivre, si les repas sont inclus et, surtout, les papiers attestant sa compétence. Ce village dispose de quelques restaurants et magasins où le voyageur pourra se restaurer et acheter ce dont il a besoin avant de poursuivre sa route.

Jatún Sacha ★★

Assoupie aux abords du Río Napo, à environ 20 min par bateau depuis Puerto Misahuallí, la **Fundación Jatún Sacha** *(6 $; il est préférable de réserver au moins un mois à l'avance : Jatún Sacha Biological Station, Casilla 1712-867, Quito, Ecuador, ☎ et ⇄ 02-441-5920, dneill@jsacha.ec)*, fondée en 1986, est une organisation à but non lucratif qui vise à protéger la forêt amazonienne et à promouvoir la recherche dans le but de trouver des solutions aux problèmes qui l'assaillent et de sensibiliser les gens aux dangers auxquels elle s'expose aujourd'hui. Le territoire protégé par la fondation s'étend sur environ 1 300 ha, dont 70 % sont constitués de forêts primaires. Située sur la rive sud du Río Napo, à moins de 10 km de Puerto Misahuallí, Jatún Sacha signifie «grande forêt» en quichua. Même si de nombreux scientifiques et étudiants effectuent sur place leurs recherches, les visiteurs sont les bienvenus et peuvent aussi y dormir. Jatún Sacha peut héberger une vingtaine de visiteurs dans quatre cabanes équipées de lits superposés avec de moustiquaires. Par ailleurs, à 1 km à l'ouest de la station, se trouve un établissement affecté aux programmes de sylviculture, de botanique et d'agroforesterie.

Ahuano

Minuscule village enfoui dans l'étouffante forêt tropicale à environ une heure de bateau de Puerto Misahuallí, Ahuano ne mérite d'être cité que parce qu'il constitue le point de départ ou d'arrivée des voyageurs se rendant aux *lodges* situées le long du Río Napo.

Tena

Capitale de la province de Napo et traversé par le *río* qui porte son nom, Tena est un gros bourg dénué de charme. Toutefois, Tena n'est pas une ville champignon dont l'existence découlerait de la découverte du pétrole en Amazonie. Ses origines remontent à 1560, alors que les religieux avaient institué à cet endroit, très retiré à l'époque, une mission afin de convertir les Amérindiens à la foi chrétienne. L'Église s'est toutefois heurtée à une farouche résistance de la part des Amérindiens. C'est pourquoi les traces de ce passé sont inexistantes aujourd'hui.

Un crochet vers le sud permet aux voyageurs de visiter la ville de Puyo, puis de continuer leur périple jusqu'au village de Baños.

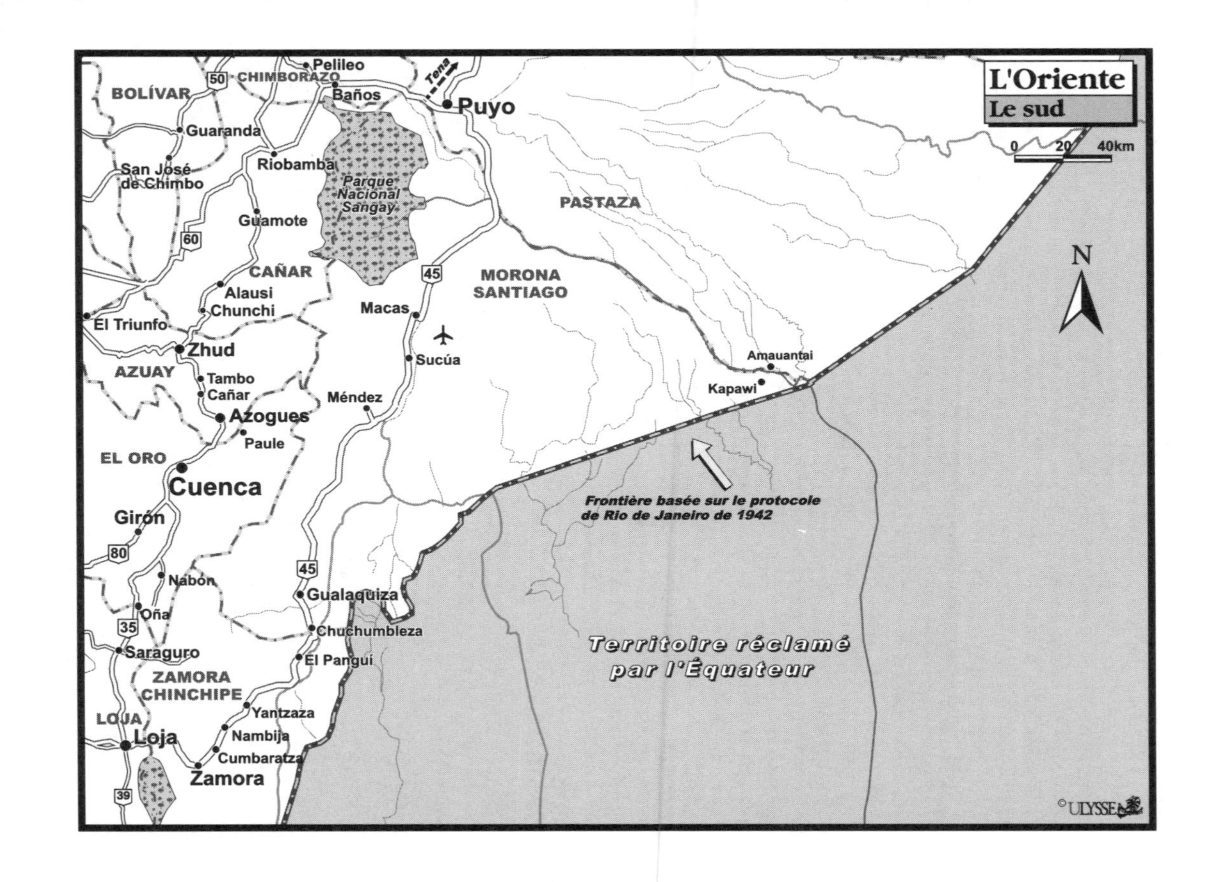
L'Oriente
Le sud
0
20
40km
N
Pelileo
CHIMBORAZO
Baños
Tena
Puyo
BOLÍVAR
50
Guaranda
Riobamba
San José de Chimbo
Parque Nacional Sangay
Guamote
60
PASTAZA
CAÑAR
Alausi
Chunchi
45
MORONA SANTIAGO
Macas
El Triunfo
Zhud
Sucúa
AZUAY
Tambo
Cañar
Méndez
Azogues
Paule
Amauantai
Kapawi
EL ORO
Cuenca
Frontière basée sur le protocole de Rio de Janeiro de 1942
Girón
80
Nabón
Gualaquiza
Oña
35
Chuchumbleza
Saraguro
El Panguí
Territoire réclamé par l'Équateur
ZAMORA CHINCHIPE
LOJA
Yantzaza
Nambija
Loja
Cumbaratza
Zamora
39
© ULYSSE

Archidona

Fondée en 1560, la petite bourgade d'Archidona mérite une halte pour admirer son église. Les samedis sont animés par la tenue du **marché** local. À environ 10 km au nord d'Archidona, les spéléologues en herbe s'intéresseront sûrement aux **grottes Jumandí ★★**, qui abritent des chauves-souris vivant sur les stalactites et les stalagmites formés au fil du temps par les eaux d'infiltration. Pour explorer ces mystérieuses cavernes, il faut, avant tout, prendre certaines précautions. À l'intérieur, il n'y a pas d'électricité, le mercure n'est pas tellement élevé, et l'humidité fait sentir sa présence. Il est fortement recommandé de ne pas s'y aventurer seul et de se munir d'une lampe de poche, de bottes de caoutchouc ainsi que de vêtements chauds. Un vieux pantalon et une vieille chemise à manches longues vous protégeront contre les parois des grottes, tandis qu'un chapeau vous préservera de l'égouttement et des chauve-souris.

Le sud de l'Oriente

Shell-Mera

La visite du sud de l'Oriente peut être entreprise depuis le petit village de Baños (voir p 152). De Baños, la route se prolonge jusqu'à Shell-Mera. Tout juste avant d'arriver au village, vous devrez vous arrêter afin de subir un contrôle militaire établi afin de vérifier les allées et venues des personnes qui entrent ou sortent de l'Amazonie. Il est impératif d'avoir en main son passeport ou du moins une photocopie.

Puyo

Puyo est la capitale de la province de Pastaza et compte environ 15 000 habitants. Le trajet par la route entre Baños et Puyo dure environ deux heures et vous offre des paysages vraiment spectaculaires. Cependant, il n'y pas grand-chose à faire à Puyo, et la plupart des voyageurs n'y font qu'une brève escale avant de poursuivre leur chemin. La ville dispose d'un aéroport.

Macas

Capitale de la province de Santiago-Morona, la localité de Macas se développe rapidement grâce à la découverte de quelques gisements d'or noir. Fondée au XVIe siècle par les Espagnols, Macas est surtout fréquentée aujourd'hui par les voyageurs qui y prennent l'avion pour se rendre à Miazal ou au magnifique complexe écologique de Kapawi, en Amazonie, ou qui ont l'intention d'aller explorer le Parque Nacional Sangay ou la mystérieuse Cueva de los Tayos, une grotte profonde d'environ 85 m. Elle constitue une curiosité de la nature qui sera sans doute très prisée des spéléologues en herbe, et son attrait principal est sans doute les nombreux oiseaux nocturnes désignés sous le nom de *tayos* et qui ont donné leur nom à la grotte. Ces curieux oiseaux ont la caractéristique de produire une huile qui sert de combustible. Metropolitan Touring et Ecotrek organisent des excursions en ces lieux.

Sucúa

Le petit village de Sucúa se distingue par la présence du peuple amérindien shuar, qui a créé ici un regroupement culturel qui s'est donné pour tâche de préserver ses us et coutumes. Les Shuars sont tristement connus pour avoir été de terribles réducteurs de têtes. Cette époque appartient désormais au passé, et l'on peut en apprendre davantage sur la culture de cette tribu en se rendant au bureau de représentation qu'elle gère *(Calle Domingo Comín et Tarquí).*

Kapawi ★★★ *(quatre jours et trois nuits, 550 $ par personne, transport non inclus;* ***Canodros S.A.****, Calle Luis Urdaneta 1418 et Avenida del Ejército, ☎ 04-285-711 ou 280-173, ⇄ 287-651, eco-tourism1@canodros.com.ec, http://mia.lac.net/canodros, Guayaquil).* Si le mot «écotourisme» excite votre curiosité et aiguise votre imagination, ici il prend toute sa signification. À l'écart des afflux de touristes, hors des sentiers battus et accessible uniquement par avion et par bateau, ce magnifique complexe est isolé dans le sud de la forêt amazonienne, tout près de la frontière avec le Pérou, sur un territoire préservé jusqu'ici de l'envahissement des compagnies pétrolières et de l'influence perverse de la colonisation. Ce complexe a été construit avec le plus grand respect à l'égard de la nature et des indigènes qui vivent dans cette région éloignée : les Achuars. Vingt-huit constructions de forme elliptique selon l'architecture des Achuars, communiquent entre elles et parviennent à résister aux pluies qui s'abattent sur elles à longueur d'année et aux vents qui les fouettent sans vergogne. Outre les charnières des portes, aucun, et l'on insiste, absolument aucun clou n'a été planté pour assembler les structures. L'électricité est générée par des panneaux solaires, les savons dans les salles de bain et dans la cuisine sont biodégradables, les déchets sont réduits en compost et tous les contenants de plastique sont retournés par avion à leur fabricant pour être recyclés. Le soir venu, il n'y a pas le moindre éclairage artificiel entre les *cabañas* pour perturber le moins possible la vie des animaux nocturnes. Lorsque la nuit s'installe et épaissit l'ombre des arbres et que les rayons du soleil jettent une dernière lueur avant de disparaître derrière les troncs des arbres, qui dressent leur longue silhouette chargée de mystère vers le ciel étoilé, tout à coup, on entre dans un monde intemporel, l'espace n'a plus de dimensions, et l'on s'endort dans l'impatience du lendemain.

Toutes les chambres sont immaculées et agréablement décorées de bibelots fabriqués par la tribu amérindienne achuar, et disposent d'une salle de bain privée où le moderne côtoie le pittoresque. Chaque salle de bain possède une réserve d'eau chaude qui est chauffée durant la journée à l'énergie solaire. De plus, chaque *cabaña* s'ouvre sur un petit balcon où se trouvent quelques chaises confortables sur une desquelles vous pourrez vous asseoir tranquillement, après avoir passé une journée en forêt, pour observer le lac qui s'étale à vos pieds et vous immerger dans le calme et la beauté qui l'habite. Ceux qui voyagent en famille seront heureux d'apprendre que des *cabañas* pouvant accommoder jusqu'à quatre personnes sont aussi en location.

Toutes vos randonnées sont dirigées par d'excellents guides naturalistes ainsi que par un guide achuar. Ce dernier complète à merveille les explications fournies par le guide naturaliste et s'occupe aussi d'ouvrir les sentiers trop étroits à l'aide de sa machette, qu'il manie avec dextérité. Les possibilités d'observation de la faune dans son habitat primitif sont excellentes. Lors de notre passage, nous avons eu la chance de voir des dauphins d'eau douce, des loutres géantes, des caïmans, des tortues et un nombre saisissant d'oiseaux aussi exotiques que spectaculaires. Pour vous donner un bref aperçu de ce qui vous attend, environ 300 espèces d'arbres et plus de 400 espèces d'oiseaux se retrouvent sur une étendue d'un seul hectare!

La nourriture qu'on y sert est délicieuse, et, même si la plus grande part de la nourriture est apportée de la Sierra et de la Costa, il y a un petit jardin où vos hôtes font pousser du manioc et des ananas. Une salle de repos abriteant un bar et une bibliothèque permettent aux voyageurs de prendre un verre tranquillement tout en approfondissant leurs connaissances de l'Amazonie.

Par ailleurs, comme dans beaucoup d'endroits retirés, un nombre incalculable d'arbres et de plantes n'ont pas de nom précis. Des inventaires biologiques sont donc nécessaires pour déterminer les noms et les caractéristiques de cette biomasse foisonnante. Il s'agit d'un travail de longue haleine qui nécessite de la main-d'œuvre spécialisée et de l'argent. Les propriétaires envisagent l'installation d'une station de recherche biologique qui contribuera à la réalisation de cette tâche et souhaitent trouver des investisseurs. De plus, dans 15 ans, ce magnifique complexe appartiendra totalement au peuple achuar.

Le personnel est plus que serviable et s'efforce de répondre à vos moindres désirs.

Sachez qu'en raison des changements de température soudains il est préférable d'organiser votre itinéraire en vous laissant une certaine flexibilité d'horaire. En effet, l'avionnette quittant Macas pour Kapawi, ou en sens inverse, ne pourra pas décoller si le temps est à l'orage. Évitez donc de vous tracer un itinéraire trop rigide, de façon à ne pas manquer votre prochain vol pour une autre destination.

Zamora

Zamora est un simple petit bourg comptant un peu moins de 10 000 habitants, mais qui détient le titre de capitale de la province qui porte son nom.

Nambija

Nambija, un petit village des Andes occidentales perché à environ 2 600 m d'altitude, vit aujourd'hui la fièvre de l'or. En effet, la montagne est creusée de multiples galeries et cavernes où s'agitent quelques milliers de chercheurs d'or des temps modernes en utilisant des méthodes d'exploitation artisanales et rudimentaires. Ils s'exposent ainsi à de graves accidents miniers, comme celui qui a enseveli une centaine de travailleurs il y a quelques années. En plus des dangers d'accidents naturels, les risques découlant de comportements humains criminels font en sorte que les travailleurs vivent dans l'anxiété et la peur, et il n'est pas rare d'en rencontrer portant ostensiblement le revolver à la ceinture comme jadis, à l'époque de la ruée vers l'or...

PARCS

Parque Nacional Yasuní ★★

Créé en 1979, le parc de Yasuní, situé dans la province de Napo, constitue le plus vaste parc national du pays avec sa superficie colossale de 679 700 ha. Malgré son impressionnante faune composée de singes, faucons, hérons royaux et tatous géants, il est peu probable que vous ayez la chance de les observer. Néanmoins, vous aurez certainement l'occasion d'apprécier sa flore, riche d'une multitude d'espèces. La végétation forestière du parc est riveraine et lacustre. Divers types de forêts abritent une multitude d'arbres et de plantes tropicales, tel le *dacanranda*, arbre qui fournit un bois recherché en ébénisterie. En raison de sa grande richesse biologique, cette région fait partie des «réserves de la biosphère» telles que définies par le programme de l'UNESCO sur l'homme et la biosphère. Ironiquement, la région qui abrite la faune la plus intéressante du parc est d'accès interdit et la chasse gardée des compagnies pétrolières...

La petite tribu amérindienne des Huaoranis habite le parc. Les Huaoranis furent autrefois connus sous le nom péjoratif d'«Aucas», qui signifie «sauvage» en quichua. On sait peu de chose sur ces Amérindiens qui habitent le parc national Yasuní, si ce n'est qu'ils ne parlent pas l'espagnol et qu'ils furent parmi les derniers peuples amérindiens à entrer en contact avec la civilisation. Ces dernières décennies, l'intrusion de missionnaires et, plus récemment encore, celle des compagnies pétrolières en quête d'or noir ont provoqué des frictions entre les Huaoranis et ces importuns qui tentent de s'implanter sur leur territoire.

Reserva Faunística Cuyabeno ★★★

Fondée en 1979, la Reserva Faunística Cuyabeno est un parc considéré par plusieurs comme le plus beau territoire naturel de l'Équateur après les îles Galápagos. Située dans la province de Sucumbíos, à l'est de Lago Agrío et au nord du parc national Yasuní, cette réserve s'étend sur 655 504 ha de territoire et possède une faune et une flore fantastiques. La forêt tropicale abrite de nombreuses espèces animales qui évoluent en bordure des innombrables cours d'eau et sous l'épais feuillage d'immenses arbres. En dehors des Galápagos, il s'agit du parc où les probabilités d'observer des animaux dans leur habitat naturel sont les meilleures. Parmi ceux que vous risquez de rencontrer figurent les caïmans, les singes, les serpents, d'innombrables espèces d'oiseaux (aigles, toucans, perroquets...) et même des dauphins, qui folâtrent dans les eaux douces des rivières de l'Amazonie. Malheureusement, malgré la richesse exceptionnelle de cet espace vert, et seulement quelques années à peine après sa création, le gouvernement a décidé d'octroyer aux compagnies pétrolières le droit d'extraire du sous-sol l'or noir dans ce nouvel Eldorado de l'État. Par conséquent, l'inévitable arriva : des fuites de pétrole d'importance variable se produisirent dans cet écrin de verdure, et des tribus amérindiennes furent contraintes de trouver refuge ailleurs. Pour trouver des solutions aux problèmes, les tribus furent bien sûr dédommagées, et les frontières de la réserve furent retracées, puis agrandies, rendant l'accès plus difficile, mais, du même coup, protégeant mieux l'endroit. Aujourd'hui, le gouvernement doit faire face aux nombreuses pressions exercées par les compagnies pétrolières qui veulent exploiter le sous-sol du parc. Les Cofans, les Quichuas, les Secoyas et les Sionas font partie des tribus qui habitent la réserve. L'accès de ce parc s'effectue obligatoirement par l'entremise d'un guide spécialisé ou par une agence.

Reserva Biológica de Limoncocha ★

Créée en 1985, cette réserve biologique couvre une zone de 13 000 ha et s'articule autour du magnifique lac de Limoncocha, habitat naturel de plus de 400 espèces d'oiseaux, entre autres le toucan, le perroquet et bien d'autres représentants de la faune ailée tropicale. Des singes et des caïmans peuvent aussi y être aperçus.

HÉBERGEMENT

Le nord de l'Oriente

Papallacta

L'hôtel **Las Termas de Papallacta** *(30 $; bp, ec, ℜ, ≈; réservations de Quito : Calle Nuñez de Vela 913 et Naciones Unidas, Edificio Doral II, 1 piso, 15, ☎ 02-537-398, ⇄ 435-292)* niche dans un cadre reposant et propice à la détente. L'établissement propose de petits bungalows propres et bien tenus pouvant loger deux ou quatre personnes autour de quelques piscines.

Baeza

La ville de Baeza dispose d'infrastructures touristiques sommaires. Ceux qui voudront y passer la nuit devront se rabattre sur des établissements rudimentaires tels que **l'Hostal San Rafael** *(8 $)* ou la **Mesón de Baeza** *(8 $)*.

San Rafael

Ceux qui souhaitent aller visiter la Cascada de San Rafael peuvent loger tout près, au **San Rafael Lodge** *(65 $; bp, ec, ℜ; réservations de Quito, Avenida González Suárez, ☎ 02-469-846 ou 544-600, ⇄ 469-847)*. On y propose des cabanes propres et bien équipées. L'ensemble appartient à l'hôtel Quito.

Tena

Situé tout près du pont, l'**Hostal Traveler's Lodging** *(10 $; bp, ℜ)* est un endroit populaire auprès des voyageurs au budget limité. Les chambres sont on ne peut plus simples, mais le service est sympathique.

Lago Agrío

La plupart des hôtels de Lago Agrío sont à l'image de sa ville : bruyants, sales et sans le moindre charme.

Ceux qui ont jeté un coup d'œil aux chambres de l'hôtel El Cofán et jugent qu'ils n'ont tout simplement pas les moyens de se payer ce luxe peuvent se rabattre sur l'hôtel **Cabaña** *(10 $ à 12 $)* ou l'hôtel **Guacamayo**. Chambres spartiates et bruyantes mais économiques.

L'hôtel **El Cofán** *(35 $; bp, ℜ, tv; Avenida Quito et 12 de Febrero, ☎ 06-830-009)* est définitivement le plus propre, le plus sécuritaire et, bien sûr, le plus cher de Lago Agrío. En effet, le prix exigé pour les chambres peut sembler beaucoup trop élevé pour ce qu'elles valent réellement, mais n'oubliez pas que, malgré tout, il n'y en pas de meilleures en ville, ni dans les environs...

Lodges près de Lago Agrío

Les voyageurs désireux de visiter la Reserva Faunística Cuyabeno en toute quiétude d'une façon tout à fait originale, tout en bénéficiant d'un bon confort et d'une excellente nourriture ainsi que de la présence de guides naturalistes hors pair, peuvent choisir de sillonner les cours d'eau de l'Amazonie à bord du ***Flotel Orellana*** *(pour information, communiquez avec Metropolitan Touring, voir p 57)*. Malgré sa ressemblance étrange avec les vieilles embarcations à aubes qui naviguaient naguère sur le Mississippi, ce bateau aménagé en hôtel flottant fut construit en 1975 tout près du petit village pétrolier de Coca. Ce curieux bateau navigua allègrement sur le Río Napo jusqu'en 1991, mais fut forcé de changer son port d'attache en raison de la présence dans cette région d'un trop grand nombre de visiteurs, de colons et de compagnies pétrolières qui faisaient fuir les animaux. Long de 45 m et large de 8 m, le *Flotel* est propulsé par un moteur de 3 100 chevaux-vapeur et se déplace sur l'eau à une vitesse de 5 à 10 nœuds. Il peut loger 48 passagers dans 22 cabines. Chaque cabine possède de l'espace de rangement, une salle de bain privée, avec douche à l'eau chaude. Toutes les cabines s'ouvrent sur le pont et disposent d'un ventilateur. Dès 6 h 30, le bar est prêt à vous accueillir pour vous servir du café à volonté. Dans la même pièce, une petite librairie propose un large éventail de livres pouvant intéresser les voyageurs voulant approfondir leurs connaissances de l'Amazonie. Par ailleurs, un médecin loge dans une des cabines et est disponible 24 heures par jour.

Les visites s'effectuent de la façon suivante : le *Flotel* navigue sur les cours d'eau du Parque Cuyabeno et jette l'ancre près de la berge à des endroits stratégiques. Les voyageurs sont alors divisés en groupes, puis invités à prendre place dans de petites embarcations propulsées par un moteur. Ces embarcations se rendent aux différents sentiers où les visiteurs peuvent entreprendre leurs randonnées. Une excursion est aussi prévue pour les personnes qui veulent passer la nuit sur la terre ferme, sous un toit de paille avec moustiquaire, pour s'imprégner d'une atmosphère exotique et singulière. Un autre jour, les plaisirs de la découverte vous conduiront à une gigantesque tour d'observation de six étages culminant à 120 m de hauteur et construite autour d'un arbre plus élevé que la tour elle-même.

Durant votre séjour, une journée est consacrée à la rencontre de l'un des peuples indigènes qui vit à l'intérieur du Parque Cuyabeno sur les rives du Río Aguarico : les Cofans. Sachez toutefois que ces Amérindiens ne sont pas des bêtes de cirque qui paradent pour votre bon plaisir. Premièrement, on ne se rend pas à leur village, mais plutôt sur un territoire neutre désigné sous le nom de «Visitors Center». Deuxièmement, il y a une interdiction formelle de les prendre en photo. Malgré le fait qu'ils seront peut-être vêtus de jeans et de t-shirts, et porteront une montre à cristaux liquides au poignet, les Cofans tentent de conserver leur dignité. Grâce à Metropolitan Touring, il vous sera tout de même possible d'échanger quelques propos avec ces Amérindiens et de leur acheter des produits artisanaux.

Ceux qui veulent s'aventurer encore plus profondément au cœur de la forêt tropicale peuvent se rendre aux campements **IMUYA** et **IRIPARI**. Ces deux camps se trouvent au-delà du territoire desservi par le *Flotel*, tout près de la frontière avec le Pérou.

Environ 20 personnes peuvent loger au campement IMUYA. «IMUYA» signifie «la rivière des singes hurleurs» dans la langue de la tribu amérindienne siona, le *pairocá*. Ce n'est pas un hasard, car les singes hurleurs manifestent souvent leur présence par des cris. De plus, ici tout fonctionne à l'énergie solaire, et tous les déchets sont réduits en compost.

Construit en 1991 aux abords du plus grand lac de l'Équateur, qui porte aussi le nom du campement, IRIPARI se compose de structures de bois recouvertes de paille. Les douches et les salles de bain sont communes. Ici aussi, tout fonctionne à l'énergie solaire. Près de là, les probabilités d'observer des dauphins d'eaux douce sont d'environ de 90 % (pas mal non?).

Le **Cuyabeno Lodge** *(531 $ par personne pour un séjour de quatre jours et de trois nuits; réservations de Quito, Avenida Coruña 1349 et Orellana, ☎ 02-552-617, 553-826 ou 553-818, ⇄ 565-261, P.O. Box 1703-402-A, nmundo@uio.telconet.net)* ressemble à un petit village indigène enfoui dans la verdure du Parque Nacional Cuyabeno et dressé aux abords d'une rivière où l'eau s'écoule en un doux murmure. Il s'agit d'un ensemble de *cabañas* discrètes, coiffées de toit de paille, construites sur pilotis et situées de part et d'autre d'un bâtiment principal qui abrite la cuisine et la salle à manger. Il n'y a pas d'électricité, mais les *cabañas* sont équipées de lits confortables avec moustiquaires et disposent d'une salle de bain privée avec douche à l'eau froide. Toutes les constructions sont reliées entre elles grâce à une passerelle qui s'enfonce dans la forêt, d'où part un sentier qui permet d'aller explorer les merveilles de la nature. On organise les excursions selon les désirs des visiteurs. Ainsi, on peut naviguer tranquillement sur les eaux du parc et observer les innombrables espèces de la gent ailée qui s'y trouvent ou même voir de sympathiques dauphins d'eau douce. Des kayaks sont à la disposition des visiteurs. La nuit venue, la voûte céleste ainsi qu'une myriade d'insectes phosphorescents vous offriront un spectacle étoilé de toute beauté; puis, à bord d'un bateau pour suivre les méandres des rivières amazoniennes, vous entreverrez peut-être également des caïmans paresseusement étendus sur les berges. Les guides attitrés sont plus que compétents et feront tout leur possible pour combler vos moindres désirs. L'ensemble est géré par l'agence Nuevo Mundo, dont un des propriétaires est le président de l'Association d'écotourisme de l'Équateur.

Misahuallí

Les voyageurs peu difficiles dont le budget est restreint peuvent se rendre au petit hôtel **El Paisano** *(10 $; à un coin de rue de la Plaza)*.

El Alberque Español *(20 $; bp, ℜ; réservations de Quito : ☎ 02-584-912)* présente sans doute l'un des meilleurs rapport qualité/prix en ville. Les chambres sont propres et jouissent d'une vue sur le Río Napo; le personnel est sympathique et serviable.

Parfois désignées sous le nom de «Butterfly Lodge», les **Cabañas Aliñahui** *(30 $; bp, ℜ; réservations de Quito, Calle Río Coca et Isla Fernandina, ☎ 02-253-267, ⇄ 253-266)* sont éparpillées sur les flancs d'une colline, parmi près de 2 ha de verdure bordant le Río Napo. Les chambres sont on ne peut plus simples mais confortables. Le personnel organise des excursions dans la forêt tropicale selon le souhait des voyageurs. Les visiteurs de passage peuvent disputer des parties de tennis de table et avoir accès à un terrain de volley-ball. Un stationnement est à la disposition des courageux qui se hasardent à effectuer le trajet en voiture depuis Quito.

Le **Misahuallí Jungle Hotel** *(30 $; bc, ℜ; réservations de Quito : ☎ 02-520-043)* loge des visiteurs dans ses *cabañas* relativement propres et décorées sans aucun apprêt. Il s'agit tout de même de l'un des bons hôtels en ville. Personnel sympathique.

Lodges près de Misahuallí

Accrochée au flanc d'une colline surplombant le Río Napo, la **Casa del Suizo** *(70 $ pour deux personnes pour une nuitée; ℜ, ≈, bp; réservations de Quito, Calle Reina Victoria 1235 et Lizardo García, ☎ 02-509-115 ou 508-871, ⇄ 508-872)* appartient aux mêmes propriétaires que la Sacha Lodge. La première pierre y fut posée en 1986. À l'époque, quelques chambres d'allure plutôt rustique hébergaient les visiteurs de passage. Aujourd'hui, le bâtiment principal regroupe la réception, une longiligne tour d'observation permettant d'embrasser du regard le paysage, un bar et un immense restaurant pouvant recevoir jusqu'à 150 personnes. Les visiteurs peuvent se prélasser sur la terrasse entourée d'un jardin fleuri et profiter pleinement des deux piscines. Cent quarante-cinq lits sont distribués dans une cinquantaine de *cabañas* pouvant abriter le même nombre de personnes. Chaque *cabaña* est coquettement décorée, immaculée et éclairée à l'électricité, et dispose d'une salle de bain privée avec douche à l'eau chaude. Cet établissement conviendra parfaitement aux personnes qui veulent visiter l'Amazonie sans se priver pour autant du confort moderne. De plus, la nourriture est délicieuse, et l'accueil et le service sont impeccables, mais une profonde tristesse peut étreindre le cœur des voyageurs dont le regard est capté par la présence de nombreux animaux en cage pour le simple plaisir d'attirer les curieux...

Les **Cabañas Anaconda** *(réservations de Quito : ☎ 02-545-426)* se trouvent aussi sur le Río Napo, un peu plus loin que la Casa del Suizo (voir ci-dessus). Une dizaine de *cabañas* rustiques coiffées de toits de chaume sont assoupies sous l'épaisse frondaison des arbres et reçoivent les groupes de voyageurs. Sans électricité ni eau chaude.

Coca

L'**Hotel Oasis** *(10 $; bp; près du pont)* propose des chambres qui conviendront aux voyageurs peu exigeants et ayant des restrictions financières.

Pour ceux qui veulent débourser quelques dollars de plus, l'hôtel **Auca** *(15 $; bp, ℜ; tout près du* terminal terrestre*)* dispose de *cabañas* propres, de diverses grandeurs et décorées de façon inégale.

Le meilleur hôtel en ville est désigné sous le nom de **La Misión** *(30 $; bp, ℜ; réservations de Quito : ☎ 02-553-674, ⇄ 880-260)*. Chambres propres et confortables, mais sans aucun charme.

Lodges près de Coca

La **Sacha Lodge** *(525 $ par personne pour un séjour de quatre jours; réservations de Quito, Calle Reina Victoria 1235 et Lizardo García, ☎ 02-509-115 ou 508-871, ⇄ 508-872 ou 222-531)* est située à environ 2 heures 30 min de Coca par le Río Napo. En 1991, Beni Ammeter, un Suisse qui habitait l'Équateur depuis 25 ans, décide d'acheter une parcelle de terre en Amazonie pour réaliser une infrastructure destinée à accueillir des visiteurs. L'année suivante, la Sacha Lodge est inaugurée, et l'aventure ne faisait que commencer. Aujourd'hui, sur un territoire de 1 200 ha, on trouve sept cabanes abritant deux grands lits et comportant des fenêtres grillagées qui s'ouvrent sur un petit balcon où sont accrochés des hamacs.

À deux heures de bateau de Coca par le Río Napo se trouve l'**Hacienda Primavera** *(pour réservations, communiquez avec l'agence Ecotours, Calle Robles 610 et Juan León Mera, ☎ 02-226-890)*, qui compte une dizaine de *cabañas* rustiques.

Hors des sentiers battus, loin dans l'Amazonie, à trois heures de bateau de Coca par le Río Napo, la **Selva Lodge** *(700 $ par personne pour un séjour de quatre jours; réservations de Quito, Avenida 6 de Diciembre 2816 et James Orton, ☎ 02-550-995, ⇄ 567-297)* s'attire de nombreux éloges de la part des voyageurs qui y font halte. Les chambres sont tenues par un couple d'Américains, Eric et Maggie Schartz, et distribuées dans une quinzaine de *cabañas* solidement construites et modestement décorées mais avec salle de bain privée. Les lits disposent de moustiquaires, mais il n'y a pas d'eau chaude au robinet. De plus, une tour d'observation haute de 40 m permet aux voyageurs d'embrasser d'un seul coup d'œil un panorama éblouissant. Tout près du complexe, la ferme des papillons est une autre curiosité intéressante qui plaira sans doute aux voyageurs attirés par le monde coloré des lépidoptères. Contrairement à ce que les gens peuvent penser, le personnel ne s'amuse pas à capturer ces papillons dans la forêt pour les amener ensuite ici. La ferme fut construite dans le but de faire l'élevage des papillons. Résultat, plus de 30 000 papillons sont vendus annuellement à travers le monde à des jardins botaniques ou autres organismes visant à promouvoir la richesse et la beauté des forêts tropicales.

L'**Hostería Yuturi** *(340 $ par personne pour un séjour de quatre jours; réservations de Quito, Avenida Amazonas 1022 et Joaquín Pinto, ☎ 02-522-133)* est située à 5 heures de bateau depuis Coca et propose un hébergement rustique et des randonnées typiques dans l'Amazonie.

Le sud de l'Oriente

Puyo

Détrompez-vous, l'**Hotel Europa Internacional** *(10 $; ℜ, bp; Avenida 9 de Octubre et Orellana)* n'a absolument rien à voir, malgré son nom, avec le charme et le confort européen, mais conviendra parfaitement aux voyageurs de passage au budget limité qui souhaitent y passer une seule nuit.

Pour quelques dollars de plus, l'**Hotel El Araucano***(16 $; ec, ℜ, bp; Calle Marín)* possède sûrement les meilleures chambres en ville. À défaut d'être charmantes et élégantes, elles s'avèrent convenables et bien équipées.

À environ 5 km de Puyo, en direction de Tena, l'**Hostería Safari** *(20 $; bp, ℜ, ≈; ☎ 06-885-465)* propose de petites *cabañas* propres et aménagées dans un cadre paisible et reposant, idéal pour les voyageurs qui ne veulent pas être hébergés à Puyo, recherchant plutôt le calme de la forêt amazonienne.

Macas

L'**Hostal Esmeralda** *(10 $; tv, ec, bp; Calle Cuenca et Soasti)* renferme des chambres on ne peut plus simple, mais qui se révèlent relativement propres. Service sympathique.

Ceux qui veulent s'offrir un peu plus de confort opteront sans doute pour l'**Hotel Peñon del Oriente** *(20 $; tv, ec, ℜ; Calle Amazonas et Comín, ☎ 07-700-124, ⇄ 700-450)*. Les chambres sont modernes, propres et lumineuses.

RESTAURANTS

Le nord de l'Oriente

Lago Arío

À l'instar de ses établissements hôteliers, les restaurants de la ville ne sont guère invitants. Si vous devez absolument manger ici, allez au restaurant de l'hôtel **El Cofán**.

Coca

Pour une bouchée rapide et sans façon, rendez-vous près du fleuve au petit restaurant sans prétention **Escondido** *($)*.

Le restaurant de l'**Hotel La Misión** *($$)* est sans doute l'un des meilleurs endroits en ville pour manger. Le menu affiche un bon choix de plats de poulet, de bœuf et de porc.

Misahuallí

Le petit restaurant de l'**Hotel El Paisano** *($)* propose des plats végétariens selon l'inspiration du jour.

Ceux qui possèdent un peu plus d'argent peuvent se rendre au restaurant de l'hôtel **El Abergue Español** *($$)*. La carte affiche une variété de plats de viande et de poisson.

Le sud de l'Oriente

Puyo

Le **Chifa Famosa** *($; Calle Eslad Marín et 27 de Febrero)* propose une cuisine toute simple composée de mets chinois.

La **Mesón Europeo** *($$; Avenida Zambrano)*, une maison transformée en restaurant, dispose d'un large choix de viandes grillées telles que filets mignons et châteaubriants fort appétissants.

Macas

Bien que le décor du restaurant **Chifa Pagoda China** *($$; Calle Amazonas 1505)* soit un tant soit peu clinquant, les portions sont aussi généreuses que délicieuses. Le menu affiche de nombreux plats de poulet, de crevettes, de porc et de bœuf apprêtés à l'orientale.

Isla Isabela, îlot de calme et de repos éternel.

Fou masqué, étincelant de blancheur et à l'abri des prédateurs.

L'otarie : une des curiosités majeures des Galápagos.

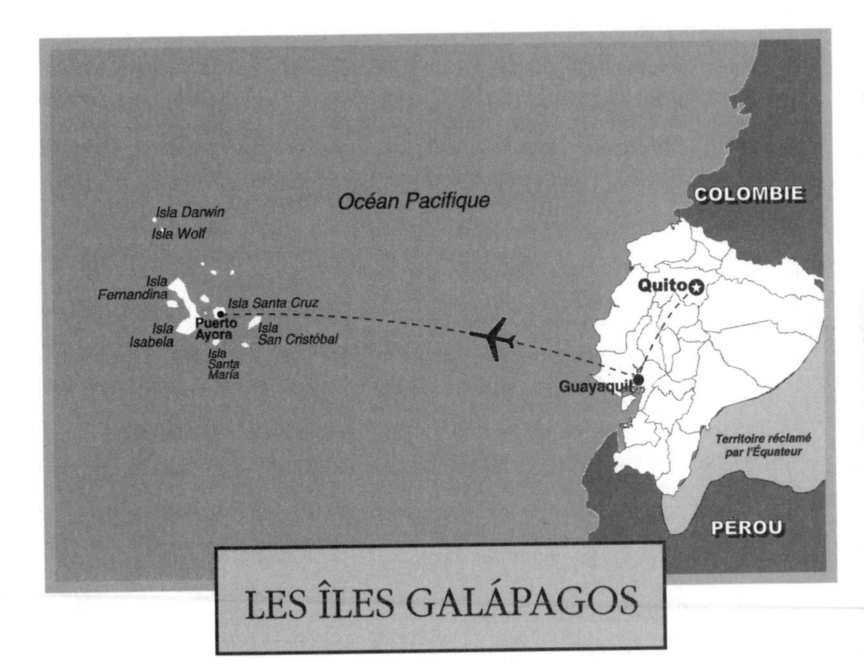

LES ÎLES GALÁPAGOS

Difficile, pour ne pas dire impossible, de ne pas tomber sous le charme des îles Galápagos. Un séjour sur ces îles plonge soudainement les voyageurs hors du temps et les fait entrer dans un monde insulaire fantastique et spectaculaire, où peu de chose peut perturber la tranquillité de la faune et de la flore insolite qui règnent pratiquement en roi et maître sur ce territoire aussi isolé qu'étrange.

Où donc peut-on trouver, sur un même territoire, un amalgame d'animaux tels que des otaries de la Californie, des cormorans aptères (qui ne peuvent voler), des iguanes marins et terrestres aux allures préhistoriques, des flamants roses, des tortues aux dimensions gargantuesques témoins d'un passé résolu, des manchots diminutifs (les plus petits au monde) ainsi qu'une quantité d'autres créatures aussi curieuses que mystérieuses? À vrai dire, on ne saurait nommer un autre site semblable ailleurs sur la planète.

L'histoire des Galápagos remonte peut-être à la nuit des temps, mais celle qui nous est racontée débute le 10 mars 1535. Ce jour-là, un bateau en provenance du Panamá, conduit par l'évêque Fray Tomás de Berlanga, se dirigeait normalement vers le Pérou, lorsque sa trajectoire fut modifiée par de puissants courants maritimes. Le bateau dériva vers l'ouest dans l'océan Pacifique, en territoire à ce jour encore inexploré. Privé d'eau potable depuis quelque temps, l'équipage aperçut la terre à l'horizon et s'empressa de jeter l'ancre pour aller explorer les îles, devenant ainsi les premiers visiteurs de l'archipel. Malheureusement pour eux, leur découverte se limita à des tortues géantes, des otaries, des iguanes et d'innombrables espèces d'oiseaux.

Un rapport officiel de l'expédition fut envoyé au roi Charles Quint, relatant ce bref séjour sur ces îles volcaniques. Trop occupés à coloniser les territoires incas et à exploiter l'or du continent, les Espagnols restèrent indifférents à cette découverte.

Onze ans plus tard, en 1546, quelques soldats espagnols désireux d'échapper au régime tyrannique imposé par Francisco Pizarro décidèrent de déserter son armée et de s'enfuir en mer. Leur embarcation fut entraînée par des courants marins pour aboutir en face des îles Galápagos. Impuissants devant les courants et ayant très peu d'expérience de la navigation, ils furent incapables de débarquer sur aucune des îles qui émergeaient et disparaissaient du brouillard épais se formant sous leurs yeux. Convaincus que ces îles étaient enchantées, ils les baptisèrent «Las Islas Encantadas».

Cependant, grâce au rapport de l'évêque Fray Tomás de Berlanga, les îles Galápagos apparaissent pour la première fois dans un atlas en 1574 sous le nom d'«Insulae de los Galopegos» (îles des tortues de mer).

Au cours des trois prochains siècles qui suivent, pirates et corsaires utilisent les Galápagos comme refuge et comme base de ravitaillement avant d'attaquer les côtes équatoriennes et péruviennes, causant ainsi de sérieux problèmes aux espèces endémiques. Les arbres leur servent en effet à faire des feux dans le but de se réchauffer, tandis que la viande des tortues géantes constitue une excellente source d'alimentation fraîche pouvant facilement nourrir tout un équipage.

Depuis, l'industrie de la pêche à la baleine causa d'énormes dommages aux îles ainsi qu'à leurs habitants marins. Entre autres, les cales des bateaux se remplissaient de tortues géantes afin de faciliter la survie des marins, une pratique qui se poursuivit jusque vers la fin du XIXe siècle.

Le 12 février 1832, l'Équateur prend officiellement possession des Galápagos avec l'implantation, sur l'île de Floreana, d'une première colonie composée de soldats exilés et de prisonniers. Les îles sont alors baptisées «Archipel de l'Équateur». Trois années plus tard, le 15 septembre 1835, Charles Darwin débarque dans les îles alors qu'il participe à une expédition d'ordre scientifique. Durant son bref séjour de cinq semaines, ce jeune naturaliste anglais, alors âgé de 26 ans, visite à peine quatre ou cinq îles et rapporte chez lui une série d'observations fort intéressantes sur la faune et la flore qui serviront à appuyer sa désormais célèbre théorie de l'évolution publiée en 1859 sous le nom de «*De l'origine des espèces au moyen de la sélection naturelle*». Sa théorie de l'évolution découle du fait que les espèces peuvent se modifier d'une génération à l'autre afin de survivre. Pendant de longues années, ce livre ne fit pas l'unanimité parmi les milieux conservateurs et religieux, qui en contestaient farouchement le contenu.

En 1892, les îles Galápagos sont officiellement nommées «Archipelago de Colón» en l'honneur du 400e anniversaire du premier voyage de Christophe Colomb.

Le gouvernement équatorien déclare l'archipel des Galápagos parc national en 1959. Durant la même année, la Fondation Charles Darwin est créée dans le but d'aider à conserver cet écosystème unique au monde. Depuis

1978, les Galápagos font partie du patrimoine mondial de l'UNESCO.

Les Galápagos tirent leur nom de la forme des carapaces retroussées des tortues géantes qui foisonnaient à l'époque des pirates espagnols. Ces carapaces ressemblaient en effet étrangement aux selles de chevaux de type *galápago* que l'on trouvait alors en Espagne.

Il est fort possible que ce soit là la seule occasion de votre existence de visiter cet endroit magnifique. Avant de vous embarquer les yeux fermés dans une telle aventure, il importe de prendre conscience de ce que cela implique. N'oubliez pas qu'un voyage aux Galápagos coûte cher, même très cher. Le coût du billet d'avion se chiffre à plus de 300 $, l'entrée au parc coûte 80 $, et la valeur d'une croisière d'une semaine s'élève à presque 1 000 $. Ajoutez à cela vos dépenses personnelles, et vous arriverez à tout près de la somme de 2 000 $! Par ailleurs, les Galápagos ne sont pas une grosse station balnéaire comme Cancún ou Acapulco, et encore moins un parc d'attractions comme Disney World. Seulement quatre îles de l'archipel (Santa Cruz, Floreana, San Cristóbal et Isabela) sont partiellement habitées, et leur population totale dépasse à peine les 10 000 habitants. Sur une superficie de 8 000 km², 97 % du territoire sont considérés comme aire protégée, tandis que le reste est réservé à l'habitation. Afin de protéger et de conserver la faune et la flore, les autorités du parc et la Station Charles Darwin ont décidé de limiter l'accès aux îles à environ 51 points de visite. Mis à part quelques îles, on ne peut les visiter sans avoir recours aux services d'un guide agréé. Depuis quelques années, certaines îles ont été fermées aux touristes dans le but de permettre aux scientifiques de poursuivre leurs recherches. Aucun hôtel ne possède plus de deux étages, et sauf pour deux ou trois établissements qui proposent de très jolies chambres, l'infrastructure hôtelière demeure rudimentaire. Enfin, les embarcations nautiques les plus luxueuses ne disposent pas du même confort que les gros bateaux de croisière qui sillonnent la mer des Caraïbes.

Dangers et conservation du «paradis perdu»

En raison de leur isolement du reste du monde ainsi que de leur faune et de leur flore très particulières et rares, les îles Galápagos ont souvent été considérées comme un paradis perdu. Aujourd'hui, les dangers qui menacent l'archipel sont nombreux, les mesures pour y remédier le sont moins, et le temps joue contre elles, si bien qu'il faut se demander si ce paradis n'est pas plutôt en perdition...

Lorsque, à l'aube des temps, ces îles émergèrent à la surface de l'eau, elles n'étaient qu'un vulgaire amas de roches volcaniques. Aujourd'hui, elles abritent une grande variété d'animaux et de plantes aux caractéristiques uniques. Les îles Galápagos ne furent jamais rattachées au continent, si bien que, jusqu'à il y a quatre siècles, elles ont été uniquement peuplées de plantes et d'animaux indigènes qui parvinrent à s'y installer de façon très progressive et naturelle, vivant en complète autarcie.

L'arrivée des animaux et de la végétation s'effectua par voie aérienne et maritime. Certaines graines ont abouti aux îles par flottaison. D'autres y sont parvenues par l'entremise d'oiseaux les apportant dans leurs pattes, ou ont tout simplement été transportées par les vents. La grande majorité des espèces proviennent de l'Amérique du Sud, tandis que les autres sont originaires de l'Amérique centrale. Les plantes et les animaux que l'on retrouve dans l'archipel des Galápagos se sont tous adaptés au fil des siècles à son environnement.

Dans le but de se reproduire et de s'alimenter, les animaux ont dû s'acclimater à leur nouvel environnement. C'est ainsi que certains iguanes terrestres sont devenus marins, tandis que certaines tortues marines se sont établies en permanence sur les îles pour devenir terrestres. Les tortues des îles d'Española et d'Isabela possèdent un cou plus long que la normale, ce qui leur permet d'atteindre leur nourriture autrefois inaccessible. On remarque aussi des transformations parmi les pinsons de Darwin (voir p 302). Venus du continent, ces pinsons modifièrent la forme de leur bec afin de subsister. Ainsi, ils diffèrent d'une île à l'autre, s'étant adaptés aux sortes de nourriture qu'ils retrouvaient dans chacune.

À travers les siècles, ces changements ont permis de créer un équilibre écologique parmi toute cette flore et cette faune. Cet équilibre fut rompu il y a moins de 400 ans avec l'arrivée de l'homme. Pour différentes raisons, rats, chats, chevaux, chiens, porcs, vaches et chèvres ont été introduits progressivement par des pirates, des baleiniers et des colons.

Les pirates se réfugiaient dans les îles de l'archipel pour échapper aux attaques de leurs ennemis et pour y cacher leur butin. Ayant de grandes distances à franchir, ils faisaient provision de viande de tortue géante dans le but de nourrir leur équipage pendant de longues périodes. Étant donné que chaque tortue pèse de 175 kg à 225 kg, des ânes et des chevaux furent également introduits dans les îles afin d'aider les pirates à les transporter jusqu'à leur navire. De plus, ils y laissaient des vaches et des porcs dans l'espoir de les manger lors de leur prochaine visite. Les baleiniers remplissaient également la cale de leurs bateaux de tortues géantes afin de se nourrir. À l'instar des pirates et des baleiniers, les premières colonies causèrent grand tort à la flore et la faune en défrichant les îles afin de cultiver les terres, en plus de tuer les tortues ainsi que d'autres animaux dans le but de s'alimenter. Les animaux introduits par les humains dans les îles constituent aujourd'hui le plus grand danger qui guette les espèces endémiques. Depuis plus de 300 ans, ces animaux se reproduisent à une vitesse incroyable et causent un grand tort à l'écosystème fragile des îles. Les porcs, de même que les chats, les rats et les chiens, se nourrissent des œufs des tortues. En plus de se disputer la nourriture de ces dernières, les ânes et les chèvres piétinent les œufs et les espèces endémiques de la flore.

À la fin des années soixante-dix, des chiens sauvages ont ravagé de grandes colonies d'iguanes terrestres sur les îles d'Isabela et de Santa Cruz. Aujourd'hui, seulement deux des îles de l'archipel ne possèdent aucun animal d'origine étrangère : Fernandina et Genovesa.

Il existe trois moyens d'éliminer les animaux introduits par l'homme. Le premier consiste à empoisonner leur nourriture; cette pratique a connu du succès avec les chiens sauvages dans l'île d'Isabela. Le second consiste à introduire une bactérie biologique qui cause la mort d'une espèce spécifique. Ce moyen est très délicat, et personne ne veut assumer la responsabilité d'avoir donné l'ordre de lancer une bactérie sans connaître ses effets secondaires. Par exemple, si les buses dévorent les chèvres infectées par la bactérie et en sont affectées à leur tour, cela risque de causer des dommages encore plus grands à l'écosystème déjà fragile de l'archipel. Le troisième moyen, la chasse, demeure le plus utilisé. Malheureusement, cela n'est pas très efficace, car les îles sont grandes et abritent une végétation parfois luxuriante, permettant aux animaux de se mettre à l'abri des dangers qui les guettent. De plus, les animaux se reproduisent plus rapidement qu'ils sont éliminés.

En 1954, les îles furent déclarées provinces de l'Équateur. Aujourd'hui, n'importe qui peut venir y habiter. Par conséquent, la population croît à un rythme effarant de 10 % par année, soit l'indice annuel le plus élevé du pays. Beaucoup d'Équatoriens viennent y bâtir leur demeure en pensant que les dollars circulent pour tout le monde. Malheureusement pour eux, ce n'est pas le cas. Même si plus de 50 000 touristes ont visité les Galápagos en 1996, les perspectives d'emploi demeurent faibles. De plus, ces nouveaux arrivants n'ont pas grandi dans un environnement aussi fragile que celui des Galápagos et ne sont pas habitués à tant de restrictions.

Qui plus est, pour répondre à une demande extérieure grandissante, beaucoup d'Équatoriens s'improvisent pêcheurs et se mettent à tuer les requins, car leurs ailerons constituent un plat recherché pour certains étrangers. Depuis une dizaine d'années, le nombre de requins a dramatiquement chuté de près de 50 %. Au début des années quatre-vingt-dix, environ 20 tonnes de requins marteaux, certains entiers, mais beaucoup d'ailerons, ont été trouvées à bord d'un bateau de pêche clandestin. Les contrebandiers furent immédiatement mis à l'amende. Toutefois, pour des raisons obscures, les lois équatoriennes n'ont pas été modifées depuis le milieu du siècle, et les amendes à payer sont les mêmes que celles fixées il y a plusieurs décades, un montant aujourd'hui dérisoire qui n'est tout simplement pas suffisant pour dissuader les pêcheurs d'enfreindre la loi. Les Galápagos sont probablement le seul endroit au monde où l'on peut nager à côté d'un requin marteau de 3 m de long sans risquer de se faire attaquer. Cependant, si l'on continue de les chasser, peut-être finiront-ils par attaquer les nageurs, à moins qu'ils ne disparaissent complètement.

La pêche aux concombres de mer, mieux connus en espagnol sous le nom de *pepinos del mar*, représente un autre problème alarmant qui menace l'écologie des îles. Les concombres de mer se caractérisent par leur capacité à recycler certains détritus organiques et peuvent par conséquent assainir l'eau. Ces concombres font les délices des Asiatiques, qui en raffolent et les considèrent comme un plat gastronomique de choix. En conséquense, de nombreux Équatoriens et d'autres pêcheurs pirates viennent jeter leurs filets à l'eau, perturbant dangereusement l'écosystème fragile de l'archipel. Malgré l'interdiction formelle de pêcher ces fruits de mer, la pratique de la pêche clandestine continue, car l'appât des dollars pour cette denrée rare rend bien du monde aveugle et sourd.

Il n'existe pratiquement aucun contrôle de cette pêche prohibée dans l'archipel. Un seul bateau, du nom de *Guadalupe River*, légué par les Américains, est chargé de contrôler les activités halieutiques qui se pratiquent sur l'immense territoire des Galápagos. Comble du tragique, cet unique bateau est souvent hors de service et reste à quai, car l'argent fait défaut pour payer le carburant...

Les problèmes sont donc graves, et il urge d'y apporter des solutions.

La flore des Galápagos

L'apparition de la végétation sur les îles Galápagos provient du transport de graines sur mer et dans les airs. Certaines graines ont abouti aux îles grâce aux courants marins (10 %). D'autres y sont parvenues par l'entremise d'oiseaux les apportant dans leurs pattes (60 %) ou ont tout simplement été transportées par les vents (30 %) à partir du continent. Presque toute la flore provient de l'Amérique du Sud (99 %), une infime partie (1 %) étant issue de l'Amérique centrale. Les plantes que l'on retrouve dans l'archipel se sont toutes adaptées, au fil des siècles, au milieu ambiant. Toutefois, en raison des différences climatiques, de l'altitude et de l'exposition au vent, la répartition de la flore dans l'archipel est très inégale, de sorte que les îles Galápagos possèdent sept zones de végétation tout à fait distinctes.

1- La zone littorale : il s'agit de la bande étroite qui divise la terre et les eaux. On y trouve principalement des mangliers ou palétuviers, mais aussi des buissons salés ainsi que des plantes grasses colorées.

2- La zone aride : elle est délimitée par la zone littorale et s'étend jusqu'à 100 m d'altitude en moyenne. On y trouve une rare végétation adaptée à la sécheresse (des cactus surtout) et aussi le *palo santo*, un arbuste au tronc grisâtre dépourvu de tout feuillage sauf pendant la saison humide.

3- La zone de transition : elle s'étend en moyenne jusqu'à 250 m d'altitude et se caractérise par la présence de trois arbres : le *palo santo*, le *pegapega* et le *guayabillo*.

4- La zone des scalésias : cette zone, très humide, s'étend de 200 m à 400 m d'altitude et abrite bon nombre de fougères et de mousses, de même que le *scalesia pedunculata* ou *lechoso*, une fougère géante de la taille d'un arbre à la sève laiteuse. Celle-ci ne possède pas de branches, mais une tige couverte de fleurs.

5- La zone brune : elle doit son nom à la couleur brune des mousses qui pendent aux extrémités des *lechosos*, de la zone des scalésias, dans la partie la plus haute et sur le versant sous le vent (contrairement aux vents dominants).

6- La zone des miconias : elle s'étend jusqu'à 600 m d'altitude et se distingue par la présence de buissons au feuillage touffu appelés *miconias*. Il s'agit d'une espèce endémique qu'on ne trouve que sur les îles de Santa Cruz et de San Cristóbal.

7- La zone des pampas : la fougère arborescente constitue le seul végétal de grande taille qui a réussi à survivre parmi les autres fougères, les lichens et les plantes d'eau de ce milieu très humide et brumeux où les vents fouettent constamment le sommet des îles (plus de 600 m).

La faune des Galápagos

Voici une liste non exhaustive de quelques espèces que vous pourrez rencontrer lors de votre séjour dans l'archipel des Galápagos.

Albatros des Galápagos *(albatros de Galápagos)* : ce magnifique oiseau marin au bec jaune ayant une petite forme ondulée sur la poitrine, d'où le nom anglais de *waved albatros*, peut voler et se laisser porter par les vents durant des semaines sans toucher le sol. L'un des rares endroits de nidification au monde de cet oiseau se trouve dans l'île d'Española. Le rituel de parade des albatros s'étale sur presque une demi-heure et offre un spectacle fascinant qui s'accompagne d'une multitude de salutations gracieuses, de mouvements oscillatoires, de sifflements et de cris. Il existe environ 12 000 albatros aux Galápagos, mais ils ne viennent nicher sur Española qu'à partir de la mi-avril et repartent en mer au milieu du mois de décembre. Ces oiseaux ont besoin de vents assez forts pour pouvoir prendre leur envol ainsi que de falaises élevées; c'est pourquoi ils ont choisi de vivre dans l'île d'Española. En général, les albatros vivent plus au sud, dans les mers australes.

Baleines : il existe plusieurs espèces de cachalots cohabitant dans les eaux des Galápagos (rorqual commun, rorqual de Rudolphi, petit rorqual, épaulard, cachalot, baleine de Cuvier, baleine bleue et baleine à bosse n'en sont que quelques exemples). Toutefois, ces cétacés s'approchent rarement des bateaux. Généralement, on ne peut les observer que de très loin.

Buse des Galápagos *(gavilán de Galápagos)* : cet oiseau diurne, une espèce endémique au plumage brun foncé et aux pattes jaunes, est l'un des principaux prédateurs des jeunes tortues. Il fait près de 60 cm de longueur et se retrouve surtout dans les îles Bartolomé, Española, Fernandina, Isabela, Santiago et Santa Fé.

Cormoran aptère *(cormorán no volador)* : oiseau marin qui a perdu à travers les siècles l'usage de ses ailes, cette espèce endémique constitue le plus grand cormoran du monde. Le cormoran aptère se déplace facilement dans l'eau et s'alimente de poissons. Grâce à sa grande taille et à son isolement dans l'île de Fernandina, il est à l'abri des prédateurs. En effet, Fernandina constitue l'une des rares îles au monde où aucun animal n'a jamais été introduit par l'homme. On imagine, non sans angoisse, le terrible malheur qui pourrait s'abattre sur cet oiseau si par mégarde des animaux sauvages étaient introduits sur Fernandina...

Dauphin *(delfín)* : ce sympathique mammifère marin, que tout le monde reconnaît à son rire strident qui fait sourire irrésistiblement les petits et les grands, peut être aperçu tôt dans la matinée nageant le plus souvent à la remorque d'un navire.

Flamant rose *(flamenco)* : ce palmipède est facilement reconnaissable à sa couleur rose, à son cou souple et sinueux ainsi qu'à ses pattes palmées longilignes. Il fréquente les lagunes salées des îles Floreana, Rábida et Santiago, et se nourrit presque exclusivement de crevettes, ce qui explique la couleur de sa peau.

Fou masqué *(piquero enmascarado)* : il doit son nom au plumage noir entou-

Fou à pattes rouges

rant ses yeux et son bec jaune. Les extrémités de ses ailes et de sa queue sont colorées de noir, tandis que le reste de son plumage est blanc. C'est le plus costaud des fous. Grâce à sa forte constitution, il peut s'attaquer aux plus gros poissons qui circulent dans les eaux plus profondes et plus éloignées de la côte. On le trouve surtout dans les îles d'Española et de Genovesa.

Fou à pattes bleues *(piquero patas azules)* : cet oiseau marin se distingue par ses pattes bleues et par son rituel amoureux qui constitue un spectacle tout à fait charmant. Pour séduire son partenaire, il raidit ses pattes et marche autour de l'autre en affichant fièrement ses pattes bleues, pour ensuite pointer ses ailes et son bec vers le ciel tout en lâchant des cris aigus et perçants. Il s'agit du plus petit des fous et de celui qui est le plus souvent aperçu. On reconnaît la femelle par sa grosseur, légèrement plus importante que celle du mâle, et par le cercle de pigmentation noire autour de ses yeux, un peu plus foncé que chez le mâle. La femelle pond généralement deux œufs. La plupart du temps, un seul des deux poussins survivra, car ils devront lutter l'un contre l'autre pour se nourrir. Ayant un poids relativement léger, il plonge près des côtes pour s'alimenter, puis revient nicher tranquillement sur le sol. Toutefois, des scientifiques basés dans l'Isla de la Plata (à l'ouest de Puerto López), qui abrite une faune semblable à celle des Galápagos, ont constaté que, durant l'année 1996, des fous à pattes bleues ont construit leur nid sur des branches d'arbres. Actuellement, ils ne peuvent affirmer qu'il s'agit d'une sous-espèce particulière de fous ou bien que ce sont des fous communs qui se protègent tout simplement des prédateurs.

Fou à pattes rouges *(piquero patas rojas)*: contrairement à la grande majorité de fous à pattes bleues, du moins ceux qui se trouvent dans l'archipel, le fou à pattes rouges niche tranquillement dans les arbres. Son bec bleu et

Frégate

ses pattes rouges, contrastant avec son plumage brun clair, en font l'un des oiseaux les plus élégants des Galápagos. On le voit surtout dans les îles éloignées de l'archipel, notamment celle de Genovesa, où se trouve la plus grande colonie de fous à pattes rouges du monde, soit environ 250 000 oiseaux. Il s'agit là de l'un des rares lieux de nidification des fous à pattes rouges sur la planète.

Frégate magnifique *(fragata real)* : par opposition à la grande frégate, la frégatte magnifique va chercher sa nourriture tout près des îles et s'en distingue aussi car la femelle est plus facilement identifiable. Celle-ci possède un plumage blanc sous le bec et une fine lisière rouge qui encercle discrètement ses yeux. On peut l'observer dans les îles de Genovesa, Seymour, Wolf, Darwin, San Cristóbal et Isabela.

Grande frégate *(fragata común)* : cet oiseau de mer palmipède au long bec crochu et au plumage noir se signale surtout durant la saison des amours. Au cours de cette période, le mâle se met en évidence en gonflant sa gigantesque poche rouge située sous sa gorge afin d'attirer l'attention des femelles. On peut souvent apercevoir sa silhouette noire en train de planer au-dessus des îles de Darwin, Floreana, Genovesa, Española et Wolf.

Iguane marin *(iguana marina)* : ce saurien au dos dentelé est un parfait exemple de la théorie de Darwin, puisqu'il représente le seul reptile du monde à se nourrir d'algues marines. Dans le but de s'alimenter, ce végétarien peut plonger à plus de 10 m de profondeur, mais dépasse rarement les 3 m en raison des prédateurs. Sa queue plate et ses griffes aiguisées facilitent son adaptation au monde marin. L'iguane marin peut même boire de l'eau salée et en éliminer le sel par des glandes nasales en éternuant. Son espérance de vie est de 30 ans.

Iguane terrestre *(iguana terrestre)* : menacé de disparaître à cause des attaques répétées des chiens sauvages, il se rencontre principalement dans les îles de Plaza Sur, Isabela, Santa Cruz, Fernandina et Seymour. Reptile au régime végétarien, il est particulièrement friand des cactus et se reproduit entre les mois de novembre et mars.

Iguane

Manchot des Galápagos *(pingüino de Galápagos)* : ce petit palmipède d'une longueur de 40 cm, au plumage noir et blanc, se promène surtout dans les courants froids qui entourent les îles d'Isabela et de Fernandina. En plus d'être incapable de voler, cette espèce endémique est maladroite sur terre, mais se déplace rapidement avec grâce et élégance sous les vagues du Pacifique. Sa présence aux Galápagos est possible en raison du puissant courant froid de Humboldt, qui prend sa source en Antarticque, longe le Chili et le Pérou, puis bifurque vers l'ouest devant l'Équateur pour atteindre les îles de l'archipel. Évitez toutefois de l'appeler «pingouin», car, malgré qu'il soit défini comme un pingouin dans la langue de Shakespeare ainsi qu'en espagnol, sachez qu'il n'y a pas de pingouin aux Galápagos.

Moqueurs *(cucuves)* : il existe quatre espèces d'oiseaux moqueurs dans l'archipel : le moqueur de San Cristóbal, de Hood, de Floreana et des Galápagos. Ces oiseaux viennent au deuxième rang pour le nombre d'espèces, tout de suite après les célèbres pinsons de Darwin, dont on dénombre 13 espèces au total. La taille de ces oiseaux moqueurs n'excède pas 30 cm; ils se caractérisent par leur comportement curieux, criard et nerveux, pour ne pas dire insolent.

Mouette des laves *(gaviota de lava)* : espèce endémique au plumage gris foncé et dont les yeux sont cerclés de blanc, tandis que son bec et ses pattes sont de couleur noire.

Mouette à queue d'aronde *(gaviota de cola bifurcada)* : l'autre mouette des Galápagos est la seule espèce de mouette nocturne du monde. Cette espèce endémique possède de très grands yeux noirs cerclés de rouge. Son bec est noir et tacheté de petits points gris, et ses pattes sont rouges. Jadis traquée à la lumière du jour par des prédateurs, cette mouette cherche désormais sa nourriture le soir venu.

Pélican

Otarie *(lobo marino)* : elle possède un cou plus allongé que celui du phoque et se trouve sur les côtes de plusieurs îles de l'archipel. Chaque mâle, communément appelé *el macho*, accapare un territoire et copule avec les nombreuses femelles qui y habitent. Grâce à ses 175 kg à 225 kg, le mâle protège ses femelles et ses petits contre les attaques des requins et des autres mâles désirant s'approprier son territoire. Le mâle trônera sur son territoire aussi longtemps qu'il ne sera pas expulsé par un *macho* plus vigoureux. Il n'y a pas de phoques aux îles Galápagos. L'otarie possède des nageoires pectorales bien développées, alors que le phoque utilise pour cela ses nageoires caudales. La plus grande différence se situe au niveau des oreilles. L'otarie a de toutes petites oreilles, tandis que le phoque n'a pas d'oreilles visibles.

Otarie à fourrure *(foca peletera* ou *lobo de dos pelos)* : poussée aux frontières de l'extinction par les attaques incessantes des chasseurs dans la première partie du XXe siècle, l'otarie à fourrure est plus petite que l'otarie; elle possède un double poil, court et long, une grosse tête et de gros yeux, et est de plus nocturne. On dénombre environ 35 000 otaries à fourrure dispersées dans les îles de Fernandina, Santiago, Isabela, Marchena, Darwin et Wolf. Le poids du mâle oscille autour de 80 kg, alors que celui de la femelle est généralement deux fois moindre.

Pélican brun *(pelícano café)* : ce grand oiseau palmipède au plumage brun et à la tête blanche se retrouve surtout dans l'île d'Española, mais également dans celles qui se situent au centre de l'archipel. Il est facilement reconnaissable grâce à son long bec et à sa grande poche extensible qui sert à conserver les poissons jusqu'à ce qu'il les distribue à ses bébés.

Pinsons de Darwin *(Pinzones de Darwin)* : oiseaux qui ont réussi à faire connaître mondialement les îles Galápagos lorsqu'ils furent observés attentivement par Charles Darwin lors de son passage en 1835 et dont les données

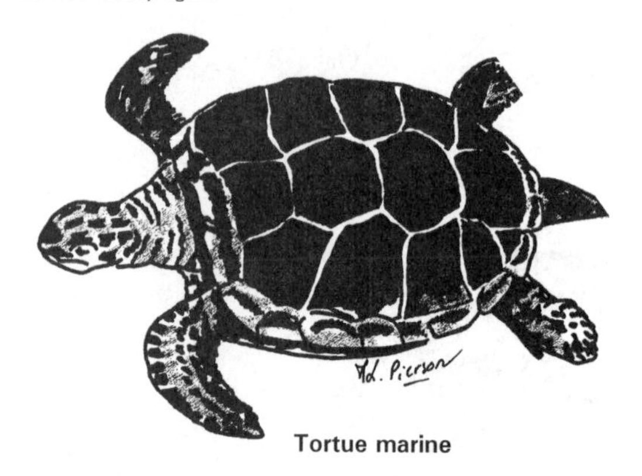

Tortue marine

servirent de base à sa désormais célèbre théorie sur l'évolution, publiée en 1859. On en dénombre 13 espèces réparties sur pratiquement toutes les îles de l'archipel, plus une autre sur l'île des Cocos, à l'ouest du Costa Rica. La principale différence entre les pinsons se situe au niveau de la dimension et de la forme de leur bec. Darwin constata qu'au cours de l'évolution de la famille des pinsons ceux-ci modifièrent et diversifièrent la forme de leur bec afin de pouvoir subsister dans l'environnement où ils se trouvaient. Le pinson végétarien, le pinson des arbres à petit bec, à bec moyen et à gros bec, le pinson terrestre à petit bec, à bec moyen, à gros bec et à bec aiguisé, le pinson des cactus, le grand pinson des cactus, le pinson des palétuviers, le pinson carpentier et le pinson chanteur font partie des 13 espèces de l'archipel des Galápagos.

Raie manta *(manta)* : ce poisson cartilagineux très mince ayant de puissantes nageoires en forme de triangle évolue près des fonds marins et peut atteindre des proportions gigantesques.

Requin marteau *(tiburón)* : il est devenu tristement célèbre bien malgré lui pour les prétendues qualités aphrodisiaques de ses ailerons. Depuis le début des années quatre-vingt-dix, un nombre incalculable de requins marteaux sont pêchés, mutilés, puis vendus à de riches acheteurs asiatiques. Ils n'ont pas l'habitude d'attaquer les plongeurs, mais si cette pratique malheureuse persiste, peut-être qu'un jour ils se transformeront en chasseurs...

Tortue géante *(tortuga gigante ou galápago)* : le reptile le plus populaire des Galápagos porte très bien son nom. En effet, ce dernier peut atteindre presque 2 m de long et peser plus de 230 kg. Ce végétarien ne possède aucune dent et digère tranquillement ses aliments sur une période de 10 jours. Un nombre incalculable de tortues géantes furent tuées par les pirates et les baleiniers. On utilisait entre autres les tortues pour nourrir l'équipage des bateaux naviguant sur le Pacifique. Aujourd'hui, il existe seulement deux types de tortues à travers les îles de l'archipel qui se différencient par la forme de leur carapace. Celles qui possèdent une carapace retroussée devant, en forme de selle, peuvent relever la tête pour atteindre leur nourriture, tandis que celles dont la carapace est en forme de dôme trouvent leur nourriture au ras du sol. Le mâle se différencie de la femelle par

Oiseaux des Galápagos

Oiseaux de mer

Albatros de Galápagos	Albatros des Galápagos
Cormorán no volador	Cormoran aptère
Piquero enmascarado	Fou masqué
Fragata común	Frégate grande
Fragata reál	Frégate magnifique
Pelícano café	Pélican brun
Piquero patas azules	Fou à pattes bleues
Piquero patas rojas	Fou à pattes rouges
Pájaro tropical	Paille-en-queue
Gaviota de cola bifurcada	Mouette à queue d'aronde
Gaviota de lava	Mouette des laves
Gaviota de Franklin	Mouette de Franklin
Golondirna de mar	Pétrel des tempêtes
Petrel Hawaiano	Pétrel hawaïen
Pufino	Puffin d'Audubon
Gaviotín	Noddi
Pinguino de Galápagos	Manchot des Galápagos

Oiseaux terrestres

Canario (María)	Fauvette jaune
Pájaro Brujo	Tyran à poitrine rouge
Papamoscas de Galápagos	Gobe-mouche des Galápagos
Cucuve de Galápagos	Merle moqueur des Galápagos
Cucuve de San Cristóbal	Merle moqueur de San Cristóbal
Cucuve de Española	Merle moqueur d'Española
Cucuve de Floreana	Merle moqueur de Floreana
Paloma de Galápagos	Tourterelle des Galápagos
Aguatero	Coucou à bec sombre
Martín de Galápagos	Martinet des Galápagos
Pachay	Râle des Galápagos
Gavilán de Galápagos	Buse des Galápagos
Lechuza de campanario	Effraie
Lechuza de campo	Hibou brachiotte

Pinsons de Darwin

Pinzón terrestre de pico pequeño	Pinson terrestre à petit bec
Pinzón terrestre de pico mediano	Pinson terrestre à bec moyen
Pinzón terrestre de pico grande	Pinson terrestre à gros bec
Pinzón terrestre de pico agudo	Pinson terrestre à bec aiguisé
Pinzón de cactus	Pinson des cactus
Gran pinzón de cactus	Grand pinson des cactus
Pinzón arbóreo mediano	Pinson des arbres à bec moyen
Pinzón arbóreo grande	Pinson des arbres à gros bec
Pinzón artesano (Carpintero)	Pinson carpentier
Pinzón de manglar	Pinson des palétuviers
Pinzón vegetariano	Pinson végétarien
Pinzón cantor	Pinson chanteur

Oiseaux de lac et de lagune

Flamenco	Flamant rose
Patillo de Bahamas	Canard des Bahamas
Tero real	Échasse
Garza blanca	Aigrette grande
Garza vaquera	Aigrette garde-bœuf
Falaropo	Phalarope à bec étroit
Falaropo de Wilson	Phalarope américaine

Oiseaux du littoral

Garza morena (azul)	Grand héron (bleu)
Garza de lava	Héron des laves
Garza nocturna (Huaque)	Héron de nuit
Zarapito	Courlis
Ostrero Americano	Huîtrier
Vuelvepiedras	Tourne-pierre
Chorlitejo	Pluvier gravelot semi-palmé
Agachadiza errante	Chevalier de mer
Playero	Bécasseau
Águila pescadora	Balbuzard fluviatile

sa grande queue. En 1979, trois mois avant une éruption volcanique survenue dans l'île d'Isabela, les tortues de la artie sud de l'île commencèrent à se diriger rapidement vers le nord. Les scientifiques en ont déduit que les pattes des tortues sont tellement sensibles qu'elles peuvent sentir le mouvement du magma qui arrive à ébullition avant une éruption volcanique. Les femelles pondent leurs œufs entre les mois de juin et décembre. La tortue géante vit généralement au sommet des îles et s'avère très différente de la tortue marine (décrite ci-dessous).

Tortue marine *(tortuga marina)* : on connaît huit espèces de tortues marines dans le monde, mais quatre d'entre elles vivent dans l'archipel, notamment la tortue noire, qui n'existerait nulle part ailleurs. Il s'agit d'une tortue habitant près des côtes et se nourrissant d'algues marines, mais également de racines et de feuilles de palétuviers sur la terre ferme. Les autres tortues marines vivent et se nourrissent uniquement dans la mer, et ne viennent sur les plages que pour se reproduire. Pour ces espèces, la saison des amours se déroule surtout en décembre et en janvier, tandis que la ponte peut avoir lieu durant toute l'année, bien qu'elle survienne principalement entre janvier et juin. Les tortues abandonnent chaque année plusieurs centaines d'œufs sur les plages de l'archipel. Peu de temps après l'éclosion des œufs, l'instinct des bébés tortues les oriente vers l'océan. Les principaux prédateurs des tortues marines sont les requins et certains mammifères marins tels que les orques. Les tortues nouvellement écloses peuvent être dévorées par des crabes ainsi que par des chiens errants.

POUR S'Y RETROUVER SANS MAL

En avion

La compagnie aérienne **TAME** propose des départs du lundi au samedi à partir de Quito ou de Guayaquil. Le prix du billet aller-retour se chiffre à 330 $ de Guayaquil, et à 370 $ de Quito. Le vol dure 1 heure 30 min. Il y a un seul départ et une seule arrivée par jour à Baltra. En arrivant à l'aéroport de Baltra, on vous demandera la somme de 80 $ plus environ 5 $ de taxes municipales. Ensuite, on vous remettra une liste contenant les règlements du parc national. Ces règlements sont importants et méritent qu'on y accorde une attention particulière.

Si vous devez prendre part à une croisière organisée, une personne vous attendra à l'aéroport et vous accompagnera jusqu'à votre bateau. Cependant, si vous prévoyez organiser votre visite des îles une fois sur place, vous devrez vous rendre directement à Puerto Ayora, sur l'île de Santa Cruz. De l'aéroport de Baltra, vous devrez prendre un autocar et un bateau, puis un deuxième car, qui vous conduira à Puerto Ayora. Ce trajet dure environ 1 heure 30 min et coûte aux alentours de 4 $.

Depuis quelques années, les compagnies aériennes **SAN** et **SAETA** assurent des liaisons tous les jours, sauf le jeudi et le dimanche, entre Quito-Guayaquil et l'île de San Cristóbal. Le prix du billet est sensiblement le même que celui proposé par TAME. Cependant, assurez-vous que votre croisière débute à San Cristóbal, car, si elle commence à Santa Cruz, cela risque de vous causer des problèmes de transport. Il n'y a aucune liaison aérienne entre les deux aéroports.

Comment se déplacer entre les îles?

Les Galápagos s'étendent sur une superficie de 8 000 km²; 97 % du territoire sont considérés comme aire protégée, tandis que le reste est réservé à l'habitation. Afin de protéger et de conserver la faune et la flore, les autorités du parc et la Station Charles Darwin ont décidé de limiter l'accès aux îles à environ 51 points de visite, reliés par des sentiers pédestres aménagés dans le but de permettre aux touristes d'observer les merveilles de la nature. Mis à part quelques îles, on ne peut visiter l'archipel sans avoir recours aux services d'un guide certifié. Il n'existe aucun service régulier qui assure des liaisons entre les îles de l'archipel. En effet, il n'y a que deux façons d'accéder aux points de visite. La première est de participer à une croisière organisée avant d'arriver sur place selon un programme et un itinéraire prévus longtemps à l'avance. La deuxième est de loger à Puerto Ayora ou à Puerto Baquerizo Moreno et d'organiser une excursion de courte durée ou une croisière avec le concours des agences qui se trouvent sur les lieux. Le prix moyen pratiqué par ces agences est d'environ 50 $ par jour par personne. Toutefois, de nombreuses formules d'accompagnement sont proposées par les agences en fonction du service qui vous convient.

En bateau

La compagnie maritime **INGALA** assure des liaisons depuis Puerto Ayora jusqu'à Puerto Baquerino Moreno deux fois par semaine, le mardi et le samedi matin. En sens inverse, le trajet s'effectue le mercredi et le lundi matin. Comptez environ 40 $ pour l'aller simple.

Les débarquements dans les îles

Par ailleurs, pour éviter de détruire l'écosystème fragile de l'archipel, les bateaux jettent l'ancre à une certaine distance des îles à visiter. Les débarquements dans les îles mêmes s'effectuent par l'intermédiaire d'embarcations appelées *pangas*. Ces dernières peuvent seulement accueillir une dizaine de personnes. Le débarquement de la *panga* s'effectue de deux façons : à gué ou à pied. Le débarquement à gué implique que les visiteurs enlèvent préalablement leurs chaussures, remontent leurs pantalons, puis, au moment où la *panga* arrive près de l'île, en eaux peu profondes, descendent tranquillement et marchent jusqu'à la plage. Ceux qui ont la plante des pieds sensible peuvent se munir de sandales. Le débarquement à pied permet aux voyageurs de descendre doucement sur les roches volcaniques, une fois que la *panga* s'en sera approchée. Faites attention, car les roches peuvent parfois être mouillées et glissantes.

RENSEIGNEMENTS PRATIQUES

Quand partir?

La haute saison s'étale du mois de juin au mois d'août et du début de décembre à la fin de janvier. Durant ces périodes, les places sur les bateaux ainsi que dans les hôtels sont limitées, et les prix grimpent.

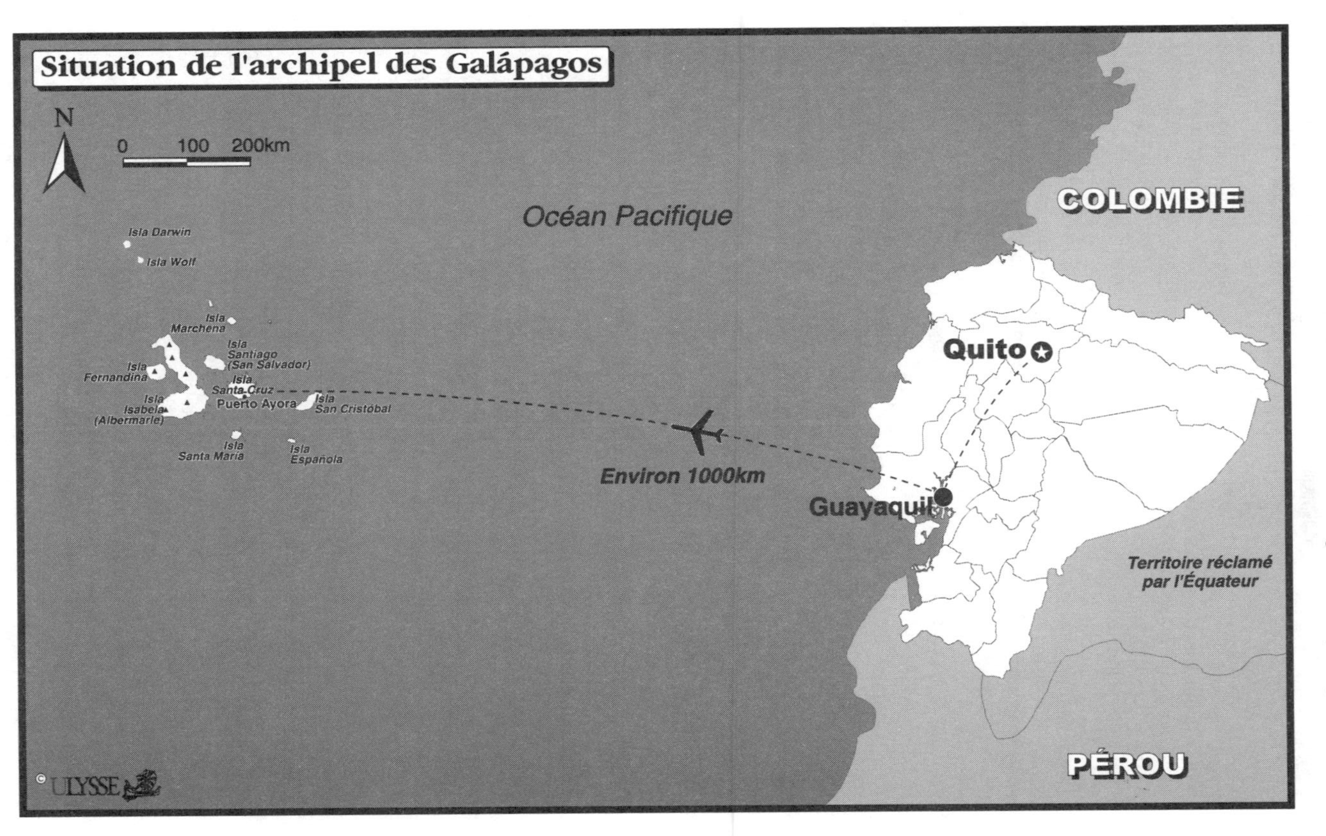

Situation de l'archipel des Galápagos
N
0 100 200km
Océan Pacifique
Isla Darwin
Isla Wolf
Isla Marchena
Isla Santiago (San Salvador)
Isla Fernandina
Isla Santa Cruz
Isla Isabela (Albermarle)
Puerto Ayora
Isla San Cristóbal
Isla Santa María
Isla Española
Environ 1000km
Quito
Guayaquil
COLOMBIE
Territoire réclamé par l'Équateur
PÉROU
© ULYSSE

Le climat

Les îles Galápagos offrent un climat sec et tempéré durant toute l'année. On distingue toutefois deux saisons aux Galápagos, soit la saison des pluies, de janvier à juin, et la saison sèche, de juillet à décembre. Durant la saison des pluies, la température est agréable, tandis que les averses sont rares et brèves. De plus, il s'agit du meilleur temps pour s'adonner à des activités nautiques, car la température de l'eau est plus chaude que durant la saison sèche. Au cours de cette dernière saison, le ciel peut s'assombrir à l'occasion, et le vent souffle assez fort.

L'heure locale

Une heure de moins que sur le continent.

L'électricité

Puisqu'on ne dispose d'aucune génératrice de secours et que les génératrices en place sont très vieilles, on coupe l'électricité tous les jours à partir de minuit, puis on rétablit le courant à 5 h du matin par souci d'économie.

Comment visiter les Galápagos?

D'une part, de nombreuses agences de voyages de Quito, de Guayaquil et même de votre pays peuvent facilement vous organiser une croisière aux Galápagos. Évidemment, cette solution s'avère plus coûteuse, car vous devez passer par plusieurs intermédiaires. Ces agences proposent une multitude d'itinéraires ainsi que différents types d'embarcations. Certaines excursions coûtent plus de 1 000 $ par personne pour une semaine; les embarcations utilisées sont alors plus confortables, la nourriture se révèle excellente, et les guides naturalistes s'avèrent très qualifiés. Toutefois, il est possible de visiter les îles en une semaine pour environ 800 $. Afin de réserver une cabine sur un navire, il est impératif de transiger avec une agence de Quito, de Guayaquil ou de votre pays, car les communications des îles sont très difficiles à recevoir.

D'autre part, il est possible d'organiser une visite de l'archipel une fois que vous serez arrivé dans l'île de Santa Cruz. Cette option peut s'avérer plus économique, mais présente certains inconvénients. En effet, si votre temps est limité, vous serez contraint de choisir la première croisière qui vous sera proposée. Ainsi, il se peut que certaines îles qui vous intéressaient davantage ne figurent pas sur cet itinéraire. De plus, les meilleurs bateaux affichent souvent complet. Durant les périodes touristiques, même les embarcations sont difficiles à trouver. Néanmoins, si vous décidez de choisir cette solution, afin d'éviter tout malentendu, demandez à voir le bateau avant de signer le contrat. De plus, le contrat doit clairement indiquer l'itinéraire proposé, les îles à visiter, le temps des visites sur les îles et les conditions de restauration (repas inclus ou non).

Il existe environ une centaine de bateaux de toutes tailles qui naviguent dans les eaux de l'archipel. La qualité des guides, de la nourriture et des chambres varie d'un bateau à l'autre. Évidemment, les plus gros bateaux, et les plus chers, proposent aux voyageurs de meilleurs services. De plus, ils disposent de moteurs plus puissants

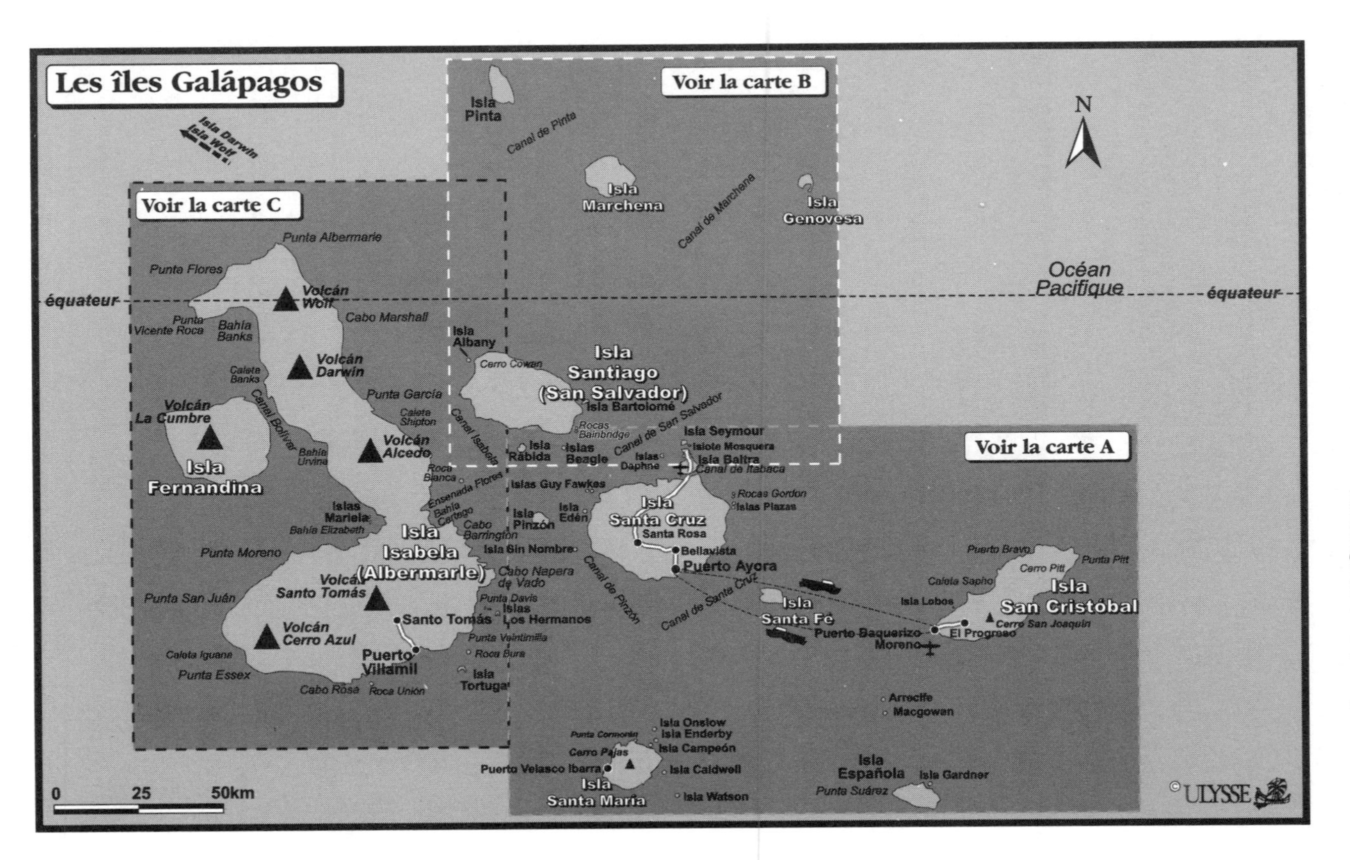
Les îles Galápagos
Voir la carte B
Voir la carte C
Voir la carte A
N
Océan Pacifique
équateur
Isla Darwin
Isla Wolf
Isla Pinta
Canal de Pinta
Isla Marchena
Canal de Marchena
Isla Genovesa
Punta Albermarle
Punta Flores
Volcán Wolf
Cabo Marshall
Punta Vicente Roca
Bahía Banks
Caleta Banks
Volcán Darwin
Volcán La Cumbre
Canal Bolívar
Bahía Urvina
Volcán Alcedo
Punta García
Caleta Shipton
Isla Fernandina
Isla Albany
Cerro Cowan
Isla Santiago (San Salvador)
Isla Bartolomé
Rocas Bainbridge
Canal de San Salvador
Canal Isabela
Isla Rábida
Islas Beagle
Islas Daphne
Isla Seymour
Islote Mosquera
Isla Baltra
Canal de Itabaca
Roca Blanca
Ensenada Flores
Bahía Cartago
Cabo Barrington
Islas Guy Fawkes
Rocas Gordon
Islas Plazas
Islas Mariela
Bahía Elizabeth
Isla Pinzón
Isla Edén
Isla Santa Cruz
Santa Rosa
Bellavista
Puerto Ayora
Punta Moreno
Isla Isabela (Albermarle)
Isla Sin Nombre
Cabo Napera de Vado
Canal de Pinzón
Canal de Santa Cruz
Punta San Juán
Volcán Santo Tomás
Santo Tomás
Punta Davis
Islas Los Hermanos
Isla Santa Fé
Puerto Bravo
Cerro Pitt
Punta Pitt
Caleta Sapho
Isla Lobos
Isla San Cristóbal
Cerro San Joaquín
El Progreso
Puerto Baquerizo Moreno
Volcán Cerro Azul
Caleta Iguana
Punta Essex
Puerto Villamil
Punta Veintimilla
Roca Bura
Isla Tortuga
Cabo Rosa
Roca Unión
Arrecife Macgowen
Punta Cormorán
Cerro Pajas
Isla Onslow
Isla Enderby
Isla Campeón
Puerto Velasco Ibarra
Isla Caldwell
Isla Santa María
Isla Watson
Isla Española
Isla Gardner
Punta Suárez
0 25 50km
© ULYSSE

leur permettant de franchir de grandes distances plus rapidement. Les embarcations plus petites, quant à elles, offrent généralement un service plus personnalisé, mais se déplacent moins rapidement que les gros bateaux et peuvent parfois subir les affres de la mer lorsque celle-ci décide de s'agiter brusquement.

Ceux qui ne supportent pas de dormir en mer peuvent s'embarquer pour une croisière qui fait escale dans certaines îles, où ils pourront dormir dans un hôtel avant de continuer leur visite. Quelques agences proposent ce type de voyage, notamment **Metropolitan Touring** (voir p 57). Son bateau, le *Delfín*, est propulsé par un puissant moteur lui permettant d'accéder à certaines îles plus éloignées. Cette agence est une véritable institution en Équateur. Elle a été la première à organiser des visites aux Galápagos au début des années soixante. Elle possède quelques bateaux de croisière de luxe et un voilier pouvant accommoder 11 passagers. Son bateau de croisière, le *Santa Cruz*, est considéré parmi les meilleurs de l'archipel et peut accueillir jusqu'à 90 passagers. Des guides naturalistes hors pair et un médecin font partie de l'équipage de chacune des embarcations, lesquelles disposent de cabines spacieuses munies de salles de bain privées avec eau chaude. De plus, on y prépare des repas d'une qualité remarquable.

L'agence **Nuevo Mundo** *(Avenida Curuña 1349 et Orellana, P.O. Box 402-A, ☎ 02-552-617, ⇄ 565-261, nmundo@uio.telconet.net)* possède deux bateaux de dimension moindres, mais qui conviendront parfaitement aux voyageurs souhaitant visiter les îles dans un cadre plus chaleureux. Son personnel est on ne peut plus professionnel.

Angermeyer's Enchanted Excursions *(Calle Fosh 769 et Avenida Amazonas, Quito, ☎ 02-569-960, ⇄ 569-956)* et **Quasar Naútica** *(Avenida Shyris 2447, Quito, ☎ 02-446-996, ⇄ 436-625)* proposent des visites des Galápagos à bord de yachts.

L'agence **Canodros SA** *(Guayaquil, Calle Luis Urdaneta 1418 et Avenida del Ejército, ☎ 04-285-711, ⇄ 287-651, eco-tourism1@canodros.com.ec, http://mia.lac.net/canodros)* jouit d'une bonne réputation pour la qualité de ses services.

Contrairement à la plupart des autres agences, **Ecoventura** *(Quito, Avenida Colón 535 et Avenida 6 de Diciembre, ☎ 02-507-409, ⇄ 507-409, Guayaquil, ☎ 04-201-206, ⇄ 202-990, ecosales@ecoventura.com.ec)* débute ses visites des îles depuis Puerto Baquerizo Moreno, sur l'île de San Cristóbal.

L'agence **Galasam** est reconnue pour ses visites des îles à prix économiques :

Guayaquil
Avenida 9 de Octubre et Avenida Gran Pasaje Building,
11ᵉ étage, bureau 1106
☎ (04) 306-289
⇄ 313-351
galapagos@galasam.com.ec
http://mia.lac.net/galasam/galasam.htm

Quito
Calle Pinto 523 et Avenida Amazonas
☎ (02) 507-079 ou 507-080

Certaines agences combinent la plongée sous-marine aux visites. Parmi celles-ci, l'une des meilleures est sans doute **Galamazonas**. Ses bateaux sont très bien équipés, et son personnel est

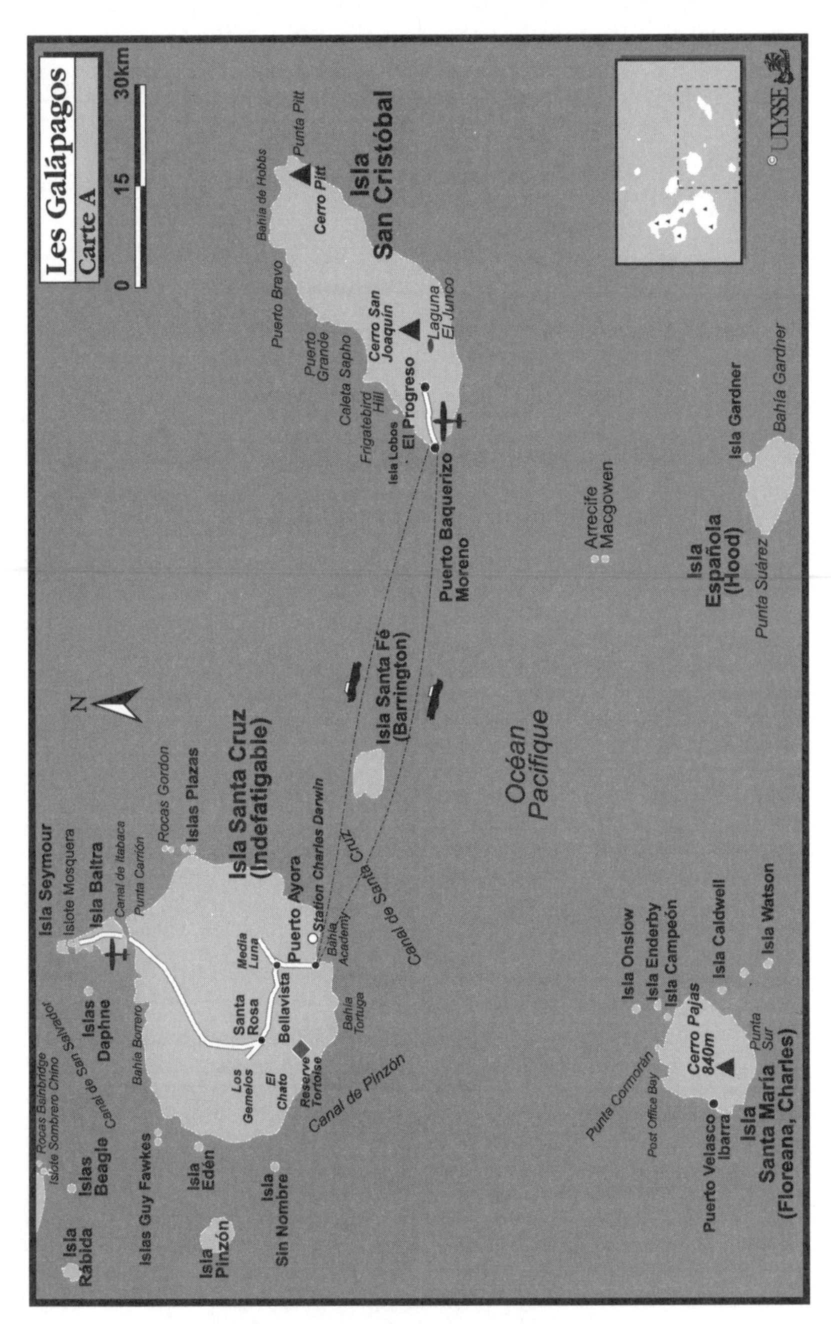
Les Galápagos
Carte A
0
15
30km
N
Isla Rábida
Isla Pinzón
Islas Guy Fawkes
Isla Sin Nombre
Isla Edén
Islas Beagle
Rocas Bainbridge
Islote Sombrero Chino
Canal de San Salvador
Islas Daphne
Bahía Borrero
Isla Seymour
Islote Mosquera
Isla Baltra
Canal de Itabaca
Punta Carrión
Rocas Gordon
Islas Plazas
Isla Santa Cruz
(Indefatigable)
Los Gemelos
El Chato
Reserve Tortoise
Santa Rosa
Bellavista
Media Luna
Puerto Ayora
Station Charles Darwin
Bahía Academy
Bahía Tortuga
Canal de Pinzón
Canal de Santa Cruz
Isla Santa Fé
(Barrington)
Océan Pacifique
Puerto Baquerizo Moreno
Isla Lobos
El Progreso
Frigatebird Hill
Caleta Sapho
Puerto Grande
Puerto Bravo
Cerro San Joaquín
Laguna El Junco
Bahía de Hobbs
Cerro Pitt
Punta Pitt
Isla San Cristóbal
Arrecife Macgowen
Isla Gardner
Bahía Gardner
Isla Española
(Hood)
Punta Suárez
Isla Onslow
Isla Enderby
Isla Campeón
Isla Caldwell
Isla Watson
Cerro Pajas
840m
Punta Sur
Punta Cormorán
Post Office Bay
Puerto Velasco Ibarra
Isla Santa María
(Floreana, Charles)
© ULYSSE

très compétent. Elle organise également des visites de type standard. Pour plus de renseignements, communiquez avec elle aux adresses suivantes :

Guayaquil
Tomás Martínez 102
☎ (04) 563-333 ou 563-060
⇄ 563-771

Quito
Avenida 10 de Agosto 6116
P.O. Box 09-01-5600
☎ (02) 241-555
⇄ 436-994

Suisse
Subex Int. Tauchsportzentren
31, rue Bettenstrabe
CH-4123 Allschwil
☎ (061) 481-0782
⇄ 481-4692

Le propriétaire de l'agence **GALÁPAGOS sub-aqua** *(Avenida Charles Darwin, Puerto Ayora, Santa Cruz, ⇄ 593-04-304-132 à Guayaquil)*, Fernando Zambrano, possède une quinzaine d'années d'expérience en plongée sous-marine, de même qu'une solide formation en océanographie, et il organise des visites intéressantes du monde marin. Il s'agit d'un des seuls endroits dans les îles où l'on peut prendre un cours de plongée sous-marine.

Les pourboires

La plupart des meilleurs bateaux de croisière possèdent de très bons guides. Ils offrent un excellent service, ce qui signifie un bon pourboire aux yeux des guides ou des serveurs. À l'instar des serveurs, les guides ont un salaire de base dérisoire et comptent généralement sur leurs pourboires afin de pouvoir subsister. En principe, si vous êtes capable de vous offrir un voyage aux Galápagos ou de vous payer un excellent repas dans un bon restaurant, vous êtes en mesure de laisser un pourboire en conséquence.

Isla Santa Cruz

Bureau de tourisme

CETUR
Avenida Charles Darwin *(lun-ven 8 h à 12 h et 14 h à 16 h)*

Poste de télécommunication (EMETEL) *(en sortant de Puerto Ayora, en direction de Baltra).*

Les communications du continent sont extrêmement difficiles à recevoir. Soyez patient.

Bureau de poste *(à Puerto Ayora, à côté de l'église)*

Les lettres prennent beaucoup de temps à se rendre à destination. Parfois, elles se perdent. Si vous devez expédier du courrier important, il est préférable d'attendre d'être revenu sur le continent.

Banque

Banco del Pacifico *(à Puerto Ayora)*
Avenida Charles Darwin
(à côté de l'Hotel Solymar)
Lun-ven 8 h à 12 h 30

Le taux de change est moins avantageux qu'à Quito ou Guayaquil. Il est impossible de retirer de l'argent avec sa carte de crédit. Toutefois, la boutique de souvenirs en face de la banque peut vous avancer de l'argent sur votre carte de crédit.

Autocar ***(terminal terrestre)***
(à Puerto Ayora, en face du terrain de volley-ball).

Les départs pour l'aéroport ont lieu tous les matins à 8 h; le bureau ouvre ses portes à 7 h. Le coût du trajet s'élève autour de 5 $, et le voyage peut durer environ 1 heure 30 min.

Librairie *(à Puerto Ayora)*

À côté de l'Hotel Angermayer, la **Libreria Galapaguito** vend des livres d'occasion et neufs.

Location de vélos *(à Puerto Ayora)*

À côté du restaurant chinois Asia
Avenida Charles Darwin

ATTRAITS TOURISTIQUES

La toponymie des îles est variée. En effet, certaines îles peuvent porter un ou plusieurs noms. En plus d'une désignation géographique, les îles portent également les noms de pirates, capitaines, amiraux, rois et visiteurs importants qui ont navigué dans les eaux de l'archipel.

Isla Baltra

La majorité des touristes visitant les Galápagos arrivent par voie aérienne à l'aéroport de Baltra. La piste d'atterrissage fut construite par les Américains lors de la Deuxième Guerre mondiale, et c'était à l'époque la plus longue piste en Amérique du Sud. Ils ont également construit une base militaire pour protéger le canal de Panamá. Pendant toute cette période, les iguanes terrestres foisonnaient, mais au dire des habitants de l'archipel, lorsque les militaires n'avaient rien à faire, ils s'amusaient tout bonnement à les prendre comme cible d'entraînement. En conséquence, les iguanes ont aujourd'hui disparu. Il faut toutefois préciser que la présence d'animaux sauvages introduits dans l'île a également contribué à l'élimination des iguanes.

Peu avant le déclenchement de la guerre, en 1933, un riche et excentrique Américain dénommé Allan Hanrock eut l'idée de capturer environ 70 iguanes terrestres de Baltra pour les amener dans l'île de Seymour. La population d'iguanes de Seymour tourne aujourd'hui autour de 200 spécimens.

Vous devez faire un trajet d'une quinzaine de minutes avant d'arriver à un petit quai où un traversier vous attend pour vous conduire dans l'île de Santa Cruz. De là, un autocar vous emmènera jusqu'à Puerto Ayora, ce qui représente un voyage de près de deux heures au total et dont le tarif se chiffre autour de 5 $.

Isla Santa Cruz (Indefatigable) ★★★

Il s'agit de l'île la plus peuplée de l'archipel. Sa ville principale est **Puerto Ayora**, le nerf commercial du tourisme local; elle est traversée par l'avenue Darwin, où sont installés la grande majorité des hôtels, des restaurants et des boutiques de souvenirs.

En 1959, 100 ans après la publication de la célèbre théorie de l'évolution de

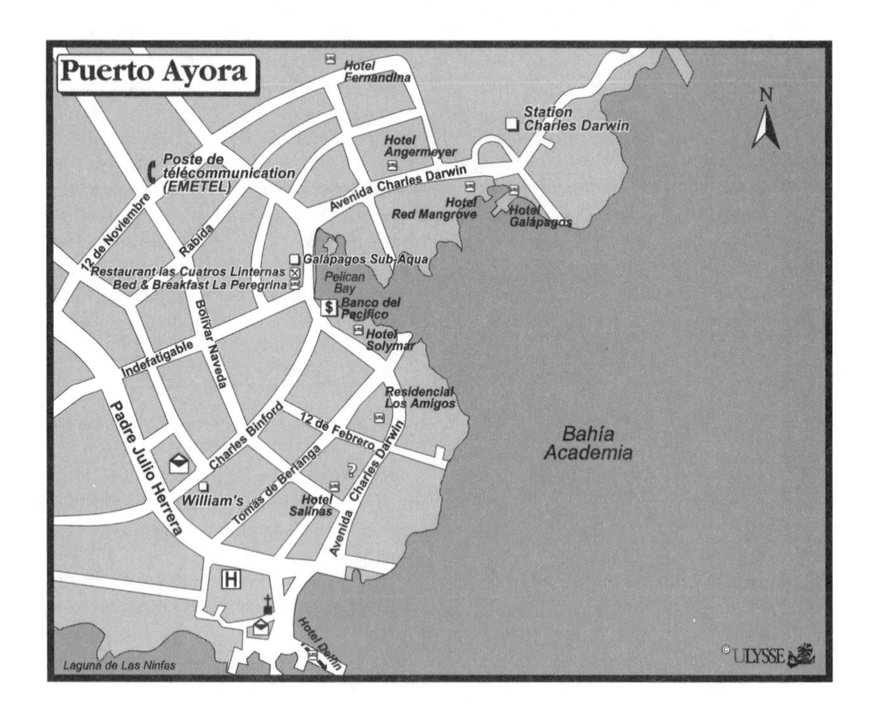

Charles Darwin, la fondation qui porte désormais son nom voit le jour à Bruxelles après qu'une équipe de scientifiques eut réalisé des test de faisabilité sur les animaux et la végétation insolite qui prospèrent dans l'île de Santa Cruz. C'est ainsi que, cinq ans plus tard, la **Station Charles Darwin** *(lun-ven 8 h à 18 h; à côté de l'Hotel Galápagos, une quinzaine de minutes de marche à l'est du centre-ville; nzpcd01@sivm.si.edu)* fut inaugurée en 1964 afin de chercher des solutions aux nombreux problèmes qui affligent la faune et la flore des îles. Elle vise à protéger les espèces animales et végétales, à éliminer les animaux allochtones introduits dans les îles qui menacent la survie des espèces indigènes ainsi qu'à éduquer le public sur les questions environnementales. Elle travaille en collaboration avec l'UNESCO, l'UICN (Union internationale pour la conservation de la nature) et le parc national. Elle dispose de sentiers sillonnant une végétation aride où foisonnent les cactus et abrite entre autres le **Centre d'élevage et d'incubation des tortues géantes**. Durant la saison de reproduction, des chercheurs viennent cueillir les œufs pour les transporter au Centre. Après l'éclosion, les tortues sont surveillées jusqu'à l'âge de cinq ans avant d'être relâchées dans leur île d'origine. Ce processus a été mis sur pied en 1970 dans le but de sauvegarder l'existence des tortues menacées de disparition à plus ou moins long terme. Cette méthode connaît déjà du succès, car deux sous-espèces menacées de disparition ont pu être sauvées.

Tout près du Centre, on peut observer une tortue géante connue sous le nom de «Solitaire Georges», dernière survivante de son espèce. Elle a été trouvée en 1971 dans l'île de Pinta par un groupe de scientifiques venus effectuer des recherches sur les oiseaux de mer. Une semaine plus tard, une expédition fut organisée dans le but de la ramener sur Santa Cruz. Aujourd'hui encore, elle est gardée en captivité dans l'espoir qu'un jour on puisse trouver une femelle avec laquelle elle pourra s'accoupler. Une récompense énorme est offerte à toute personne qui lui trouvera une partenaire n'importe où à travers le monde.

Située dans la Station Charles Darwin, une **bibliothèque scientifique** *(lun-ven 9 h 30 à 12 h et 13 h à 16 h 30)*, ouverte au public, permet à ceux qui le désirent d'approfondir leurs connaissances des îles Galápagos.

Le petit **musée Van Straelen** fait également partie de la station scientifique. Il raconte l'évolution des îles à travers les années.

Les boutiques de la Station vendent des t-shirts souvenirs. Les fonds servent directement à financer les recherches des scientifiques.

Légalement, il n'est pas encore nécessaire de recourir aux services d'un guide pour visiter la **Tortoise Reserve** *(à 5 km du village de Santa Rosa)*. Néanmoins, il est fortement recommandé d'en engager un, car le territoire est vaste, il est facile de s'y perdre, et les panneaux indicateurs sont rares. Depuis quelques années, des accidents, parfois mortels, ont lieu par manque d'orientation et de connaissance des lieux. Dans cette réserve, on peut observer les célèbres tortues géantes en liberté, et vous pourrez même avoir le plaisir de louer des chevaux et de vous promener à votre guise. N'oubliez pas d'apporter de l'eau. Tout près de la réserve, il vous est loisible de faire un saut au **Rancho Mariposa**. Il s'agit d'une propriété privée appartenant à Steve Divine. Sur cette ferme, particulièrement entre les mois d'octobre à juin, les tortues géantes foisonnent. De plus, on y trouve aussi un petit restaurant sans prétention qui sert des plats simples mais convenables. Si cette excursion vous intéresse, informez-vous auprès des nombreuses agences de Santa Cruz pour en savoir davantage.

Une marche de Puerto Ayora d'environ 30 min depuis le centre-ville vous mènera à la magnifique plage de sable «blanc» de **Turtle Bay**. Vierge d'hôtels et de restaurants, elle se prête agréablement bien à la baignade et à la détente.

Los Gemelos (les jumeaux) *(sur la route de Baltra)* doivent leur nom à la formation de lave solidifiée de deux cratères d'environ 30 m de profondeur situés tout près de la route.

En moins de deux heures de marche depuis Bellavista, parmi de magnifiques orchidées, vous accédez à la **Media Luna**, un cratère en forme de demi-lune.

Whale Bay *(à l'ouest de l'île de Santa Cruz)*, accessible par bateau, recèle quelques vestiges de tessons de céramique, ce qui prouve que cet endroit fut jadis visité par les pirates et les baleiniers.

Accessible uniquement par bateau, le nouveau point de visite **Cerro Dragon** *(au nord-ouest de l'île de Santa Cruz)* doit son nom aux iguanes terrestres aux allures préhistoriques qui se baladent tranquillement sur le site. Il n'est pas assuré que vous ayez l'occasion d'en observer, car ils ont longtemps été chassés et ne sont réapparus dans l'île que depuis peu. Le sentier qui serpente à travers les cactus passe d'abord le long d'une lagune saumâtre où vous aurez peut-être la chance de voir quelques flamants roses.

Isla Plaza Sur y Norte ★★★

Le nom de ces îles fut donné en l'honneur du général Leonidas Plaza, ancien président de la République Sises à l'est de Santa Cruz, ces deux îles jumelles sont situées face à face, mais seule Plaza Sur peut être visitée. Elle s'étale sur à peine 1 km², mais abrite une impressionnante population d'otaries et d'iguanes terrestres. Un sentier vous mènera au sud de l'île le long d'une falaise d'où vous aurez une magnifique vue sur la mer ainsi que sur la faune ailée. À cause de sa proximité de Puerto Ayora (environ deux heures par bateau), il s'agit de l'une des îles les plus fréquentées par les touristes.

Si vous en avez la chance, allez nager avec les otaries, mais ne vous aventurez pas trop dans leur territoire, car elles peuvent vous mordre si elles se sentent menacées.

Isla Seymour ★★

Située au nord de Baltra, Seymour, malgré sa petite superficie (2 km²), abrite néanmoins l'une des plus grandes colonies de frégates magnifiques de toutes les îles de l'archipel. Des fous à pattes bleues s'y trouvent également en grand nombre. Parmi les autres espèces de la faune ailée qui y ont élu domicile figurent les célèbres pinsons de Darwin et les mouettes à queue d'aronde. Des otaries et quelques iguanes terrestres constituent les autres habitants de cette île. Les iguanes terrestres de Seymour furent introduits en 1933 depuis Baltra par l'excentrique millionnaire américain Allan Hanrock.

Ici, on vous propose une promenade le long de la plage où vous pourrez observer des pélicans et des iguanes marins. En raison de sa proximité avec Santa Cruz, Seymour, à l'instar de Plaza Sur, attire un grand nombre de touristes chaque année. En conséquence, les sentiers de l'île commencent à être dangereusement battus. Par respect envers les habitants de l'archipel, faites attention où vous marchez, et, de grâce, restez dans les sentiers.

Isla Mosquera ★★

Baignant entre Seymour et Baltra, la petite île de Mosquera s'étire sur à peine 120 m et présente des attraits un peu moins spectaculaires qu'Isla Seymour. Néanmoins, elle possède une impressionnante colonie d'otaries, probablement l'une des plus importantes de l'archipel. Outre les otaries, il y a peu à voir, car il y a peu de végétation, mais les voyageurs pourront s'adonner à la baignade et à la plongée-tuba dans les eaux limpides qui entourent ce petit banc de sable.

Isla Santa Fé (Barrington) ★★

Les origines de cette petite île de 24 km^2, sise à 20 km au sud-est de Santa Cruz, remontent à près de 4 millions d'années et la classent comme étant l'une des plus vieilles îles de l'archipel. Elle est sillonnée de deux sentiers balisés. Le premier traverse une grande forêt de cactus géants dont les troncs peuvent atteindre 1 m de diamètre, tandis que le deuxième offre une courte promenade au milieu de la rocaille. Celui-ci débute son tracé tranquillement, devient rapidement un peu plus abrupt et aboutit à l'unique endroit au monde où l'on retrouve l'iguane terrestre *(Conolophus pallidus)*, lequel se distingue par sa constitution plus robuste, sa crête plus développée, ses yeux rouges vifs et ses couleurs plus ternes.

Isla Daphne ★★★

Située à l'ouest d'Isla Seymour, cette île a un accès plutôt restreint. En effet, à cause des différentes recherches scientifiques qu'on y conduit, elle ne peut être visitée qu'une fois par mois par une seule embarcation ne pouvant transporter plus de 12 personnes. Un couple de biologistes anglais y effectue des études sur les célèbres pinsons de Darwin depuis 1973.

Sa géologie se distingue par l'émergence de deux cratères constitués de roches poreuses légères, formées de cendres volcaniques cimentées et communément désignées par le terme «tufs». Un sentier vous conduira au sommet des deux cratères, au fond desquels des fous à pattes bleues se sont installés. On peut parfois assister à des confrontations entre les fous et les frégates. Ces dernières sont reconnues pour être des brigands de l'air et essayent souvent de voler la nourriture des fous. Si l'occasion se présente, elles tenteront également de subtiliser leurs œufs.

Isla Santa María (Floreana ou Charles) ★★★

Elle s'étale sur 173 km^2 et se trouve dans la partie sud du monde insulaire des Galápagos; elle constitue l'une des cinq îles habitées de l'archipel. Le patronyme espagnol attribué à l'île de Santa María évoque le nom de l'une des caravelles de Christophe Colomb. Floreana tire son nom du premier président de la République, Juan José Flores, qui, durant son règne, étendit les territoires sous juridiction de l'Équateur jusqu'aux îles Galápagos. Le nom de Charles évoque la mémoire du roi Charles II d'Angleterre.

En 1807, le premier à s'établir dans cette île était un Irlandais dénommé Patrick Watkins. Il avait la réputation d'être un gros buveur qui passait son temps sous les effets de l'alcool. Quelques années plus tard, il vole un bateau et lève les voiles pour Guayaquil avec quelques esclaves à bord. Watkins parvient à destination, mais sans les esclaves. Personne n'a jamais su ce qui s'était passé avec eux.

L'île fut officiellement annexée à l'Équateur le 12 février 1832, lorsque le général Villamil y établit la première colonie composée de soldats exilés et de prisonniers.

Un peu moins de 100 ans plus tard, en 1924, un ambassadeur norvégien en Équateur retourne dans son pays d'origine et vend illégalement à environ 200 familles des parcelles de l'île de Floreana, avec l'assurance qu'il s'agit de terres fertiles pour l'agriculture et pour l'élevage. En réalité, les futurs habitants ignoraient que l'île est pratiquement composée de laves et de roches, et que le gouvernement équatorien donnait gratuitement, jusqu'aux années cinquante, un lopin de terre à tous ceux qui voulaient s'installer dans l'archipel afin de le peupler tout en y développant l'agriculture. Ces Norvégiens amenèrent avec eux des tracteurs, des ânes, des chèvres et des semences, mais constatèrent bientôt qu'ils avaient été victimes d'une arnaque. Déçus mais tenaces, ils tentent tout de même de s'y établir. Deux ans plus tard, ils doivent abandonner l'île en laissant derrière eux leurs animaux domestiques. Ces animaux constituent aujourd'hui l'un des plus grands dangers qui menace l'écosystème de l'archipel.

Au début du XXe siècle, l'île fut le théâtre d'événements pour le moins étranges. En 1929, un dentiste allemand, Friedrich Ritter, et son assistante, Dore Strauch, décident de quitter Berlin et de s'installer en permanence sur Floreana. Ritter était un végétarien qui s'était fait enlever toutes les dents dans le but d'éviter toute forme de carie. De plus, il voulait prouver au monde que l'être humain pouvait subsister au-delà de l'âge de 100 ans s'il vivait en harmonie avec la nature. Trois ans plus tard, un deuxième couple d'Allemands, les Wittmers, laissent leur résidence de Cologne avec leur fils afin de construire une demeure sur Floreana et d'y mener une vie paisible. Durant ces années, ces «Robinson Crusoé» attirent l'attention du monde entier et deviennent tellement célèbres que même les yachts luxueux du millionnaire américain Allan Hanrock font escale ici pour leur rendre visite.

L'intérêt porté à Floreana attire aussi une excentrique baronne autrichienne et ses trois amants, deux Allemands et un Équatorien. Affichant un air arrogant, coiffée d'une casquette d'aviateur et portant un revolver à la ceinture, la baronne Wagner-Bousquet était déterminée à construire un luxueux hôtel pour millionnaires sur Floreana, l'Hacienda Paradiso. Puis curieusement, un à un, ces individus se mirent à disparaître. En 1934, l'Équatorien abandonne tout simplement l'île; la baronne et l'un de ses amants sont portés disparus, tandis que l'autre perd la vie, son corps étant retrouvé sur le bord de la plage. Quant au dentiste Ritter, il décède après avoir mangé un poulet empoisonné, alors que Dore Strauch quitte l'île et retourne en Allemagne. En 1963, Heinz Wittmer meurt à la suite d'un arrêt cardiaque. Aujourd'hui, Margaret Wittmer, son fils et son petit-fils continuent à vivre sur Floreana. De nombreux ouvrages relatant ces faits étranges ont été écrits depuis lors (par exemple, *Floreana*, de Margaret Wittmer, et *Isle of the Black Cats*, de Gustavo Vascónez Hurtado), mais personne ne sait vraiment ce qui s'est passé. La famille Wittmer vit dans la petite communauté de **Puerto Velasco Ibarra**.

Par ailleurs, **Post Office Bay** nous rappelle l'inauguration du système postal dans l'île de Floreana. En effet, en 1793, le Britannique James Colnett était venu étudier les possibilités de pêche à la baleine. Afin de faciliter les communications entre les îles et le continent, il installa un tonneau en bois

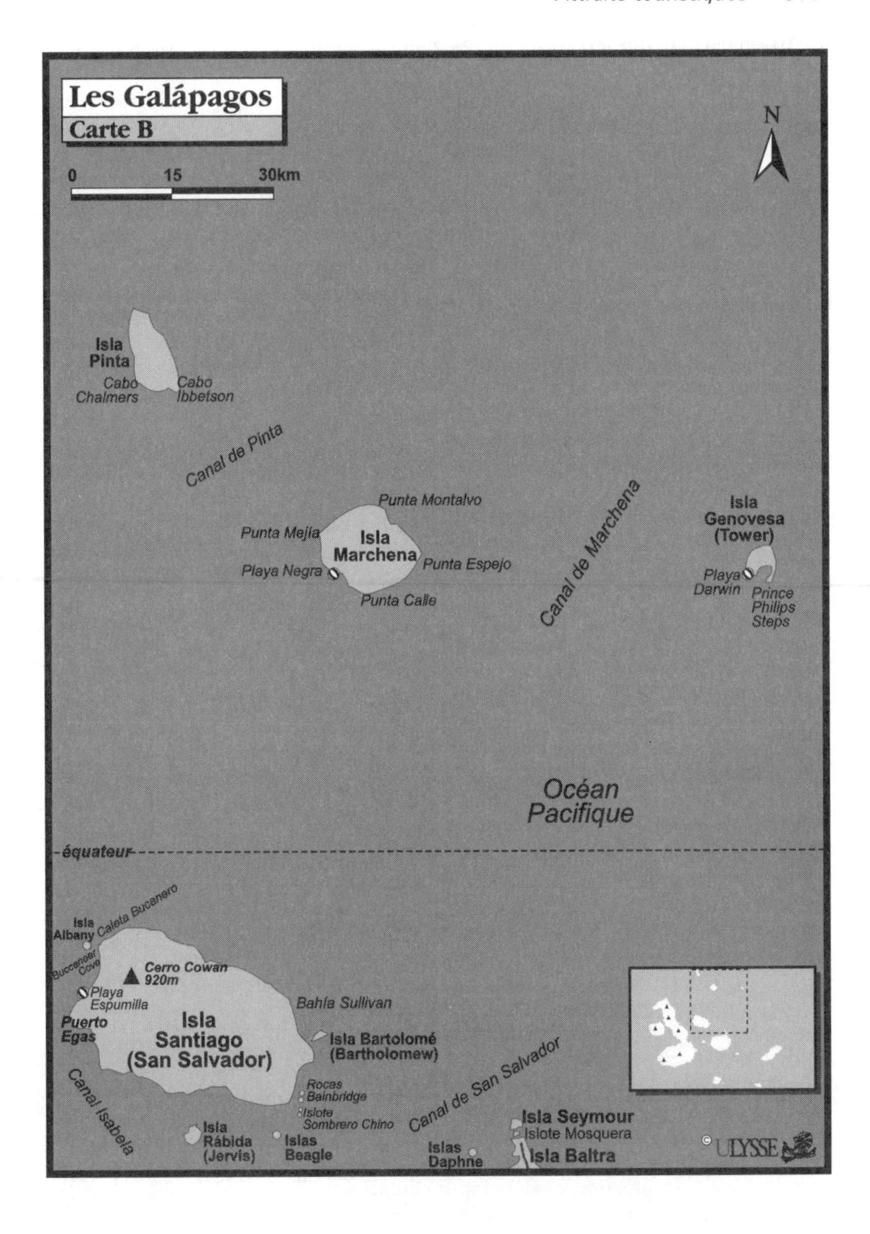
Les Galápagos
Carte B
0
15
30km
N
Isla Pinta
Cabo Chalmers
Cabo Ibbetson
Canal de Pinta
Punta Montalvo
Punta Mejía
Isla Marchena
Playa Negra
Punta Espejo
Punta Calle
Canal de Marchena
Isla Genovesa (Tower)
Playa Darwin
Prince Philips Steps
Océan Pacifique
équateur
Isla Albany
Caleta Bucanero
Buccaneer Cove
Cerro Cowan 920m
Playa Espumilla
Puerto Egas
Isla Santiago (San Salvador)
Bahía Sullivan
Isla Bartolomé (Bartholomew)
Canal Isabela
Rocas Bainbridge
Islote Sombrero Chino
Canal de San Salvador
Isla Rábida (Jervis)
Islas Beagle
Islas Daphne
Isla Seymour
Islote Mosquera
Isla Baltra
© ULYSSE

où l'on pouvait déposer des lettres. Les bateaux de passage prenaient ensuite soin d'acheminer le courrier à destination. De nos jours, les habitants de l'île encouragent les voyageurs faisant escale à Floreana à perpétuer cette tradition. En 1812, pour faire un bref retour dans l'histoire, les Américains envoient David Porter attaquer la flotte anglaise, mais il ne peut capturer aucun baleinier anglais. C'est alors qu'il entend parler du fameux baril de Floreana et décide d'y aller voir de plus près. Porter se met donc à lire toutes les lettres déposées dans le baril. Les baleiniers avaient l'habitude d'écrire à leurs familles pour leur dire où ils se dirigeaient. Pour cette raison, Porter a pu facilement prévoir où se trouvaient les Anglais et les capturer. De plus, il convainc facilement les membres de l'équipage arraisonnés de travailler pour lui, car c'était plus avantageux pour eux que d'être dans la cale du bateau, nourris au pain sec et à l'eau...

À moins de 500 m derrière le tonneau de bois se trouve une petite grotte. On peut y descendre à l'aide d'une corde.

La magnifique plage de sable «vert» de **Punta Cormorant** accueille les otaries. Derrière la plage, un petit sentier aboutit à une lagune où l'on peut parfois observer de nombreux flamants roses et d'autres espèces d'oiseaux.

Tout près de Punta Cormorant, on trouve les restes d'un cône volcanique sculpté par la mer dont les flancs abritent plusieurs espèces de la faune ailée et qu'on appelle «**couronne du diable**» (*corona del diablo*). Les eaux entourant le cône constituent l'un des meilleurs endroits pour s'adonner aux plaisirs de la plongée-tuba. Attention, malgré la beauté du monde marin, les puissants courants peuvent malheureusement entraîner les plongeurs inexpérimentés et imprudents.

Isla Española (Hood) ★★★

Cette île est la plus méridionale de l'archipel. De Santa Cruz, il faut compter au moins 10 heures pour s'y rendre. La meilleure période pour la visiter s'étend de la fin mars à la fin décembre. Durant cette période, on peut observer les célèbres albatros des Galápagos. Le premier site se nomme **Punta Suárez**. Dès votre arrivée, vous serez sans doute accueilli par des merles moqueurs qui viendront inspecter vos chaussures, et peut-être même se poser sur votre tête ou sur vos mains. N'ayez aucune crainte; il s'agit d'oiseaux très curieux et audacieux, d'où leur nom de «merle moqueur». De là, un sentier traverse plusieurs colonies de fous à pattes bleues, d'iguanes marins et peut-être d'albatros des Galápagos. La colonie de fous à pattes bleues d'Isla Española est l'une des plus grandes des Galápagos. Vous aurez aussi l'occasion d'observer une formation géologique montrant une crevasse dans la lave qui, par moments, produit un trou souffleur. L'eau accumulée dans la crevasse est comprimée par la force des vagues, puis un jet d'eau s'élève dans les airs. Si la mer est assez houleuse, le jet d'eau peut atteindre jusqu'à 20 m de hauteur. À l'est d'Española se trouve le second site, soit la jolie plage de **Gardner Bay**, souvent fréquentée par des otaries ainsi que par des iguanes terrestres. Les adeptes de la plongée-tuba ne manqueront pas d'aller explorer le fascinant monde du silence qui gît au fond de Gardner Bay.

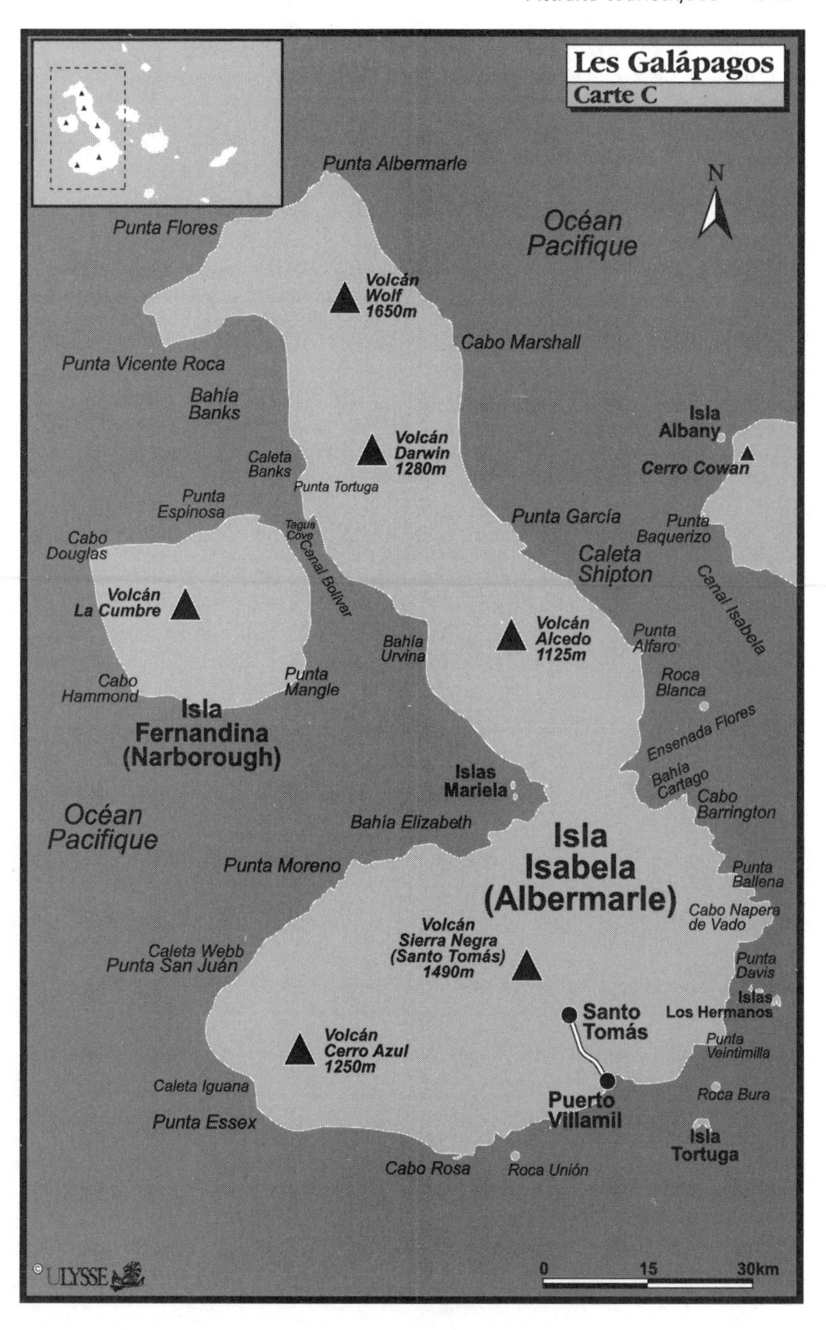
Les Galápagos
Carte C
N
Punta Albermarle
Punta Flores
Océan Pacifique
Volcán Wolf 1650m
Cabo Marshall
Punta Vicente Roca
Bahía Banks
Isla Albany
Volcán Darwin 1280m
Caleta Banks
Punta Tortuga
Cerro Cowan
Punta Espinosa
Tagus Cove
Punta García
Punta Baquerizo
Cabo Douglas
Canal Bolívar
Caleta Shipton
Canal Isabela
Volcán La Cumbre
Volcán Alcedo 1125m
Bahía Urvina
Punta Alfaro
Cabo Hammond
Punta Mangle
Roca Blanca
Isla Fernandina (Narborough)
Ensenada Flores
Islas Mariela
Bahía Cartago
Cabo Barrington
Océan Pacifique
Bahía Elizabeth
Isla Isabela (Albermarle)
Punta Moreno
Punta Ballena
Cabo Napera de Vado
Volcán Sierra Negra (Santo Tomás) 1490m
Caleta Webb
Punta San Juán
Punta Davis
Islas Los Hermanos
Santo Tomás
Volcán Cerro Azul 1250m
Punta Veintimilla
Caleta Iguana
Puerto Villamil
Roca Bura
Punta Essex
Isla Tortuga
Cabo Rosa
Roca Unión
© ULYSSE
0 15 30km

Isla San Cristóbal (Chatham) ★★

Depuis la construction d'un aéroport en 1986, **Puerto Baquerizo Moreno**, la capitale de l'archipel, attire de plus en plus de touristes. Même s'il est plus facile de former un groupe de personnes afin de participer à une croisière à partir de Puerto Ayora, il est maintenant possible d'organiser des visites des îles à partir de San Cristóbal. De plus, les bateaux du courrier (*correo*) et de l'INGALA (Institut de planification des Galápagos) (voir p 304) assurent des liaisons maritimes entre Puerto Baquerizo et Puerto Ayora, dans l'île de Santa Cruz.

La **Laguna El Junco** constitue l'une des rares sources d'eau potable de l'île. Elle se situe à plus de 700 m d'altitude. La vue y est tout à fait spectaculaire. Pour s'y rendre, on doit louer une voiture à Puerto Baquerizo Moreno.

Une petite marche de 2 km à l'est de Puerto Baquerizo Moreno permet d'atteindre **Frigatebird Hill**. De la colline, une vue magnifique domine le village.

Situé à l'extrême nord-est de San Cristóbal, **Punta Pitt** est entouré de tufs volcaniques et permet l'observation de quelques espèces d'oiseaux de mer, notamment des fous et des frégates. Ce site a été aménagé en 1989.

La petite baie de **Puerto Grande (Stephens)** fut fréquentée par des bateaux de pêcheurs et diverses embarcations durant plusieurs siècles. Les eaux qui longent sa jolie plage de sable blanc se prêtent agréablement bien à la baignade.

Isla Santiago (San Salvador ou James) ★★★

Quatrième plus grande île des Galápagos, Isla Santiago repose au nord-est de Santa Cruz et possède quatre sites intéressants. Grâce à sa colonie d'iguanes marins et à sa fascinante faune marine, **Puerto Egas** est sans doute le site le plus populaire. Puerto Egas est également une ancienne mine de sel exploitée dans les années cinquante.

Au nord de Puerto Egas, **Buccaneers Cove** fut souvent fréquenté au cours des XVIIIe et XIXe siècles par des pirates et des baleiniers qui s'y arrêtaient dans l'espoir de s'approvisionner en eau douce. D'innombrables oiseaux marins perchés sur les falaises embellissent le paysage.

Située à l'est de l'île, **Sullivan Bay** se distingue par d'énormes coulées de lave.

Les eaux de la plage de sable brun d'**Espumilla** se prêtent bien à la baignade. Derrière elle se trouve une petite lagune où s'ébattent parfois des flamants roses.

Isla Bartolomé (Bartholomew) ★★★

Située à l'est d'Isla Santiago, Isla Bartolomé est l'une des plus petites (1,1 km^2) de l'archipel, mais aussi l'une des plus intéressantes. Le paysage se distingue fortement par une récente formation volcanique; 352 marches ont été construites dans le but d'éviter l'érosion et d'accéder au sommet, où vous pourrez contempler l'un des panoramas les plus photographiés de l'archipel. Après avoir gravi toutes ces marches, allez vous détendre tranquillement sur la plage, ou baignez-vous avec les otaries. Des manchots, des requins marteaux et des tortues marines peuvent parfois y être aperçus.

Isla Rábida (Jervis) ★★

Sise au sud de Santiago, Isla Rábida, nommée ainsi en souvenir du couvent que fréquentait Christophe Colomb durant sa jeunesse, est surnommée «l'île rouge». Cela, pour la simple raison qu'elle possède une jolie plage de sable «rouge», car la lave y est riche en fer. Un groupe d'otaries vous y attend. Un premier sentier conduit à une lagune saumâtre parfois habitée par de sympathiques flamants roses. Un second sentier traverse une flore principalement composée de *palos santos* et de cactus, et permet d'observer quelques formations volcaniques.

Si vous vous promenez en bateau le long des côtes rocheuses, il se peut que vous ayez la chance d'y observer des otaries à fourrure sur les parois escarpées qui bordent l'île.

Isla Sombrero Chino ★★

Située au sud-est d'Isla Santiago, Isla Sombrero Chino doit son nom à sa forme ressemblant à un chapeau porté par les Chinois. Le relief volcanique y est particulièrement intéressant. Otaries, manchots et iguanes marins sont dispersés un peu partout dans l'île.

Isla Genovesa (Tower) ★★★

Isla Genovesa doit son nom à la ville où naquit Christophe Colomb. Cette île, la plus au nord-est de l'archipel et tout juste au nord de l'équateur, vaut définitivement le déplacement si vous êtes féru d'ornithologie. Elle porte tout à fait bien son surnom : Isla de los Pájanos (l'île des oiseaux). Imaginez près de deux millions d'oiseaux sur une superficie de 14 km². Parmi les espèces que l'on y retrouve, il y a le fou à pattes rouges, le pétrel, la frégate, le fou masqué et parfois le fou à pattes bleues. La plage de **Darwin Bay** constitue le premier site. Le second site, «**Prince Philip's Steps**», nommé ainsi après la visite du prince, se situe dans la partie est de Darwin Bay. Isla Genovesa est l'une des rares îles du monde, avec Isla Fernandina, où aucun animal n'a été introduit par l'homme.

Isla Isabela (Albemarle) ★★★

S'étalant sur 4 588 km² et parsemée de nombreux volcans actifs ainsi que d'innombrables cônes volcaniques, Isla Isabela forme la plus grande île de l'archipel des Galápagos et abrite le plus haut sommet des Îles : le volcan Wolfe, à 1707 m d'altitude. Détail intéressant pour les amateurs de statistiques, la majeure partie du volcan se trouve sous l'eau. En effet, si la vue le permettait, on constaterait que ce volcan s'élève en réalité à environ 4 600 m de hauteur à partir de sa base.

Fondé en 1887, **Puerto Villamil**, un charmant petit village de pêcheurs bordé de longues plages est situé au sud de l'île et avoisine de nombreuses lagunes d'eau salée où vivent des flamants roses ainsi que plusieurs oiseaux migrateurs.

De Puerto Villamil, une route se rend jusqu'à la petite bourgade de **Santo Tomás**. De là, vous pouvez soit dormir au village, soit marcher pendant trois heures avant d'arriver au sommet du **volcan Sierra Negra** (1 390 m). La vue y est spectaculaire. Son cratère de 11 km de diamètre est le deuxième plus grand du monde. Louer des chevaux pour se rendre au sommet représente une option intéressante.

On atteint le sommet du **volcan Alcedo** (1 120 m) après une longue marche d'environ cinq heures. Une fois que vous serez sur place, votre patience sera récompensée par une vue spectaculaire, de même que par la présence de tortues géantes. Il est possible, et même recommandé, de camper tout près du volcan. Informez-vous auprès du bureau du parc national afin d'obtenir un permis, car les tortues géantes d'Alcedo sont sérieusement menacées, et un désastre écologique risque de frapper le site. En effet, les innombrables chèvres introduites sont en train de tout détruire sur leur passage. Une campagne d'éradication est en cours, mais les scientifiques manquent de financement pour achever leur travail. Il n'est pas trop tard, mais ils doivent toutefois trouver un million de dollars pour l'année 1997.

Par ailleurs, située dans l'extrême nord d'Isla Isabela, **Punta Albemarle** fut autrefois l'emplacement d'un radar militaire américain utilisé durant la Deuxième Guerre mondiale. Aujourd'hui, on peut y apercevoir des cormorans et des iguanes marins.

Tagus Cove intéressera peut-être les amateurs d'histoire. Le site fut nommé en mémoire d'un bateau de guerre britannique qui venait ici même s'approvisionner en eau douce au début du XIXe siècle. Depuis, plusieurs personnes ont décidé d'immortaliser leur présence, comme les nombreuses et disgracieuses signatures sur la pierre tout près du site en témoignent. Ici, un escalier en bois de 126 marches permet aux voyageurs de jouir d'une très jolie vue sur le lac Darwin. Il s'agit d'un lac qui se love magnifiquement dans un immense cratère. Le sentier aboutit à un point assez élevé d'où, si le ciel est clément, on peut observer les nombreux volcans qui se dressent fièrement à l'horizon.

Un autre compromis agréable s'offre aux visiteurs après qu'ils se soient adonnés aux plaisirs de la randonnée : aller naviguer allègrement sur les vagues du Pacifique, tout près du site, pour observer, sur les parois escarpées, les nombreux crabes qui enjolivent le paysage où les otaries flânent paresseusement au soleil. Il arrive que des manchots se laissent porter par les courants froids qui encerclent l'île.

Punta Moreno, une formation de coulées de lave, est parsemée de plusieurs lagunes où s'établissent, parfois, quelques flamants roses.

Isla Fernandina (Narborough) ★★★

Située à l'ouest d'Isla Isabela, Isla Fernandina s'étend sur un territoire de 642 km² et constitue l'une des plus jeunes îles de l'archipel. De plus, il s'agit de l'une des rares îles du monde, et même la plus grande sur la planète, où aucun animal n'a jamais été introduit par l'homme. Cette île abrite un volcan actif, La Cumbre, dont la dernière éruption remonte à septembre 1988. Une impressionnante concentration d'iguanes marins (une espèce endémique), d'otaries, de cormorans et de manchots habite **Punta Espinosa.**

À cause de leur écosystème trop fragile, certaines îles ne peuvent être visitées. C'est le cas de **Pinta**, **Marchena**, **Wolfe**, **Darwin** et **Pinzón**.

ACTIVITÉS DE PLEIN AIR

La baignade et la plongée-tuba

Parcourues par le courant froid de Humboldt, les eaux qui baignent l'archipel sont relativement fraîches (autour de 20 °C) pour cette latitude. La période de janvier à fin mai est celle où l'eau est la plus chaude et donc celle qui est la plus favorable à la baignade. Toutefois, à toute époque de l'année, les baigneurs que ne rebutera pas la fraîcheur de l'eau seront récompensés par la beauté et la richesse de la faune et de la flore marines. Les amateurs seront donc bien avisés de se munir de l'équipement nécessaire (masque et palmes).

Les eaux longeant la magnifique plage de sable «blanc» de **Turtle Bay** de l'**Isla Santa Cruz** offrent de belles occasions de baignade.

À **Plaza Sur**, il est possible de nager avec les otaries, mais ne vous aventurez pas trop dans leur territoire, car elles peuvent vous mordre si elles se sentent menacées.

Il est possible de s'adonner aux plaisirs de la baignade et de la plongée-tuba dans les eaux qui entourent l'**Isla Mosquera**.

À l'**Isla Santa María (Floreana ou Charles)**, les eaux entourant la «**couronne du diable**» (*corona del diablo*) constituent l'un des meilleurs endroits de l'archipel pour s'adonner aux plaisirs de la plongée-tuba.

À l'**Isla San Cristóbal**, les eaux bordant la jolie plage de sable «blanc» de la baie de **Puerto Grande (Stephens)** se prêtent agréablement bien à la baignade.

À l'**Isla Santiago (San Salvador ou James)**, **Puerto Egas** offre l'occasion d'explorer les fonds marins de l'île, tandis que les eaux longeant la plage de sable «brun» d'**Espumilla** se prêtent bien à la baignade.

Les eaux bordant la longue plage de sable «blanc» de l'**Isla Bartolomé (Bartholomew)** fait le bonheur des baigneurs et des amants de faune marine.

L'ornithologie

De nombreux oiseaux marins nichent dans les falaises d'**Isla Plaza Sur**.

La plus grande colonie de frégates de toute l'archipel se trouve sur l'**Isla Seymour**. Des fous à pattes bleues s'y retrouvent aussi en grand nombre.

L'**Isla Daphné** constitue un bon endroit où observer des fous et des frégates.

Sur l'**Isla Española (Hood)**, entre la fin mars et la fin décembre, on peut admirer les célèbres albatros des Galápagos ainsi que des colonies de fous à pattes bleues.

Des fous et des frégates peuvent être observés à **Punta Pitt**, dans l'**Isla de San Cristóbal (Chatham)**.

Sur l'**Isla Santiago (San Salvador ou James)**, plusieurs oiseaux marins peuvent être aperçus au nord de **Puerto Egas**, à **Buccaneers Cove**.

L'**Isla Genovesa (Tower)** constitue un endroit de rêve pour les amateurs d'ornithologie. On y trouve de nombreuses colonies de fous à pattes rouges ainsi que d'innombrables espèces ailées telles que le pétrel, la frégate, le fou masqué et parfois le fou à pattes bleues.

Des flamants roses et de nombreux oiseaux marins peuvent être aperçus à **Puerto Villamil**, dans l'**Isla Isabela (Albemarle)**.

HÉBERGEMENT

Puerto Ayora

Le **Residencial Los Amigos** *(8 $; Avenida Charles Darwin, en face des bureaux de TAME, ☎ 05-526-265)* accueille depuis des années les voyageurs soucieux de leur budget et à la recherche de chambres partagées et simples au décor modeste. La propriétaire, Rosa Rosero, est sympathique et falicitera votre visite des Galápagos.

Bien que les chambres de l'hôtel **Darwin** *(8 $; Avenida Charles Darwin, ☎ 05-526-178)* laissent à désirer et que la décoration soit inexistante, il faut admettre que le prix à débourser est difficile à battre.

L'hôtel **Sir Francis Drake** *(10 $; ≡, bp, ℜ; Calle Padre Julio Herrera et Charles Winford, ☎ 05-526-221)* dispose de chambres relativement propres, mais malheureusement austères et peu éclairées. Les salles de bain sont privées, mais elles sont toutes situées dans la cour intérieure de l'hôtel, à quelques enjambées des chambres.

Tenu par des témoins de Jéhova, le Bed & Breakfast **La Peregrina** *(10 $; bc; Avenida Charles Darwin)* renferme quelques chambres modestement décorées et à prix économiques. Le personnel est sympathique et offre un service de lessive.

Pour quelques dollars de plus, à deux pas de l'Avenida Charles Darwin, l'hôtel **Las Palmeras** *(12 $; bp, ≡; Calle Tomás de Berlanga et Bolívar, ☎ 526-373, réservations de Quito : ☎ 05-237-098)* accueille les touristes et propose des chambres propres et bien équipées.

L'**Hotel Salinas** *(12 $; bp, Calle Tomás de Berlanga et Bolívar, ☎ 05-526-107)* est un établissement aussi économique pour se loger que son voisin, l'hôtel Las Palmeras (voir ci-dessus). Réparties sur deux étages, ses 24 chambres sont munies d'un ventilateur de plafond et sont relativement propres.

Les 26 chambres de l'**Hotel Lirio del Mar** *(12 $; ≡, bp, ℜ; ☎ 05-526-212, réservations de Guayaquil : ☎ 04-460-865 ou 04-460-607)* sont distribuées sur trois étages. Elles s'avèrent propres, modernes et spacieuses, mais dénuées de charme.

Tout près du Residencial Angermeyer, à une dizaine de minutes de marche de l'arrêt d'autobus, l'hôtel familial **Fernandina** *(18 $; ≡, bp, ec, ℜ; Quito, ☎ 02-538-686 ou ☎ 441-678)* dispose d'une quinzaine de chambres propres aux planchers de bois franc et avec douche dont l'eau est chauffée à l'électricité.

L'**Hotel Fiesta** *(20 $; ℜ, bp, ≡; en direction de Tortuga Bay, ☎ 05-526-440)* plaira à ceux qui souhaitent s'éloigner un peu de l'activité centrale de Puerto Ayora. L'établissement est pourvu de six *cabañas* propres, spacieuses et bien équipées, ainsi que de quelques autres chambres construites autour du bâtiment principal. Les hôtes peuvent se détendre paisiblement dans les hamacs accrochés devant l'hôtel à la suite d'une journée de randonnée. Le personnel est sympathique et attentionné.

Juste à côté de la banque, l'**Hotel Solymar** *(25 $, 30 $, 35 $ ou 45 $; bp, ℜ; Avenida Charles Darwin)* est agréablement situé au bord de l'eau et est surtout réputé pour sa terrasse, où l'on peut prendre le petit déjeuner en toute quiétude tout en contemplant les iguanes marins. Les meilleures chambres sont dotées d'un ventilateur de plafond, donnent accès sur la mer et offrent un balcon. Le prix des chambres descendra un peu si elles se trouvent au premier étage, mais elles s'ouvrent néanmoins sur la mer. Des chambres austères, mal aérées, situées derrière l'établissement, sont aussi en location.

Si vous ne faites pas attention, vous pourriez croiser facilement sans le voir l'**Hotel Red Mangrove** *(40 $; bp, ec, ℜ; en direction de la Station Charles Darwin; réservations de Guayaquil : ☎ 04-880-618, ⇄ 880-617)*, et cela serait dommage. Tout juste avant l'hôtel Galápagos, ce charmant petit établissement construit parmi des palétuviers se veut idéal pour un séjour agréable près de l'eau. Trois coquettes chambres s'ouvrent magnifiquement sur la mer, et une quatrième donne sur l'arrière, mais toutes sont rigoureusement bien entretenues. La salle à manger est garnie d'un hamac et de fauteuils confortables avec terrasse offrant une vue sur le Pacifique. Son cadre romantique et son personnel sympathique en font un établissement présentant l'un des meilleurs rapports qualité/prix à Puerto Ayora.

À deux pas de la jetée, l'**Hotel Ninfa's** *(54 $ pdj; ≡, ≈, bp, ℜ)* loue 25 chambres spacieuses, propres, bien équipées et réparties sur deux étages. Les chambres du deuxième étage sont plus éclairées. Des tables de billard et de ping-pong permettent aux hôtes de se divertir à toute heure du jour. Les propriétaires possèdent leur propre bateau et organisent des visites des îles.

Le **Hotel Angermeyer** *(95 $; ℜ, ≈, bp, ⊗, ec; Avenida Charles Darwin et Piqueros, à quelques minutes de la Station, réservations de Quito : ☎ 02-222-198, ⇄ 230-981, ☎ et ⇄ 05-526-277)*, un ancien lieu de rencontre pour jeunes voyageurs, a été transformé en hôtel de luxe. Une jolie piscine qu'un petit pont enjambe se situe dans la cour intérieure entourée de grands palmiers et de fleurs, et grouillant d'oiseaux. Au-dessus du deuxième étage, sur sa terrasse, on peut tranquillement prendre un verre tout en observant au loin la mer à l'horizon. Mis à part la cuisinière, tout fonctionne à l'énergie solaire. Ses 21 chambres propres et spacieuses aux tons pastel, et son personnel sympathique parlant l'anglais, l'allemand et, bien sûr, l'espagnol en font assurément l'un des meilleurs hôtels de Puerto Ayora.

Au milieu de 5 ha de végétation luxuriante où pépient une multitude d'oiseaux cachés au sein des branches alors que des iguanes déambulent à l'ombre de leur feuillage, les 14 chambres de l'**Hotel Galápagos** *(95 $; ℜ, bp, ec; juste avant la Station Charles Darwin, ☎ et ⇄ 05-526-330, réservations de Guayaquil : ⇄ 04-564-636)* offrent une jolie vue sur la mer et se révèlent très propres et bien aérées. Après vous être baladé toute la journée tout en observant les richesses naturelles de l'archipel, vous pourrez vous allonger nonchalamment dans un des hamacs accrochés sous la hutte au toit de paille, tout en sirotant un verre de *piña colada* sans perdre de vue le spectacle du flamboyant coucher de soleil...

Pour un séjour tranquille, romantique et tout à fait mémorable, l'**Hotel Delfín** *(95 $; ℜ, ≈, ⊗, bp, ec)*, accessible uniquement par bateau, vous accueille dans un cadre enchanteur. Une charmante plage privée est à la disposition des visiteurs, qui pourront profiter de sa quiétude et de sa splendeur pour s'y prélasser à la suite d'une journée de randonnée dans les îles. Ceux qui préfèrent se baigner dans l'eau douce opteront sans doute pour la très jolie piscine creusée juste derrière la plage, où s'étend une grande terrasse avec chaises longues pour se sécher au soleil après avoir fait trempette. Ses chambres, quant à elles, sont situées à deux pas de la plage et de la piscine, et sont réparties sur deux étages. Toutes s'avèrent propres, lumineuses, spacieuses et soigneusement décorées de tons pastel. Le personnel est prêt à combler vos moindres désirs et parle l'anglais, l'allemand et l'espagnol. L'établissement loge généralement les croisiéristes du bateau *Delfín II*, appartenant à l'agence Metropolitan Touring (voir p 57).

Isla Isabela

Camper près du volcan Alcedo représente une option économique et agréable. Adressez-vous au bureau du parc national afin d'obtenir un permis.

Isla San Cristóbal

L'**Hotel Galápagos** *(15 $; à l'est du village)* est une adresse qui conviendra aux voyageurs dont le budget est restreint.

L'un des meilleurs hôtels de l'île est également l'un des plus chers. Outre ses chambres propres et bien équipées, le **Gran Hotel San Cristóbal** *(30 $; bp, ec, ℜ)* dispose d'une charmante petite plage privée qui plaira sûrement aux voyageurs en quête d'un peu de tranquillité.

RESTAURANTS

Puerto Ayora

Le petit restaurant **El Booby** *($; à côté de l'arrêt d'autobus)* offre un décor des plus modestes, mais prépare d'excellents plats de fruits de mer.

Aux alentours de 19 h, tout près du bureau de poste, quelques cantines ouvrent leurs portes pour la soirée. L'un des noms à retenir est celui de **Williams** *($)*. L'endroit est petit, à peine trois ou quatre tables; on y mange coude à coude; la décoration est inexistante, mais il n'y a aucun reproche à faire quant à la qualité de la nourriture. Vous êtes l'hôte d'une famille d'Esmeraldas qui a planté ses racines aux Galápagos et qui mitonne de délicieux plats de la Costa. Laissez-vous tenter par les nombreux plats de poisson au lait de coco.

Le petit restaurant de l'hôtel **Red Mangrove** *($; Avenida Charles Darwin)* n'affiche pas de menu. Cependant, la propriétaire peut préparer d'excellents plats en tout genre si on l'avise à l'avance. En prime, vous aurez une vue saisissante sur la mer.

Le service du restaurant chinois **Asia** *($; Avenida Charles Darwin)* est assez lent; on y prépare, outre des mets asiatiques, des plats de fruits de mer et de poisson.

Voisin de la discothèque La Panga, le restaurant **La Garrapata** *($$; Avenida Charles Darwin, à côté de l'église)* constitue un lieu de rencontre populaire auprès des touristes. On y propose une cuisine simple et variée dont le menu est composé de viandes, pâtes, poissons et fruits de mer. On peut régler l'addition avec une carte de crédit, mais un supplément d'environ 10 % vous sera alors facturé.

Ceux qui souhaitent manger autre chose que du poisson et des fruits de mer peuvent se rendre à l'excellent restaurant italien **Las 4 Lanternas** *($$; en face de la baie des Pélicans).* Il dispose d'une grande terrasse où l'on peut déguster d'excellentes pizzas et lasagnes maison. Atmosphère agréable et personnel sympathique.

Le restaurant de l'hôtel **Angermayer** *($$; adjacent à l'hôtel)* propose un excellent menu quotidien de cuisine locale qui varie selon les caprices de la mer. Une petite terrasse recouverte a été aménagée pour les personnes souhaitant manger au grand air, tandis qu'une salle à manger plus intime se situe à l'intérieur de l'établissement.

SORTIES

Puerto Ayora

Malgré le fait que l'on coupe le courant vers minuit tous les soirs, quelques endroits possèdent leur propre génératrice d'électricité et demeurent parfois ouverts jusqu'à 2 h du matin. Le disco-bar **La Panga** *(Avenida Charles Darwin, à côté du restaurant La Garrapata)* reçoit autant les touristes que les résidants à la tombée du jour. L'établissement renferme quelques tables de billard.

Le **Bar de Frank** *(Avenida Charles Darwin)* est un petit bar sans prétention. où un disque-jockey choisit judicieusement les chansons. Quelques tables sont disposées sur une terrasse devant la mer.

MAGASINAGE

Puerto Ayora

L'Avenida Charles Darwin est parsemée de boutiques qui vendent des t-shirts, des livres, des pellicules photo et de la crème solaire. N'oubliez pas que tout ce que vous achèterez aux Galápagos coûtera beaucoup plus cher que sur le continent. Avant d'arriver dans l'archipel, munissez-vous donc de pellicules photo et de crème solaire. Les profits engendrés par la vente des t-shirts à la Station Charles Darwin sont directement versés aux fonds de recherche. Par ailleurs, pour une raison obscure, la majorité des commerces n'acceptent pas la carte Visa.

LEXIQUE

PRÉSENTATIONS

au revoir	*adiós, hasta luego*
bon après-midi ou bonsoir	*buenas tardes*
bonjour (forme familière)	*hola*
bonjour (le matin)	*buenos días*
bonne nuit	*buenas noches*
célibataire (m/f)	*soltero/a*
comment allez-vous?	*¿qué tal?*
copain/copine	*amigo/a*
de rien	*de nada*
divorcé(e)	*divorciado /a*
enfant (garçon/fille)	*niño/a*
époux, épouse	*esposo/a*
excusez-moi	*perdone/a*
frère, sœur	*hermano/a*
je suis belge	*Soy belga*
je suis canadien(ne)	*Soy canadiense*
je suis désolé, je ne parle pas espagnol	*Lo siento, no hablo español*
je suis français(e)	*Soy francés/a*
je suis québécois(e)	*Soy quebequense*
je suis suisse	*Soy suizo*
je suis un(e) touriste	*Soy turista*
je vais bien	*estoy bien*
marié(e)	*casado/a*
merci	*gracias*
mère	*madre*
mon nom de famille est...	*mi apellido es...*
mon prénom est...	*mi nombre es...*
non	*no*
oui	*sí*
parlez-vous français?	*¿habla usted francés?*
père	*padre*
plus lentement s'il vous plaît	*más despacio, por favor*
quel est votre nom?	*¿cómo se llama usted?*
s'il vous plaît	*por favor*
veuf(ve)	*viudo/a*

DIRECTION

à côté de	*al lado de*
à droite	*a la derecha*
à gauche	*a la izquierda*
dans, dedans	*dentro*
derrière	*detrás*

devant	*delante*
en dehors	*fuera*
entre	*entre*
ici	*aquí*
il n'y a pas...	*no hay...*
là-bas	*allí*
loin de	*lejos de*
où se trouve ... ?	*¿dónde está ... ?*
pour se rendre à...?	*¿para ir a...?*
près de	*cerca de*
tout droit	*todo recto*
y a-t-il un bureau de tourisme ici?	*¿hay aquí una oficinade turismo?*

L'ARGENT

argent	*dinero/plata*
carte de crédit	*tarjeta de crédito*
change	*cambio*
chèque de voyage	*cheque de viaje*
je n'ai pas d'argent	*no tengo dinero*
l'addition, s'il vous plaît	*la cuenta, por favor*
reçu	*recibo*

LES ACHATS

acheter	*comprar*
appareil photo	*cámara*
argent	*plata*
artisanat typique	*artesanía típica*
bijoux	*joyeros*
cadeaux	*regalos*
combien cela coûte-t-il?	*¿cuánto es?*
cosmétiques et parfums	*cosméticos y perfumes*
disques, cassettes	*discos, casetas*
en/de coton	*de algodón*
en/de cuir	*de cuero/piel*
en/de laine	*de lana*
en/de toile	*de tela*
fermé	*cerrado/a*
film, pellicule photographique	*rollo/film*
j'ai besoin de ...	*necesito ...*
je voudrais	*quisiera...*
je voulais	*quería...*
journaux	*periódicos/diarios*
la blouse	*la blusa*
la chemise	*la camisa*

la jupe	*la falda/la pollera*
la veste	*la chaqueta*
le chapeau	*el sombrero*
le client, la cliente	*el/la cliente*
le jean	*los tejanos/los vaqueros/los jeans*
le marché	*mercado*
le pantalon	*los pantalones*
le t-shirt	*la camiseta*
le vendeur, la vendeuse	*vendedor/a*
les chaussures	*los zapatos*
les lunettes	*las gafas*
les sandales	*las sandalias*
montre-bracelet	*el reloj(es)*
or	*oro*
ouvert	*abierto/a*
pierres précieuses	*piedras preciosas*
piles	*pilas*
produits solaires	*productos solares*
revues	*revistas*
un grand magasin	*almacén*
un magasin	*una tienda*
un sac à main	*una bolsa de mano*
vendre	*vender*

DIVERS

beau	*hermoso*
beaucoup	*mucho*
bon	*bueno*
bon marché	*barato*
chaud	*caliente*
cher	*caro*
clair	*claro*
court	*corto*
court (pour une personne petite)	*bajo*
étroit	*estrecho*
foncé	*oscuro*
froid	*frío*
gros	*gordo*
j'ai faim	*tengo hambre*
j'ai soif	*tengo sed*
je suis malade	*estoy enfermo/a*
joli	*bonito*
laid	*feo*
large	*ancho*

lentement	*despacio*
mauvais	*malo*
mince, maigre	*delgado*
moins	*menos*
ne pas toucher	*no tocar*
nouveau	*nuevo*
où?	*¿dónde?*
grand	*grande*
petit	*pequeño*
peu	*poco*
plus	*más*
qu'est-ce que c'est?	*¿qué es esto?*
quand	*¿cuando?*
quelque chose	*algo*
rapidement	*rápidamente*
rien	*nada*
vieux	*viejo*

LES NOMBRES

0	*zero*
1	*uno ou una*
2	*dos*
3	*tres*
4	*cuatro*
5	*cinco*
6	*seis*
7	*siete*
8	*ocho*
9	*nueve*
10	*diez*
11	*once*
12	*doce*
13	*trece*
14	*catorce*
15	*quince*
16	*dieciséis*
17	*diecisiete*
18	*dieciocho*
19	*diecinueve*
20	*veinte*
21	*veintiuno*
22	*veintidós*
23	*veintitrés*
24	*veinticuatro*
25	*veinticinco*

26	*veintiséis*
27	*veintisiete*
28	*veintiocho*
29	*veintinueve*
30	*treinta*
31	*treinta y uno*
32	*treinta y dos*
40	*cuarenta*
50	*cincuenta*
60	*sesenta*
70	*setenta*
80	*ochenta*
90	*noventa*
100	*cien/ciento*
200	*doscientos, doscientas*
500	*quinientos, quinientas*
1 000	*mil*
10 000	*diez mil*
1 000 000	*un millón*

LA TEMPÉRATURE

il fait chaud	*hace calor*
il fait froid	*hace frío*
nuages	*nubes*
pluie	*lluvia*
soleil	*sol*

LE TEMPS

année	*año*
après-midi, soir	*tarde*
aujourd'hui	*hoy*
demain	*mañana*
heure	*hora*
hier	*ayer*
jamais	*jamás, nunca*
jour	*día*
maintenant	*ahora*
minute	*minuto*
mois	*mes*
nuit	*noche*
pendant le matin	*por la mañana*
quelle heure est-il?	*¿qué hora es?*
semaine	*semana*
dimanche	*domingo*
lundi	*lunes*

mercredi	*miércoles*
jeudi	*jueves*
vendredi	*viernes*
samedi	*sábado*
janvier	*enero*
février	*febrero*
mars	*marzo*
avril	*abril*
mai	*mayo*
juin	*junio*
juillet	*julio*
août	*agosto*
septembre	*septiembre*
octobre	*octubre*
novembre	*noviembre*
décembre	*diciembre*

LES COMMUNICATIONS

appel à frais virés (PCV)	*llamada por cobrar*
attendre la tonalité	*esperar la señal*
composer le préfixe	*marcar el prefijo*
courrier par avion	*correo aéreo*
enveloppe	*sobre*
interurbain	*larga distancia*
la poste et l'office des télégrammes	*correos y telégrafos*
le bureau de poste	*la oficina de correos*
les timbres	*estampillas/sellos*
tarif	*tarifa*
télécopie (fax)	*telecopia*
télégramme	*telegrama*
un annuaire de téléphone	*un botín de teléfonos*

LES ACTIVITÉS

musée ou galerie	*museo*
nager, se baigner	*bañarse*
plage	*playa*
plongée sous-marine	*buceo*
se promener	*pasear*

LES TRANSPORTS

à l'heure prévue	*a la hora*
aéroport	*aeropuerto*
aller simple	*ida*

aller-retour	*ida y vuelta*
annulé	*annular*
arrivée	*llegada*
avenue	*avenida*
bagages	*equipajes*
coin	*esquina*
départ	*salida*
est	*este*
gare, station	*estación*
horaire	*horario*
l'arrêt d'autobus	*una parada de autobús*
l'arrêt s'il vous plaît	*la parada, por favor*
l'autobus	*el bus*
l'avion	*el avión*
la bicyclette	*la bicicleta*
la voiture	*el coche, el carro*
le bateau	*el barco*
le train	*el tren*
nord	*norte*
ouest	*oeste*
passage de chemin de fer	*crucero ferrocarril*
rapide	*rápido*
retour	*regreso*
rue	*calle*
sud	*sur*
sûr, sans danger	*seguro/a*
taxi collectif	*taxi colectivo*

LA VOITURE

à louer, qui prend des passagers	*alquilar*
arrêt	*alto*
arrêtez	*pare*
attention, prenez garde	*cuidado*
autoroute	*autopista*
défense de doubler	*no adelantar*
défense de stationner	*prohibido aparcar o estacionar*
essence	*petróleo, gasolina*
feu de circulation	*semáforo*
interdit de passer, route fermée	*no hay paso*
limite de vitesse	*velocidad permitida*
piétons	*peatones*
ralentissez	*reduzca velocidad*
station-service	*servicentro*
stationnement	*parqueo/estacionamiento*

L'HÉBERGEMENT

air conditionné	*aire a condicionado*
ascenseur	*ascensor*
avec salle de bain privée	*con baño privado*
basse saison	*temporada baja*
chalet (de plage), bungalow	*cabaña*
chambre	*habitación*
double, pour deux personnes	*doble*
eau chaude	*agua caliente*
étage	*piso*
gérant, patron	*gerente, jefe*
haute saison	*temporada alta*
hébergement	*alojamiento*
lit	*cama*
petit déjeuner	*desayuno*
piscine	*piscina*
rez-de-chaussée	*planta baja*
simple, pour une personne	*sencillo*
toilettes, cabinets	*baños*
ventilateur	*ventilador*

Quelques indications sur la prononciation de l'espagnol en Amérique centrale et dans les Antilles

CONSONNES

c — Tout comme en français, le *c* est doux devant *i* et *e*, et se prononce alors comme un **s** : *cerro* (serro). Devant les autres voyelles, il est dur : *carro* (karro). Le *c* est également dur devant les consonnes, sauf devant le *h* (voir plus bas).

g — De même que pour le *c*, devant *i* et *e* le *g* est doux, c'est-à-dire qu'il est comme un souffle d'air qui vient du fond de la gorge : *gente* (hhente).

Devant les autres voyelles, il est dur : *golf* (se prononce comme en français). Le *g* est également dur devant les consonnes.

ch — Se prononce **tch**, comme dans «Tchad» : *leche* (letche). Tout comme pour le *ll*, c'est comme s'il s'agissait d'une autre lettre, listée à part dans les dictionnaires et dans l'annuaire du téléphone.

h — Ne se prononce pas : *hora* (ora)

j — Se prononce comme le **h** de «him», en anglais.

ll — Se prononce comme **y** dans «yen» : *llamar* (yamar). Dans certaines régions, par exemple le centre de la Colombie, *ll* se prononce comme **j** de «jujube» (*Medellín* se prononce Medejin). Tout comme pour le *ch*, c'est comme s'il s'agissait d'une autre lettre, listée à part dans les dictionnaires et dans l'annuaire du téléphone.

ñ Se prononce comme le **gn** de «beigne» : *señora* (segnora).

r Plus roulé et moins guttural qu'en français, comme en italien.

s Toujours **s** comme dans «singe» : *casa* (cassa)

v Se prononce comme un **b** : *vino* (bino)

z Comme un **s** : *paz* (pass)

VOYELLES

e Toujours comme un **é** : *helado* (élado)

sauf lorsqu'il précède deux consonnes, alors il se prononce comme un **è** : *encontrar* (èncontrar)

u Toujours comme **ou** : *cuenta* (couenta)

y Comme un **i** : *y* (i)

Toutes les autres lettres se prononcent comme en français.

ACCENT TONIQUE

En espagnol, chaque mot comporte une syllabe plus accentuée. Cet accent tonique est très important en espagnol et s'avère souvent nécessaire pour sa compréhension par vos interlocuteurs. Si, dans un mot, une voyelle porte un accent aigu (le seul utilisé en espagnol), c'est cette syllabe qui doit être accentuée. S'il n'y a pas d'accent sur le mot, il faut suivre la simple règle suivante :

On doit accentuer l'avant-dernière syllabe de tout mot qui se termine par une voyelle : a*mi*go.

On doit accentuer la dernière syllabe de tout mot qui se termine par une consonne sauf ***s*** (pluriel des noms et adjectifs) ou ***n*** (pluriel des verbes) : us***ted*** (mais a***mi***gos, ***ha***blan).

INDEX

Le plaisir...

Notes de voyages

■ GUIDES DE VOYAGE ULYSSE

- ☐ Arizona et Grand Canyon 24,95 $
- ☐ Boston 17,95 $
- ☐ Côte d'Azur - Alpes-Maritimes - Var 24,95 $
- ☐ Californie 29,95 $
- ☐ Chicago 19,95 $
- ☐ Costa Rica 24,95 $
- ☐ Côte-Nord 22,95 $
- ☐ Cuba 24,95 $
- ☐ Disney World 22,95 $
- ☐ Équateur 24,95 $
- ☐ Floride 29,95 $
- ☐ Gaspésie Bas-Saint-Laurent Îles-de-la-Madeleine 22,95 $
- ☐ Gîtes du Passant au Québec 12,95 $
- ☐ Guadeloupe 24,95 $
- ☐ Honduras 24,95 $
- ☐ Jamaïque 22,95 $
- ☐ Le Québec 29,95 $
- ☐ Louisiane 24,95 $
- ☐ Martinique 24,95 $
- ☐ Mexique Côte Pacifique 24,95 $
- ☐ Montréal en métro 14,95 $
- ☐ Montréal 19,95 $
- ☐ Nicaragua 24,95 $
- ☐ Nouvelle-Orléans 17,95 $
- ☐ Nouvelle-Angleterre 29,95 $
- ☐ Ontario 24,95 $
- ☐ Ouest canadien 24,95 $
- ☐ Panamá 24,95 $
- ☐ Plages du Maine 12,95 $
- ☐ Portugal 24,95 $
- ☐ Provence 24,95 $
- ☐ Provinces maritimes 24,95 $
- ☐ République Dominicaine 24,95 $
- ☐ Saguenay - Lac St-Jean - Charlevoix 22,95 $
- ☐ El Salvador 22,95 $
- ☐ San Francisco 17,95 $
- ☐ Toronto 18,95 $
- ☐ Vancouver 14,95 $
- ☐ Venezuela 29,95 $
- ☐ Ville de Québec et environs 22,95 $

■ ULYSSE PLEIN SUD

- ☐ Acapulco 14,95 $
- ☐ Cancun 17,95 $
- ☐ Cape Cod - Nantucket 16,95 $
- ☐ Carthagène 9,95 $
- ☐ Puerto Vallarta 14,95 $
- ☐ Saint-Martin Saint-Barthélemy 16,95 $

■ ESPACES VERTS ULYSSE

- ☐ Cyclotourisme en France 22,95 $
- ☐ Motoneige au Québec 19,95 $
- ☐ Nouvelle-Angleterre à vélo 19,95 $
- ☐ Randonnée pédestre dans le Nord-Est des États-Unis 19,95 $
- ☐ Randonnée pédestre Montréal et environs 19,95 $
- ☐ Randonnée pédestre au Québec 19,95 $
- ☐ Ski de fond au Québec 19,95 $

■ JOURNAUX DE VOYAGE ULYSSE

- ☐ Journal de voyage Ulysse 12,95 $
- ☐ Journal de voyage Ulysse 80 jours (couvert rigide) 14,95 $
- ☐ Journal de voyage Ulysse (spirale) bleu - vert - rouge ou jaune 11,95 $
- ☐ Journal de voyage Ulysse (format poche) bleu - vert - rouge ou jaune 8,95 $

QUANTITÉ	TITRE	PRIX	TOTAL

Total partiel	
Poste-Canada*	4,00 $
Total partiel	
T.P.S. 7%	
Total	

Nom : ....

Adresse : ....

....

....

Paiement : ☐ **Visa** ☐ **Master Card** **Numéro de carte :** ....

Expiration : ....

ULYSSE L'ÉDITEUR DU VOYAGE

4176, rue Saint-Denis, Montréal, Québec

☎ (514) 843-9447 fax (514) 843-9448

Pour l'Europe, s'adresser aux distributeurs, voir liste p. 2

* Pour l'étranger, compter 15 $ de frais d'envoi